마법같은 블록구문

삶을 바꿀 영어 학습의 혁명!
컬러 과학과 의미 기억의 힘!

Marvel Book

김승영 고지영

영어문장 완전정복의 경이로운 안내서
문제 풀며 즐기는 동서고금 명문장 향연

기본편

저자
김승영 연세대 영어영문학과 졸업
연세대 교육대학원 영어교육학과 졸업
전 계성여고 교사
'한국 영어 교재 개발 연구소' 대표
저서 뜯어먹는 중학·수능 영단어 시리즈(동아출판)
주니어 능률 VOCA 숙어편(NE능률) 외 다수

고지영 서강대 영어영문학과 졸업
서울대 사범대학원 영어교육학과 졸업
'한국 영어 교재 개발 연구소' 책임 연구원
저서 뜯어먹는 중학·수능 영단어 시리즈(동아출판)
주니어 능률 VOCA 숙어편(NE능률) 외 다수

감수
우성희 연세대 영어영문학과 졸업
영어학 박사 / 일리노이주립대 객원학자
교과서도서 검정심의회 검정위원
현 대일외국어고등학교 국제교육부장
현 서경대학교 교양학부 겸임교수

검토·강의 Jay 전홍철
검토 Robin Klinkner(영문 교열)
김세훈 김인수 오석우
장현희 윤수진 권태영
김민정 송태경 명가은
이성윤 이시현 이미현
개발 이희민 송지연
디자인 우진아 유지인

발행일 2020년 12월 1일
펴낸날 2020년 12월 1일
제조국 대한민국
펴낸곳 (주)비상교육
펴낸이 양태회
신고번호 제2002-000048호
출판사업총괄 최대찬
개발총괄 채진희
개발책임 송경화
디자인책임 김재훈
영업책임 이지웅
품질책임 석진안
마케팅책임 이은진
대표전화 1544-0554
주소 경기도 과천시 과천대로2길 54

visang

마법같은 블록구문

Marvel Book 기본편

Organization & Strategies

영어문장 완전정복 게임에 등장하는 12가지 막강 전통 • 첨단 무기들

여기에 여러분이 이제껏 한 번도 듣도 보도 못했을 새로운 무기가 있다. 처음엔 다소 낯설기도 하겠지만 한 번 그 위력을 맛보게 되면 다시는 이전으로 되돌아가지 못하리라. 다른 기술 진보와 마찬가지로 학습법의 진보 역시 되돌릴 수 없는 것이다.

<마블북(Marvel Book) · 레인보우북(Rainbow Book) · 메모리북(Memory Book)>

1 문장성분별 컬러화: 영어 문장성분인 주어·동사·보어·목적어를 자연계의 하늘·에너지·초목·땅의 상징 컬러인 파랑·빨강·초록·갈색에 대응시켜 직관적으로 영어문장의 구성 요소와 어순이 파악·습득·체화·각인될 수 있게 한다.

컬러	자연계 상징	문장성분	기능
파랑	하늘	주어	문장의 주체
빨강	불[에너지]	동사	주어의 동작·상태
초록	초목	보어	주어의 정체·성질
갈색	땅	목적어	동사의 대상
보라	장식	부사어	동사의 수식

2 Stage별 단계적[나선형] 학습 과정: 영어문장 완전정복을 위한 '단계적[나선형] 학습'(Spiral Learning) 과정을 3단계로 짜서, 정교하게 통제된 문장들을 통해 학습자가 좌절·포기하지 않고 게임을 즐기듯 자연스레 전체 숲에서 세부 나무들로 나아가게 한다.

Stage I	문장성분별 개별 단어 수준에서 영어문장의 기본 구조와 동사에 집중.
Stage II	명사구(v-ing/to-v)에서 절(명사절/관계절) 수준으로 확장.
Stage III	주성분별 총정리 후, 부사절 포함 모든 문장/특수 구문으로 완결.

3 명문[인용문](Quotation) 의미 학습: 언어 학습·기억 효과에 결정적 영향을 미치는 '의미'를 중심으로, 고전·최신 주제를 망라한 3000년 동서고금의 인상적인 명문[인용문]들을 총동원해, 영어 실력은 물론 고급 교양까지 갖춘 세계 문화인으로 거듭나게 한다.

4 내신·수능·실력·교양 일망타진: 벼락치기 암기나 문제 풀이 요령이 아니라, 확실한 영어 실력을 튼실히 쌓고 다져 내신·수능을 다 잡을 수 있게 한다. 특히 수능은 고도의 논리력·추리력·배경지식 싸움으로, 이 책 학습의 놀라운 효과는 아무도 못 말릴 것이다.

5 재미와 즐거움, 위로와 격려: 인간은 인공지능과 달리 감정이란 게 있어 재미있고 즐거워야, 때론 위로와 격려를 받아야 살아갈 수 있는 법. 스마일 이모티콘을 앞에 달고 있는 문장들이 지친 학습자에게 예기치 못한 재미와 지적 즐거움을 선물할 것이다.

<마블북(Marvel Book)>

6 **영어문장의 컬러 블록화:** 각 Unit의 Block Board에 문장 구조를 컬러 블록화해 입체적으로 나타내, 문장성분을 이루는 단어·구·절이 서로 결합된 원리를 직관적으로 각인시킨다.

주어	동사	목적어	목적보어	부사어
No one	can make	you	feel inferior	without your consent.

7 **핵심 '영문장법'(English Sentence Grammar) 정리:** Block Board에 각 Unit에 등장하는 문장을 이해하는 데 꼭 필요한 문장 관련 핵심 문법 사항만 군더더기 없이 간추려 정리한다.

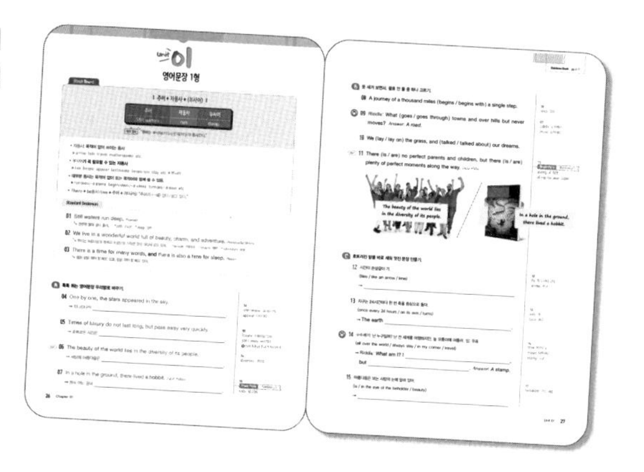

8 **문제 풀이식 학습:** 우선 Standard Sentences(표준 문장) 3-4개를 제시하고, 나머지 문장들은 A·B·C 그룹으로 나누어 우리말 해석/어법성 판단/어순 배열[빈칸 넣기] 등 문제화해, 수업에도 활용하고 학습자 스스로 문제 해결력도 기르게 한다.

<레인보우북(Rainbow Book)>

9 **마블북-레인보우북 일치형 독립 학습서:** 마블북-레인보우북을 일치시켜 기억 학습 효과를 높인다. 레인보우북은 구문·내용 해설을 품고 있는, 부속물이 아니라 독립된 학습서다.

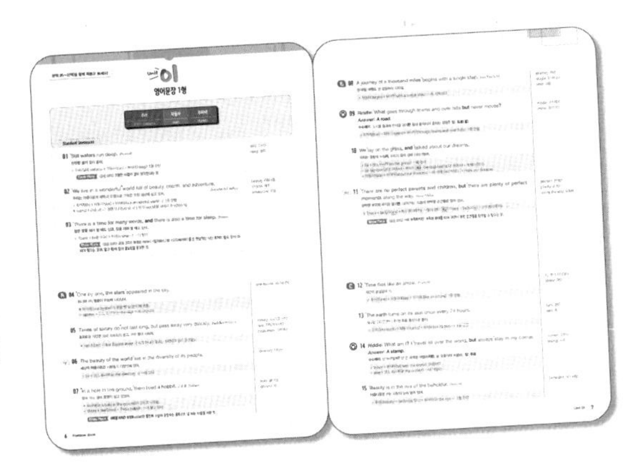

10 **체계적 구문 해설:** 정교한 구문 분석·해설로 '자학자습'의 의욕을 불타오르게 한다.

11 **유머 코드/배경지식/숨은 의미 해설:** 이 책의 또 하나의 백미로, 명문[인용문]의 심오한 의미와 참맛을 가장 간결하고 적확하게 핵심을 찔러 펼쳐 보인다.

<메모리북(Memory Book)>

12 **초강력 암기 학습 '반려서':** 마블북-레인보우북과 일치시켜 질서정연한 암기 학습이 이루어지도록 한다. 언제 어디나 데리고 다니면서 1040문장 전부 피가 되고 살이 되게 하자.
각 Chapter의 '최애문' 2개를 뽑아, '나만의 문장'으로 변형·재창조하는 재미를 누리게도 한다.

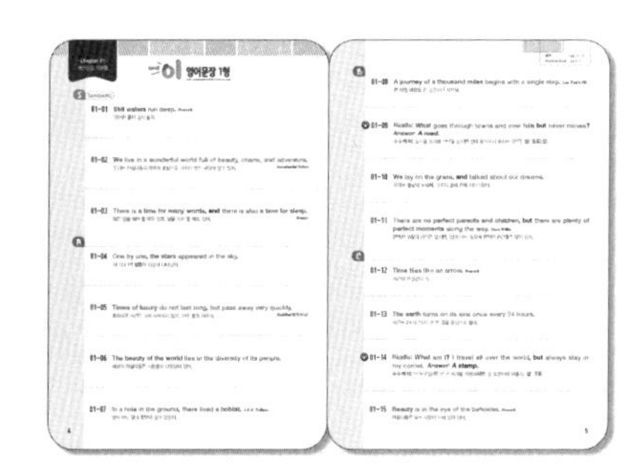

Contents

STAGE II 주어/보어/목적어구·절 & 관계절

Chapter 05. v-ing: 주어/보어/목적어

Chapter 06. to-v: 주어/보어/목적어/목적보어

Chapter 07. 주어절/보어절/목적어절

Chapter 08. 관계절(명사수식어)

Contents

STAGE III 모든 문장과 특수 구문

Chapter 09. 문장성분 & 연결

Chapter 10. 부사절

Chapter 11. 가정표현

Chapter 12. 비교/기타 구문

Colors, Abbreviations[Symbols] & References

<문장성분별 컬러>

컬러	문장성분
파랑	주어
빨강	동사
초록	보어
갈색	목적어/목적보어
보라	부사어

<약호>

약호	의미	약호	의미
V	동사원형(to 없는 부정사)	to-v	to 부정사
v-ing	동명사/현재분사	v-ed분사	과거분사
etc.	등(= et cetera)		

<기호>

기호	의미	기호	의미
/	나열/공동 적용 어구	[ ]	유의어/대체 가능 어구
( )	생략 가능 어구/설명	〈 〉	묶음
비교	어구/절/문장 비교	⊃	부분 집합(포함 관계)

<주요 참고서>

- A Comprehensive Grammar of the English Language(Quirk 외, Longman)
- 고급 영문법 해설(문용, 박영사)
- Grammar in Use(Murphy, Cambridge)
- Oxford Advanced Learner's Dictionary
- Longman Dictionary of Contemporary English
- Merriam-Webster CORE Dictionary

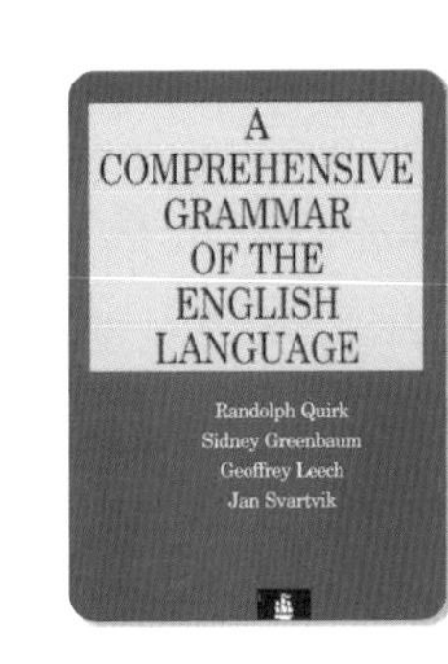

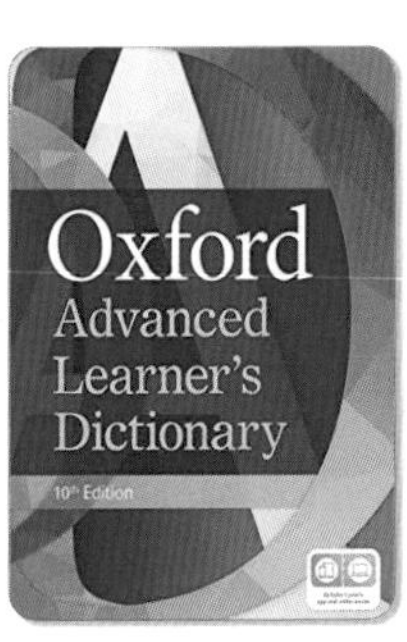

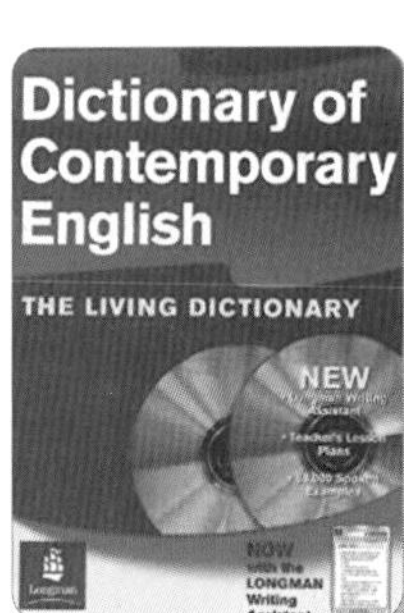

<주요 참고 사이트>

- google.com
- azquotes.com
- brainyquote.com
- goodreads.com
- en.wikipedia.org
- ko.wikipedia.org
- en.wikiquote.org
- quoteinvestigator.com

Preface

영어 공부가 이토록 재밌다니! 영어 문장이 이리도 재밌는 친구라니!

"Life would be tragic if it weren't funny." *Stephen Hawking*
만약 삶이 재미없다면, 삶은 비극적일 거야.
"The best ideas come as jokes; make your thinking **as funny as possible.**" *David Ogilvy*
최고의 아이디어는 농담처럼 나오니, 네 생각을 **가능한 한 재미있게** 만들어.

재미 재미 재미, 세상이 온통 재미를 찾고 재미를 좇고 있다. 영어 공부는 어떤가? 영어 공부가 재미있는가?
여기 세상에서 가장 재밌는 영어문장 학습서가 있다.

이 책은 몇 가지 문제의식에서 비롯되었다.

* 영어는 우리말과 구조가 달라 재능·조기 교육·몰입 환경이 갖추어져야만 습득할 수 있을까?
* 영어 공부가 대다수 학습자들에게 그저 고역이 아니라, 배우고 익히는 기쁨이 될 수는 없을까?
* 현행 영어 교육과 국내외 학습서가 과연 우리나라 학습자들에게 통하는 효과적인 것일까?

이 책은 이에 대한 오랜 모색과 시도 끝에 다다른 답이다.

* 영어는 우리말과 구조가 달라도, 영미인도 모르는 혁신적 방법으로 누구나 습득할 수 있다.
* 언어·문화 영역인 영어 공부는 잘만 하면 충분히 재밌고 배움의 즐거움을 누릴 수 있다.
* 대다수 학습자들이 능히 영어를 습득할 수 있는 제대로 된 학습법이 이제는 나와야 한다.

이 책은 혁명적 발상과 방법으로 완전히 새로운 영어 학습의 길을 활짝 열 것이다.

* 영어 학습의 흑백 시대를 끝내고, 영어 문장성분인 주어·동사·보어·목적어를 자연계의 하늘·에너지·초목·땅의 컬러인 파랑·빨강·초록·갈색으로 해 직관적으로 습득하게 될 것이다.
* 다양한 주제가 총망라된 동서고금의 명문(인용문)들을 통해 학습 효과를 극대화해 영어 실력은 물론 고급 교양까지 갖춘 세계 문화인으로 거듭나게 될 것이다.
* 이 책은 단순히 학습법만을 제시하는 것이 아니라, 실제로 실천하는 체계적 학습 과정이다.

부디 이 책이 평생 곁에 두고 희로애락을 함께 나누는 삶의 든든한 동반자이자 길잡이가 되기를 바란다.

이제 이 책을 내비게이션이자 엔진으로 삼아 즐거이 영어의 바다를 항해해 저 무지개 너머 영어 정복의 낙원으로 나아가자.

힘든 시기 진한 우정으로 격려와 도움을 아끼지 않은 우성희 학형과, 예정보다 세 배나 더 걸린 기간을 신뢰로 인내해 준 비상교육의 관련자들께 깊은 고마움을 남긴다.

2020년 10월 김승영 • 고지영

Game Manual: How to Use the Book

영어문장 완전정복 게임 매뉴얼: 권장 학습법

이 책은 페이지 구성이 일치하는 3쌍둥이로 이루어져 있다. 아래 권장 학습법은 자학자습용으로 제시되는 것으로, 수업용으로는 선생님들이 각자 융통성 있게 활용할 수 있다.

내용 특징	권장 학습법
마블북 **Marvel Book**  * 영어문장의 컬러 블록화 * 핵심 '영문장법' 정리 * 문제 풀이식 학습 * 이미지화 2문장	1. 우선 Unit의 큰 제목, Block Board 속 제목과 컬러 블록과 반갑게 첫인사를 나누며 목표 구문에 대해 감을 잡아 본다. 2. 컬러 블록 밑, 관련 핵심 문법 사항들을 쭉 한 번 훑어본다.(이후 문제를 풀다 막히면 다시 와 참고할 수 있도록 세부 사항보다 전체 숲을 파악해 둔다.) 3. 아래 3-4개의 표준 문장을 학습한다. 문장성분별로 컬러화된 영어문장과 우리말을 서로 비교하면서 목표 구문의 특징을 파악하며 문장의 의미도 새긴다. 4. 3-4개로 이루어진 우리말로 바꾸기인 A형 문제를 풀기 시작한다. 처음부터 완벽하게 하려 하지 말고, 문장성분별 컬러화를 도우미 삼아 자유롭고 편하게 풀어 본다. 5. 같은 방식으로 B형 문제(양자택일 어법성 판단)와 C형 문제(어순 배열/빈칸 넣기 등)도 풀어 본다. 6. 이때도 너무 꼼꼼하게 많은 시간을 들이지 말고 자유롭고 빠르게 나아가도록 한다. 단순히 정답 맞히기보다는 문장 자체의 구조와 의미 파악에 주력한다. 7. 이제 또 다른 독립된 책인 레인보우북으로 가서 정답도 확인하고(마블북 맨 뒤 Answer Key도 활용 가능), 본격적으로 문장의 확실한 구조와 의미를 파악한다.
레인보우북 **Rainbow Book**  * 마블북-레인보우북 일치형 독립 학습서 * 체계적 구문 해설 * 내용 해설(유머 코드/배경지식/숨은 의미)	1. 이 책은 마블북의 해설서로 사용할 수 있다. 마블북으로 문제 풀이 학습을 한 후, 여기서 정답도 확인하면서 완전한 문장을 확인 학습할 수 있다. 이 책은 마블북과 달리 모든 문장이 문장성분별로 컬러화되어 있다. 2. 이 책은 독립적으로 쓰일 수도 있다. 마블북의 문제 풀이식 학습이 맞지 않는 학습자는 바로 이 책만으로 학습할 수 있다. 이때 마블북 Block Board 문장법 정리를 참고할 수 있다. 3. 구문 해설에서, 문장의 관련 구문 시작 단어 위에 Unit 목표 구문은 주황색 점으로, 기타 구문은 회색 점으로 표시되어 있다. 4. 내용 해설(유머 코드/배경지식/숨은 의미)도 잘 음미하여 이 책의 영양분을 실컷 섭취한다. 5. 본문에도 단어 정리가 잘 되어 있고, 각 Chapter 시작 페이지에 Unit별 주요 단어들이 정리되어 있으니 학습 전후에 활용하도록 한다.
메모리북 **Memory Book**  * 휴대용 암기장 * 마블북-레인보우북-메모리북 일치형 * My favorite Sentences are ~	1. 이 앙증맞은 메모리북은 휴대용 암기장으로 이용한다. 언제 어디든 지니고 다니면서 위로와 격려를 나눌 수 있는 소중한 친구다. 2. 마블북·레인보우북과 페이지 구성이 일치하므로 친숙할 것이니 이를 십분 활용해 가장 효과적인 암기를 이룰 수 있을 것이다. 3. 각 Chapter Review 뒤에, 그 Chapter에서 배운 문장 중 가장 좋아하는 문장 2개를 뽑아 쓰고, '나만의 문장'으로 변형·재창조할 수 있는 난도 마련했으니 재밌게 잘 활용하도록 하자.

The Story of Colors 컬러 이야기

"Color directly influences **the soul**. Color is the keyboard, the eyes are the hammers, the soul is the piano."
컬러는 **영혼**에 직접적으로 영향을 미친다. 컬러는 키보드고, 눈은 해머고, 영혼은 피아노다. - **바실리 칸딘스키** *Wassily Kandinsky*

"우리말은 중국말과 달라 한자와 서로 통하지 않으므로, 어리석은 백성들은 말하고 싶은 것이 있어도 끝내 자신의 뜻을 나타낼 수 없는 사람들이 많다. 내 이를 딱하게 여겨 새로 스물여덟 자를 만드니, 사람마다 쉽게 익혀 날마다 쓰는 데 편하게 하고자 할 따름이다." - 훈민정음(訓民正音)

"영어는 우리말과 달라 그 구조가 서로 같지 않으므로, 보통 학습자들은 영어로 말하고 싶은 것이 있어도 끝내 자신의 뜻을 나타낼 수 없는 사람들이 많다. 우리는 이를 딱하게 여겨 새로 <오색 무지개 영어>를 만드니, 학습자마다 쉽게 익혀 날마다 쓰는 데 편하게 하고자 할 따름이다."

- 레인보우 잉글리쉬(Rainbow English)

* 영어와 우리말은 문장을 이루는 단어들의 짜임새인 문장 구조(Sentence Structure)가 서로 다르다.
  즉, 영어는 문장 구성 요소인 '**문장성분**'(주어 · 동사 · 보어 · 목적어 · 부사어)과 그 순서('**어순**')가 우리말과 다른 것이다.
* 이러한 구조 차이는 우리나라 사람들의 영어 학습을 가로막는 최대 걸림돌이 되어 왔다. 이를 해소하기 위해 영어 교육 현장에서 수많은 선생님들과 학생들이 골치를 썩여 왔다.
  S니 V니 C니 O니 DO니 IO니 OC니 하는 이상한 기호를 동원하는가 하면, 밑줄을 긋고 사선을 치면서 무슨 공식이란 걸 만들기도 해 왔다. 과연 그 결과는? 듣는 순간은 뭔가 알 것 같다가도 돌아서면 말짱 도루묵이었다.
* 여기다 110년도 넘게 이어져 온 지엽적 · 예외적 세부 사항에 대해 '맞느냐 틀리느냐'를 따지는 일제식 죽은 변태 영문법 교육은 불난 집에 기름 붓는 꼴이었다.
* 저자는 교육 현장에서의 경험을 바탕으로, 영어문장을 제대로 이해하고 고등학교를 졸업하는 학생은 20-30%도 채 안 되리라 추정한다.
* 저자도 영어 교육과 학습서 개발에 평생을 바쳐 왔으니 이 문제의 해결은 필생의 과제였다. 오랜 세월 수많은 시도와 실험을 해 봤지만 확실한 결정타가 없었다. 우리나라 영어 교육계 최대 난제이자 고민거리였다. 이를 풀지 못하는 자괴감에 괴로워했다.
* 온통 이 문제 해결에 몰두해 있던 어느 날, 제주 해안을 달리고 있었다. 막 소나기가 그치는데 한라산을 바라보니, 아, 쌍무지개가 떠 황홀히 빛나고 있는 게 아닌가! 순간 무슨 계시를 받은 듯 가슴이 뜨거워지고 머리가 맑아지며 오랜 체증이 내리는 느낌에 휩싸였다.

<빛의 삼원색과 색의 삼원색>

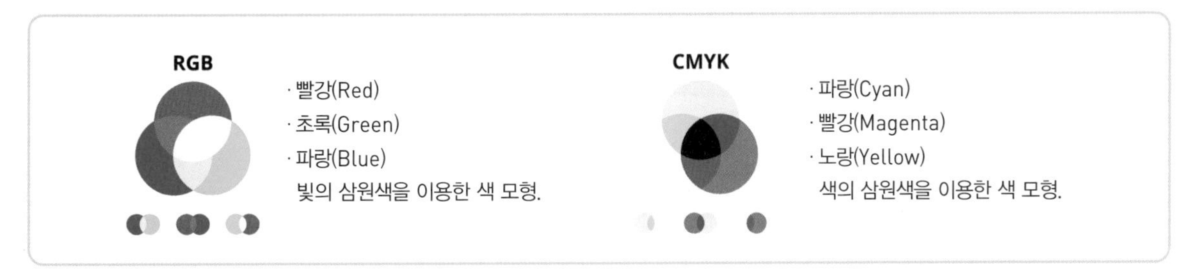

* 아이작 뉴턴이 처음으로 프리즘을 사용해 햇빛을 7색으로 나누었다. 무지개는 햇빛에 포함된 가시광선의 굴절 현상이다.
* 빨강(red) · 주황(orange) · 노랑(yellow) · 초록(green) · 청록(cyan) · 파랑(blue) · 보라(violet) 7색 중 가독성을 위해 노랑 · 주황을 합해 갈색으로 해서 5색을 전부 이용하기로 했다.
* 여기서 무엇보다 중요하고 획기적인 점은, 자연계의 질서에 따라 영어 문장성분의 컬러화를 이루었다는 것이다. 즉, 자연계의 대표 물상인 하늘 · 에너지 · 초목 · 땅의 컬러 질서인 파랑 · 빨강 · 초록 · 갈색을 영어 문장성분인 주어 · 동사 · 보어 · 목적어에 1 : 1 대응시켜 직관적 체화 · 기억의 각인이 이루어지게 했다.
* 이러한 체계화에는 동 · 서양 자연 철학(음양오행, 색채론 등)과 인지 심리학(지각 · 이해 · 기억 · 사고 · 학습 이론 등) · 뇌과학 · 정보 과학 · 언어학 등 관련 과학 이론이 총동원되었다.

<하늘 · 에너지 · 초목 · 땅의 컬러 질서 파랑 · 빨강 · 초록 · 갈색>

<5대 상징색과 5대 문장성분>

컬러	자연계 상징	문장성분	기능
파랑	하늘	주어	문장의 주체
빨강	불[에너지]	동사	주어의 동작 · 상태
초록	초목	보어	주어의 정체 · 성질
갈색	땅	목적어	동사의 대상
보라	장식	부사어	동사의 수식

* 이로써 우리는 가장 강력한 감각인 시각, 그 중에서도 가장 인상적인 색깔을 이용해, 우리나라 영어 교육계 최대 난제를 풀고 지금까지와는 완전히 다른 고효율의 영어 학습을 이룰 수 있는 혁명적인 실천법과 구체적인 교재를 갖게 되었다.
* 아울러 이에 대응하는 우리말 문장도 컬러화해 서로 비교해 볼 수 있게 함으로써, 우리말과 다른 영어문장의 구조를 직관적으로 파악해 습득할 수 있는 길도 활짝 열게 되었다.

<문장성분별 컬러화를 적용한 영어문장 기본형>

1	주어	자동사	(부사어)		
	하늘(주어)이 불(에너지)(동사)를 부리고, 장식(부사어)이 불(에너지)(동사)를 꾸민다.				
	"주어는 부사어(어디서/언제/어떻게) 동사한다."				
	01-06 The beauty of the world lies in the diversity of its people. 세상의 아름다움은 사람들의 다양성에 있어.				
2	주어	연결동사	보어		
	하늘(주어)의 정체나 성질이 초목(보어)으로 나타난다.				
	"주어는 보어(무엇/어떠한) 동사다."				
	02-06 The two most powerful warriors are patience and time. *Tolstoy* 가장 강력한 두 전사는 인내력과 시간이야.				
3	주어	타동사	목적어	(부사어)	
	하늘(주어)이 불(에너지)(동사)를 부려 땅(목적어)에 영향을 미친다.				
	"주어는 목적어를 동사한다."				
	03-03 Even a snail will eventually reach its destination. *Gail Tsukiyama* 달팽이도 결국 목적지에 이를 거야.				
4	주어	(주는)동사	(에게)목적어	(을)목적어	(부사어)
	하늘(주어)이 불(에너지)(동사)를 부려 땅((에게)목적어/(을)목적어)에 영향을 미친다.				
	"주어는 (에게)목적어에게 (을)목적어를 동사해 준다."				
	04-05 Music brings us peace and happiness. 음악은 우리에게 평화와 행복을 가져다줘.				
5	주어	타동사	목적어	목적보어	(부사어)
	하늘(주어)이 불(에너지)(동사)를 부려 땅(목적어/목적보어)에 영향을 미친다.				
	"주어는 목적어가 목적보어이게 동사한다."				
	05-04 Sunshine on my shoulders makes me happy. *John Denver* 내 어깨 위의 햇살이 나를 행복하게 해.				

* 문장성분별 컬러화를 이용해 영어문장을 '**유기체[생명체]**'(Organisms)로 나타내 보자.

❶ 1형 영어문장: 주어 + 자동사 + 부사어
❷ 2형 영어문장: 주어 + 연결동사 + 보어
❸ 3형 영어문장: 주어 + 타동사 + 목적어
❹ 4형 영어문장: 주어 + (주는)동사 + (에게)목적어 + (을)목적어
❺ 5형 영어문장: 주어 + 타동사 + 목적어 + 목적보어

❶

<1형>

❷
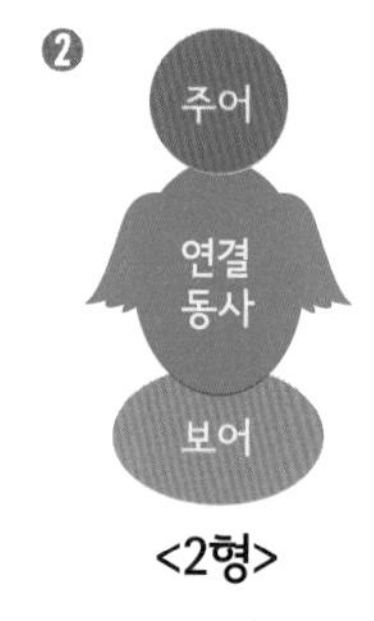

<2형>

❸

<3형>

❹
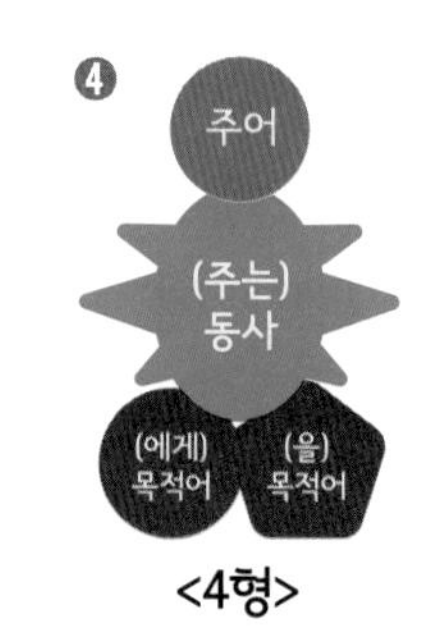

<4형>

❺

<5형>

* **'유기체(생명체)'**(Organisms)를 통해 영어문장 **'구'**(v-ing/to-v/v-ed분사)를 이해해 보자.

❶ **Skipping meals** isn't healthy. (주어 v-ing)
식사를 거르는 것은 건강에 좋지 않아.

❷ It is good **to see you again.** (진주어 to-v)
널 다시 봐서 좋아.

❸ I want you **to be happy.** (목적보어 to-v)
난 네가 **행복하기를** 바라.

❹ Most goods **made in Korea** are good. (명사수식어 v-ed분사)
한국에서 만들어지는 대부분의 제품은 좋아.

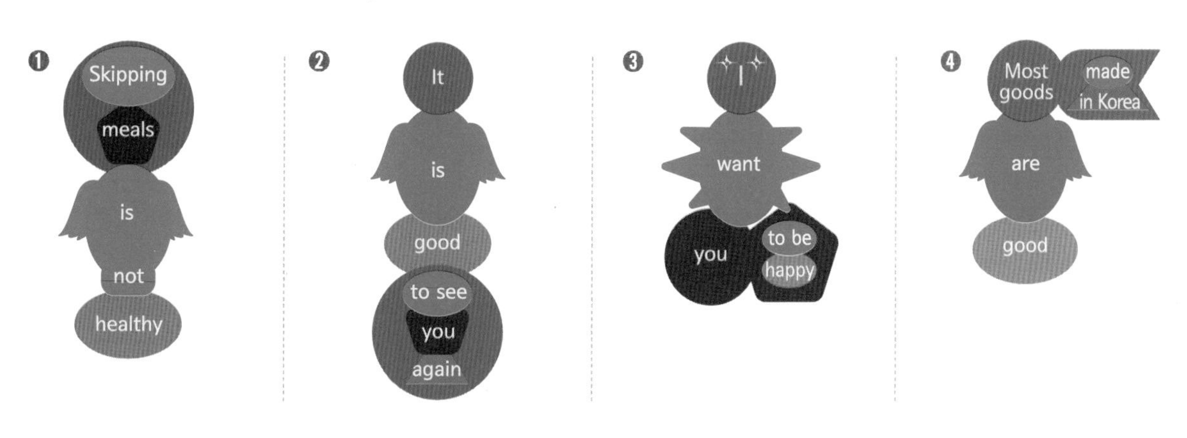

* **'유기체(생명체)'**를 통해 영어문장 **'절'**(명사절(that절)/관계절/부사절)을 이해해 보자.

❶ I think **(that) you are right.** (목적어 that절)
난 네가 **옳다고** 생각해.

❷ I like people **who make me laugh.** (주어 관계사 관계절)
난 **날 웃게 하는** 사람들이 좋아.

❸ **If I had time,** I would do it. (부사절-가정표현)
내가 시간이 있다면, 난 그것을 할 텐데.

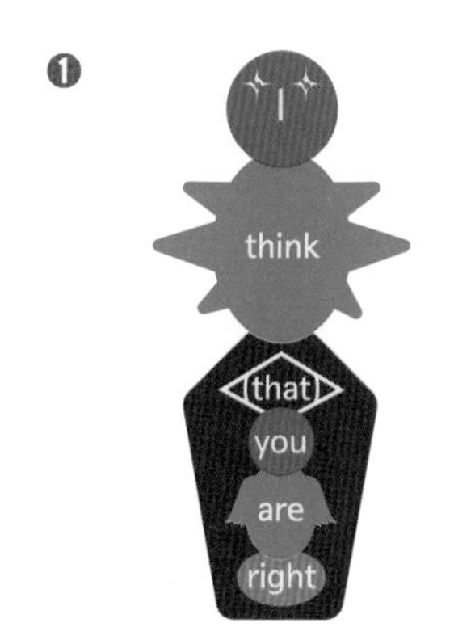

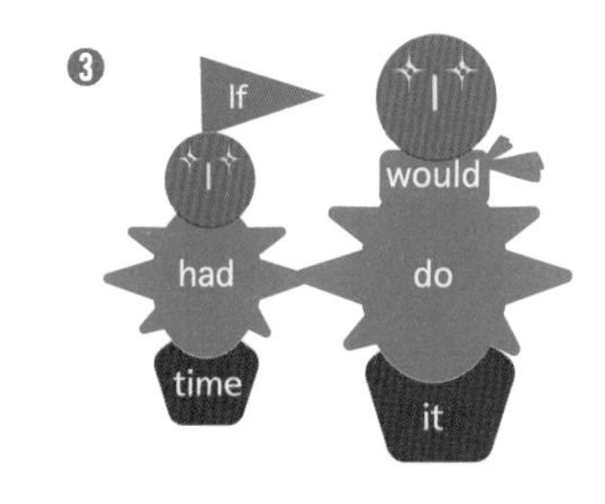

The Story of Quotations 인용문 이야기

"Thought is not merely expressed in words, but it comes into existence through them." *Lev Vygotsky*
생각은 단지 말로 표현될 뿐만 아니라, 말을 통해 존재하게 돼. - 레프 비고츠키

* 문제는 '**의미**'(Meaning)다. 삶에도 의미가 있어야 하고 공부에도 의미가 있어야 하듯, 영어문장을 배우고 익히는 데도 의미가 있어야 한다.
* 매사에 의미를 부여하고 추구하는 인간의 본성상, 의미심장하고 인상적인 문장의 학습과 기억 효과는 두말하면 잔소리다.
* 영어권을 포함한 서양 문화권의 **명문[인용문]**(**Quotation[Quote]**)의 일상화와 이에 대한 각별한 애정(좌우명 문화, 장식 · 이미지화 등)은 분명 우리가 참고해야 할 유익한 것이다.
* 힘든 시기나 새로운 도전에 직면할 때 격려나 지침이 되는 글귀의 위력은 상상 이상인데, 특히 삶의 방향이 결정되는 시기에 있는 감수성 예민한 세대에게는 더하다.
* 이제 미래의 주인공인 여러분은, 고전 · 최신 주제가 총망라된 3000년 동서고금의 명문[인용문]들과 만나, 영어 실력은 물론 고급 교양까지 갖춘 세계 문화인으로 거듭나게 될 것이다.
* 대부분의 인용문은 하루아침에 이루어진 게 아니라 최초 화자나 필자의 입이나 손을 떠나 오랜 세월 갈고 닦인 결정체로, 의미와 형식에서 이미 검증된 강력한 힘을 지니고 있다.
* 이 책의 정교한 학습 과정을 통해 여러분은 **Colorful/Powerful/Beautiful/Meaningful/Helpful/Interesting/Inspiring/Encouraging/Impressive/Educational/Artistic/Scientific English Sentences**, 즉 최고의 문어체 영어문장들을 자기 것으로 만드는 행운을 누리게 될 것이다.

1. 인용문에는 꿈과 미래가 있어.

	35-06 The future depends on what you do today. *Mahatma Gandhi* 미래는 네가 오늘 무엇을 하는지에 달려 있어. *마하트마 간디*
	43-10 The future belongs to those who believe in the beauty of their dreams. *Eleanor Roosevelt* 미래는 자신의 꿈의 아름다움을 믿는 사람들의 것이야. *엘리너 루스벨트*

2. 인용문에는 우정과 사랑이 있어.

	02-02 At the touch of love, everyone becomes a poet. *Plato* 사랑의 손길이 닿으면, 모두가 시인이 돼. *플라톤*
	49-15 Friendship, like love, is destroyed by long absence though it may be increased by short intermissions. *Samuel Johnson* 우정은 사랑처럼 짧은 중단으로 커질지도 모르지만 오랜 부재로는 파괴돼. *새뮤얼 존슨*

3. 인용문에는 삶과 철학이 있어.

	Review 01-08 Laziness may appear attractive, **but** work gives us **satisfaction**. *Anne Frank* 게으름이 멋있어 보일지도 모르**지만**, 일이 우리에게 **만족**을 줘. *안네 프랑크*
	24-13 Don't waste **your limited time** living someone else's life. *Steve Jobs* 네 **제한된 시간**을 다른 사람의 삶을 살면서 낭비하지 마. *스티브 잡스*
	41-09 A life spent making mistakes is more honorable and useful than a life spent doing nothing. *Bernard Shaw* 실수를 하면서 보내는 삶이 아무것도 하지 않고 보내는 삶보다 더 명예롭고 유용해. *버나드 쇼*

4. 인용문에는 위로와 격려가 있어.

	11-10 You live but once; you might as well be amusing. *Coco Chanel* 넌 한 번만 사는데, 즐거운 편이 나아. *코코 샤넬*
	20-02 Kites rise highest against the wind, not with it. *Winston Churchill* 연은 바람과 함께가 아니라 바람을 거슬러 가장 높이 올라. *윈스턴 처칠*
	35-12 What does not kill me makes me **stronger**. *Nietzsche* 날 죽게 하지 않는 것은 날 **더 강하**게 해. *니체*

5. 인용문에는 유머와 웃음이 있어.

	10-01 I can resist **everything except temptation**. *Oscar Wilde* 난 **유혹을 제외하고는 모든 걸** 참을 수 있어. *오스카 와일드*
	36-13 Wrinkles should merely indicate **where smiles have been**. *Mark Twain* 주름은 단지 **웃음이 어디 있었는지** 보여 주어야 해. *마크 트웨인*
	Review 06-04 **O Lord,** help me to be pure, **but not yet**. *Saint Augustine* **오 주여,** 제가 순결해지도록 도와주소서. **그러나 아직은 말고요**. *성 아우구스티누스*
	Review 07-10 I grew up with six brothers; that's how I learned to dance waiting for the bathroom. *Bob Hope* 난 여섯 형제들과 함께 자랐는데, 그게 내가 화장실을 기다리면서 춤추는 걸 배웠던 방법이야. *밥 호프*

6. 인용문에는 인간과 자연이 있어.

	28-04 All my life through, the new sights of nature made me **rejoice like a child.** *Marie Curie* 내 평생 자연의 새로운 모습들은 날 **아이처럼 크게 기뻐하게** 했어. *마리 퀴리*
	Review 07-01 One of the first conditions of happiness is that the link between man and nature should not be broken. *Tolstoy* 행복의 첫 번째 조건들 중 하나는 인간과 자연 사이의 연결이 끊어져선 안 된다는 거야. *톨스토이*

7. 인용문에는 인간과 과학이 있어.

	32-05 It has become obvious that our technology has exceeded our humanity. *Albert Einstein* 우리의 과학 기술이 우리의 인간성을 넘어섰다는 것은 분명해졌어. *알버트 아인슈타인*
	35-13 What goes up must come down. *Isaac Newton* 올라가는 것은 내려와야 해. *아이작 뉴턴*
	51-09 Equipped with his five senses, man explores **the universe around him and** calls the adventure **Science.** *Edwin Hubble* 오감으로 갖추어져서, 인간은 **자신의 주위 우주를** 탐험하고 그 모험을 **과학이라** 불러. *에드윈 허블*

8. 인용문에는 문학과 예술, 음악과 춤이 있어.

	20-01 Imagination is the foundation of all invention and innovation. *J.K. Rowling* 상상력은 모든 발명과 혁신의 토대야. *J.K. 롤링*
	37-07 Art is the lie that enables us to realize the truth. *Pablo Picasso* 예술은 우리가 진실을 깨달을 수 있게 해 주는 거짓말이야. *파블로 피카소*
	45-06 The music is not in the notes, but in the silence between. *Mozart* 음악은 음들 속에 있는 게 아니라, 그것들 사이 침묵 속에 있어. *모차르트*
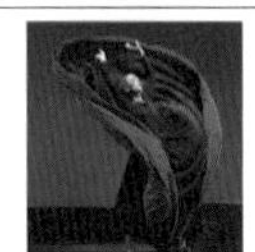	17-11 Dance is the hidden language of the soul of the body. *Martha Graham* 춤은 몸의 영혼의 숨겨진 언어야. *마사 그레이엄*

9. 인용문에는 지식과 지혜가 있어.

	05-15	Every book teaches me **something new, or** helps me **see things differently.** *Bill Gates* 모든 책은 내게 새로운 것을 가르쳐 주거나, 내가 사물들을 다르게 보도록 도와줘. *빌 게이츠*
	25-15	Real knowledge is to know the extent of one's ignorance. *Confucius* 진정한 앎은 자신의 무지의 정도를 아는 거야. *공자*
	20-03	From their errors and mistakes, the wise and good learn **wisdom for the future.** *Plutarch* 오류와 실수에서 현명하고 선량한 이들은 미래를 위한 지혜를 배워. *플루타르코스*

10. 인용문에는 민주주의와 정치가 있어.

	20-13	The future of the republic is in the hands of the voter. *Dwight Eisenhower* 공화국의 미래는 투표자의 손안에 있어. *드와이트 아이젠하워*
	56-13	The ballot is stronger than the bullet. *Abraham Lincoln* 투표는 총알보다 더 강해. *에이브러햄 링컨*

11. 인용문에는 사회와 문화가 있어.

	Review 09-02	What society does to its children is what its children will do to society. *Cicero* 사회가 그 아이들에게 행하는 것은 그 아이들이 (나중에) 사회에 대해 행하게 될 것이야. *키케로*
	Review 11-03	Without memory, there would be no civilization, no society, no culture, and no future. *Elie Wiesel* 만약 기억이 없다면, 문명도 사회도 문화도 미래도 없을 거야. *엘리 위젤*

12. 인용문에는 정의와 평화가 있어.

	21-02	The worst sin in life is knowing right and not doing it. *Martin Luther King* 삶에서 가장 나쁜 죄악은 옳은 것을 알면서도 하지 않는 것이야. *마틴 루터 킹*
	41-07	It is in your hands to create a better world for all who live in it. *Nelson Mandela* 세상에 사는 모두를 위해 더 나은 세상을 만드는 것은 네 손에 달려 있어. *넬슨 만델라*

The Story of English Sentence Structure 영어문장 구조 이야기

* 영어문장(English Sentences)은 단어들(Words)로 이루어진다.
* 문법(Grammar)이란 단어들이 (형태를 바꾸어) 문장을 이루는 규칙(Rules)이다.
* 품사(Word Classes[Parts of Speech])란 단어를 문법상의 특성(의미 · 기능 · 형태)에 따라 나눈 것이다.

<주요 의미를 지니는 4대 품사>

품사	의미	기능	형태
명사	이름 / 개념	주어 / 보어 / 목적어	-ance / ence / ery / ion / ity / ment / ness
동사	동작 / 상태	주어(-목적어) 작용 / 주어-보어 연결	-ate / en / ify / ish / ize
형용사	성질 / 상태	보어 / 명사수식어	-able / al / ary / ate / ful / ive
부사	성질 / 상태	동사 · 형용사 · 부사 · 문장 수식어	형용사 + ly

* 많은 영어 단어는 같은 형태로 여러 가지 품사의 기능을 할 수 있는데, 문장에서의 위치와 다른 단어와의 관계로 구별할 수 있다.

<문법 기능을 하는 기타 품사>

품사	종류	기능	형태
대명사	인칭/지시/불특정 대명사 의문사/관계사	명사 대신	I you it they myself / this that anybody one / who which what
조동사	be / have / do '태도'조동사	진행형 · 수동태 / 완료형 의문 · 부정문 / 가능 · 의무 · 추측	can must may(might) will would should could
한정사	관사(부정관사/정관사) 수량/소유/지시 형용사	명사의 한정 · 특정화	a(n) the / some any each every my your their / this that
전치사	장소(방향)/시간/주제/소속 수단/원인/비교 전치사	〈전치사 + 명사〉로, 명사수식어/부사어	of for to in on at with about from by except / in spite of
접속사	대등(상관)접속사 종속접속사	단어/구/절의 연결	and but or for / both ~ and that when because so if though

* 문장성분(Elements of Sentences)이란 문장을 이루는 요소이다.

<5대 문장성분과 명사수식어>

문장성분	기능	해당 품사
주어	동작 · 상태의 주체	(대)명사
동사	주어의 동작 · 상태 / 목적어에 작용 / 주어-보어 연결	동사
보어	주어의 정체 · 정의 · 성질 · 상태	(대)명사 / 형용사
목적어	동사를 통한 영향의 대상	(대)명사
(목적보어)	(목적어의 정체 · 상태 / 목적어와 주어-서술어 관계)	(대)명사 / 형용사
부사어	동사 · 문장 수식	부사

명사수식어	명사 수식	형용사

<4대 품사와 5대 문장성분의 관계>

4대 품사	상호 관계	5대 문장성분
(대)명사		주어
동사		동사
형용사		보어
부사		목적어
		(목적보어)
		부사어

* 둘 이상의 단어가 모여 이루는 '구'와 '절'도 각 품사의 구실을 해 그에 따른 문장성분의 기능을 한다.
* **구(Phrase)**: '주어 + 동사' 형식이 아닌 둘 이상의 단어가 모여 명사/형용사/부사의 구실을 해 그에 따라 주어/보어/목적어/부사어/(명사수식어) 등 문장성분의 기능을 하는 것.

구	형식	기능	예문
명사구	v-ing	주어 / 보어 / 목적어	**Killing time** murders opportunities.
	to-v		I want **to learn how to play the guitar.**
형용사구	to-v	명사수식어 / 목적보어	I have a song **to sing for you.**
	v-ing / v-ed분사		all the people **living life in peace**
	전치사 + 명사	명사수식어	government **of the people**
부사구	to-v	부사어(동사 수식어)	I do my best **to help you.**
	전치사 + 명사	부사어(동사 수식어)	You must learn **from your mistakes.**
	v-ing ~	부사어(주절 수식어)	**Seeing her,** he ran away.

* **절(Clause)**: '주어 + 동사' 형식을 갖춘 것으로, 그 중 문장의 주절이 아닌 절(종속절)은 명사/형용사/부사의 구실에 따른 주어/보어/목적어/부사어/명사수식어의 기능을 한다.

절	형식	기능
대등절	주어 + 동사 + and / but / or / for + 주어 + 동사	절-절 대등 연결
명사절	that / whether / what / wh- + (주어) + 동사	주어 / 보어 / 목적어 / 동격
관계절	who / which(that) + (주어) + 동사	명사수식어
부사절	when / because / so / though / if + 주어 + 동사	시간 / 이유 / 목적 · 결과 / 대조 / 조건 부사어

<5대 문장성분 · 명사수식어와 4대 품사(구/절)의 관계>

문장성분	품사(구/절)
주어	(대)명사 / 명사구(v-ing / to-v) / 명사절(that절 / whether절 / what절 / wh-절)
동사	동사 / 구동사(동사 + 전치사(부사))
목적어	(대)명사 / 명사구(v-ing / to-v) / 명사절(that절 / whether절 / what절 / wh-절)
(목적보어)	(대)명사 / 형용사(구) / to-v(V) / v-ing / v-ed분사
보어	형용사(구) / (대)명사 / 명사구(v-ing / to-v) / 명사절(that절 / whether절 / what절 / wh-절)
부사어	부사 / 부사구(to-v / 전치사 + 명사 / v-ing ~) / 부사절(시간 / 이유 / 목적 · 결과 / 대조 / 조건)

명사수식어	형용사(구) / to-v / v-ing / v-ed분사 / 전치사 + 명사 / 관계절(who / which(that)절)

Introduction to the Book Story 4

The Story of "Flowing Reading" '물 흐르듯 읽기' 이야기

* 복잡한 것 같은 영어문장도 사실은 딱 3가지뿐이다.

<table>
<tr><td>1</td><td>주어</td><td>자동사</td><td>(부사어)</td></tr>
<tr><td>2</td><td>주어</td><td>연결동사</td><td>보어</td></tr>
<tr><td rowspan="2">3</td><td rowspan="2">주어</td><td rowspan="2">타동사</td><td>((에게)목적어)+(을)목적어</td></tr>
<tr><td>목적어+목적보어</td></tr>
</table>

* 이를 5형과 4품사를 적용해 좀 복잡하지만 자세히 나타내 보면 다음과 같다.

<table>
<tr><th></th><th colspan="2">주어</th><th>동사</th><th colspan="2">보어/목적어/(에게)목적어</th><th colspan="2">(을)목적어/목적보어</th><th>부사어</th></tr>
<tr><td>1형</td><td>명사</td><td>명사수식어</td><td>동사</td><td colspan="4"></td><td>부사어</td></tr>
<tr><td>2형</td><td>명사</td><td>명사수식어</td><td>동사</td><td>명사/형용사</td><td>명사수식어</td><td colspan="3"></td></tr>
<tr><td>3형</td><td rowspan="3">명사</td><td rowspan="3">명사수식어</td><td rowspan="3">동사</td><td rowspan="3">명사</td><td rowspan="3">명사수식어</td><td colspan="2"></td><td rowspan="3">부사어</td></tr>
<tr><td>4형</td><td>명사</td><td rowspan="2">명사수식어</td></tr>
<tr><td>5형</td><td>명사/형용사</td></tr>
</table>

* 그런데 왜 영어문장이 어렵게 느껴질까? 그 주범은 뭘까? 바로 구질구질한 구·절 때문이다.
저 명사가 그냥 단어 하나가 아닌 명사구·절이 되고, 저 명사수식어가 형용사 하나가 아닌 명사수식구·절이 되며, 저 부사어가 부사 하나가 아닌 부사구·절이 되기 때문이다.

명사	구	형용사+명사 / v-ing(+보어/목적어/부사어) / to-v(+보어/목적어/부사어)
명사	절	that/whether/what/wh-절(that/whether/what/wh-+(주어)+동사)
명사수식어	구	v-ing/v-ed분사(+보어/목적어/부사어) / to-v / 전치사+명사
명사수식어	절	관계절(who/which(that)+(주어)+동사)
부사어	구	전치사+명사 / to-v / v-ing 구문
부사어	절	시간/이유/목적·결과/대조/조건 부사절(when/because/so/though/if+주어+동사)

* 자, 그럼 이런 영어문장을 어떻게 빨리 읽어 정확한 의미를 파악할 수 있을까?
정답은 이렇다. 물이 높은 데서 낮은 데로 거침없이 흐르듯, 맨 왼쪽 주어부터 맨 오른쪽 마침표(.)까지 쉼 없이 쭉 읽어 나가면서, 누구나 타고난 언어 능력과 이 책을 통한 문장성분별 컬러화 학습의 위력을 믿고, 저 위의 **'의미 그룹'(Sense Groups)**인 **문장성분**과 **구·절**을 어느 인공 지능보다도 잘난 우리 인간의 뇌로 구별·판단·해석해 내면 되는 것이다.

오리가 물 위에서 그냥 헤엄쳐 나아가는 듯 보이지만 사실은 물 밑에서 물갈퀴를 빠르고 정확하게 움직여야 하듯, **'물 흐르듯 읽기'(Flowing Reading)도 그냥 흐르는 게 아니라, 타고난 언어 능력과 올바른 학습 체험과 논리력·추리력·상상력을 총동원한 고도의 정신 활동이다.**

* 소위 '끊어 읽기'란 건 애당초 난센스(nonsense)다.
대본을 미리 연습한 배우나 성우도 아닌데, 어떻게 영어문장을 미리 알고 끊어 읽는단 말인가? 복잡한 영어문장 읽기를 학습시킬 특별한 방법이 없으니 그냥 만들어 낸 미신에 불과하다. 굳이 고치자면, **'의미 그룹별 묶어 읽기'** 정도가 될 것이다.
물이 흐르는 걸 보라. 흐르다 서로 뭉쳐 흐르긴 하지만, 흐르다 말고 어디 쉬려고 멈추더냐?

The Story of Creative Transformation of My Favorite Sentences
내가 좋아하는 문장 창의적 변형(나만의 문장 만들기) 이야기

"Language is a process of free creation." *Noam Chomsky*
언어는 자유로운 창조 과정이야. - 노엄 촘스키

이 책에 실려 있는 수많은 인용문 중 특히 심금을 울리는 것을 골라 변형시켜 세상에 하나밖에 없는 자신만의 멋진 문장으로 재창조해 보자.

*** 변형-재창조 예**

03-13 There is a time for many words, **and** there is also a time for sleep. *Homer*
많은 말을 해야 할 때도 있고, 잠을 자야 할 때도 있어.
→ There is a time for action, **and** there is also a time for thinking.
→ There is a time for studying, **and** there is also a time for playing.

02-02 At the touch of love, everyone becomes a poet. *Plato*
사랑의 손길이 닿으면, 모두가 시인이 돼.
→ At the touch of love, everyone becomes a hero or heroine.

03-12 The early bird catches **the worm.** *Proverb*
일찍 일어나는 새가 벌레를 잡아.
→ The early worm gets eaten.
→ The early adopter buys **an expensive thing.**

04-04 Give me **liberty, or** give me **death!** *Patrick Henry*
내게 자유를 달라, **아니면** 내게 죽음을 달라!
→ Give me **peace, or** give me **death!**
→ Give me **love, or** give me **freedom!**

05-03 Let your food **be your medicine.** *Hippocrates*
네 음식이 **약이** 되도록 해.
→ Let your learning **be your pleasure.**
→ Don't let anyone **control your life.**

이 게임은 영어문장 완전 정복을 위한 '단계적(나선형) 학습' 과정이 3단계로 이루어져,
게임자는 게임을 즐기는 사이 자연스레 영어문장의 전체 숲에서 세부 나무들로 나아가게 된다.

* 우선 STAGE I에서는 영어문장의 기본 구조와 영어문장의 중심인 동사에 집중해, 영어문장 습득의 최고봉에 오르는 나선 계단의 바탕을 튼실히 다진다.
* 단, 여기서는 영어문장을 복잡하게 하는 명사구·명사절·관계절·부사절 등은 (극소수 예외를 제외하곤) 아직 등장하지 않는다.
* 정교하게 통제된 재밌는 문장들을 통해 게임자는 좌절이나 포기를 겪지 않고, 영어문장의 기본 골격을 가장 효과적으로 득템하게 된다.
* Chapter 1 에서 영어문장의 기본 5형과 구동사와, Chapter 2에서 동사의 시간표현과 조동사와, Chapter 3에서 수동태와 게임을 벌이게 된다.
* Chapter 4에서는 영어문장을 복잡하게 하는 데 한몫하는 명사수식어와 부사어를 잘 길들여 든든한 친구로 삼게 된다.
* 이로써 게임자는 영어문장의 아름다운 숲을 이미 지니게 되고, 다음 단계로 나아가 영어문장의 화려한 나무들까지 아우를 수 있는 기본 파워를 갖추게 된다.

Stage I

영어문장 구조와 동사

- 영어문장을 문장성분(주어·동사·목적어·보어)을 바탕으로 5형으로 나누어 보는 것은, 문장의 기본 구조와 어순을 이해하는 데 도움이 된다.
- 영어문장 구조를 결정하는 것은 동사지만, 대부분의 동사는 한 가지 형으로만이 아니라 다른 문장성분들과 더불어 여러 가지로 쓰인다.
- 모든 영어문장이 기본형에 딱 들어맞는 것은 아니므로, 문장의 형식을 지나치게 따지지 말자.
- 평소 동사들의 여러 가지 쓰임새를 즐겁게 익혀 두어, 동사와 다른 문장성분과의 관계를 통해 문장의 정확한 의미를 파악해야 한다.
- 특히 기본형으로는 설명이 어려운 구동사(동사+전치사{부사})를 포함한 문장들은 따로 다루기로 한다.

Chapter 01 영어문장 기본형

Block Board Overview

Unit 01

영어문장 1형 | 주어 + 자동사 + (부사어)

주어	자동사	부사어
Still waters	run	deep.

▷ 자동사는 목적어 없이 쓰이는 동사로, 부사어가 필요할 수도 있다.

Unit 02

영어문장 2형 | 주어 + 연결동사 + 보어

주어	연결동사	보어
Man	is	a social animal.

▷ 연결동사는 보어와 함께 쓰이며, 주어와 보어를 연결한다.

Unit 03

영어문장 3형 | 주어 + 타동사 + 목적어 + (부사어)

주어	타동사	목적어
Creativity	takes	courage.

▷ 타동사는 목적어(타동사의 대상)와 함께 쓰이는 동사이다.

Unit 04

영어문장 4형 | 주어 + (주는)동사 + (에게)목적어 + (을)목적어

주어	(주는)동사	(에게)목적어	(을)목적어
My teacher	gives	me	a lot of encouragement.

▷ (주는)동사는 《(에게)목적어 + (을)목적어》와 함께 쓰이는 동사이다.

Unit 05

영어문장 5형 | 주어 + 타동사 + 목적어 + 목적보어

주어	타동사	목적어	목적보어
We	can make	the world	a better place.

▷ 〈목적어 + 목적보어〉와 함께 쓰이는 타동사가 있다.

Unit 06

구동사 1 | 주어 + 동사 + 전치사 + 목적어 | 주어 + be동사 + 형용사 + 전치사 + (동)명사

주어	동사 + 전치사	목적어
A country's future prosperity	depends upon	the quality of education.

Unit 07

구동사 2 | 주어 + 동사 + 부사 + (전치사) + (목적어) | 주어 + 동사 + 목적어 + 전치사 + 목적어

주어	동사 + 부사	목적어	부사어
You	should carry out	your plan	by all means.

영어문장 1형

Block Board

I 주어 + 자동사 + (부사어) I

주어	자동사	부사어
Still waters	run	deep.

해석 공식 "**주어**는 **부사어**(어디서/언제/어떻게) **동사**한다."

- 자동사: 목적어 없이 쓰이는 동사
  ▷ arrive talk travel matter(중요하다) etc.
- 부사어가 꼭 필요할 수 있는 자동사
  ▷ live be(있다) appear last(지속되다) lie(눕다/있다) stay etc. + 부사어
- 대부분 동사는 목적어 없이 또는 목적어와 함께 쓸 수 있음.
  ▷ run(달리다/~을 운영하다) begin(시작되다/~을 시작하다) turn(돌다/~을 돌리다) etc.
- There + be동사/live + 주어 + (부사어): "주어가 (~에) 있다/살고 있다."

Standard Sentences

01 Still waters run deep. *Proverb*
↳ 잔잔한 물이 깊이 흘러. *still 고요한 *deep 깊이

02 We live in a wonderful world full of beauty, charm, and adventure. *Jawaharlal Nehru*
↳ 우리는 아름다움과 매력과 모험으로 가득한 멋진 세상에 살고 있어. *beauty 아름다움 *charm 매력 *adventure 모험

03 There is a time for many words, and there is also a time for sleep. *Homer*
↳ 많은 말을 해야 할 때도 있고, 잠을 자야 할 때도 있어.

A 톡톡 튀는 영어문장 우리말로 바꾸기.

04 One by one, the stars appeared in the sky.
→ 하나하나씩 ________________________________.

05 Times of luxury do not last long, but pass away very quickly.
→ 호화로운 시간은 ________________________________.

Up! **06** The beauty of the world lies in the diversity of its people.
→ 세상의 아름다움은 ________________________________.

07 In a hole in the ground, there lived a hobbit. *J.R.R. Tolkien*
→ 땅속 어느 굴에 ________________________________.

04
one by one 하나하나씩
appear 나타나다

05
luxury 호화로움(사치)
pass away 사라지다
! not A but B: A가 아니라 B

06
diversity 다양성

07
Know More Rainbow p.6
hole 굴(구멍)

B 뜻 새겨 보면서, 괄호 안 둘 중 하나 고르기.

08 A journey of a thousand miles (begins / begins with) a single step.

08
step 걸음

09 Riddle: What (goes / goes through) towns and over hills but never moves? *Answer: A road.*

09
riddle 수수께끼
move 움직이다

10 We (lay / lay on) the grass, and (talked / talked about) our dreams.

Up! **11** There (is / are) no perfect parents and children, but there (is / are) plenty of perfect moments along the way. *Dave Willis*

11
Know More Rainbow p.7
plenty of 많은
along the way 도중에

In a hole in the ground,
there lived a hobbit.

C 흐트러진 말들 바로 세워 멋진 문장 만들기.

12 시간이 쏜살같이 가.
(flies / like an arrow / time)
→ ______________________________

12
fly 빨리 가다[날다]
arrow 화살

13 지구는 24시간마다 한 번 축을 중심으로 돌아.
(once every 24 hours / on its axis / turns)
→ The earth ______________________________.

13
axis 축
turn 돌다

14 수수께끼: 난 누구일까? 난 전 세계를 여행하지만, 늘 모퉁이에 머물러. 답: 우표
(all over the world / always stay / in my corner / travel)
→ Riddle: What am I? I ______________________________,
but ______________________________. *Answer: A stamp.*

14
stay 머무르다
travel 여행하다
stamp 우표

15 아름다움은 보는 사람의 눈에 달려 있어.
(is / in the eye of the beholder / beauty)
→ ______________________________

15
beholder 보는 사람

영어문장 2형

Block Board

| 주어 + 연결동사 + 보어 |

주어	연결동사	보어
Man	is	a social animal.

해석 공식 "**주어**는 **보어**(무엇/어떠한) **동사**다."

- 연결동사: 주어와 보어를 연결하는 동사

be(이다): 상태	주어 = 보어	keep lie remain stay etc.	
become(되다): 변화	주어 → 보어	come fall get go grow run turn etc.	
감각	주어 = 보어	look sound smell taste feel	seem appear

- 보어: 주어의 정체, 상태, 성질 등을 설명해 주는 것으로, (대)명사/형용사가 됨.
- 주어 + 연결동사 + 형용사(× 부사)
  You look great.(○) You look greatly.(×)

Standard Sentences

01 Man is a social animal. *Aristotle*
↳ 인간은 사회적 동물이야. *social 사회의

Think **02** At the touch of love, everyone becomes a poet. *Plato*
↳ 사랑의 손길이 닿으면, 모두가 시인이 돼. *touch 손길 *poet 시인

03 Feel good, and you will look good.
↳ 기분이 좋으면, 넌 좋아 보일 거야. *feel 느끼다 *look 보이다

A 톡톡 튀는 영어문장 우리말로 바꾸기.

04 Nothing stays the same for long.
→ 아무것도 ______________________.

05 Our dreams will come true.
→ 우리 꿈은 ______________________.

06 The two most powerful warriors are patience and time. *Tolstoy*
→ 가장 강력한 두 전사는 ______________________.

07 Every important idea in science sounds strange at first. *Thomas Kuhn*
→ 과학의 모든 중요한 발상은 ______________________.

04
stay 계속 있다
same 같은 (것)
for long 오랫동안

05
come true 이루어지다(실현되다)

06
powerful 강력한
warrior 전사
patience 인내력

07
Know More Rainbow p.8
sound 들리다(~인 것 같다)

B 뜻 새겨 보면서, 괄호 안 둘 중 하나 고르기.

08 Spring is beautiful, and smells (sweet / sweetly). *Virginia Hudson*

09 Remain (calm / calmly) in case of an emergency.

10 I don't feel (comfortable / comfortably) with luxury, and I stay (normal / normally). *Vince Cable*

Up! **11** I never get (tiring / tired) of the blue sky. *Vincent van Gogh*

08
smell 냄새[향기]가 나다

09
remain 계속 ~이다
emergency 비상

10
luxury 호화로움[사치]
normal 평범한

11
Know More Rainbow p.9

C 흐트러진 말들 바로 세워 멋진 문장 만들기.

12 본질적인 건 눈에 보이지 않아.
(invisible / the essential / is)
→ ______________________ to the eyes.

13 내게는, 삶의 모든 게 다른 장소에서는 다르게 보여.
(different / in different places / seems)
→ For me, all of life ______________________.

14 잎들은 가을에 노랑, 주황, 빨강으로 변해.
(yellow, orange and red / in the fall / turn)
→ Leaves ______________________.

15 좋은 약은 입에 써.
(bitter / good medicine / tastes)
→ ______________________

12
invisible 보이지 않는
essential 본질적인

13
Know More Rainbow p.9
different 다른
seem 보이다

14
turn 변하다
leaf 잎

15
bitter 쓴
medicine 약
taste 맛이 나다

영어문장 3형

Block Board

| 주어 + 타동사 + 목적어 + (부사어) |

주어	타동사	목적어
Creativity	takes	courage.

해석 공식 "주어는 **목적어**를 **동사**한다."

- 타동사: 목적어(타동사의 대상)와 함께 쓰이는 동사
  ▷ put require(필요(요구)하다) have raise love enjoy like say suggest(제안하다) inherit etc.
- 타동사 뒤 목적어 앞에 **전치사**를 붙일 수 없음.
  ▷ reach ~~to~~ its destination / approach ~~to~~ the baby
  explain ~~about~~ the rules / answer ~~to~~ my questions etc.
- 혼동하기 쉬운 자동사/타동사
  (자동사) lie-lay-lain 눕다[있다] / (타동사) lay-laid-laid 놓다
  (자동사) rise-rose-risen 오르다 / (타동사) raise-raised-raised 올리다

Standard Sentences

01 Creativity takes courage. *Henri Matisse*
↳ 창의성은 용기가 필요해. *creativity 창의성 *take 필요하다 *courage 용기

02 Don't put all of your eggs in one basket. *Proverb*
↳ 모든 네 달걀을 한 바구니에 담지 마. *put 놓다 *basket 바구니

03 Even a snail will eventually reach its destination. *Gail Tsukiyama*
↳ 달팽이도 결국 목적지에 이를 거야. *snail 달팽이 *eventually 결국 *reach ~에 이르다 *destination 목적지

A 톡톡 튀는 영어문장 우리말로 바꾸기.

04 All great achievements require time. *Maya Angelou*
→ 모든 큰 업적은 ______________________.

05 Don't judge a book by its cover.
→ ______________________

06 Teachers open the door; you enter the world of truth by yourself.
→ 선생님들은 문을 열어 줄 뿐, 네가 혼자 ______________________.

Up! **07** Keep your eyes on the stars, and your feet on the ground. *Theodore Roosevelt*
→ ______________________, 네 발은 땅을 딛고 있게 해.

04
achievement 업적(성취)

05
judge 판단하다
cover 표지

06
enter ~에 들어가다
by yourself 혼자

07
Know More Rainbow p.10
ground 땅

B 뜻 새겨 보면서, 괄호 안 둘 중 하나 고르기.

08 The cat (approached / approached to) the baby cautiously.

09 Can you (explain / explain about) the rules of the game to me?

10 The cuckoo (lays / lies) its eggs in other birds' nests.

11 If you like me, (rise / raise) your hand; if you don't, (rise / raise) your standards. *Shahrukh Khan*

08
approach 다가가다
cautiously 조심스럽게
09
explain 설명하다
10
cuckoo 뻐꾸기
nest 둥지
11
Know More Rainbow p.11
standard 수준(기준)

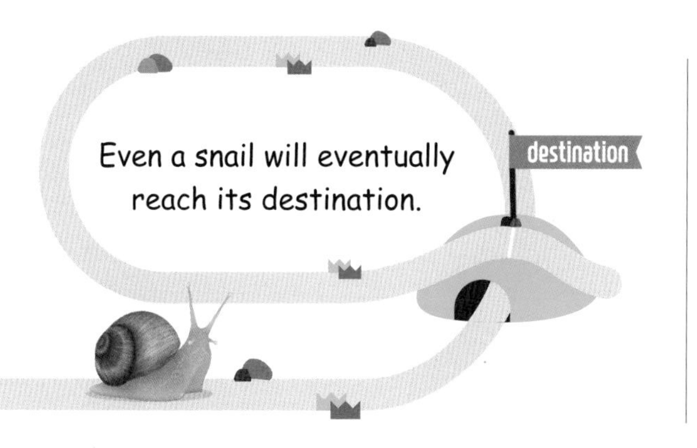

C 흐트러진 말들 바로 세워 멋진 문장 만들기.

12 일찍 일어나는 새가 벌레를 잡아.
(the worm / catches / the early bird)
→ ______________________________

13 그녀는 인내심을 갖고 내 모든 질문에 대답해.
(with patience / all my questions / answers)
→ She ______________________________.

14 너 자신을 사랑하고, 지금 즐겁게 보내.
(love / enjoy / yourself / yourself)
→ ______________; ______________ now.

15 우리는 지구를 우리 조상에게서 물려받지 않고, 우리는 그것을 우리 아이들에게 빌려.
(the Earth / from our ancestors / do not inherit / it / borrow)
→ We ______________________________;
we ______________________ from our children.

12
worm 벌레
catch 잡다
13
patience 인내심
answer 대답하다
15
Know More Rainbow p.11
ancestor 조상
inherit 물려받다[상속받다]
borrow 빌리다

영어문장 4형

Block Board

I 주어 + (주는)동사 + (에게)목적어 + (을)목적어 I

주어	(주는)동사	(에게)목적어	(을)목적어
My teacher	gives	me	a lot of encouragement.

해석 공식 "**주어**는 **(에게)목적어**에게 **(을)목적어**를 **동사**해 준다."

- (주는)동사: 목적어 두 개((에게)목적어 + (을)목적어)와 함께 쓰이는 동사
- **문형 바꾸기:** (에게)목적어 앞에 **to / for**를 붙여 (을)목적어 뒤로 보내 바꿀 수 있음.

  [주어] [동사] [(에게)목적어] [(을)목적어] → [주어] [동사] [(을)목적어] [to (에게)목적어]

  give teach ask bring show wish read tell send owe offer etc. + **(을)목적어** + to (에게)목적어

  [주어] [동사] [(에게)목적어] [(을)목적어] → [주어] [동사] [(을)목적어] [for (에게)목적어]

  buy make bring get cook find etc. + **(을)목적어** + for (에게)목적어
- May I ask you a favor? → May I ask a favor of you?

Standard Sentences

01 My teacher gives me a lot of encouragement.
↳ 선생님께서 내게 많은 격려를 해 주셔. *encouragement 격려

02 Teach me everything about you. *Song "Boy with Luv" by BTS*
↳ 내게 네 모든 걸 다 가르쳐 줘.

03 I bought my mother some flowers.
↳ 난 어머니께 꽃을 사 드렸어.

A 톡톡 튀는 영어문장 우리말로 바꾸기.

04 Give me liberty, or give me death! *Patrick Henry*

→ ______________________, 아니면 ______________________!

05 Music brings us peace and happiness.

→ 음악은 ______________________.

06 He asked her her name, and she asked him his phone number.

→ 그는 ______________________, 그녀는 ______________________.

07 I am different; find another like me, and I will buy you dinner!

→ 난 특이해. 나와 비슷한 사람을 찾으면, 내가 ______________________!

04 Know More Rainbow p.12
liberty 자유
death 죽음

05
bring 가져다주다
peace 평화
happiness 행복

07
different 특이한
like ~와 비슷한

B 뜻 새겨 보면서, 괄호 안 둘 중 하나 고르기.

08 The magician showed (our / us) amazing tricks.

09 We wish (you / your) a Merry Christmas and a Happy New Year!

10 Our English teacher often reads (poetry us / us poetry).

11 My parents always buy good ingredients, and make (healthy meals me / me healthy meals).

08
amazing 놀라운
trick 마술

09
wish 바라다[빌다]

10
often 자주
poetry 시

11
ingredient 재료[성분]
healthy 건강에 좋은
meal 식사

C 흐트러진 말들 바로 세워 멋진 문장 만들기.

12 난 네게 사과의 메시지를 보냈어.
(a message of apology / you / sent)
→ I ______________________________.

13 난 부모님께 모든 걸 빚지고 있어.
(everything / my parents / owe)
→ I ______________________________.

14 그들이 내게 영화의 한 배역을 제안했어.
(a role / in the movie / me / offered)
→ They ______________________________.

Up! **15** 그녀는 내게 자신의 모든 문제를 말해 주었고, 난 그녀에게 내 모든 문제를 말해 주었어.
(her / all her problems / mine / me)
→ She told ______________, and I told ______________.

12
apology 사과
send-sent-sent 보내다

13
owe 빚지고 있다[신세를 지고 있다]

14
role 배역[역할]
offer 제안하다

15
problem 문제

영어문장 5형

Block Board

I 주어 + 타동사 + 목적어 + 목적보어 I

주어	타동사	목적어	목적보어
We	can make	the world	a better place.

해석 공식 "주어는 목적어가 **목적보어**이게 **동사**한다."

- 타동사: 목적어 + 목적보어와 함께 쓰이는 동사
- **목적보어**: 목적어를 설명해 주는 것으로, 명사/형용사/부정사/분사 등이 쓰임.

목적보어	타동사
명사/형용사	make turn find consider call leave name keep drive etc.
to-v/V	allow help let have make see hear feel etc.
v-ing/v-ed분사	see hear feel find get have etc.

- 목적어-**목적보어**: 의미상 주어-서술어 관계.

We can make the world a better place. (The world is a better place.)
주어 서술어

Standard Sentences

01 We can make the world a better place.
↳ 우리는 세상을 더 좋은 곳으로 만들 수 있어.

02 The rising sun turns the sky red.
↳ 떠오르는 태양은 하늘을 붉게 변하게 해. *rise (떠)오르다 *turn 변하게 하다

03 Let your food be your medicine. *Hippocrates*
↳ 네 음식이 약이 되도록 해. *medicine 약

A 톡톡 튀는 영어문장 우리말로 바꾸기.

04 Sunshine on my shoulders makes me happy.
→ 내 어깨 위의 햇살이 ______________________.

05 I found this book very helpful for me.
→ 난 ______________________.

06 We consider climate change one of the greatest challenges.
→ 우리는 ______________________.

07 Call a plant beautiful, and it becomes a flower; call it ugly, and it becomes a weed. *Jonathan Huie*
→ ______________ 면 그건 꽃이 되고, ______________ 면 그건 잡초가 돼.

04
sunshine 햇살
shoulder 어깨

05
find-found-found 알게 되다
helpful 도움이 되는

06
consider 여기다
challenge 도전

07
plant 식물
weed 잡초

B 뜻 새겨 보면서, 괄호 안 둘 중 하나 고르기.

08 Adversity and loss make a man (wise / wisely). *Proverb*

09 Leave yourself (open / openly) to learning something new.

10 Listen to the silence, and you'll hear your heart (beating / to beat).

Up! **11** Social networking services allow users (share / to share) ideas, photos and videos.

08
adversity 역경
loss 상실

09
leave 그대로 두다

10
silence 고요
beat 고동치다

11
allow ~하게 하다[허락하다]
share 공유하다

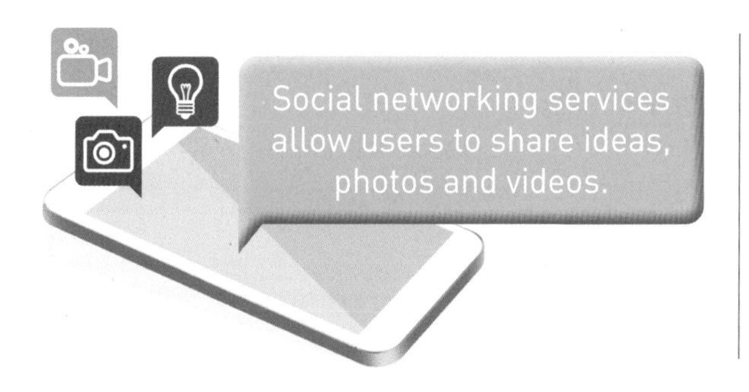

C 흐트러진 말들 바로 세워 멋진 문장 만들기.

12 그녀의 부모님은 그녀를 '민주'라고 이름을 지었어.
("Minju (Democracy)" / named / her / her parents)
→ ______________________________

13 네 고개를 위로 하고, 마음을 강하게 유지해.
(strong / your heart / keep)
→ Keep your head up; ______________________.

Think **14** 한 의문이 때때로 날 혼란스럽게 몰아가: 내가 미친 걸까 다른 사람들이 미친 걸까?
(me / confused / drives)
→ A question sometimes ______________________: am I or are the others crazy?

15 모든 책은 내게 새로운 것을 가르쳐 주거나, 내가 사물들을 다르게 보도록 도와줘.
(things / me / helps / see)
→ Every book teaches me something new, or ______________ differently.

12
democracy 민주주의
name 이름을 지어주다

13
keep 유지하다[계속 있다]

14
Know More Rainbow p.15
confused 혼란스러운
drive 몰아가다
crazy 미친

15
differently 다르게

구동사 1

Block Board

| 주어 + 동사 + 전치사 + 목적어 | 주어 + be동사 + 형용사 + 전치사 + (동)명사 |

주어	동사 + 전치사	목적어
A country's future prosperity	depends upon	the quality of education.

- 〈구동사(동사 + 전치사) + 목적어〉 구문은 기본 5형으로 설명될 수 없으니 따로 익혀야 함.
  - deal with 다루다[처리하다]
  - belong to ~에 속하다
  - depend (up)on ~에 달려 있다[의존하다]/신뢰하다
  - consist of ~로 이루어지다[구성되다]
  - consist in ~에 있다
  - care for 돌보다(= take care of)/좋아하다
- 〈be동사 + 형용사 + 전치사 + (동)명사〉도 비슷한 구문으로 따로 익힐 필요가 있음.
  - be full of ~로 가득하다
  - be worried about ~에 대해 걱정하다
  - be responsible for ~에 책임이 있다/원인이 되다
  - be famous for ~로 유명하다
  - be capable of ~을 할 수 있다
  - be dependent (up)on ~에 의존하다

Standard Sentences

01 A country's prosperity depends upon **the quality of education.**
↳ 한 나라의 번영은 **교육의 질**에 달려 있어. *prosperity 번영 *quality 질 *education 교육

02 A good song deals with **the truth of the human condition.** *Emmylou Harris*
↳ 좋은 노래는 **인간 조건의 진실**을 다뤄. *condition 조건[상태]

03 You are responsible for the consequences of your actions.
↳ 넌 네 행동의 결과에 책임이 있어. *consequence 결과 *action 행동

A 톡톡 튀는 영어문장 우리말로 바꾸기.

04 The Earth does not belong to **us**; we belong to **the Earth.** *Chief Seattle*
→ 지구가 ______________________, 우리가 ______________________.

05 Marie Curie is famous for her contribution to science.
→ 마리 퀴리는 ______________________.

06 The survival of democracy depends on **enlightened citizens.**
→ 민주주의의 생존은 ______________________.

07 Nature is full of wonders and mysterious things.
→ 자연은 ______________________.

04
Know More Rainbow p.16

05
contribution 공헌

06
Know More Rainbow p.16
survival 생존
enlightened 깨우친

07
wonder 경이(로운 것)
mysterious 신비한

B 뜻 새겨 보면서, 괄호 안 둘 중 하나 고르기.

Up! **08** The atmosphere consists (in / of) 78% nitrogen, 21% oxygen, and 1% other gases.

09 I'm not worried (about / at) you; you can take care (for / of) yourself.

10 The government should care (for / of) vulnerable groups in society.

11 Selfish people are not capable (of loving / to love) themselves as well as others. *Erich Fromm*

08
atmosphere 대기
nitrogen 질소
oxygen 산소

10
government 정부
vulnerable 취약한

11
Know More Rainbow p.17

C 흐트러진 말들 바로 세워 멋진 문장 만들기.

12 모든 사람은 자기 자신의 방식으로 큰 슬픔을 처리해.
(in their own way / grief / deals with)
→ Everyone ______________________.

13 연기의 기술은 사람들이 기침을 못하게 하는 데 있어.
(people / keeping / consists in)
→ The art of acting ______________________ from coughing.

14 넌 평생 부모님께 의존할 수는 없어.
(your parents / all your life / dependent on)
→ You can't be ______________________.

Up! **15** 흡연은 폐암으로 인한 사망의 90% 정도에 대한 원인이 돼.
(about 90% of deaths / from lung cancer / responsible for)
→ Smoking is ______________________.

12
grief 큰 슬픔

13
Know More Rainbow p.17
art 기술
acting 연기
cough 기침하다

14
all your life 평생

15
about 약[~쯤]
lung 폐
cancer 암

구동사 2

Block Board

| 주어 + 동사 + 부사 + (전치사) + (목적어) | 주어 + 동사 + 목적어 + 전치사 + 목적어 |

주어	동사 + 부사	목적어	부사어
You	should carry out	your plan	by all means.

• 〈동사 + 부사 + (전치사) + (목적어)〉

show up 나타나다 / carry out 수행하다 / come up with 찾아내다
look forward to 고대하다 / put up with 참다 / cut down on 줄이다

• 〈동사 + 목적어 + 전치사 + 목적어〉

provide A with B[B for A] A에게 B를 제공하다
blame A for B[B on A] A를 B에 대해 탓하다
transform A into B A를 B로 완전히 바꾸다
prefer A to B A를 B보다 더 좋아하다
remind A of B A에게 B를 생각나게 하다
prevent A from B(v-ing) A가 B하는 것을 막다

Standard Sentences

01 You should carry out your plan by all means.
↳ 넌 무슨 수를 쓰더라도 네 계획을 수행해야 해. *means 수단

02 I look forward to growing old and wise and bold. *Glenda Jackson*
↳ 난 나이가 들어 지혜롭고 대담해지기를 고대해. *grow ~해지다 *wise 지혜로운 *bold 대담한

03 Books provide us with knowledge, entertainment, and inspiration.
↳ 책은 우리에게 지식과 오락과 영감을 줘. *knowledge 지식 *entertainment 오락 *inspiration 영감

A 톡톡 튀는 영어문장 우리말로 바꾸기.

Think **04** Our food choices and eating habits show up on our body. *India Arie*
→ 우리의 음식 선택과 식습관은 ______________________.

05 We will come up with a solution to our problem.
→ 우리는 ______________________.

06 I will not put up with your bad behavior any longer!
→ 난 더 이상 ______________________!

07 For good health, cut down on sweets and eat a lot of vegetables.
→ 건강을 위해서 ______________________ 채소를 많이 먹어.

04
choice 선택
habit 습관

05
solution 해결책
problem 문제

06
behavior 행동
not ~ any longer
더 이상 ~ 아닌

07
sweet 단것
vegetable 채소

B 뜻 새겨 보면서, 괄호 안 둘 중 하나 고르기.

08 Many people prefer cats (than / to) other people; many cats prefer people (than / to) other cats. *Mason Cooley*

09 The government provides public goods and services (for / with) the community.

09
public goods 공공재
community 주민[공동체]

10 Do not blame anybody (for / on) your mistakes and failures.

10
failure 실패

11 I look forward to (prove / proving) something to myself and others.

11
Know More Rainbow p.19
prove 입증[증명]하다

C 흐트러진 말들 바로 세워 멋진 문장 만들기.

12 우리는 실험실에서 세포에 대한 실험을 실시했어.

(an experiment on the cells / carried out / in the laboratory)

→ We ______________________________.

12
experiment 실험
cell 세포
laboratory 실험실

13 냄새는 사람에게 모든 기억을 생각나게 해.

(a person / reminds / of all their memories)

→ Smell ______________________________.

13
Know More Rainbow p.19
memory 기억

14 감사는 평범한 기회를 축복으로 완전히 바꿀 수 있어.

(into blessings / transform / ordinary opportunities)

→ Gratitude can ______________________________.

14
Know More Rainbow p.19
blessing 축복
ordinary 평범한
gratitude 감사

15 아무것도 내가 부정에 반대해 공개적으로 말하는 것을 막지 못할 거야.

(me / from speaking out / prevent)

→ Nothing will ______________________ against injustice.

15
speak out 공개적으로 말하다
injustice 부정[부당함]

Chapter 01 Review

A 오색빛깔 영어문장 우리말로 바꾸기.

01 Great things never came from comfort zones.

02 No winter lasts forever; no spring skips its turn.

03 We don't grow older; we grow riper. *Pablo Picasso*

04 Ask me no questions, and I'll tell you no lies. *Oliver Goldsmith*

05 Pain makes you stronger; fear makes you braver; heartbreak makes you wiser. *Drake*

Up! 06 I cannot teach anybody anything; I can only make them think. *Socrates*

07 Everything in an ecosystem depends on everything else.

01
comfort 편안
zone 지역[구역]

02
skip 건너뛰다
turn 차례

03
grow ~해지다
ripe 익은[숙성한]

04
Know More Rainbow p.20
lie 거짓말

05
pain 고통
fear 두려움[공포]
heartbreak 상심

06
Know More Rainbow p.20

07
ecosystem 생태계
depend on ~에 의존하다
else 다른[그 밖의]

B 뜻 새겨 보면서, 괄호 안 둘 중 하나 고르기.

08 Laziness may appear (attractive / attractively); but work gives (us satisfaction / satisfaction us). *Anne Frank*

09 Politicians (attend / attend to) dinners at hotels; bankers (discuss / discuss about) interest rates at lunch. *Jimmy Breslin*

10 The dark clouds can't prevent the truth (from shining / to shine) for long.

08
laziness 게으름
attractive 멋진[매력적인]
satisfaction 만족

09
Know More Rainbow p.20
politician 정치가
banker 은행가
interest rate 금리[이자율]

10
Know More Rainbow p.20
truth 진실
for long 오랫동안

시간표현 & 조동사

Block Board Overview

- 동사의 형태 변화를 통한 시간표현을 시제라 하는데, 영어에는 현재시제(동사원형(-s))와 과거시제(동사원형-ed)가 있다.
- 영어의 미래는 will[be going to] + 동사원형/현재시제/현재(미래)진행형 등으로 나타낸다.
- 영어에는 진행형(be + v-ing)과 완료형(have + v-ed분사)이라는 시간표현도 있다.

- '태도'조동사는 동사 앞에 붙어, 말하는 내용에 대한 말하는 사람의 태도를 나타낸다.
- can/must/should/may[might] 등 '태도'조동사가 나타내는 마음의 태도에는 능력(가능)/의무/추측(가능성) 등이 있다.

Unit 08

시간표현 1: 현재/과거/미래/진행 | 주어 + V(-s)/v-ed/will V/be going to V/be v-ing

주어	동사	목적어
Time	does not wait for	us.

Unit 09

시간표현 2: 현재완료/과거완료/미래완료 | 주어 + have[has]/had/will have + v-ed분사

주어	동사	목적어
Smartphones	have changed	our lives.

Unit 10

조동사 1: **능력[가능]/의무[권고]/추측[가능성]** | 주어 + can/must[have to]/should/may[might] + V

주어	조동사 + V	목적어
I	can resist	everything except temptation.

Unit 11

조동사 2: **과거 추측[가능성]/후회/기타 조동사** | 주어 + may[might]/must/can't/should + have v-ed분사
| 주어 + used to/would/may[might] (as) well + V

주어	조동사 + have v-ed분사	부사어
I	should have studied	more for the exam.

시간표현 1: 현재/과거/미래/진행

Block Board

I 주어 + V(-s) / v-ed / will V / be going to V / be v-ing I

주어	동사	목적어
Time	does not wait for	us.

- **현재시제**: 현재의 상태·습관과 일반적 사실 등을 나타냄.
- **과거시제**: 과거의 행위·상태·습관과 역사적 사실 등을 나타냄.
- **미래표현**: will V(동사원형) / be going to V 등으로, 미래의 의지·예정과 예측 등을 나타냄.
- **진행형**: 현재/과거진행(be v-ing) / 미래진행(will be v-ing)
  현재/과거/미래의 순간 진행 중인 동작·상태 등을 나타냄.

※주의: **미래**를 나타내는 시간(when ~)·조건(if ~) 부사절에는 **현재시제**를 써야 함.
When/If + 주어 + V(-s)(× will V), 주어 + will V

Standard Sentences

01 Time does not wait for us.
↳ 시간은 우리를 기다리지 않아. *wait for 기다리다

02 In 1969, the spacecraft Apollo 11 landed humans on the moon.
↳ 1969년에 우주선 아폴로 11호가 인간을 달에 착륙시켰어. *spacecraft 우주선 *land 착륙시키다 *human 인간(의)

03 Tomorrow is going to be a lot different than yesterday. *David Gerrold*
↳ 내일은 어제와는 많이 다를 거야.

04 Everyone was dancing or crying tears of joy.
↳ 모든 사람이 춤추거나 기쁨의 눈물을 흘리고 있었어. *tear 눈물 *joy 기쁨

A 톡톡 튀는 영어문장 우리말로 바꾸기.

05 Every student gets a supernatural power during the last 5 minutes of the exam.
→ 모든 학생은 ______________________________.

06 Do the right thing; it will please some people and astonish the rest.
→ 옳은 일을 해 봐. 그것은 ______________________________.

07 We are going to fight; we are going to be hurt; and in the end, we will stand. *Stephen King*
→ 우리는 ______________, 우리는 ______________, 결국 우리는 ______________.

05
supernatural 초자연적인
power 힘
exam 시험

06
Know More Rainbow p.22
please 기쁘게 하다
astonish 깜짝 놀라게 하다

07
fight 싸우다
hurt 다친
in the end 결국[마침내]

B 뜻 새겨 보면서, 괄호 안 둘 중 하나 고르기.

08 In the past, about 2,500 stars (are / were) visible to the naked human eye.

08
past 과거
visible 보이는
the naked eye 육안

09 Teacher: Class, we will have only half a day of school this morning.
Class: Hooray!
Teacher: We (will have / had) the other half this afternoon.

09
class 학급[반] (학생들)
half (절)반
hooray 만세

10 When the flower (blossoms / will blossom), the bee will come.
Srikumar Rao

10
blossom 꽃이 피다
bee 벌

Up! **11** If you (love / will love) life, life will love you back. *Arthur Rubinstein*

11
Know More Rainbow p.23

C 보기 동사 골라 〈be v-ing〉 진행형 문장 끝내주기.

보기

have　melt　rise　talk　teach　wear

melt 녹다
rise 상승하다

12 The ice sheets ____________ and the sea level ____________.
대륙 빙하가 녹고 있고, 해수면이 상승하고 있어.

12
ice sheet 빙상[대륙 빙하]
sea level 해수면

13 Teacher: Why ________ you ________ during my lesson?
Student: Why ________ you ________ during my conversation?
선생님: 넌 왜 내 수업 시간에 말을 하는 거니?
학생: 선생님은 왜 제 대화 중에 가르치고 계신가요?

13
during ~동안[중에]
lesson 수업
conversation 대화

14 Q: Why ________ the teacher ________ sunglasses?
A: She had so bright students!
문: 선생님은 왜 선글라스를 끼고 있었을까?
답: 그녀에게 너무 눈부신(똑똑한) 학생들이 있었어!

14
bright 밝은[눈부신], 똑똑한

15 I will ____________ dinner between 6 and 7.
난 6시와 7시 사이에 저녁을 먹고 있을 거야.

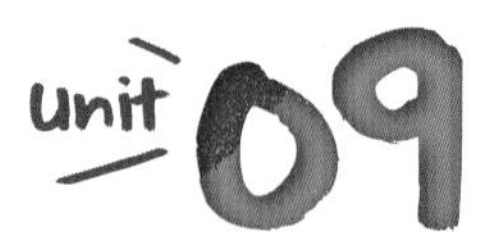

시간표현 2: 현재완료 / 과거완료 / 미래완료

Block Board

I 주어 + have[has] / had / will have + v-ed분사 I

주어	동사	목적어
Smartphones	have changed	our lives.

- **현재완료**: have[has] v-ed분사
  현재의 관점에서 과거의 일을 보는 것으로, 과거의 일이 현재 어떻다는 걸 나타냄.
  ▷ 완료 / 결과: 과거의 일이 현재 완료되었거나, 어떤 결과로 남았음을 나타냄.(~했다 + just / already ...)
  ▷ 경험: 현재까지 영향을 미치는 과거 경험을 나타냄.(~한 적이 있다 + ever / never / once / before ...)
  ▷ 계속: 과거의 일이 현재까지 계속됨을 나타냄.(~해 왔다 + for / since ...)
- **과거완료**: had v-ed분사(과거 어느 시점 이전 일이나, 그 일의 완료·결과·경험·계속을 나타냄.)
- **미래완료**: will have v-ed분사(미래 어느 시점 이전 일의 완료·결과·경험·계속을 나타냄.)
- **현재 / 과거 / 미래완료진행**: have / had / will have + been + v-ing(계속의 의미를 강조: ~해 오고 있다)

Standard Sentences

01 Smartphones have changed our lives.
↳ 스마트폰이 우리의 삶을 바꿔 놓았어.

02 When we arrived at the theater, the movie had already started.
↳ 우리가 극장에 도착했을 때 영화는 이미 시작했었어. *arrive 도착하다 *theater 극장 *already 이미[벌써]

03 Next month we will have known each other for a year.
↳ 다음 달이면 우리가 1년 동안 서로를 알아 온 게 될 거야. *each other 서로

04 I have been doing volunteer work for years.
↳ 난 수년간 자원봉사를 해 오고 있어. *volunteer work 자원봉사 *for years 수년간[몇 해 동안]

A 톡톡 튀는 영어문장 우리말로 바꾸기.

05 The warnings about global warming have been clear for a long time.
→ 지구 온난화에 대한 경고들은 ______________________.

06 Solar power has been growing for decades.
→ 태양열 발전이 ______________________.

Up! **07** I will have achieved my goals in ten years.
→ 난 ______________________.

05
warning 경고
global warming 지구 온난화
clear 분명한

06
solar power 태양열 발전
grow 증가하다
decade 10년

07
achieve 성취하다(이루다)
goal 목표

B 뜻 새겨 보면서, 괄호 안 둘 중 하나 고르기.

08 I was hungry; I (hadn't eaten / won't have eaten) all day.

09 I (have been getting / had gotten) a lot of pimples lately.

10 People (have been creating / will have created) art since time immemorial.

Up! **11** I (have slept / had been sleeping) when you called.

08
all day 하루 종일

09
pimple 여드름
lately 최근에

10
create 창조하다
art 예술
immemorial 태곳적부터의

11
call 전화하다

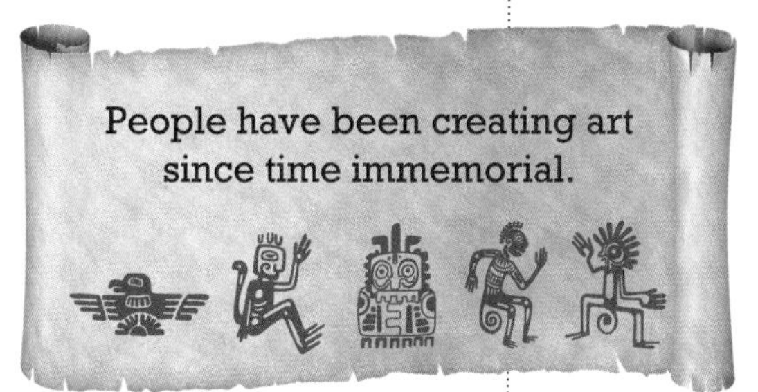

C 보기 동사 골라 〈have[has] v-ed분사〉 현재완료형 문장 끝내주기.

보기
be bring face get

12 My eyesight __________ worse recently.
내 시력이 최근에 나빠졌어.

13 There __________ remarkable advances in technology.
과학 기술에 있어서 놀랄 만한 발전이 있었어.

14 We ________ never ________ a more critical time on our planet.
우리는 결코 지구상의 더 위태로운 시기에 직면한 적이 없어.

☺ **15** ________ you ever ________ your pet up to a mirror and said, "That's you."?
넌 네 애완동물을 거울까지 데려가서 '그게 너야.'라고 말해 본 적 있니?

bring 데려가다
face 직면하다

12
eyesight 시력
recently 최근에

13
remarkable 놀랄[주목할] 만한
advance 발전
technology (과학) 기술

14
Know More Rainbow p.25
critical 위태로운[중대한]
planet 지구, 행성

15
Know More Rainbow p.25
pet 애완동물
up to ~까지
mirror 거울

조동사 1: 능력[가능] / 의무[권고] / 추측[가능성]

Block Board

I 주어 + can / must[have to] / should / may[might] + V I

주어	조동사 + V	목적어
I	can resist	everything except temptation.

- **'태도'조동사:** 동사 앞에 붙어, 듣는 사람이나 말하는 내용에 대해 말하는 사람의 태도를 덧붙이는 것.
- can: **능력·가능**(~할 수 있다) • may: **허가**(~해도 된다[좋다])
- must[have to]: 강한 **의무·권고**(~해야 한다)
  must not: **금지**(~해서는 안 된다) don't have to: **불필요**(~할 필요가 없다)
- should[ought to]: 약한 **의무·권고**(~해야 한다) should not: ~해서는 안 된다[안 하는 게 좋다]
- **추측·가능성:** '태도'조동사는 추측과 가능성을 나타냄.
  may[might]: **불확실한 추측**(~일지도 모른다)
  must[ought to]: **확실한 추측**(틀림없이 ~일 것이다) cannot[must not]: **부정**(~일 리가 없다)

Standard Sentences

01 I can resist everything except temptation. *Oscar Wilde*
↳ 난 유혹을 제외하고는 모든 걸 참을 수 있어. *resist 참다[견디다] *except ~ 제외하고는[외에는] *temptation 유혹

02 We must not repeat the mistakes of the past.
↳ 우리는 과거의 실수를 되풀이해선 안 돼. *repeat 되풀이[반복]하다 *past 과거

03 Look closely; the beautiful may be small. *Immanuel Kant*
↳ 자세히 봐. 아름다운 것은 작을지도 몰라. *look 보다 *closely 자세히

04 People should take responsibility for their own lives.
↳ 사람들은 자신의 삶에 대해 책임을 져야 해. *take responsibility 책임을 지다

A 톡톡 튀는 영어문장 우리말로 바꾸기.

05 You must be tired after a long day.
→ 넌 긴 하루를 보낸 후라 ______________________.

Think **06** Charity should begin at home, but should not stay there. *Phillips Brooks*
→ 자선은 가정에서 ______________________.

07 You don't have to love someone; you just have to respect their rights. *Ed Koch*
→ 넌 누구를 ______________, 그저 그들의 권리는 ______________.

05
tired 피곤한

06
Know More Rainbow p.26
charity 자선

07
respect 존중하다
right 권리

B 뜻 새겨 보면서, 괄호 안 둘 중 하나 고르기.

08 I (could / might) not believe my eyes.

09 You (don't have to / must) have confidence in your competence.

10 One (might / should) always put a little money aside for a rainy day.

11 You (might / must) not trust me, but give me a chance.

08
believe 믿다

09
confidence 신뢰[자신감]
competence 능력

10
put aside 저축하다
for a rainy day
만일의 경우를 대비해

11
trust 믿다[신뢰하다]
chance 기회

C 보기 조동사 골라 멋진 문장 끝내주기.

보기

cannot had to may ought to

12 Darkness ______________ overcome light.
어둠은 빛을 이길 수 없어.

13 A student ______________ borrow up to five books at any one time.
학생은 언제든 한 번에 5권까지 빌려도 돼.

14 Liars ______________ have good memories.
거짓말쟁이는 기억력이 좋아야 해.

15 They ______________ fight against prejudices from our society.
그들은 우리 사회의 편견에 맞서 싸워야 했어.

12
darkness 어둠
overcome 이기다[극복하다]

13
borrow 빌리다
up to ~까지
at any one time 언제든 한 번에

14
Know More Rainbow p.27
liar 거짓말쟁이
memory 기억

15
prejudice 편견
society 사회

조동사 2: 과거 추측[가능성] / 후회 / 기타 조동사

Block Board

주어 + may[might] / must / can't / should + have v-ed분사
주어 + used to / would / may[might] (as) well + V

주어	조동사 + have v-ed분사	부사어
I	should have studied	more for the exam.

- **과거에 대한 추측·가능성:** **(불확실)** may[might] + have v-ed분사: ~였을지도 모른다
  (확실) must + have v-ed분사: 틀림없이 ~였을 것이다
  (부정) can't + have v-ed분사: ~였을 리가 없다
- **과거에 대한 후회·유감:** should[ought to] + have v-ed분사: ~했어야 했는데 (하지 않았다)
  shouldn't + have v-ed분사: ~하지 말았어야 했는데 (했다)
- used to: 과거 오랫동안 계속된 상태(전에는 어떠했다)나 반복된 동작[습관](~하곤 했다)을 나타냄.
- would: 과거 얼마동안 반복된 동작[습관](~하곤 했다)을 나타냄.(상태 동사와 함께하지 못함.)
- may[might] well: 아마도 ~할 것이다/~하는 것도 당연하다
- may[might] as well: ~하는 편이 낫다
- would rather: ~하겠다[하고 싶다]
- cannot ~ too …: 아무리 …해도 지나치지 않다

Standard Sentences

01 I should have studied more for the exam.
↳ 난 그 시험을 위해서 더 많이 공부했어야 했어. *study 공부하다 *exam 시험

02 I may have made a mistake in my calculations.
↳ 내가 계산에서 실수했을지 몰라. *calculation 계산

03 He must have fallen in love with her at first sight.
↳ 그는 틀림없이 첫눈에 그녀와 사랑에 빠졌을 거야. *fall in love with ~와 사랑에 빠지다 *at first sight 첫눈에

04 We used to hang out together a lot.
↳ 우리는 함께 많이 놀곤 했어. *hang out 놀다[많은 시간을 보내다]

A 톡톡 튀는 영어문장 우리말로 바꾸기.

05 You can't have done such a foolish thing.
→ 네가 ____________________.

06 An ant may well destroy a whole dam. *Proverb*
→ 개미 한 마리가 ____________________.

Up! **07** One cannot be too extreme in dealing with social ills. *Emma Goldman*
→ 사회악을 다루는 데 있어서는 ____________________.

05
foolish 어리석은

06
destroy 파괴하다
dam 댐

07
extreme 극단적인
deal with 다루다
social ills 사회악

B 뜻 새겨 보면서, 괄호 안 둘 중 하나 고르기.

Up! **08** There (used to / would) be a forest here, but it's all gone now.

09 In my childhood, my grandmother (will / would) take care of me.

10 You live but once; you (may well / might as well) be amusing. *Coco Chanel*

11 Most people would rather talk (as / than) listen.

08
forest 숲
gone 사라진
09
childhood 어린 시절
take care of 돌보다
10
but ~만
amusing 재미있는(즐거운)

C 보기 조동사–동사 골라 〈조동사 + have v-ed분사〉형 문장 끝내주기.

보기

might – give up	must – leave
ought to – arrive	shouldn't – stay up

give up 포기하다
leave 두고 오다(가다)
arrive 도착하다
stay up 깨어 있다

12 I ______________ my phone on the bus.
내가 틀림없이 전화기를 버스에 두고 내렸을 거야.

13 You ______________ all night.
넌 밤샘을 하지 말았어야 했어.

13
all night 밤새도록

14 The delivery man ______________ by now.
배달 기사는 지금쯤 도착했어야 했어.

14
delivery man 배달 기사
by now 지금쯤

15 Some people ______________ then and there, but I didn't.
어떤 사람들은 그때 거기서 포기했을지도 모르지만, 난 그러지 않았어.

Chapter 02 Review

A 오색빛깔 영어문장 우리말로 바꾸기.

Up! **01** An area of rainforest the size of the UK disappears every year.

02 Polar bears are losing their homes because of global warming.

03 I have never been bored an hour in my life. *William White*

Think **04** Love is like the wind; you can't see it, but you can feel it.

05 You must set realistic goals for yourself.

06 I should have been more considerate with my words.

☺ **07** Don't text me while I'm texting you; now I have to change my text.

01
rainforest 열대 우림
disappear 사라지다

02
polar bear 북극곰
lose 잃다

03
bored 지루한

05
realistic 현실적인
for oneself 스스로

06
considerate 신중한[사려 깊은]

07
text 문자(를 보내다)

B 뜻 새겨 보면서, 괄호 안 둘 중 하나 고르기.

☺ **08** Mom: What did you do at school today?
Mark: We (play / played) a guessing game.
Mom: But I thought you (are / were) having a math exam.
Mark: That's right!

09 If you (are / will be) positive, you'll see opportunities instead of obstacles. *Widad Akrawi*

10 If something can't be right, it (must / might) be wrong.

08
guess 추측하다
guessing game 알아맞히기 게임

09
positive 긍정적인
opportunity 기회
instead of ~ 대신에
obstacle 장애(물)

수동태

Block Board Overview

- 주어와 동사의 능동/수동 관계를 나타내는 형식을 '태'라고 하며, 능동태와 수동태가 있다.
- 능동태는 〈타동사 + 목적어〉로 나타내며, 수동태는 능동태 목적어를 주어로, 동사는 〈be + v-ed분사〉로, 능동태 주어는 〈by + 명사〉로 나타낸다.
- 주어가 목적어에 어떤 영향을 미치는지에 초점을 맞출 때는 능동태를, 주어가 어떤 영향을 받는지에 초점을 맞출 때는 수동태를 쓴다.
- 수동태는 동작의 주체가 분명하지 않거나 중요하지 않을 때, 동작의 주체를 드러내지 않으려 할 때, 주체보다 대상을 강조하려고 할 때 등에 쓴다.
- 수동태는 진행 수동태(be being + v-ed분사), 완료 수동태(have been + v-ed분사), 미래 수동태(will be + v-ed분사), 조동사 수동태(can/must be + v-ed분사) 등으로 나타낸다.

Unit 12

수동태 1: 기본 수동태 | 주어 + be동사 + v-ed분사 + (by 명사)

주어	be동사 + v-ed분사	by 명사
Climate change	is caused	by human activity.

Unit 13

수동태 2: 4형/5형 수동태 | 주어 + be동사 + v-ed분사 + 목적어/보어 + (by 명사)

주어	be동사 + v-ed분사	보어
Shakespeare	is considered	the greatest English writer.

Unit 14

진행/완료/미래 수동태 | 주어 + be동사 being/have been/will be + v-ed분사

주어	be동사 + being + v-ed분사	부사어
Many traditions	are being challenged	as a result of globalization.

Unit 15

조동사 수동태 | 주어 + can/must/should/may + be + v-ed분사

주어	조동사 + be + v-ed분사	부사어
Nothing	can be achieved	without hard work and patience.

Unit 16

기타 수동태 | 주어 + be동사 + v-ed분사 + with/of/for/to + 명사

주어	be동사 + v-ed분사	부사어
Two-thirds of the Earth's surface	is covered	with water.

unit 12

수동태 1: 기본 수동태

Block Board

I 주어 + be동사 + v-ed분사 + (by 명사) I

주어	be동사 + v-ed분사	by 명사
Climate change	is caused	by human activity.

- 주어-동사 관계가 능동(~하다)이면 능동태, **수동(~되다/~지다/~받다/~당하다)**이면 수동태.
- **수동태**: 동작을 하는 주체보다 동작을 받는 대상을 더 중요시할 때 씀.
- 능동태(주어 + 타동사 + 목적어) → **수동태**(능동태목적어 + ⟨be동사 + v-ed분사⟩ + by 능동태주어)

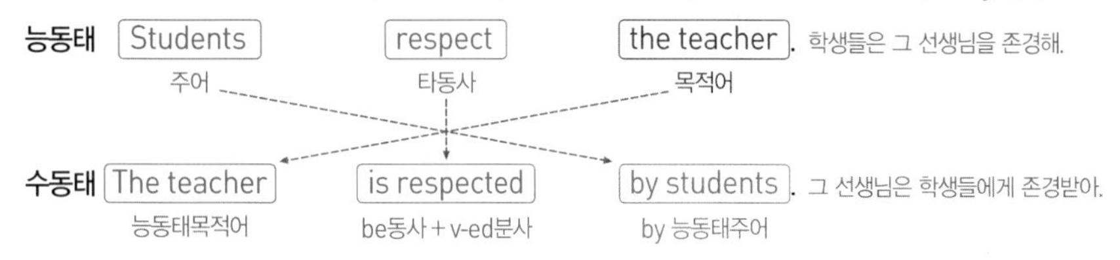

Standard Sentences

01 Climate change is caused by human activity.
↳ 기후 변화는 인간의 활동으로 초래돼. *cause 초래하다[야기하다]

02 Many adolescents are easily influenced by peers.
↳ 많은 청소년들이 또래들에게 쉽게 영향을 받아. *adolescent 청소년 *influence 영향을 주다 *peer 또래[동료]

03 No great discovery was ever made without a bold guess. *Isaac Newton*
↳ 어떤 위대한 발견도 대담한 추측 없이 이루어진 적이 없어. *discovery 발견 *bold 대담한

A 톡톡 튀는 영어문장 우리말로 바꾸기.

04 The door of opportunity is opened by pushing.
→ 기회의 문은 ______________________________.

05 English is spoken by over 2 billion people in many countries around the world.
→ 영어는 전 세계 많은 나라에서 ______________________________.

06 We are all now connected by the Internet, like neurons in a giant brain. *Stephen Hawking*
→ 우리는 모두 지금 거대한 뇌 속의 뉴런처럼 ______________________________.

Up! **07** Three people were killed **and** five injured in the crash.
→ 그 사고에서 세 명이 ______________________________.

04
Know More Rainbow p.32
push 밀다

05
billion 10억

06
Know More Rainbow p.32
connect 연결하다
neuron 뉴런

07
injure 부상을 입히다
crash (충돌) 사고

B 뜻 새겨 보면서, 괄호 안 둘 중 하나 고르기.

08 Public institutions (supported / are supported) by all taxpayers.

09 Actions (remembered / are remembered) long after words are forgotten. *John Maxwell*

10 Rome (didn't build / wasn't built) in a day. *Proverb*

Up! **11** A number of issues (were raised / were risen) at the meeting.

08 Know More Rainbow p.33
public institution 공공 기관
taxpayer 납세자

11
issue 문제(쟁점)
raise 제기하다

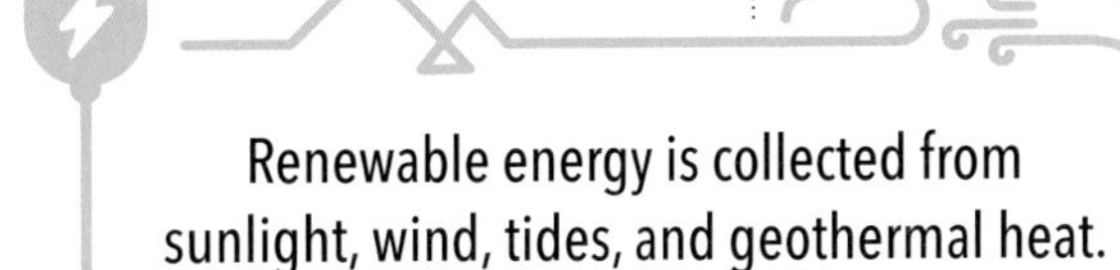

C 보기 동사 골라 〈be동사 + v-ed분사〉 수동태 문장 끝내주기.

보기
collect divide precede watch

12 The participants ______________ into two groups.
참가자들은 두 집단으로 나뉘었어.

13 The game ______________ by over 10 million viewers.
그 경기는 천만 명이 넘는 시청자들이 보았어.

Think **14** Spectacular achievement ______________ always ______________ by unspectacular preparation.
화려한 성취는 늘 화려하지 않은 준비가 선행돼.

15 Renewable energy ______________ from sunlight, wind, tides, and geothermal heat.
재생 가능 에너지는 햇빛, 바람, 조수, 그리고 지열로부터 수집돼.

collect 수집하다
divide 나누다
precede 앞서다(선행하다)

12
participant 참가자

13
million 100만

14 Know More Rainbow p.33
spectacular 화려한
achievement 성취
preparation 준비

15
renewable 재생 가능한
tide 조수
geothermal 지열의

Unit 13

수동태 2: 4형 / 5형 수동태

Block Board

| 주어 + be동사 + v-ed분사 + 목적어 / 보어 + (by 명사) |

주어	be동사 + v-ed분사	보어
Shakespeare	is considered	the greatest English writer.

- **4형 능동태** 주어 + (주는)동사 + (에게)목적어 + (을)목적어
  → **수동태 1** 능동태(에게)목적어 + be동사 + v-ed분사 + (을)목적어 + (by 능동태주어)
  수동태 2 능동태(을)목적어 + be동사 + v-ed분사 + (to) / for + (에게)목적어 + (by 능동태주어)
- **5형 능동태** 주어 + 타동사 + 목적어 + 목적보어
  → **수동태** 능동태목적어 + be동사 + v-ed분사 + 능동태목적보어 + (by 능동태주어)
- 주어 + make(~하게 하다) / 지각동사(see / hear / feel ...) + 목적어 + V(동사원형)
  → **수동태** 능동태목적어 + be동사 + v-ed분사 + to-v

Standard Sentences

01 Shakespeare is considered the greatest English writer.
↳ 셰익스피어는 가장 위대한 영국 작가로 여겨져. *consider 여기다

02 At the 2020 Academy Awards, "Parasite" was awarded four Oscars.
↳ 2020년 아카데미상에서 '기생충'이 4개의 오스카상을 수상했어. *parasite 기생충 *award 수여하다

03 You are expected to submit all assignments on time.
↳ 넌 모든 과제를 제시간에 제출하도록 요구돼. *expect 요구(기대)하다 *submit 제출하다

Up! **04** She is often seen to smile, but seldom heard to laugh.
↳ 그녀가 자주 미소 짓는 건 보이지만, 좀처럼 웃는 소리는 들리지 않아. *seldom 좀처럼 ~ 않는

A 톡톡 튀는 영어문장 우리말로 바꾸기.

05 Only the prepared are given the opportunity of a great challenge.
→ 오직 준비된 사람들에게만 ______________________.

Think **06** Security without liberty is called prison. *Benjamin Franklin*
→ 자유 없는 안전은 ______________________.

07 Students were asked to complete a questionnaire.
→ 학생들은 ______________________.

05
prepared 준비된
challenge 도전

06
security 안전(보안)
prison 감옥

07
ask 부탁(요청)하다
complete 기입(작성)하다
questionnaire 설문지

B 뜻 새겨 보면서, 괄호 안 둘 중 하나 고르기.

08 All men and women (create / are created) equal. *Declaration of Sentiments*

09 Every morning, exactly 86,400 seconds are given (of / to) you.

10 We (encourage / are encouraged) to use our imagination.

10
encourage 권장(장려)하다
imagination 상상력

Up! **11** We were made (learn / to learn) thirty new words every day.

C 보기 동사 골라 〈be동사 + v-ed분사〉 수동태 문장 끝내주기.

보기
ask leave make require

require 요구하다

12 I __________ a lot of questions about myself.
난 나 자신에 대한 많은 질문을 받았어.

13 The full story _________ never _________ public.
전체 이야기는 결코 공개되지 않았어.

13
public (대중에) 공개된

14 I __________ alone in the classroom during P.E. class.
난 체육 시간에 교실에 혼자 남겨졌어.

14
P.E. 체육
(= physical education)

15 Doctors __________ to keep patients' records confidential.
의사들은 환자들의 기록을 비밀로 하도록 요구돼.

15
confidential 비밀(기밀)의

진행 / 미래 / 완료 수동태

Block Board

주어 + be동사 being / have been / will be + v-ed분사

주어	be동사 + being + v-ed분사	부사어
Many traditions	are being challenged	as a result of globalization.

- **진행 수동태**: 주어 + be동사 being + v-ed분사(~되고 있다)
  - ▷ 진행형 is[am/are]/was[were] v-ing
  - ▷ 수동태 + be v-ed분사
  - is[am/are]/was[were] being v-ed분사
- **완료 수동태**: 주어 + have been + v-ed분사(~되어 왔다)
  - ▷ 완료형 have[has]/had/will have v-ed분사
  - ▷ 수동태 + be v-ed분사
  - have[has]/had/will have been v-ed분사
- **미래 수동태**: 주어 + will[be going to] be + v-ed분사(~될 것이다)

Standard Sentences

01 Many traditions are being challenged as a result of globalization.
↳ 많은 전통이 세계화의 결과로 도전받고 있어. *globalization 세계화

02 The band's songs have been loved by people all over the world.
↳ 그 밴드의 노래들은 전 세계 사람들에게 사랑받아 왔어.

03 One-third of human jobs will be replaced by robots in the near future.
↳ 인간 일자리의 3분의 1이 가까운 미래에 로봇으로 대체될 거야. *replace 대체[대신]하다

A 톡톡 튀는 영어문장 우리말로 바꾸기.

04 Greenhouse gases are being trapped within the earth's atmosphere.
→ 온실가스가 ______________________________.

05 I haven't been told anything about the rumor.
→ 난 ______________________________.

06 Everyone is being encouraged to save energy.
→ 모든 사람이 ______________________________.

Up! **07** The outcome of your life will be determined by your outlook on life.
→ 네 삶의 결과는 ______________________________.

04
trap 가두다
atmosphere 대기

05
rumor 소문

06
encourage 권장[장려]하다
save 절약하다

07
outcome 결과
determine 결정하다
outlook 관점

B 뜻 새겨 보면서, 괄호 안 둘 중 하나 고르기.

08 Comics are increasingly (using / being used) for educational purposes.

09 Nothing like this had ever (done / been done) before, so we had to start from scratch.

10 Malala Yousafzai (will remember / will be remembered) for her courage.

11 Latecomers (won't admit / will not be admitted) until the intermission.

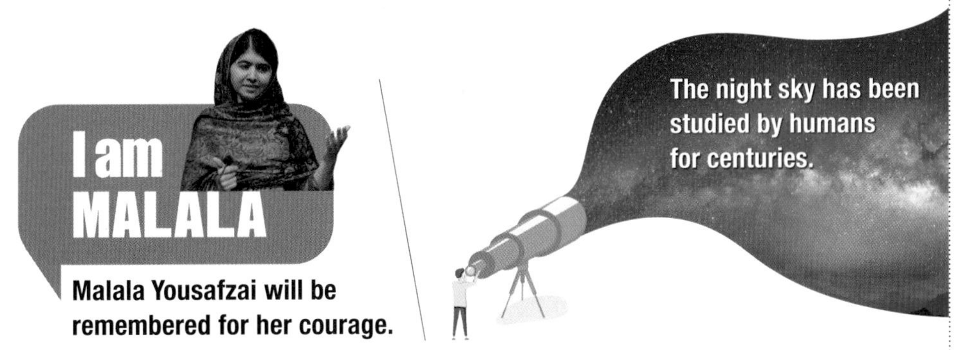

08
comic 만화
educational 교육적인

09
from scratch 맨 처음부터

10
Know More Rainbow p.37

11
latecomer
지각하는[늦게 오는] 사람
intermission 중간 휴식 시간

C 보기 동사 골라 〈have[has] been + v-ed분사〉 완료수동태 문장 끝내주기.

보기
finish read study think

12 The night sky ____________________ by humans for centuries.
밤하늘은 수 세기 동안 사람들에 의해 연구되어 왔어.

13 "Harry Potter" __________ widely __________ for over two decades.
'해리 포터'는 20년 이상 널리 읽혀 왔어.

14 All truly wise thoughts ____________________ already thousands of times.
모든 정말 현명한 생각들은 이미 수천 번 생각되어 왔어.

Up! 15 The group project will ____________________ by the end of this month.
그룹 프로젝트[조별 과제]는 이달 말까지는 끝나 있을 거야.

13
widely 널리

14
Know More Rainbow p.37
truly 정말로
thought 생각[사고]

15
❶ 미래완료 수동태:
will have been v-ed분사

조동사 수동태

Block Board

| 주어 + can / must / should / may + be + v-ed분사 |

주어	조동사 + be + v-ed분사	부사어
Nothing	can be achieved	without hard work and patience.

- '태도'조동사 수동태: 주어 + can / must / should / may + be + v-ed분사
- '태도'조동사 완료 수동태:
  - ▷ 과거에 대한 추측: may[might] + have been + v-ed분사(~되었을지도 모른다)
    must + have been + v-ed분사(틀림없이 ~되었을 것이다)
  - ▷ 과거에 대한 후회·유감: should + have been + v-ed분사(~되었어야 했는데 (되지 않았다))
    should not + have been + v-ed분사(~되지 말았어야 했는데 (되었다))

Standard Sentences

01 Nothing can be achieved without hard work and patience.
↳ 아무것도 노력과 인내 없이 이루어질 수 없어. *hard work 노력

02 Everyone should be treated equally regardless of gender or race.
↳ 모든 사람은 성별이나 인종에 상관없이 동등하게 대우받아야 해. *regardless of ~에 상관없이

03 Never cry over spilt milk; it may have been poisoned. *W.C. Fields*
↳ 엎지른 우유를 두고 절대 울지 마. 그건 독이 들어 있었을지도 몰라. *spill-spilled[spilt]-spilled[spilt] 엎지르다[흘리다] *poison 독을 넣다

A 톡톡 튀는 영어문장 우리말로 바꾸기.

04 No one should be denied a good education.
→ 누구도 ______________________.

05 Children must be taught the difference between right and wrong.
→ 아이들은 ______________________.

06 A new idea must not be judged by its immediate results. *Nikola Tesla*
→ 새로운 아이디어는 ______________________.

Up! 07 The personal information should not have been disclosed to the media.
→ 그 개인 정보는 ______________________.

04
deny 거부하다(허락하지 않다)

05
right and wrong 옳고 그름

06
Know More Rainbow p.38
judge 판단하다
immediate 즉각적인

07
disclose 공개하다(밝히다)
the media 미디어(대중 매체)

B 뜻 새겨 보면서, 괄호 안 둘 중 하나 고르기.

08 Obstacles (can overcome / can be overcome) through learning.

09 Happiness (has to find / has to be found) within yourself.

10 The unfortunate incident should have (handled / been handled) differently.

11 "Girl with a Pearl Earring" must have (painted / been painted) by Vermeer around 1665.

08 overcome 극복하다

09 within ~ 안에서

10 unfortunate 불행한
incident 사고
handle 다루다[처리하다]

11 Know More Rainbow p.39

C 보기 조동사-동사 골라 〈조동사 + be v-ed분사〉 조동사 수동태 문장 만들기.

보기

cannot – hide	may – consider
must not – injure	should – encourage

hide 숨기다
consider 여기다
injure 상처를 입히다

12 Love and a cough ________________________.
사랑과 기침은 숨겨질 수 없어.

12 cough 기침

13 A friend ________________________, even in joke.
친구는 농담으로라도 상처를 입게 해선 안 돼.

13 Know More Rainbow p.39

14 Students ________________________ to build confidence in their creative spirit.
학생들은 자신들의 창조 정신에 자신감을 쌓도록 격려되어야 해.

14 confidence 자신감
spirit 정신

15 A volcano ________________________ as a cannon of immense size.
화산은 엄청난 크기의 대포로 여겨질지도 몰라.

15 Know More Rainbow p.39
cannon 대포
immense 엄청난

기타 수동태

Block Board

I 주어 + be동사 + v-ed분사 + with / of / for / to + 명사 I

주어	be동사 + v-ed분사	부사어
Two-thirds of the Earth's surface	is covered	with water.

- 주어 + ⟨be동사 v-ed분사⟩ + by 외 전치사(with / of / for / to ...) + 명사
  be covered with　　be filled with　　be made of
  be known for　　be compared to
- **구동사 수동태**: 한 덩어리로 간주.
  do away with → be done away with　　call off → be called off
- 주어 + believe / expect / know / say / think + that + 주어 + 동사 ~
  → It + ⟨be동사 v-ed분사⟩ + that + 주어 + 동사 ~ / 주어 + ⟨be동사 v-ed분사⟩ + to-v
  능동태 They say that he dances well.
  → **수동태 1** It is said that he dances well. / **수동태 2** He is said to dance well. 그는 춤을 잘 춘다고 말해져.

Standard Sentences

01 Two-thirds of the Earth's surface is covered with water.
↳ 지표면의 3분의 2가 물로 덮여 있어.　*surface 표면

02 The death penalty has been done away with in many countries.
↳ 사형은 많은 나라에서 폐지되어 왔어.　*death penalty 사형

Up! **03** It is expected that Notre Dame's restoration will be completed by 2040.
↳ 노트르담 대성당의 복구는 2040년까지는 완료될 것으로 예상돼.　*restoration 복구

04 Happiness is thought to depend on leisure. *Aristotle*
↳ 행복은 여가에 달려 있다고 생각돼.　*leisure 여가

A 톡톡 튀는 영어문장 우리말로 바꾸기.

05 The air is filled with the scent of lilac.
→ 공기가 ______________________________.

Think **06** A house is made of walls and beams; a home is made of hopes and dreams.
→ 집은 ______________, 가정은 ______________.

Think **07** It is said that the present is pregnant with the future. *Voltaire*
→ 현재는 ______________________________.

05
scent 향기
lilac 라일락

06
beam 기둥(보)

07
Know More Rainbow p.40
present 현재
pregnant 임신한(잉태한)

B 뜻 새겨 보면서, 괄호 안 둘 중 하나 고르기.

08 K-pop is known (for / to) the whole world.

09 Jill Bolte Taylor is best known (for / to) her work on the human brain.

10 Life (often compares / is often compared) to a marathon. *Michael Johnson*

11 The game (called off / was called off) because of bad weather.

09 Know More Rainbow p.41

10 marathon 마라톤

C 보기 동사 골라 〈be동사 + v-ed분사〉 수동태 문장 끝내주기.

보기

believe	deal with	look up to	use

12 Crude oil ______________ as the raw material for making plastics.
원유는 플라스틱을 만드는 원료로 사용돼.

13 Bullying should ______________ in an immediate and firm manner.
집단 따돌림(약자 괴롭히기)은 즉각적이고 단호한 방식으로 처리되어야 해.

14 The president ______________ as a role model by his people.
그 대통령은 롤 모델로 국민들에게 존경받아.

Up! **15** Fruits, vegetables, and nuts ______________ to be good for your health.
과일, 채소, 그리고 견과는 건강에 좋은 것으로 여겨져.

deal with 처리하다
look up to 존경하다

12
crude oil 원유
raw 원자재의
material 재료

13 Know More Rainbow p.41
bully 약자를 괴롭히다
firm 단호한

15
vegetable 채소

Chapter 03
Review

A 오색빛깔 영어문장 우리말로 바꾸기.

01 I was offered a vacation job at the library.

02 The forest fires were caused by lightning strikes and dry conditions.

03 Virtual reality (VR) is being used in education and entertainment.

04 Dance cannot be explained in words; it has to be danced. *Paige Arden*

05 Children must be educated by love, not punishment. *James Joyce*

06 It is commonly thought that drinking a lot of water is good for the skin.

Up! 07 Lovely flowers have been known to grow out of trash heaps.

01
offer 제안[제의]하다

02
lightning 번개[벼락]
strike 치기
conditions 날씨[환경]

03
virtual 가상의
entertainment 오락

05
punishment (처)벌

06
commonly 흔히[보통]

07
Know More Rainbow p.42
heap 더미[무더기]

B 뜻 새겨 보면서, 괄호 안 둘 중 하나 고르기.

08 Geography (has called / has been called) the bridge between the human and the physical sciences.

09 Complaints (deal with / are dealt with) by the customer service department.

Up! 10 No voice in nature is heard (cry / to cry) aloud.

08
geography 지리학
human science 인문 과학
physical science 자연 과학

09
complaint 불평[항의] (거리)
department 부서

10
Know More Rainbow p.42
aloud 큰 소리로[크게]

v-ing/v-ed분사 & 전치사구

Block Board Overview

- 현재분사(v-ing)와 과거분사(v-ed분사)는 기본적으로 형용사이다.
- v-ing/v-ed분사는 단독으로는 다른 형용사처럼 앞에서 명사를 수식한다.
- v-ing/v-ed분사는 뒤에 목적어/보어/부사어를 거느리면 명사 뒤에서 앞 명사를 수식하는데, 앞 명사와 능동 관계면 v-ing, 수동 관계면 v-ed분사를 쓴다(이는 매우 중요해 각종 시험에 자주 출제됨).
- v-ing/v-ed분사는 목적보어로 쓰이는데, 목적어와 의미상 주어-술어로 능동·진행 관계면 v-ing, 수동 관계면 v-ed분사를 쓴다.
- 전치사구(전치사 + 명사)는 명사수식어 외에도, 동사를 수식하는 부사어로도 쓰인다.

Unit 17

v-ing / v-ed분사(형용사) | v-ing / v-ed분사 + 명사
| 주어 + be동사 + 감정동사-ing / 감정동사-ed분사

v-ing + 명사	동사	v-ed분사
Only boring people	are	bored.

Unit 18

명사 + v-ing / v-ed분사(명사수식어) | 명사 + v-ing / v-ed분사 + 목적어 / 보어 / 부사어

There	동사	명사 + v-ing	
There	is	no road of flowers	leading to glory.

Unit 19

목적보어 v-ing / v-ed분사 | 주어 + 동사 + 목적어 + v-ing / v-ed분사(목적보어)

주어	동사	목적어	v-ing
I	watched	the children	playing on the playground.

Unit 20

전치사구(명사수식어 / 부사어) | 명사 + 전치사구(전치사 + 명사) | 주어 + 동사 + 전치사구(부사어)

주어	동사	명사 + 전치사구	
Imagination	is	the foundation	of all invention and innovation.

v-ing / v-ed분사(형용사)

Block Board

v-ing / v-ed분사 + 명사

주어 + be동사 + 감정동사-ing / 감정동사-ed분사

v-ing + 명사	동사	v-ed분사
Only boring people	are	bored.

- **v-ing**(현재분사): **능동**(~하는)·**진행**(~하고 있는) / **v-ed분사**(과거분사): **수동**(~되는)·**완료**(~한)
- **v-ing / v-ed분사 + 명사**: v-ing / v-ed분사 단독으로 앞에서 명사 수식(**앞수식**).
  a **barking** dog 짖고 있는 개 (진행의 의미) **painted** flowers 그려진 꽃들 (수동의 의미)
- **감정동사의 v-ing형 / v-ed분사형** 의미 차이
  boring 지루한 / bored 지루해하는
  frustrating 좌절시키는 / frustrated 좌절당한
  frightening 무서운 / frightened 무서워하는
  annoying 짜증스러운 / annoyed 짜증이 난
  amazing 놀라운 / amazed 놀란
  confusing 혼란스러운 / confused 혼란스러워하는

Standard Sentences

01 Only **boring** people are **bored.** *Katherine Neville*
↳ 오직 재미없는 사람들만이 재미없어해.

02 Good advice is often **annoying**, bad advice never is. *French Proverb*
↳ 좋은 권고는 흔히 짜증스러운데, 나쁜 권고는 절대 그렇지 않아. *advice 권고

03 **Frustrated** love has been the motive for many great works. *John Mitchell*
↳ 좌절당한 사랑은 많은 위대한 작품의 동기가 되어 왔어. *motive 동기 *work 작품

A 톡톡 튀는 영어문장 우리말로 바꾸기.

04 I was so annoyed with him for turning up late.
→ 난 (그가) 늦게 나타나서 ______________________.

05 Adolescence is just one big walking pimple. *Carol Burnett*
→ 청소년기는 ______________________.

06 Teaching is a challenging but rewarding career.
→ 가르치는 것은 ______________________.

Up! **07** Upcycling is the process of transforming discarded materials into something useful.
→ 업사이클링은 ______________________.

04
turn up 나타나다

05
Know More Rainbow p.44
adolescence 청소년기
pimple 여드름

06
challenging 도전적인
rewarding 보람 있는
career 직업

07
transform 완전히 바꾸다
discard 버리다
material 재료

B 뜻 새겨 보면서, 괄호 안 둘 중 하나 고르기.

08 I am (amazed / amazing) at my progress in English.

> 08 progress 진전

09 The technology of artificial intelligence and robotics is (amazed / amazing).

> 09 artificial intelligence 인공 지능(= AI) robotics 로봇 공학

10 Spring and fall are very (inspired / inspiring) times of the year.

> 10 inspire 영감을 주다[고무하다]

11 Dance is the (hidden / hiding) language of the soul of the body.

> 11 Know More Rainbow p.45 hide 숨다 language 언어

The technology of artificial intelligence and robotics is amazing.

C 보기 v-ing/v-ed분사 골라 멋진 문장 끝내주기.

보기

confusing	confused	frightening	frightened

12 The strength of the typhoon was ______________.
태풍의 세기는 무서웠어.

> 12 strength 세기[강도] typhoon 태풍

13 Most people are ______________ of dentists or snakes.
대부분의 사람들은 치과 의사와 뱀을 무서워해.

> 13 dentist 치과 의사

14 The instructions of the game are very ______________.
그 게임의 설명서는 매우 혼란스러워.

> 14 instruction 설명서

15 People are ______________ about all the different labels on food.
사람들은 식품의 온갖 각기 다른 라벨들에 혼란스러워해.

> 15 label 라벨[표]

unit 18

명사+v-ing/v-ed분사(명사수식어)

Block Board

ㅣ 명사 + v-ing / v-ed분사 + 목적어 / 보어 / 부사어 ㅣ

There	동사	명사 + v-ing	
There	is	no road of flowers	leading to glory.

- **v-ing**(현재분사)/**v-ed분사**(과거분사)
  - ▷**v-ing**(현재분사): **진행**(~하고 있는) 또는 그냥 **능동**(~하는)의 의미.
  - ▷**v-ed분사**(과거분사): 타동사는 **수동**(~되는), 자동사는 **완료**(~한)의 의미.
- **명사 + 〈v-ing / v-ed분사 + 목적어 / 보어 / 부사어〉**: v-ing / v-ed분사가 다른 것들을 거느리면 뒤에서 앞 명사 수식(**뒤수식**).

  the girls **dancing on the stage** 무대에서 춤추고 있는 소녀들 (**진행의 의미**)

  the goods **produced by the factory** 그 공장에서 생산되는 물건 (**수동의 의미**)

Standard Sentences

01 There is no road of flowers **leading** to glory. *Jean Fontaine*
↳ 영광으로 이어지는 꽃길은 없어. *lead 이어지다 *glory 영광

02 Human beings belong to a large group of animals **called** "mammals."
↳ 인간은 '포유류'라고 불리는 큰 동물 집단에 속해. *human being 인간 *belong to ~에 속하다 *mammal 포유류

03 We are still dealing with problems **resulting** from errors **made** in the past.
↳ 우리는 아직 과거에 한 잘못으로 생긴 문제들을 처리하고 있어. *deal with 처리하다[다루다] *result (from) (~의 결과로) 생기다[발생하다]

A 톡톡 튀는 영어문장 우리말로 바꾸기.

04 "Stressed" spelled backwards is "desserts."
→ ______________________ 'desserts'(디저트)야.

05 I'm just a girl standing in front of salad and asking it to be a donut.
→ 난 단지 ______________________ 소녀일 뿐이야.

06 HOMEWORK is Half Of My Energy Wasted On Random Knowledge.
→ HOMEWORK(숙제)는 ______________________.

07 Our meeting is the evidence of destiny given to me. *Song "DNA" by BTS*
→ 우리 만남은 ______________________.

04
Know More Rainbow p.46
spell 철자하다
backwards 거꾸로

05
Know More Rainbow p.46
donut 도넛(= doughnut)

06
random 마구잡이의[무작위의]
waste 낭비하다

07
evidence 증거
destiny 운명

B 뜻 새겨 보면서, 괄호 안 둘 중 하나 고르기.

08 The park was full of people (enjoyed / enjoying) themselves in the sunshine.

> 08 enjoy yourself 즐기다

09 Technology (affected / affecting) our lifestyle is growing in all ways.

> 09 affect 영향을 미치다

10 The number of kids (affected / affecting) by obesity has tripled in the past two decades.

> 10 affect 병이 나게 하다 / obesity 비만 / triple 세 배가 되다

Up! **11** Only a life (lived / living) for others is a life worthwhile. *Albert Einstein*

> 11 Know More Rainbow p.47 / worthwhile 가치[보람] 있는

Food frozen too long will lose nutritional value and overall quality.

C 보기 동사 골라 v-ing/v-ed분사로 바꿔 멋진 문장 끝내주기.

보기: combine　freeze　need　reserve

> combine 결합하다 / freeze 냉동하다[얼리다] / reserve 따로 두다

Up! **12** Social networking services can be a medium __________ solitude with good company.

에스엔에스는 즐겁게 홀로 있기를 좋은 사람들과 함께하기와 결합시키는 매체가 될 수 있어.

> 12 Know More Rainbow p.47 / medium 매체[수단] / solitude (즐겁게) 홀로 있기 / company 함께하기[함께하는 사람들]

13 There are seats __________ for the elderly in the buses and subways.

버스와 지하철에는 어르신들을 위해 따로 마련된 좌석들이 있어.

> 13 the elderly 어르신들

14 Food __________ too long will lose nutritional value and overall quality.

너무 오래 냉동된 식품은 영양가와 전반적인 질이 떨어질 거야.

> 14 nutritional value 영양가 / overall 전반[종합]적인

15 Light from the sun provides the energy __________ for plant growth.

태양의 빛은 식물 성장에 필요한 에너지를 공급해.

> 15 provide 공급하다 / growth 성장

목적보어 v-ing / v-ed분사

Block Board

| 주어 + 동사 + 목적어 + v-ing / v-ed분사(목적보어) |

주어	동사	목적어	v-ing
I	watched	the children	playing on the playground.

- 주어 + 동사 + 목적어 + v-ing(목적보어): 목적어 – v-ing는 의미상 주어 – 서술어 관계(진행).
  ▷ 지각동사(see watch notice hear smell feel), find, keep, leave 등.
  I **saw** her **crossing** the street. 난 그녀가 길을 건너고 있는 것을 보았다.
  ← I **saw** her + she was **crossing** the street(능동·진행 관계)
- 주어 + 동사 + 목적어 + v-ed분사(목적보어): 목적어 – v-ed분사는 의미상 주어 – 서술어 관계(수동).
  ▷ have(~시키다 / ~당하다), make, get, keep, 지각동사(hear see ...) 등.
  I **heard** the music **played** live. 난 그 음악이 라이브로 연주되는 것을 들었다.
  ← I **heard** the music + the music was **played** live(수동 관계)

Standard Sentences

01 I watched the children **playing** on the playground.
↳ 난 아이들이 놀이터에서 놀고 있는 걸 봤어.

02 We found him **lying** unconscious in an alley.
↳ 우리는 그가 골목에 의식을 잃고 누워 있는 걸 발견했어. *lie 눕다 *unconscious 의식을 잃은 *alley 골목

03 You can have your goods **delivered** to your home.
↳ 넌 상품을 너의 집까지 배달시킬 수 있어. *goods 상품 *deliver 배달하다

A 톡톡 튀는 영어문장 우리말로 바꾸기.

04 We must get the report finished on time.
→ 우리는 ______________________________.

05 The exam supervisor noticed them cheating on the test.
→ 시험 감독관은 ______________________________.

06 I saw a vegetarian wearing a fur coat, so I looked closer; it was made of grass. *Steven Wright*
→ 난 ____________________, 더 가까이서 봤는데, 그건 풀로 만들어져 있었어.

07 Keep all of your software updated regularly.
→ ______________________________

04
report 보고서
on time 제시간에

05
supervisor 감독관
notice 알아채다
cheat 부정행위를 하다

06
vegetarian 채식주의자
fur coat 모피 코트

07
update 업데이트하다[갱신하다]
regularly 정기[규칙]적으로

B 뜻 새겨 보면서, 괄호 안 둘 중 하나 고르기.

08 Teacher: Why can I hear someone (talked / talking)?
Student: Because you have ears.

09 I heard my favorite song (played / playing) on the street.

10 Don't you smell something (burning / burnt) in the kitchen?

11 Do I have to have my wisdom teeth (removed / removing)?

11
wisdom teeth 사랑니
remove 없애다[제거하다]

C 보기 동사 골라 v-ing/v-ed분사로 바꿔 멋진 문장 끝내주기.(중복 사용 가능)

보기
cut pound rush throw wait

cut 자르다
pound 쿵쿵 뛰다
rush 급히 움직이다

12 I got my hair ______________ short for a change.
난 기분 전환으로 머리를 짧게 잘랐어.

12
change 기분 전환

13 I see so much food ______________ away every day.
난 매일 너무 많은 음식들이 버려지는 걸 봐.

Up! 14 I felt my heart ______________ and blood ______________ through my veins.
난 내 심장이 쿵쿵 뛰고 피가 혈관을 타고 빠르게 흐르는 걸 느꼈어.

14
vein 혈관[정맥]

15 I kept you ______________ a quarter of an hour; you kept me ______________ for an hour.
난 널 15분 기다리게 했는데, 넌 날 한 시간 동안 기다리게 했어.

unit 20

전치사구(명사수식어/부사어)

Block Board

| 명사 + 전치사구(전치사 + 명사) | 주어 + 동사 + 전치사구(부사어) |

주어	동사	명사 + 전치사구	
Imagination	is	the foundation	of all invention and innovation.

- **명사 + 전치사구**(전치사 + 명사): 전치사구(전치사 + 명사)가 뒤에서 앞 명사 수식(뒤수식).
  the foundation **of** all invention and innovation
- 주어 + 동사 + 전치사구(부사어): 전치사구(전치사 + 명사)가 문장의 뒤 또는 앞에서 동사/문장 수식.
- **전치사의 기본 의미**: 여러 가지 용법도 기본 의미에서 나오는 것이므로 꼭 새겨둘 것.
  of(~의) **for**(~을 위해/~ 때문에) **from**(~에서) **to**(~로/~에 대해) **in**(~ 안에) **on**(~ 위에) **at**(~ 점에)
  with(~와 함께) **without**(~ 없이) **by**(~에 의해) **against**(~에 반해[맞서]) **because of[due to]**(~ 때문에)
  thanks to(~ 덕분에) **including**(~을 포함해) **except**(~을 제외하고) **according to**(~에 따르면)

Standard Sentences

01 Imagination is the foundation **of** all invention and innovation. *J.K. Rowling*
↳ 상상력은 모든 발명과 혁신의 토대야. *foundation 토대[기초] *invention 발명 *innovation 혁신

02 Kites rise highest **against** the wind, not **with** it. *Winston Churchill*
↳ 연은 바람과 함께가 아니라 바람을 거슬러 가장 높이 올라. *kite 연 *rise 오르다

03 From their errors and mistakes, the wise and good learn wisdom **for** the future. *Plutarch*
↳ 오류와 실수에서 현명하고 선량한 이들은 미래를 위한 지혜를 배워. *error 오류[잘못] *wisdom 지혜

A 톡톡 튀는 영어문장 우리말로 바꾸기.

04 Exposure to secondhand smoke raises the risk of lung cancer.
→ ______________________________

Up! **05** Life without dreams is like a bird with a broken wing. *Dan Pena*
→ ______________________________

06 There is no substitute for hard work.
→ ______________________________

Think **07** For attractive lips, speak words of kindness; for lovely eyes, seek out the good in people. *Sam Levenson*
→ ______________________________

04
exposure 노출
secondhand 간접의
risk 위험

06
substitute 대신하는 것[사람]
hard work 노력

07
attractive 매력적인
seek out 찾아내다

B 뜻 새겨 보면서, 괄호 안 둘 중 하나 고르기.

08 Nobody really needs a mink coat (except / including) the mink.

Up! 09 Your simple act will be (of / on) great help.

10 Millions of people lose their homes (due to / thanks to) natural disasters every year.

11 Never limit yourself (because / because of) others' limited imagination; never limit others (because / because of) your own limited imagination.

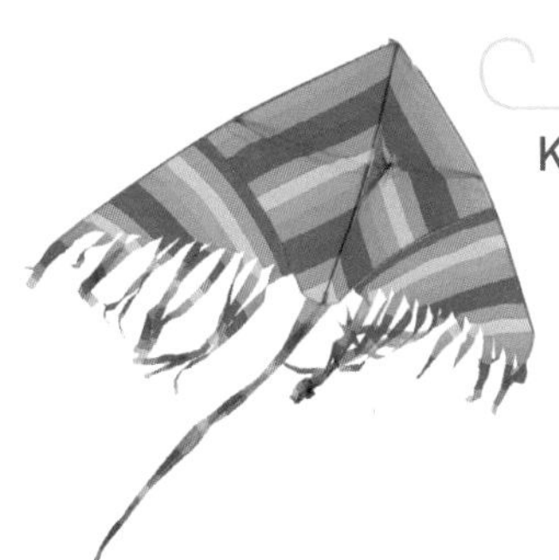

Kites rise highest against the wind, not with it.

Life without dreams is like a bird with a broken wing.

09
act 행동[행위]

10
natural disaster 자연재해

11
Know More Rainbow p.51
limit 제한[한정]하다

C 보기 전치사 골라 멋진 문장 끝내주기.

보기

according to in including to

12 Renewable energy resources come from a wide variety of sources ________ the sun, the wind, and the sea.

재생 에너지 자원은 태양, 바람, 그리고 바다를 포함한 매우 다양한 원천에서 나와.

13 The future of the republic is ________ the hands of the voter.

공화국의 미래는 투표자의 손안에 있어.

14 ________ Freud, our dreams represent our hidden desires.

프로이트에 따르면 우리의 꿈은 우리의 숨겨진 욕구들을 나타내.

15 ________ my great surprise, I received a message from an old friend.

매우 놀랍게도 난 옛 친구로부터 메시지를 받았어.

12
renewable 재생 가능한
resource 자원
a wide variety of 매우 다양한

13
Know More Rainbow p.51
republic 공화국
voter 투표자[유권자]

14
Know More Rainbow p.51
represent 나타내다
desire 욕구

Chapter 04

Review

A 오색빛깔 영어문장 우리말로 바꾸기.

01 Bullying is embarrassing and painful for a victim; stop bullying now!

02 There are a lot of new companies entering the mobile software market.

03 I saw the sun shining through the window.

04 A: Did you hear me calling you?
B: Yes, I heard you calling me; did you see me ignoring you?

05 Please keep your fingers crossed for me.

06 Curiosity about life in all of its aspects is the secret of great creative people. *Leo Burnett*

07 Float like a butterfly; sting like a bee. *Muhammad Ali*

01
bully 약자를 괴롭히다
painful 고통스러운
victim 피해자
02
company 회사
enter ~에 진입하다

04
Know More Rainbow p.52
ignore 무시하다[못 본 척하다]

05
cross 교차하다
cross your fingers
(검지와 중지를 겹쳐서) 행운을 빌다
06
curiosity 호기심
aspect 측면[양상]

07
Know More Rainbow p.52
float 떠돌다

B 뜻 새겨 보면서, 괄호 안 둘 중 하나 고르기.

08 I felt (embarrassed / embarrassing) at being the center of attention.

09 Machu Picchu is an ancient city (building / built) by the Incans in the 1400s.

10 I heard my name (called / calling) over the loudspeaker.

08
attention 관심

09
ancient 고대의
city 도시

10
loudspeaker 스피커[확성기]

A Day Without Laughter is a Day Wasted.

웃지 않는 날은 허비되는 날이야. *Charlie Chaplin*

01 I turned my phone on airplane mode, and threw it in the air.
난 폰을 비행 모드로 바꾸고, 그것을 공중에 던졌어.

02 I don't need a hair stylist. My pillow gives me a new hairstyle every morning.
난 미용사가 필요 없어. 내 베개가 매일 아침 내게 새로운 헤어스타일을 해 주거든.

03 My favorite machine at the gym is the vending machine. *Caroline Rhea*
체육관에서 내가 가장 좋아하는 기계는 자동판매기야.

04 Monday is so far away from Friday, but Friday is so close to Monday.
월요일은 금요일과 너무 멀리 떨어져 있지만, 금요일은 월요일과 너무 가까워.

05 In comic strips, the person on the left always speaks first. *George Carlin*
만화에서는 왼쪽 사람이 언제나 먼저 말해.

06 All right everyone, line up alphabetically according to your height. *Casey Stengel*
좋아 모두, 키에 따라 알파벳순으로 줄을 서.

07 A: Hey, did you get a haircut?
B: No, I dyed the tips invisible.
A: 야, 너 머리 잘랐니?
B: 아니, 난 끝부분이 안 보이게 염색했어.

08 Q: What was Beethoven's favorite fruit?
A: Ba-na-na-NAAA.
문: 베토벤이 가장 좋아하는 과일은 뭐였을까? 답: 바-나-나-나아아.

09 Q: What two things can you never eat for breakfast?
A: Lunch and dinner.
문: 네가 아침으로 절대 먹을 수 없는 두 가지는 뭘까? 답: 점심과 저녁.

10 Teacher: Donald, what is the chemical formula for water?
Donald: H-I-J-K-L-M-N-O.
Teacher: What are you talking about?
Donald: Yesterday you said it was H to O.
선생님: 도널드, 물의 화학식이 뭐지?
도널드: H-I-J-K-L-M-N-O.
선생님: 너 무슨 말을 하는 거니?
도널드: 어제 선생님께서 그것은 H에서 O까지(H_2O)라고 말씀하셨잖아요.

05
comic strip 만화

06
height 키(신장)

07
dye 염색하다
tip 끝(부분)
invisible 보이지 않는

10
formula (공)식

이 게임은 영어문장 완전 정복을 위한 '단계적(나선형) 학습' 과정이 3단계로 이루어져, 게임자는 게임을 즐기는 사이 자연스레 영어문장의 전체 숲에서 세부 나무들로 나아가게 된다.

* 이번 STAGE II에서는 STAGE I에서 이미 득템한 영어문장의 기본 골격에 구·절이라는 멋진 살을 붙여, 영어문장 습득의 최고봉에 오르는 나선 계단의 중심부를 확고히 구축한다.
* 단, 여기에 영어문장을 복잡하게 하는 부사절이나 특수 구문은 (극소수 예외를 제외하곤) 아직 출연하지 않는다.
* 세심하게 통제된 감동적인 문장들을 통해 게임자는 영어문장의 주성분인 주어·보어·목적어를 이루는 명사구·명사절과 더불어, 명사수식어인 관계절을 차례로 정복해 나갈 것이다.
* Chapter 5에서 주어/보어/목적어로 쓰이는 v-ing와, Chapter 6에서 주어/보어/목적어/목적보어/명사수식어/부사어/형용사수식어로 쓰이는 to-v와, Chapter 7에서 주어/보어/목적어로 쓰이는 that절/whether절/what절/wh-절과 게임을 벌이게 된다.
* Chapter 8에서는 영어문장을 복잡하게 하는 데 한몫 톡톡히 하는 명사수식어인 관계절을 마스터해, STAGE I에 이어 이제 모든 명사수식어와 친하게 지내게 된다.
* 이로써 게임자는 영어문장의 뼈와 살, 숲과 나무를 이미 체화하게 되고, 영어문장 완전 정복에 이르는 마지막 관문만을 남겨 두게 된다.

Stage Ⅱ

주어 / 보어 / 목적어구·절 & 관계절

v-ing: 주어 / 보어 / 목적어

Block Board Overview

- 영어의 동사는 주어와 함께 문장을 만드는 필수 성분이며, 주어의 인칭·수·시제에 따라 형태가 변한다.
- 이와는 달리 v-ing와 to-v는(Unit17-19 v-ing/v-ed분사도) 주어의 인칭·수·시제에 따라 형태가 변하지 않고 문장의 동사도 되지 못한다. 즉 동사인 듯 동사 아닌 것이다.
- v-ing는 동사처럼 목적어·보어·부사어를 거느릴 수 있고, 명사 기능을 해 문장에서 주어/보어/(타동사·전치사) 목적어로 쓰인다(v하는 것).
- 타동사 중에는 v-ing만을 목적어로 하는 동사, v-ing/to-v 둘 다 목적어로 하면서 의미 차이가 거의 없는 동사, v-ing/to-v 둘 다 목적어로 하면서 의미 차이가 나는 동사가 있다.
- v-ing를 목적어로 하는 동사는 주로 현재/과거의 일(v하는[한] 것을 ~)을 나타낸다.
- 전치사의 목적어로 동사가 올 때는 반드시 v-ing 꼴이 되어야 한다.
- v-ing는 완료형(having + v-ed분사)과 수동형(being + v-ed분사)도 있다.

Unit 21

주어/보어 v-ing | v-ing(주어) + 동사 | 주어 + be동사 + v-ing(보어)

v-ing	동사	보어
Knowing yourself	is	the beginning of all wisdom.

Unit 22

목적어 v-ing | 주어 + 동사 + v-ing(목적어)

주어	동사	v-ing
I	enjoy	meeting people and seeing new places.

Unit 23

전치사목적어 v-ing | 전치사 + v-ing

주어	동사	전치사 + v-ing
Real joy	comes	from doing something worthwhile.

Unit 24

수동형/완료형 v-ing | being + v-ed분사 | having + v-ed분사 | v-ing 표현

주어	동사	being + v-ed분사
No one	enjoys	being teased.

Unit 21

주어/보어 v-ing

Block Board

I v-ing(주어) + 동사 I 주어 + be동사 + v-ing(보어) I

v-ing	동사	보어
Knowing yourself	is	the beginning of all wisdom.

- **v-ing**+(목적어/보어/부사어): 동사처럼 목적어/보어/부사어와 함께 쓰일 수 있고, 명사의 기능을 하여 문장에서 주어/보어/(타동사·전치사) 목적어로 쓰임.(v하는 것)
- v-ing+(목적어/보어/부사어)(주어) + 동사
  Eating breakfast is good for you. 아침을 먹는 것은 너에게 좋다.
- 주어 + be동사 + v-ing+(목적어/보어/부사어)(보어)
  My hobby is **listening** to music. 나의 취미는 음악을 듣는 것이다.
- **not + v-ing**: v-ing의 부정은 v-ing 바로 앞에 not을 붙여 나타냄. **not doing** it
- **(대)명사 소유격[목적격] + v-ing**: v-ing의 의미상 주어는 v-ing 바로 앞에 (대)명사 소유격[목적격].

Standard Sentences

01 **Knowing** yourself is the beginning of all wisdom. *Aristotle*
↳ 너 자신을 아는 것이 모든 지혜의 시작이야. *beginning 시작 *wisdom 지혜

02 The worst sin in life is **knowing** right and **not doing** it. *Martin Luther King*
↳ 삶에서 가장 나쁜 죄악은 옳은 것을 알면서도 하지 않는 것이야. *worst 가장 나쁜(최악의) *sin 죄(악)

03 The cause of the accident was **drivers driving** too fast.
↳ 그 사고의 원인은 운전자들이 너무 빨리 달린 것이었어. *cause 원인 *accident 사고

A 톡톡 튀는 영어문장 우리말로 바꾸기.

04 Excellence is doing a common thing in an uncommon way. *Albert Einstein*
→ 뛰어남은 ______________________________.

05 Sharing joy increases joy; sharing sorrow decreases sorrow.
→ ______________ 기쁨을 증가시키고, ______________ 슬픔을 감소시켜.

06 Following safety rules can protect you from serious injury.
→ ______________________ 심각한 부상으로부터 널 보호할 수 있어.

07 Creativity is creative people connecting things and experiences. *Steve Jobs*
→ 창의성은 ______________________________.

04
excellence 뛰어남[탁월함]
common 흔한
↔ uncommon 흔하지 않은

05
share 나누다
increase 증가시키다
↔ decrease 감소시키다

06
follow 따르다
injury 부상

07
Know More Rainbow p.56
connect 연결하다
experience 경험

B 뜻 새겨 보면서, 괄호 안 둘 중 하나 고르기.

08 (Try / Trying) different foods can help us enjoy a variety of cultures.

09 The important thing is (being not / not being) afraid to take a chance. *Debbi Fields*

10 (Voting not / Not voting) is not a protest but a surrender.

11 The first step of cooking is (preparation / preparing) the right ingredients.

> 08
> ❶ help + 목적어 + 목적보어(V): ~가 V하도록 돕다
>
> 09
> take a chance 위험을 무릅쓰다
>
> 10
> Know More Rainbow p.57
> protest 항의
> surrender 항복(굴복)
> ❶ not A but B: A가 아니라 B

Having too much sugar
can lead to obesity,
heart disease, and
diabetes.

C 보기 동사 골라 v-ing로 바꿔 멋진 문장 끝내주기.

보기
create do have plan

12 ______________ ahead gives you greater control of your time.
미리 계획하는 건 네게 시간에 대한 더 큰 통제력을 줘.

13 ______________ too much sugar can lead to obesity, heart disease, and diabetes.
너무 많은 설탕을 먹는 건 비만, 심장병, 그리고 당뇨병에 이를 수 있어.

14 The best preparation for tomorrow is ______________ your best today.
내일을 위한 최고의 준비는 오늘 최선을 다하는 거야.

Up! **15** Cloning is ______________ a copy of living matter, such as a cell or organism.
클로닝은 세포나 유기체와 같은 살아 있는 물질의 복제물을 만드는 거야.

> plan 계획하다
>
> 12
> Know More Rainbow p.57
> ahead 미리
> control 통제(력)
>
> 13
> lead to ~에 이르다
> obesity 비만
> diabetes 당뇨병
>
> 15
> Know More Rainbow p.57
> clone 복제하다
> copy 복제(복사)
> matter 물질

unit 22

목적어 v-ing

Block Board

| 주어 + 동사 + v-ing(목적어) |

주어	동사	v-ing
I	enjoy	meeting people and seeing new places.

- 주어 + 동사 + v-ing + (목적어/보어/부사어) I enjoy **reading** fantasy. 난 판타지를 읽는 것을 즐긴다.
- **v-ing**만을 목적어로 하는 동사: 주로 현재/과거의 일(v하는[한] 것을 ~)
  ▹ enjoy practice keep finish stop quit(그만두다) give up put off avoid mind(신경 쓰다) admit deny(부인하다)
- **v-ing**/to-v 둘 다 목적어로 하면서 의미 차이가 거의 없는 동사
  ▹ like love prefer hate / start begin continue
- **v-ing**/to-v 둘 다 목적어로 하면서 의미 차이가 나는 동사: **v-ing(과거)**/to-v(미래)
  ▹ remember + [v-ing (과거에) v한 것을 기억하다 / to-v (앞으로) v할 것을 기억하다]
  ▹ forget + [v-ing (과거에) v한 것을 잊다 / to-v (앞으로) v할 것을 잊다]
  ▹ regret + [v-ing (과거에) v한 것을 후회하다 / to-v (앞으로) 유감이지만 v하다]
  ▹ try + [v-ing (시험 삼아) v해 보다 / to-v v하려고 노력하다]

Standard Sentences

01 I enjoy **meeting** people and **seeing** new places.
↳ 난 사람들을 만나고 새로운 곳을 보는 것을 즐겨.

02 If you still have a problem, try **logging** off and **logging** back on.
↳ 네가 아직 문제가 있으면, 로그오프했다 다시 로그온해 봐. *log off 로그오프하다 *log on 로그온하다

03 I hate **talking** about people behind their backs.
↳ 난 사람들 등 뒤에서[몰래] 그들에 대해 얘기하는 걸 싫어해.

04 You can't stop **me loving** myself. *Song "IDOL" by BTS*
↳ 넌 내가 날 사랑하는 걸 막을 수 없어.

A 톡톡 튀는 영어문장 우리말로 바꾸기.

05 The leaves started falling off the trees.
→ 나뭇잎들이 ______________________________.

06 In my free time, I like hanging out with my friends, listening to music and playing sports.
→ 여가 시간에 난 ______________________________.

07 I didn't finish sleeping at home, so I have to go on sleeping at school.
→ 난 ______________________________.

06
hang out
놀다[많은 시간을 보내다]

07
Know More Rainbow p.58
go on v-ing 계속 v하다

B 뜻 새겨 보면서, 괄호 안 둘 중 하나 고르기.

08 You should avoid (to make / making) the same mistake.

08 avoid 피하다[막다]

Up! 09 Don't your parents mind you (to stay / staying) out so late?

10 Don't give up (pursuing / to pursue) your dream.

10 pursue 추구하다

11 I have always regretted (not studying / studying not) harder in middle school.

11 regret 후회하다

C 보기 동사 골라 딱 맞는 꼴로 바꿔 멋진 문장 끝내주기.

보기

hear make read roll

roll 굴리다

12 I remember ______________ something about the Fourth Industrial Revolution.

난 4차 산업 혁명에 대해 뭔가 읽은 게 기억나.

12 Know More Rainbow p.59
industrial 산업의
revolution 혁명

13 I'll never forget ______________ this song for the first time.

난 처음으로 이 노래를 들은 걸 절대 잊지 못할 거야.

14 Some people put off ______________ decisions by searching for more information.

어떤 사람들은 더 많은 정보를 찾다가 결정하는 걸 미뤄.

14 put off 미루다
decision 결정

15 Keep ______________ your eyes, and you'll find your brain back there.

계속 눈을 굴리면, 넌 그 뒤에서 뇌를 보게 될 거야.

15 Know More Rainbow p.59

unit 23

전치사목적어 v-ing

Block Board

전치사 + v-ing

주어	동사	전치사 + v-ing
Real joy	comes	from doing something worthwhile.

- **전치사 + v-ing**: 전치사 뒤에는 명사가 오는데, 동사가 올 때는 반드시 v-ing로 해야 함.
- **동사/형용사 + 전치사 + v-ing**: come from v-ing insist on v-ing / be afraid of v-ing
- **명사 + of(~의)/to(~에 대한)/for(~을 위한) + v-ing**
- **by + v-ing**: v함으로써 **without + v-ing**: v하지 않고 **before + v-ing**: v하기 전에
  in spite of + v-ing: v함에도 불구하고 **instead of + v-ing**: v하는 대신에
- **look forward to + v-ing**: v할 것을 고대하다
- **be used to + v-ing**: v하는 데 익숙하다 I am **used to getting** up early. 난 일찍 일어나는 데 익숙하다.
  비교 **used to V**: v하곤 했다 I **used to get** up late. 난 늦게 일어나곤 했다.
- **prevent/stop/keep ~ from + v-ing**: ~가 v하는 것을 막다

Standard Sentences

01 Real joy comes **from doing** something worthwhile. *Wilfred Grenfell*
↘ 진정한 기쁨은 가치 있는 일을 하는 데서 생겨. *worthwhile 가치[보람] 있는

02 Questions provide the key **to unlocking** our unlimited potential. *Tony Robbins*
↘ 질문은 우리의 무한한 잠재력을 여는 열쇠를 제공해. *unlock 열다 *unlimited 무제한의 *potential 잠재력

03 I am used **to getting** up early in the morning.
↘ 난 아침에 일찍 일어나는 데 익숙해.

A 톡톡 튀는 영어문장 우리말로 바꾸기.

04 You can't make an omelette without breaking eggs. *Proverb*
→ 넌 ______________________ 오믈렛을 만들 수 없어.

05 Are you for or against wearing school uniforms?
→ 넌 ______________________?

06 You don't learn to walk by following rules; you learn by doing, and by falling over. *Richard Branson*
→ 넌 ______________________.

Up! **07** CCTV is used for maintaining public safety and for preventing and investigating crime.
→ 시시티브이[폐쇄 회로 티브이]는 ______________________.

04
Know More Rainbow p.60
omelette 오믈렛

05
for ~에 찬성하는
against ~에 반대하는

07
maintain 지키다[유지하다]
prevent 예방하다
investigate 조사하다
crime 범죄

B 뜻 새겨 보면서, 괄호 안 둘 중 하나 고르기.

08 Before (make / making) up your mind, think about all your options.

> 08
> make up your mind 결정하다
> option 선택(할 수 있는 것)

Up! **09** Everything will be okay soon in spite of (I worry / my worrying) about it.

> 09
> in spite of ~에도 불구하고

Up! **10** A bird sitting on a tree is never afraid of the branch (breaking / breaks).

> 10
> branch 나뭇가지

11 I am looking forward to (influence / influencing) others in a positive way. *Justin Bieber*

> 11
> influence 영향을 미치다
> positive 긍정적인

Questions provide the key to unlocking our unlimited potential.

Why do you insist on doing everything yourself instead of sharing with others?

C [보기] 동사 골라 딱 맞는 꼴로 바꿔 멋진 문장 끝내주기.

보기

be do preserve see

> preserve 지키다[보존하다]

12 Prejudice prevents us from ________ the good beyond appearances.
편견은 우리가 겉모습 너머에 있는 좋은 것을 보는 걸 막아.

> 12
> prejudice 편견
> beyond ~ 너머
> appearance (겉)모습

13 Why do you insist on ________ everything yourself instead of sharing with others?
왜 넌 다른 사람들과 나누는 대신 모든 것을 스스로 하려고 고집하니?

> 13
> insist on 고집하다

14 We should try to put more effort into ________ our cultural heritage.
우리는 우리의 문화유산을 지키는 데 더 많은 애를 쓰려고 노력해야 해.

> 14
> put effort into ~에 애쓰다[공들이다]
> heritage 유산

15 Cultivate the habit of ________ grateful for every good thing.
모든 좋은 것에 감사하는 습관을 길러.

> 15
> cultivate 기르다[함양하다]
> grateful 감사하는[고마워하는]

Unit 24

수동형/완료형 v-ing

Block Board

| being + v-ed분사 | having + v-ed분사 | v-ing 표현 |

주어	동사	being + v-ed분사
No one	enjoys	being teased.

- **being + v-ed분사**: 의미상 주어와의 관계가 수동이면 v-ing 수동형 **being + v-ed분사**로 나타냄.(v되는 것)
- **having + v-ed분사**: 본동사보다 앞선 시간이나 완료를 나타낼 때는 완료형 **having + v-ed분사**를 씀.
- **v-ing 표현들**
  It's no use v-ing: v해 봐야 소용없다 **There's no v-ing**: v할 수 없다
  have difficulty[a problem] v-ing: v하는 데 어려움을 겪다/문제가 있다
  spend/waste 시간 v-ing: v하면서 시간을 보내다/낭비하다
  be worth v-ing: v할 가치가 있다 **be busy v-ing**: v하느라 바쁘다 **feel like v-ing**: v하고 싶다

Standard Sentences

01 No one enjoys **being teased.**
↳ 아무도 놀림당하는 걸 즐기지 않아. *tease 놀리다

02 I greatly regret **not having told** the truth.
↳ 난 진실을 말하지 않은 걸 대단히 후회해. *regret 후회하다

03 Some people **have difficulty** accepting change.
↳ 어떤 사람들은 변화를 받아들이는 데 어려움을 겪어. *accept 받아들이다

A 톡톡 튀는 영어문장 우리말로 바꾸기.

04 There's no denying that quicker action could have saved the passengers.
→ 더 빠른 조치가 ______________________.

Up! **05** Most of the students denied **having bullied** or **having been bullied.**
→ 대부분의 학생들이 ______________________.

Up! **06** Life without conscience is not worthy of **being called** human.
→ 양심 없는 삶은 ______________________.

07 Parents spend **the first year** teaching us to walk and talk, **and the rest** telling us to sit down and shut up. *Neil Tyson*
→ 부모님은 ______________________,
______________________.

04
deny 부인하다
action 조치[행동]
passenger 승객

05
bully
왕따시키다[(약자를) 괴롭히다]

06
Know More Rainbow p.62
conscience 양심
worthy of ~을 받을 만한

07
Know More Rainbow p.62
shut up 입 다물다

B 뜻 새겨 보면서, 괄호 안 둘 중 하나 고르기.

08 I feel like (eating / to eat) something sweet.

09 It's no use (crying / to cry) over spilt milk. *Proverb*

10 I hate (interrupting / being interrupted) by the people we are talking about.

Think 11 Maybe sometimes we pretend to be lost in hopes of (being found / finding) by someone.

09
spill-spilled[spilt]-spilled[spilt] 쏟다[엎지르다]

10
Know More Rainbow p.63
interrupt 방해하다[가로막다]

11
Know More Rainbow p.63
pretend ~인 척하다

C 보기 동사 골라 딱 맞는 꼴로 바꿔 멋진 문장 끝내주기.

보기

fight live make prepare

12 I have problems ____________ new friends at the beginning of the school year.
난 학년 초에 새 친구들을 사귀는 데 문제가 있어.

13 Don't waste your limited time ____________ someone else's life.
네 제한된 시간을 다른 사람의 삶을 살면서 낭비하지 마.

14 I have been busy ____________ for midterms this week.
난 이번 주에 중간고사를 준비하느라 바빴어.

15 Justice is worth ____________ for.
정의는 (이루기 위해) 싸울 가치가 있어.

13
limited 제한된

14
midterm 중간고사

15
Know More Rainbow p.63
justice 정의

Chapter 05

Review

A 오색빛깔 영어문장 우리말로 바꾸기.

01 Feeling gratitude and not expressing it is like wrapping a present and not giving it. *William Ward*

02 An essential aspect of creativity is not being afraid to fail.

03 Raising teenagers is wrestling slippery fish with your hands tied behind your back.

04 No one can prevent me from living my life my way.

05 I would like to congratulate my parents for having such an amazing kid!

06 We have to build bridges of peace instead of building walls of wars. *Widad Akrawi*

07 We spent hours chatting online.

B 뜻 새겨 보면서, 괄호 안 둘 중 하나 고르기.

08 Please stop (giving / to give) us homework to do on the weekends; we have lives, too.

Up! **09** The sharing economy contributes to (save / saving) the environment.

10 Most adolescents are angry at (treating / being treated) like children.

01
gratitude 고마움[감사]
like ~같은
wrap 싸다[포장하다]

02
essential 필수적인[본질적인]
aspect 측면

03
raise 키우다[기르다]
wrestle 씨름하다[레슬링을 하다]
slippery 미끄러운

05
Know More Rainbow p.64
congratulate 축하하다

06
bridge 다리
instead of ~대신에
war 전쟁

09
Know More Rainbow p.64
sharing economy 공유 경제

10
adolescent 청소년

to-v: 주어 / 보어 / 목적어 / 목적보어

Block Board Overview

- to-v는 동사처럼 목적어·보어·부사어를 거느릴 수 있고, 명사 기능을 해 문장에서 주어/보어/목적어로 쓰인다(v하는 것).
- 주어로서의 to-v는 it(형식주어)을 앞세우고 문장 뒤로 빠질 수 있다.
- 타동사 중에는 to-v만을 목적어로 하는 동사, to-v/v-ing 둘 다 목적어로 하면서 의미 차이가 거의 없는 동사, to-v/v-ing 둘 다 목적어로 하면서 의미 차이가 나는 동사가 있다.
- to-v[V]가 목적보어로 쓰일 수 있는데, 이때 목적어와 to-v[V]는 의미상 주어-서술어 관계이다.
- to-v는 이 밖에도 명사수식어/부사어/형용사·부사수식어 기능을 한다.

Unit 25 주어/보어 to-v | to-v(주어) + 동사 | 주어 + be동사 + to-v(보어)

to-v	동사	to-v
To have another language	is	to possess a second soul.

Unit 26 목적어 to-v | 주어 + 동사 + to-v(목적어)

주어	동사	to-v
You	can't expect	to learn a foreign language in a few weeks.

Unit 27 목적보어 to-v | 주어 + 동사 + 목적어 + to-v(목적보어)

주어	동사	목적어	to-v
The Internet	enables	us	to share ideas without hierarchy.

Unit 28 목적보어 V | 주어 + 동사 + 목적어 + V(목적보어)

주어	동사	목적어	V
Absence	makes	the heart	grow fonder.

Unit 29 명사수식어 to-v | 명사 + to-v(명사수식어)

명사 + to-v		동사	보어
The best way	to predict the future	is	to create it.

Unit 30 부사어/형용사수식어 to-v | 주어 + 동사 + to-v(부사어) | 형용사 + to-v

주어	동사	부사어	to-v
We	aim	above the mark	to hit the mark.

Unit 31 수동형/완료형 to-v | to be + v-ed분사 | to have + v-ed분사 | 부사 + to-v

주어	동사	too + 형용사 + to-v
Life	is	too short to sit around and wait.

unit 25

주어/보어 to-v

Block Board

| to-v(주어) + 동사 | 주어 + be동사 + to-v(보어) |

to-v	동사	to-v
To have another language	is	to possess a second soul.

- **to-v** + (목적어/보어/부사어): 동사처럼 목적어/보어/부사어와 함께 쓰일 수 있고, 명사의 기능을 하여 문장에서 주어/보어/목적어로 쓰임.(v하는 것)
- **to-v(주어) + 동사**: **To eat** healthy food **is** vital. 건강에 좋은 음식을 먹는 것은 필수적이다.
- **It(형식주어) + 동사 ~ + to-v(진주어)**: to-v 주어는 보통 형식주어 it을 앞세우고 뒤로 빠짐.
- **It(형식주어) + 동사 ~ + for 명사(의미상 주어) + to-v(진주어)**: to-v의 의미상 주어를 밝힐 필요가 있을 때.
- **It(형식주어) + be동사 +** 성격 형용사(kind/wise/foolish/silly) **+ of 명사(의미상 주어) + to-v(진주어)**
- **not + to-v**: to-v의 부정은 to-v 바로 앞에 not을 붙여 나타냄. **not to stop** questioning
- **주어 + be동사 + to-v(보어)**: My dream is **to help** others. 내 꿈은 다른 사람들을 돕는 것이다.

Standard Sentences

01 **To have** another language is **to possess** a second soul. *Charlemagne*
↳ 또 하나의 언어를 갖는 것은 정신을 하나 더 소유하는 거야. *possess 소유하다 *soul 정신[영혼]

02 It's important **to be** open-minded about cultural differences.
↳ 문화적 차이에 대해 마음을 여는 것이 중요해. *open-minded 마음이 열린

03 It is impossible **for** you **to be** angry and **laugh** at the same time. *Wayne Dyer*
↳ 네가 화나는데 동시에 웃는 건 불가능해. *at the same time 동시에

04 The important thing is **not to stop** questioning. *Albert Einstein*
↳ 중요한 건 질문하는 것을 멈추지 않는 거야. *question 질문하다

A 톡톡 튀는 영어문장 우리말로 바꾸기.

05 To watch us dance is to hear our hearts speak. *Hopi Indian Proverb*
→ ____________________

06 It's better to look ahead and prepare, than to look back and regret.
→ ____________________ 더 나아.

Up! **07** The proper use of science is not to conquer nature but to live in it.
→ 과학의 올바른 이용은 __________ 아니라 __________.

05 Know More Rainbow p.66

06 ahead 앞으로[앞에]

07 proper 올바른 / conquer 정복하다

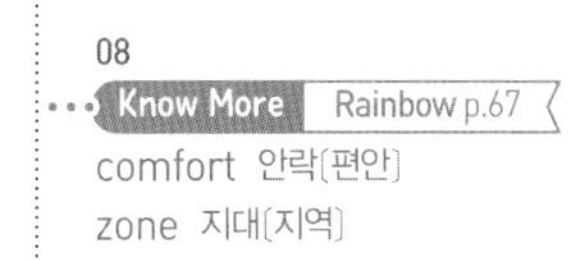

B 뜻 새겨 보면서, 괄호 안 둘 중 하나 고르기.

08 (Not to be / To be not) in your comfort zone is great fun.
Benedict Cumberbatch

09 It is hard (for / of) a rich man to enter the kingdom of heaven. *Jesus*

10 It's very kind (for / of) you to invite me to your birthday party.

11 It is foolish (for / of) you to believe such a thing.

08 ··· Know More Rainbow p.67
comfort 안락[편안]
zone 지대[지역]

10
invite 초대하다

11
foolish 어리석은

C 보기 〈to-v〉 골라 멋진 문장 끝내주기.

보기
to know to make to move to sit

Up! **12** It takes sunshine and rain ______________ a rainbow.
무지개를 만드는 데는 햇빛과 비가 필요해.

13 It is the special province of music ______________ the heart.
마음을 움직이는 건 음악의 특별한 영역이야.

14 A sure cure for seasickness is ______________ under a tree.
뱃멀미의 확실한 치료법은 나무 아래 앉아 있는 거야.

15 Real knowledge is ______________ the extent of one's ignorance.
진정한 앎은 자신의 무지의 정도를 아는 거야.

12 ··· Know More Rainbow p.67
take 필요하다
rainbow 무지개

13
province 영역[분야]

14 ··· Know More Rainbow p.67
cure 치료법
seasickness 뱃멀미

15
extent 정도
ignorance 무지

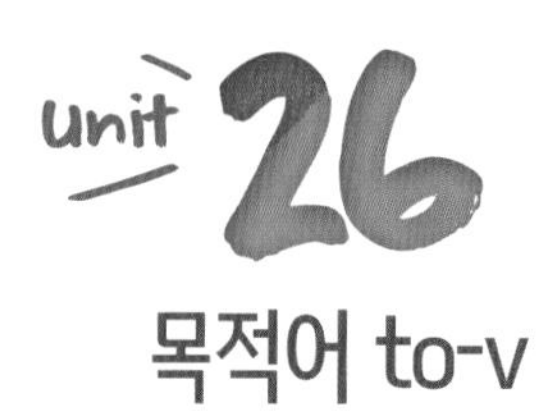

목적어 to-v

Block Board

I 주어 + 동사 + to-v(목적어) I

주어	동사	to-v
You	can't expect	to learn a foreign language in a few weeks.

- 주어 + 동사 + to-v+(목적어/보어/부사어) I hope **to study** engineering. 난 공학을 공부하기를 희망한다.
- to-v만을 목적어로 하는 동사: 주로 미래의 일(v할 것을 ~)
  ▷ expect(기대하다) want(원하다) hope(희망하다) decide(결정하다) plan(계획하다) need(필요하다) mean(의도하다) promise(약속하다) refuse(거절하다) fail(실패하다) learn(배우다) etc.
- to-v/v-ing 둘 다 목적어로 하면서 의미 차이가 거의 없는 동사: like love hate start begin
- to-v/v-ing 둘 다 목적어로 하면서 의미 차이가 나는 동사: to-v(미래)/v-ing(과거)
  ▷ remember/forget + to-v (앞으로) v할 것을 기억하다/잊다 ▷ try + to-v v하려고 노력하다
- 동사 + wh-(what/where/how) + to-v: 무엇을/어디서/어떻게 v해야 할지를 ~하다

Standard Sentences

01 You can't expect **to learn** a foreign language in a few weeks.
↳ 넌 외국어를 몇 주 만에 배울 거라고 기대할 수 없어.

02 Never forget **to say** "please" and "thank you".
↳ '부디[좀]'와 '고마워요'라고 말할 것을 절대 잊지 마.

03 Children must be taught **how to think,** not **what to think.** *Margaret Mead*
↳ 아이들에게 무엇을 생각해야 할지가 아니라, 어떻게 생각해야 할지를 가르쳐야 해.

A 톡톡 튀는 영어문장 우리말로 바꾸기.

04 Remember to keep the mind calm in difficult moments. *Horace*
→ 어려운 순간에도 ______________________.

05 We can begin to embrace and enjoy our differences.
→ 우리는 ______________________.

Up! **06** I don't like to keep people waiting, and to be kept waiting.
→ 난 ______________________.

07 People need to learn how to live in harmony with nature.
→ 사람들은 ______________________.

04
Know More Rainbow p.68
calm 침착한

05
embrace 받아들이다[껴안다]

07
in harmony with ~와 조화롭게

B 뜻 새겨 보면서, 괄호 안 둘 중 하나 고르기.

08 I don't want (to waste / wasting) time arguing.

09 Q: When do you need (climbing / to climb) a ladder?
A: To get to High School.

10 Try (not to get / to not get) stressed about exams; you'll get through them.

11 Know (where find / where to find) the information and (how use / how to use) it; that's the secret of success. *Albert Einstein*

When do you need to climb a ladder?

08
argue 말다툼하다

09
ladder 사다리

10
stressed 스트레스를 받는
get through 합격하다[통과하다]

11
information 정보
secret 비결[비밀]

C 보기 동사 골라 딱 맞는 꼴로 바꿔 멋진 문장 끝내주기.

보기: accept educate hurt take

12 I didn't mean ________ your feelings.
난 네 기분을 상하게 할 의도가 아니었어.

13 I refuse ________ anything less than the best.
난 최선이 아닌 어떤 것도 받아들이는 걸 거부해.

14 I decided ________ part in the Seoul Half Marathon.
난 서울 하프 마라톤에 참가하기로 결정했어.

15 Teacher: You failed the test.
Student: You failed ________ me.
선생님: 넌 시험에 실패했어.
학생: 선생님은 저를 교육하는 데 실패하셨어요.

accept 받아들이다
hurt (감정을) 상하게 하다

12
mean 의도[작정]하다

13
less than ~
~보다 적은[결코 ~가 아닌]

15
Know More Rainbow p.69
fail 실패하다

목적보어 to-v

Block Board

I 주어 + 동사 + 목적어 + to-v(목적보어) I

주어	동사	목적어	to-v
The Internet	enables	us	to share ideas without hierarchy.

- 주어 + 동사 + 목적어 + to-v: "주어는 목적어가 v하게 동사한다."
- **목적어 + to-v**: 의미상 주어 – 서술어 관계.
  The Internet enables us to share ideas. (We share ideas.)
  주어 서술어
- 〈목적어 + to-v〉와 함께 쓰이는 동사(~하게 하다)
  ▷ advise allow ask cause enable encourage expect get permit persuade require want etc.
- 동사(find / make) + it(형식목적어) + **목적보어** + to-v(진목적어)
  I found it interesting to learn English. 난 영어를 배우는 게 재미있다는 걸 알게 되었다.

Standard Sentences

01 The Internet enables us **to share** ideas without hierarchy.
↳ 인터넷은 우리가 계층에 관계없이 생각을 나눌 수 있게 해. *enable ~할 수 있게 하다 *hierarchy 계층[계급]

02 Teachers encourage students **to read** books of different genres.
↳ 선생님들은 학생들에게 다양한 장르의 책들을 읽도록 권장해. *encourage 권장[격려]하다 *genre 장르

03 I find **it difficult to make** decisions about my future.
↳ 난 내 장래에 대해 결정하는 게 어렵다는 걸 알아. *decision 결정

A 톡톡 튀는 영어문장 우리말로 바꾸기.

04 The law requires everyone to have health insurance.
→ 법은 ______________________.

05 Don't allow your past or present condition to control you. *T.D. Jakes*
→ ______________________

06 Smartphones make it easy to take photographs.
→ 스마트폰은 ______________________.

07 Authorities are advising people to stay indoors due to the spread of the virus.
→ 당국은 바이러스의 확산 때문에 ______________________.

04
require 요구하다
insurance 보험

05
Know More Rainbow p.70
allow ~하게 두다[허락하다]
control 지배[통제]하다

07
authorities 당국
due to ~ 때문에
spread 확산

B 뜻 새겨 보면서, 괄호 안 둘 중 하나 고르기.

08 What caused you (changing / to change) your mind?

09 Never permit failure (becomes / to become) a habit. *William Book*

10 She asked me (not to say / to not say) anything about the incident.

Up! **11** Telecommunication technology has made (it / that) possible for more people to work from home.

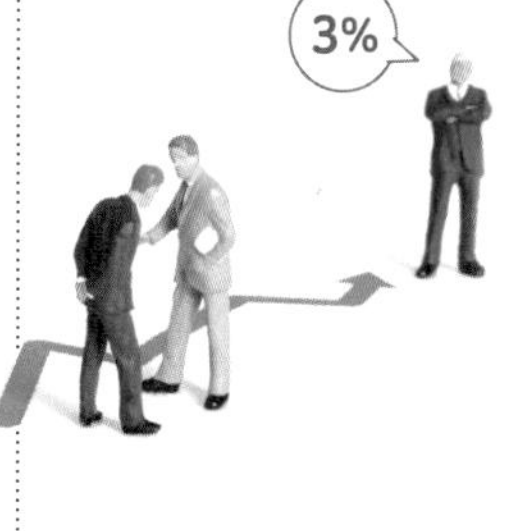

09 ··· Know More Rainbow p.71

10 incident 일(사건)

11 telecommunication technology 통신 기술
work from home 재택근무를 하다

C 보기 동사 골라 딱 맞는 꼴로 바꿔 멋진 문장 끝내주기.

보기
fit give up grow see

fit 맞다

12 I want people ____________ me as who I am.
난 사람들이 날 있는 그대로의 나로 봐 주기를 바라.

13 His family finally persuaded him ____________ smoking.
그의 가족은 마침내 그가 담배를 끊도록 설득했어.

13 persuade 설득하다

14 Economists expect the economy ____________ by 3% next year.
경제학자들은 경제가 내년에 3퍼센트 성장할 거라고 예상해.

14 economist 경제학자
expect 예상(기대)하다
economy 경제

☺ **15** How do you get that t-shirt ____________ over your head? That's physically impossible.
넌 어떻게 그 티셔츠에 네 머리가 들어가게 하니? 그건 신체적으로 불가능한데.

15 ··· Know More Rainbow p.71
physically 신체적으로

unit 28

목적보어 V

Block Board

| 주어 + 동사 + 목적어 + V(목적보어) |

주어	동사	목적어	V
Absence	makes	the heart	grow fonder.

- 주어 + make / let + 목적어 + V(to 없는 부정사): "주어는 목적어가 v하게 한다."
  This medicine will make you **feel** better. 이 약은 네가 낫게 할 것이다. (You will feel better.)
  주어 서술어
- 주어 + 지각동사(see / watch / look at / notice / hear / listen to / feel) + 목적어 + V(to 없는 부정사):
  "주어는 목적어가 v하는 것을 본다 / 듣는다 / 느낀다."
  I saw you **get** on the bus. 난 네가 버스에 타는 것을 보았다. (You got on the bus.)
  주어 서술어
- 주어 + help + 목적어 + V / to-v(둘 다 가능): "주어는 목적어가 v하는 것을 돕는다."
  I help my mom **(to) do** the dishes. 난 엄마가 설거지하시는 걸 돕는다.

Standard Sentences

01 Absence makes the heart **grow** fonder. *Proverb*
↳ 없는(떨어져 있는) 게 마음을 더 애틋해지게 해. *absence 부재(없음) *grow ~해지다 *fond-fonder-fondest 좋아하는

02 I watched the bus **disappear** into the distance.
↳ 난 버스가 저 멀리 사라지는 것을 지켜봤어. *disappear 사라지다 *in(to) the distance 저 멀리

03 This song has helped me **(to) get through** some difficult times.
↳ 이 노래는 내가 여러 힘든 시기를 이겨내도록 도움이 되어 왔어. *get through 이겨내다(극복하다)

A 톡톡 튀는 영어문장 우리말로 바꾸기.

04 All my life through, the new sights of nature made me **rejoice** like a child. *Marie Curie*
→ 내 평생 자연의 새로운 모습들은 ______________________.

Up! **05** Don't let others **define** you; don't let the past **confine** you.
→ ______________________

06 Just once in my life, I'd like to actually see a liar's pants **catch on fire**.
→ 평생 단 한 번만이라도, 난 ______________________.

07 Writing helps you **(to) listen** to your heart and **trust** your inner guidance.
→ 글쓰기는 ______________________.

04 Know More Rainbow p.72
sight 모습[광경]
rejoice 크게 기뻐하다

05 Know More Rainbow p.72
define 규정[정의]하다
confine 한정[제한]하다

06 Know More Rainbow p.72
catch on fire 불붙다

07 Know More Rainbow p.72
trust 믿다[신뢰하다]
inner 내면의[내부의]
guidance 안내[지도]

B 뜻 새겨 보면서, 괄호 안 둘 중 하나 고르기.

08 Regular exercise can make you (feel / to feel) happier and more energetic.

08
regular 규칙적인
exercise 운동
energetic 활기찬(정력적인)

09 "The people have no bread to eat."
Marie Antoinette: "Then let them (eat / to eat) cake."

09
Know More Rainbow p.73

10 I've never heard the president (raise / raised) his voice.

10
raise 올리다

11 Juliet felt her heartbeat (quicken / to quicken) as Romeo approached.

11
heartbeat 심장 박동
quicken 빨라지다

C 보기 딱 맞는 것 골라 멋진 문장 끝내주기.

보기

be your teacher	come in
melt away	rustle in the wind

melt away 차츰 사라지다
rustle 바스락거리다

12 Let nature ______________.
자연이 네 스승이 되게 해.

12
Know More Rainbow p.73

13 I felt all my stress ______________.
난 내 모든 스트레스가 차츰 사라지는 걸 느꼈어.

14 Listen to the leaves ______________.
나뭇잎들이 바람에 바스락거리는 소리를 들어 봐.

15 The teacher didn't even notice me ______________.
선생님은 내가 들어온 걸 알아차리지도 못하셨어.

15
notice 알아차리다

unit 29

명사수식어 to-v

Block Board

| 명사 + to-v(명사수식어) |

명사 + to-v		동사	보어
The best way	to predict the future	is	to create it.

- **명사 + to-v**: to-v가 뒤에서 앞 명사 수식(뒤수식).(v하는/v할/v해야 할/v할 수 있는 ~)

  The best way to predict the future is to create it.

  the first man to set foot on the moon　　decisions to make 내려야 할 결정들

- **명사 + to-v + 전치사**: **to-v**가 앞 명사와의 관계에서 전치사가 필요하면 **to-v** 뒤에 전치사를 붙여 줌.

  a chair **to sit on**(← **to sit on** a chair)　　someone **to talk to**(← **to talk to** someone)

  nothing **to worry about/to be afraid of**(← **to worry about/to be afraid of** nothing)

  a house **to live in**(← **to live in** a house)　　a **place to live**: place 뒤에서는 in 생략.

Standard Sentences

01 The best way **to predict** the future is to create it. *Peter Drucker*
↳ 미래를 예측하는 최선의 방법은 그걸 창조하는 거야.　*predict 예측하다

02 Neil Armstrong was the first man **to set** foot on the moon.
↳ 닐 암스트롱은 달에 발을 디딘 최초의 사람이었어.　*set foot 발을 딛다

03 We all have the right **to make up** our own minds. *Declaration of Human Rights*
↳ 우리 모두는 자신의 마음을 정할 권리가 있어.　*make up your mind 마음을 정하다[결정하다]

A 톡톡 튀는 영어문장 우리말로 바꾸기.

04 In life we have decisions to make, paths to take and opportunities to take advantage of.

→ 살면서 우리는 ______________________________.

05 The most certain way to succeed is always to try just one more time.

→ ______________________________ 언제나 한 번만 더 시도하는 거야.

06 Our culture will not survive without our effort to preserve it.

→ 우리 문화는 ______________________________ 살아남지 못할 거야.

Up! **07** Happiness comes of the capacity to feel deeply, to enjoy simply, and to think freely. *Storm Jameson*

→ 행복은 ______________________________ 결과야.

04
path 길
opportunity 기회
take advantage of ~을 이용[활용]하다

05
Know More Rainbow p.74
certain 확실한
succeed 성공하다
try 시도하다

06
survive 살아남다[존속하다]
effort 노력
preserve 지키다[보존하다]

07
come of ~의 결과이다
capacity 능력

B 뜻 새겨 보면서, 괄호 안 둘 중 하나 고르기.

08 Let's make our earth a better place (living / to live).

09 Can you give any evidence (supportable / to support) your claim?

09
support 뒷받침하다
claim 주장

10 I am lonely and depressed; I need someone to (talk / talk to) about my problems.

10
depressed 우울한

11 There is nothing to (worry / worry about); there is no need to be concerned.

11
concerned 걱정하는

C 보기 〈to-v〉 골라 멋진 문장 끝내주기.

보기			
to adapt	to bring	to prioritize	to try

prioritize 우선순위를 정하다

12 Here's your chance ______________ something new.
이것은 네가 새로운 것을 시도할 기회야.

12
chance 기회

Think **13** Food has the power ______________ everyone together.
음식은 모든 사람을 모으는 힘이 있어.

13
Know More Rainbow p.75

14 You need time ______________ to the new environment.
넌 새로운 환경에 적응할 시간이 필요해.

14
environment 환경

15 The ability ______________ tasks is an essential skill in all roles.
일의 우선순위를 정하는 능력은 모든 역할에서 필수적인 기술이야.

15
task 일[과업]
essential 필수적인

Unit 30

부사어 / 형용사수식어 to-v

Block Board

| 주어 + 동사 + to-v(부사어) | 형용사 + to-v |

주어	동사	부사어	to-v
We	aim	above the mark	to hit the mark.

- 주어 + 동사 + to-v(부사어): to-v가 동사(형용사)를 수식하여, 목적 / 원인 / 이유 / 결과 등을 나타냄.
  - ▷ 목적(v하기 위해[v하도록]): 가장 많이 쓰임.(= **in order to**)
  - ▷ 원인(v해서): 감정 형용사(glad / proud / sorry)와 함께 쓰여 감정의 원인을 나타냄.
  - ▷ 이유(v하다니): 판단 형용사(brave / crazy / foolish)와 함께 쓰여 판단의 근거를 나타냄.
  - ▷ 결과(~해서 v하다): 예상 밖의 결과로 to-v가 되는 것을 나타냄.(awake **to find** / only **to find**)
- **형용사 + to-v**: to-v가 뒤에서 앞 형용사를 수식함.(v하기에 ~한)
  easy / difficult **to learn** 배우기에 쉬운 / 어려운　　safe / convenient **to use** 사용하기에 안전한 / 편리한
- **be free to-v**: 자유롭게 v하다　　**be likely to-v**: v할 것 같다　　**be willing to-v**: 기꺼이 v하다

Standard Sentences

01 We aim above the mark **to hit** the mark. *Ralph Emerson*
↳ 우리는 표적을 맞히기 위해 표적 위를 겨냥해.　*aim 겨냥하다[겨누다]　*mark 표적[목표물]

02 I awoke one morning **to find** myself famous. *Lord Byron*
↳ 난 어느 날 아침 깨어나서 나 자신이 유명해진 걸 알게 되었어.　*awake-awoke-awoken 깨다

03 Bad habits are easy **to pick up**, and hard **to break**.
↳ 나쁜 습관은 들이긴 쉽고, 버리긴 어려워.　*pick up 얻다

A 톡톡 튀는 영어문장 우리말로 바꾸기.

04 You must love **yourself** internally to glow externally. *Hannah Bronfman*
→ 넌 ________________________ 안으로 너 자신을 사랑해야 해.

Up! **05** I arrived only to find that the others had already left.
→ 난 ________________________.

06 Work done with little effort is likely to yield little result. *B.C. Forbes*
→ 적은 노력으로 행해진 일은 ________________________.

Up! **07** We are free to choose our actions, **but** we are not free to choose the consequences of these actions. *Stephen Covey*
→ 우리는 ________________________.

04
Know More Rainbow p.76
internally 안으로[내부로]
glow 빛나다
externally 밖으로[외부로]

06
effort 노력
yield 내다[산출하다]
result 성과[결과]

07
Know More Rainbow p.76
consequence 결과

B 뜻 새겨 보면서, 괄호 안 둘 중 하나 고르기.

08 In order (that / to) have friends, you must first be one. *Elbert Hubbard*

09 (For / To) make the right career choice, you have to learn about yourself.

10 I feel very proud (because / to) be a part of the team.

11 The app is simple and convenient (to use / using).

09
career 직업
learn about
~에 대해 알다[알게 되다]

10
proud 자랑스러운

11
convenient 편리한

C 보기 〈to-v〉 골라 멋진 문장 끝내주기.

보기			
to believe	to complete	to see	to tell

12 You are so brave ______________ your story.
네가 네 이야기를 하다니 정말 용감해.

13 They must be crazy ______________ such nonsense.
그들이 그런 말도 안 되는 말을 믿다니 틀림없이 제정신이 아닐 거야.

14 We overcame all obstacles ______________ the project.
우리는 프로젝트를 끝마치기 위해 모든 장애를 극복했어.

Up! 15 I am glad ______________ K-pop suddenly pop up and become an international craze.
난 케이팝이 갑자기 나타나 세계적 대유행이 되는 걸 봐서 기뻐.

13
crazy 제정신이 아닌[미친]
nonsense 말도 안 되는 말[생각]

14
overcome 극복하다
obstacle 장애
complete 끝마치다[완료하다]

15
pop up 불쑥 나타나다
craze 대유행

Unit 31

수동형 / 완료형 to-v

Block Board

| to be + v-ed분사 | to have + v-ed분사 | 부사 + to-v |

주어	동사	too + 형용사 + to-v
Life	is	too short to sit around and wait.

- **too ~ (for …) to-v**: 너무 ~해서 (…가) v할 수 없는[v하기엔 너무 ~한]
- **~ enough (for …) to-v**: (…가) v할 만큼 충분히 ~한
- **to be + v-ed분사**: 의미상 주어와의 관계가 수동이면 to-v 수동형 **to be + v-ed분사**로 나타냄.(v되는 것)
  the right **to be treated** fairly 공정하게 대우받을 권리　　**to be misunderstood** 오해되는 것
- **to have + v-ed분사**: 본동사보다 앞선 시간이나 완료를 나타낼 때는 완료형 **to have + v-ed분사**를 씀.
  claim **to have discovered** 발견했다고 주장하다　　seem **to have left** us 우리를 떠난 것 같다
- **to begin with**: 우선[먼저]　　**to be honest**: 솔직히 말해서　　**needless to say**: 말할 필요도 없이

Standard Sentences

01 Life is **too** short **to sit** around and **wait**.
↳ 삶은 너무 짧아서 빈둥거리며 기다릴 수 없어.　*sit around 빈둥거리다

02 Our heart is wide **enough to embrace** the world. *Amit Ray*
↳ 우리 가슴은 세상을 껴안을 만큼 충분히 넓어.　*wide 넓은　*embrace (껴)안다

03 Everyone has the right **to be treated** fairly and **be given** equal opportunities.
↳ 모두가 공정하게 대우받고 평등한 기회를 얻을 권리가 있어.　*treat 대우하다　*fairly 공정하게　*opportunity 기회

04 Doctors claim **to have discovered** a cure for the disease.
↳ 의사들이 그 질병에 대한 치료법을 발견했다고 주장해.　*claim 주장하다　*discover 발견하다　*cure 치료법

A 톡톡 튀는 영어문장 우리말로 바꾸기.

05 No one is too old to learn.
→ 아무도 ______________________.

06 There's never enough time to do nothing. *Daniel Radcliffe*
→ ______________________ 결코 없어.

Up! **07** The days of family entertainment seem to have left us. *Dean Devlin*
→ 가족 오락의 시절은 ______________________.

05 Know More Rainbow p.78
no one 아무도 ~ 않다

06 Know More Rainbow p.78

07 Know More Rainbow p.78
entertainment 오락

B 뜻 새겨 보면서, 괄호 안 둘 중 하나 고르기.

08 You speak too fast (for / of) me to understand.

09 Social Security needs (to reform / to be reformed) to protect the vulnerable.

09
Social Security 사회 보장 제도
reform 개혁하다
vulnerable 취약한[연약한]

Think **10** Time stays (enough long / long enough) for anyone to use it.

10
Know More Rainbow p.79

Up! **11** I'm honored (to have included / to have been included) in this project.

11
be honored 영광스럽다
include 포함하다

C 보기 〈to-v〉표현 골라 멋진 문장 끝내주기.

보기

needless to say	to be honest
to be misunderstood	to begin with

misunderstand 오해하다

12 My greatest fear is ______________________.

내 가장 큰 두려움은 오해받는 거야.

13 ______________________, I am completely natural; I'm very proud to say that.

솔직히 말해서, 난 완전히 (성형하지 않은) 자연 그대로인데, 난 그걸 말하게 돼서 매우 자랑스러워.

13
Know More Rainbow p.79
completely 완전히
natural 자연의[타고난]

14 ______________________, our perception of the world is incomplete; then our memory is selective.

우선 세계에 대한 우리 인식은 불완전하고, 그 다음 우리 기억은 선택적이야.

14
perception 인식
incomplete 불완전한
selective 선택적인

15 ______________________, you cannot solve climate change without sustainable development.

말할 필요도 없이, 넌 지속 가능한 발전 없이 기후 변화를 해결할 수 없어.

15
Know More Rainbow p.79
sustainable 지속 가능한
development 발전

Chapter 06
Review

A 오색빛깔 영어문장 우리말로 바꾸기.

01 The only way to learn mathematics is to do mathematics.

02 In order to keep moving forward, we need to keep learning new things.

03 Don't let a little dispute injure a great relationship. *Dalai Lama*

04 O Lord, help me to be pure, but not yet. *Saint Augustine*

Up! **05** There is nothing to be gained from delaying the decision.

06 A real friend is very hard to find, difficult to leave and impossible to forget.

07 Living alone makes it harder to find someone to blame. *Mason Cooley*

B 뜻 새겨 보면서, 괄호 안 둘 중 하나 고르기.

08 Q: Why did the boy throw his clock out the window?
A: Because he wanted to see time (fly / to fly).

09 It is hard (for / of) me to watch the weak suffer. *Kristen Bell*

Up! **10** To get the full value of joy, you must have someone (to divide it / to divide it with). *Mark Twain*

01
mathematics 수학

02
forward 앞으로

03
dispute 논쟁[분쟁]
injure 해치다[손상시키다]

04
Know More Rainbow p.80
pure 순수한[순결한]

05
gain 얻다
delay 미루다[연기하다]
decision 결정

07
Know More Rainbow p.80
blame 탓하다

08
Know More Rainbow p.80
clock (벽)시계

09
suffer 고통받다

10
value 가치
divide 나누다

Chapter 07

주어절 / 보어절 / 목적어절

Block Board Overview

- 영어문장의 주어/보어/목적어 역할을 하는 것에 that절/whether절/what절/wh-절이 있다.
- that절('~ 것')은 that 없이도 완전한 형식과 의미를 갖춘 절로, 사실을 나타낸다.
- whether절('~인지 (아닌지)')은 whether 없이도 완전한 형식과 의미를 갖춘 절로, 여부나 선택을 나타낸다.
- 주어로서의 that절/whether절은 It(형식주어)을 앞세우고 문장 뒤로 빠질 수 있다.
- 명사동격 that절은 앞 명사와 동격 관계(앞 명사=that절)로, that 없이도 완전한 절이다.
- what절('~인 것'/'무엇 ~인지')은 명사 하나가 부족한 절로, 그 명사 역할을 what이 한다고 보면 된다.
- wh-(who/which/where/when/how/why)절('누구/어느/어디/언제/어떻게·얼마나/왜 ~인지')도 주어/보어/목적어 역할을 한다.

Unit 32 주어/보어/목적어 that절 | It + 동사 + that절 | 주어 + be동사 + that절 | 주어 + 동사 + that절

It	동사	보어	that절
It	is	a well-known fact	that smoking can cause lung cancer.

Unit 33 기타 that절 | 명사=that절(명사동격) | be동사 + 형용사 + that절

주어	동사	명사=that절	
Civilization	rests on	the fact	that most people do the right thing.

Unit 34 주어/보어/목적어 whether(if)절 | whether절 + 동사 | 주어 + be동사 + whether절 | 주어 + 동사 + whether(if)절

whether절	동사	목적어
Whether you will succeed or not	depends on	your efforts.

Unit 35 주어/보어/목적어 what절 | what절 + 동사 | 주어 + be동사 + what절 | 주어 + 동사 + what절

what절	동사	부사어
What is learned in the cradle	is carried	to the grave.

Unit 36 주어/보어/목적어 wh-절 | wh-절 + 동사 | 주어 + be동사 + wh-절 | 주어 + 동사 + wh-절

주어	동사	wh-절
What matters	is	who you are today.

unit 32

주어/보어/목적어 that절

Block Board

| It + 동사 + that절 | 주어 + be동사 + that절 | 주어 + 동사 + that절 |

It	동사	보어	that절
It	is	a well-known fact	that smoking can cause lung cancer.

- **명사절 that절**(that + 주어 + 동사 + 보어/목적어/부사어 = '~ 것'): 주어/보어/목적어로 쓰임.
  ※ that 없이도 완전한 형식과 의미를 갖춘 절.
  ▹ **that절 주어**: 주로 형식주어 It을 앞세우고 that절은 뒤로 빠짐.
  That this is the best is clear. = It is clear that this is the best. 이것이 최선이라는 것은 분명하다.
  ▹ **that절 보어**: The problem is (that) it is too hard. 문제는 그것이 너무 어렵다는 것이다. (that 생략 가능.)
  ▹ **that절 목적어**: I believe (that) you will succeed. 난 네가 성공할 것을 믿는다. (that 생략 가능.)
- 주어 + 동사 + it(형식목적어) + 목적보어 + that절(진목적어): it을 앞세우고 that절을 뒤에 둠.(it = that절)
  Many studies make it clear that sleep deprivation is dangerous.
  형식목적어 = 진목적어

Standard Sentences

01 It's a well-known fact **that smoking can cause lung cancer.**
↳ 흡연이 폐암을 유발할 수 있다는 것은 잘 알려진 사실이야. *cause 유발하다 *lung 폐(허파) *cancer 암

Think **02** The weakness of strength is **that it counts only on strength.** *Paul Valery*
↳ 강점[힘]의 약점은 그것[강점/힘]이 오직 강점[힘]에만 의지한다는 것이야. *count on 의지하다[믿다]

03 I always think **that something good is about to happen.** *Pete Carroll*
↳ 난 언제나 좋은 일이 막 생길 거라고 생각해. *be about to 막 ~하려고 하다

04 Many studies make **it clear that sleep deprivation is dangerous.**
↳ 많은 연구들이 수면 부족이 위험하다는 걸 **분명히** 해. *clear 분명한 deprivation 부족[결핍]

A 톡톡 튀는 영어문장 우리말로 바꾸기.

05 It has become obvious that our technology has exceeded our humanity.
→ ______________________ 분명해졌어.

Think **06** The difference between stupidity and genius is that genius has its limits. *Alexandre Dumas*
→ 어리석음과 천재성의 차이는 ______________________.

Up! **07** I hope that people will finally come to realize that there is only one "race"—"the human race." *Margaret Atwood*
→ 난 ______________________ 바라.

05
Know More Rainbow p.82
obvious 분명한
exceed 넘다[초과하다]
humanity 인간성[인류]

06
Know More Rainbow p.82
stupidity 어리석음
genius 천재(성)

07
Know More Rainbow p.82
come to-v ~하게 되다
realize 깨닫다
race 인종
human race 인류

B 뜻 새겨 보면서, 괄호 안 둘 중 하나 고르기.

08 Is it possible (that / to) humans will live up to 150 years old?

08
up to ~까지

09 My mother always told me (about / that) happiness was the key to life. *John Lennon*

10 Police should inform suspects (of / that) they have the right to remain silent.

10
Know More Rainbow p.83
inform 고지하다[알리다]
suspect 용의자[혐의자]

Up! 11 We should not take it for granted (that / to) we have a democratic government.

11
Know More Rainbow p.83
take ~ for granted 당연히 여기다

I always think that something good is about to happen.

My mother always told me that happiness was the key to life.

C 흐트러진 말들 바로 세워 멋진 문장 만들기.

12 인생의 큰 비밀은 큰 비밀이 없다는 거야.
(no big secret / that / there is)
→ The big secret in life is ______________________.

12
secret 비밀

13 우리는 지구가 오염 없이 살 권리가 있다는 걸 인정해야 해.
(has rights / that / the Earth)
→ We have to recognize ______________________ to live without pollution.

13
recognize 인정[인식]하다
pollution 오염

14 난 지구가 7월에 태양에서 가장 멀리 있고 1월에 태양에 가장 가까이 있다는 게 놀랍다고 여겨.
(amazing / it / that)
→ I find ______________________ the earth is farthest from the sun in July and is closest to the sun in January.

14
Know More Rainbow p.83
amazing 놀라운
find ~라고 여기다

15 한 연구는 18세에서 34세 사람들 중 90퍼센트가 구매 의사 결정을 위해 소셜 네트워킹 사이트를 이용한다는 것을 보여 줘.
(90% of people aged 18 to 34 / that / use)
→ A study shows ______________________ social networking sites for their purchase decision-making.

15
purchase 구매[구입]
decision-making 의사 결정

Unit 33

기타 that절

Block Board

| 명사=that절(명사동격) | be동사 + 형용사 + that절 |

주어	동사	명사=that절	
Civilization	rests on	the fact	that most people do the right thing.

- **명사 + that절[명사=that절]**: 앞 명사와 뒤 that절은 동격(=)('~다는 ~').
  fact/feeling/hope/proof/doubt/belief/idea +(=) **that절**(that + 주어 + 동사 + 보어/목적어/부사어)
- be동사 + [형용사(sure confident aware afraid 등) + that절: **'~ 것을 어떠하다'**
  형용사(lucky glad happy sorry surprised 등) + that절: **'~해서 어떠하다'**
- It + seems[appears] + that절: '~ 것 같다'
  It seems[appears] that there has been a mistake. 무슨 실수가 있었던 것 같다.
  (= There seems[appears] to have been a mistake.)

Standard Sentences

Think **01** Civilization rests on **the fact that most people do the right thing.** *Dean Koontz*
↳ 문명은 대부분의 사람들이 옳은 일을 한다는 사실에 기초해. *civilization 문명 *rest on ~에 기초하다

02 I am **confident that a bright future awaits me.**
↳ 난 밝은 미래가 날 기다리고 있다는 걸 확신해. *confident 확신하는 *await 기다리다

03 I was **lucky that I met the right mentors and teachers at the right moment.** *James Levine*
↳ 난 적절한 순간에 적절한 멘토들과 선생님들을 만나서 운이 좋았어. *mentor 멘토 *moment 순간

Think **04** It seems **that tears and laughter, love and hate, make up the sum of life.** *Zora Hurston*
↳ 눈물과 웃음, 사랑과 미움이 삶의 총합을 이루는 것 같아. *make up 이루다[구성하다] *sum (총)합

A 톡톡 튀는 영어문장 우리말로 바꾸기.

05 It appears that the world is undergoing tremendous changes.
→ 세계는 ______________________________.

06 I'm sorry that people are so jealous of me; **but** I can't help being popular.
→ ______________________________, 나도 인기 있는 걸 어쩔 수 없어.

07 Don't be afraid that your life will end; be afraid that it will never begin. *Henry Thoreau*
→ ______________ 두려워하지 말고, ______________ 두려워해.

05
undergo 겪다[받다]
tremendous 엄청난

06
Know More Rainbow p.84
jealous 질투[시기]하는
can't help v-ing
v하지 않을 수 없다[어쩔 수 없다]
popular 인기 있는

07
Know More Rainbow p.84
afraid 두려워하는

B 뜻 새겨 보면서, 괄호 안 둘 중 하나 고르기.

08 I am sure (about / that) few successful men are so-called "natural geniuses." *Charles Schwab*

Think 09 I am aware (of / that) no man is a villain in his own eyes. *James Baldwin*

10 I am very glad (that / to) we have the best health care system in the world.

11 I eat so much chicken; I'm surprised (that / to) I haven't grown feathers yet. *Steve Austin*

08
few 많지 않은
so-called 소위
natural 타고난

09
Know More Rainbow p.85
aware 알고 있는
villain 악당

10
health care system 보건 의료 체계

11
grow-grew-grown 자라다
feather 깃털

C 보기 딱 맞는 것 골라 멋진 문장 끝내주기.

보기

no doubt that	the feeling that
the hope that	the proof that

doubt 의심
proof 증거

12 I get ________________ I'm being watched.
난 누가 날 지켜보고 있다는 느낌이 들어.

12
watch 지켜보다

13 You travel with ________________ something unexpected will happen.
넌 예기치 않은 일이 일어날 거란 희망으로 여행을 해.

13
travel 여행하다
unexpected 예기치 않은

14 ________________ you know something is that you are able to teach it.
네가 무언가를 안다는 증거는 네가 그것을 가르칠 수 있다는 거야.

Up! 15 There is ________________ creativity is the most important human resource of all.
창의성이 모든 것 중에 가장 중요한 인적 자원이라는 것은 의심의 여지가 없어.

15
resource 자원

unit 34

주어/보어/목적어 whether[if]절

Block Board

I whether절 + 동사 I 주어 + be동사 + whether절 I 주어 + 동사 + whether[if]절 I

whether절	동사	목적어
Whether you will succeed or not	depends on	your efforts.

- 명사절 whether[if]절(whether[if] + 주어 + 동사 = '~인지 (아닌지)'): 주어/보어/목적어로 쓰임.
  - ▷ whether[if]절 주어: whether절은 문두에 올 수 있으나, if절은 형식주어 It을 앞세워야만 가능.
    Whether(× If) we will go (or not) depends on the weather. 우리가 갈지 말지는 날씨에 달려 있다.
    = It depends on the weather whether[if] we will go (or not).
  - ▷ whether절 보어(if절은 불가): The point is whether or not I improved over yesterday.
  - ▷ whether[if]절 목적어: I'll see whether[if] he's at home (or not). 내가 그가 집에 있는지 (없는지) 볼게.
    I'll see whether or not(× if or not) she's at home. (if or not은 불가 → if ~ or not)
  - ▷ whether절 전치사 목적어(if절은 불가): Do not worry about whether(× if) the sun will rise.

Standard Sentences

01 Whether you will succeed or not depends on your efforts.
↘ 네가 성공할지 아닐지는 네 노력에 달려 있어. *depend on ~에 달려 있다 *effort 노력

02 The point is whether or not I improved over yesterday. *Haruki Murakami*
↘ 중요한 점은 내가 어제보다 나아졌는지 아닌지야. *point 중요한 점[요점] *improve 나아지다[개선되다]

03 I don't know if he's telling the truth or not.
↘ 난 그가 진실을 말하고 있는지 아닌지 모르겠어.

A 톡톡 튀는 영어문장 우리말로 바꾸기.

04 It is your choice whether you choose to change. *Harv Eker*
→ ______________________ 네 선택이야.

05 My measure of success is whether I'm fulfilling my mission. *Robert Kiyosaki*
→ 내 성공의 기준은 ______________________.

Up! **06** Whether life is worth living depends on whether there is love in life.
→ ______________________

07 The great question is not whether you have failed, but whether you are content with failure. *Chinese Proverb*
→ 중요한 문제는 ______________________.

04
choice 선택

05
measure 기준[척도]
fulfill 다하다[이행하다]
mission 임무

06
Know More Rainbow p.86

07
Know More Twin Book p.86
content 만족하는

B 뜻 새겨 보면서, 괄호 안 둘 중 하나 고르기.

08 The question is (if / whether) technology is going to be our servant or our master.

08
servant 하인
master 주인

09 Sometimes I wonder (if / that) I am doing the right thing.

10 It is debatable (if / whether) or not the death penalty should be abolished.

10
debatable 논란의 여지가 있는
death penalty 사형
abolish 폐지하다

Think **11** People ask (that / whether) there is Hell. Yes, there is Hell: Hate is Hell! *Mehmet Murat Ildan*

11
Know More Rainbow p.87

C 흐트러진 말들 바로 세워 멋진 문장 만들기.

12 그 뉴스가 믿을 만한 출처에서 나왔는지를 확인해 봐.
(comes / the news / whether)
→ Check ______________________ from a reliable source.

12
Know More Rainbow p.87
reliable 믿을 만한
source 출처[원천]

13 그들은 14세 미만 아동이 형사법상 기소되어야 할지 말지를 논의해.
(a child under 14 / should be / whether)
→ They discuss ______________________ criminally prosecuted.

13
Know More Rainbow p.87
discuss 논의하다
criminally 형사법상
prosecute 기소하다

14 해가 뜰지 안 뜰지 걱정하지 말고, 그것(해)을 즐길 준비나 해.
(the sun / whether or not / will rise)
→ Do not worry about ______________________; prepare to enjoy it.

14
worry about 걱정하다
prepare 준비하다

15 모든 사람은 네가 그걸 볼 수 있든 없든 상관없이 자기 자신만의 힘든 일들이 있어.
(can see / whether / you)
→ Everybody has their own struggles regardless of ____________ ____________ it or not.

15
Know More Rainbow p.87
struggle 힘든 일[투쟁]
regardless of ~에 상관없이

Unit 35

주어 / 보어 / 목적어 what절

Block Board

| what절 + 동사 | 주어 + be동사 + what절 | 주어 + 동사 + what절 |

what절	동사	부사어
What is learned in the cradle	is carried	to the grave.

- **명사절 what절**(what + (주어) + 동사 = '~인 것' / '무엇 ~인지' 둘 중 하나): 주어 / 보어 / 목적어로 쓰임.
  - ▹ **what절 주어**: **What** is important is timing. 중요한 것은 타이밍이다.
  - ▹ **what절 보어**: This is **what** I want. 이것이 내가 원하는 것이다.
  - ▹ **what절 목적어**: I believe **what** you said. 난 네가 말한 것을 믿는다.
  - ▹ **what절 전치사 목적어**: The future depends on what you do today.

※what절은 불완전한 절로 명사 하나가 필요한데, what이 바로 그 명사 역할(주어 / 보어 / 목적어)을 함.

- **whatever절**(whatever + (주어) + 동사 = **'~인 무엇이든지'**): 주어 / 보어 / 목적어 등으로 쓰임.
- what을 묻는 동사(think / believe) 의문문: what이 문장 앞으로 나감.(위치에 유의할 것.)

What do you think is important in life? (×) ~~Do you think **what** is important in life?~~

Standard Sentences

01 What is learned in the cradle is carried to the grave. *Proverb*

↳ 요람에서 배워진 것은 무덤까지 가게 돼. *cradle 요람 *grave 무덤

Think **02** Whatever is worth doing at all is worth doing well. *Philip Stanhope*

↳ 조금이라도 할 가치 있는 것은 무엇이든 잘 할 가치가 있어. *at all 조금이라도

03 **What** do you think **is important in life?**

↳ 넌 무엇이 삶에서 중요하다고 생각하니?

A 톡톡 튀는 영어문장 우리말로 바꾸기.

04 Beauty is whatever gives joy. *Edna Millay*

→ 아름다움은 ______________________________.

05 What you do comes from what you think. *Marianne Williamson*

→ ______________________________

06 The future depends on what you do today. *Mahatma Gandhi*

→ 미래는 ______________________________.

Up! **07** Reputation is what other people know about you; honor is what you know about yourself. *Lois Bujold*

→ 명성은 ______________________________,

명예는 ______________________________.

04 Know More Rainbow p.88
joy 즐거움[기쁨]

05 Know More Rainbow p.88

07 Know More Rainbow p.88
reputation 명성
honor 명예

B 뜻 새겨 보면서, 괄호 안 둘 중 하나 고르기.

08 The Earth is (that / what) we all have in common. *Wendell Berry*

09 Don't put off until tomorrow (that / what) you can do today.
Benjamin Franklin

10 Wear (that / whatever) makes you feel comfortable.

11 Teacher: You should know it; you learned it two years ago!
Student: I don't even remember (what / whether) happened last week!

08
in common
공동으로[공통적으로]

09
put off 미루다

C 흐트러진 말들 바로 세워 멋진 문장 만들기.

Think **12** 날 죽게 하지 않는 것은 날 더 강하게 해.
(does not kill / me / what)
→ ______________________ makes me stronger.

13 올라가는 것은 내려와야 해.
(goes / up / what)
→ ______________________ must come down.

14 세상만사는 그것들이 보이는 것과 항상 같지는 않아.
(seem to be / they / what)
→ Things aren't always ______________________.

15 네가 무엇을 쓰는지는 중요하지 않으니, 그저 책상에 앉아서 써.
(what / write / you)
→ It doesn't matter ______________________; just sit at your desk and write.

12
Know More Rainbow p.89

13
Know More Rainbow p.89

unit 36

주어/보어/목적어 wh-절

Block Board

| wh-절 + 동사 | 주어 + be동사 + wh-절 | 주어 + 동사 + wh-절 |

주어	동사	wh-절
What matters	is	who you are today.

- **명사절 who/which/where/when/how/why절**: 주어/보어/목적어/전치사목적어로 쓰임.
- **who절**(who + (주어) + 동사 = **'누구 ~인지'/'~ 사람'**): who you are today
- **which절**(which + (주어) + 동사 = **'어느 ~인지'**): which one is better
- **where절**(where + 주어 + 동사 = **'어디 ~인지'/'~ 곳'**): where you live
- **when절**(when + 주어 + 동사 = **'언제 ~인지'/'~ 때'**): when the Moon passes behind the Earth
- **how절**(how + 주어 + 동사 = **'어떻게·얼마나 ~인지'/'~ 방법'**): how you do anything
- **why절**(why + 주어 + 동사 = **'왜 ~인지'/'~ 이유'**): why I called you here
- **whoever절/whichever절**(whoever/whichever + (주어) + 동사 = **'~인 누구든지'/'~인 어느 것이든지'**)

Standard Sentences

01 It doesn't matter **who you used to be**; what matters is **who you are today.**
↳ 네가 누구였는지는 중요하지 않고, 중요한 것은 네가 오늘 누구인지야. *matter 중요하다

02 **Whoever is happy** will make others **happy** too. *Anne Frank*
↳ 행복한 누구든지 다른 사람들도 행복하게 할 거야.

03 **Why** do you think **democracy and human rights are important?**
↳ 넌 민주주의와 인권이 왜 중요하다고 생각하니? *democracy 민주주의

A 톡톡 튀는 영어문장 우리말로 바꾸기.

04 How you do anything is how you do everything.
→ ____________________

05 Happiness does not consist in how many possessions you own.
→ 행복은 ____________________.

Up! **06** Home is not where you live but where your family understands you.
→ 가정은 ____________________.

07 It's funny how we can remember the lyrics to songs, but can't remember anything for a test.
→ ____________________ 웃겨.

04
Know More Rainbow p.90
anything 무엇이든

05
consist in ~에 있다
possession 소유(물)

07
lyric (노래의) 가사

B 뜻 새겨 보면서, 괄호 안 둘 중 하나 고르기.

08 You can never control (whether / who) you fall in love with.

09 I can't say (which / who) one is better; it's a matter of personal taste.

10 Teacher: Do you know (where / why) I called you here?
Student: If you forgot, I'm not reminding you.

11 You can choose (whichever / whoever) one you want.

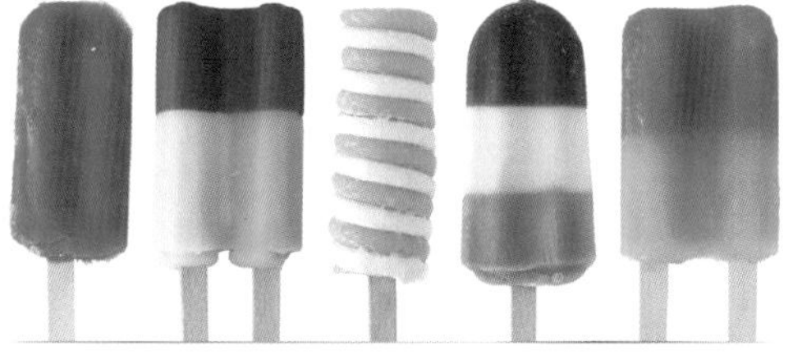

08
control 통제[지배]하다

09
personal 개인의
taste 취향

10
remind 상기시키다

C 보기 딱 맞는 것 골라 멋진 문장 끝내주기.

보기

how when where why

12 Liberty means responsibility; that is ______ most men dread it.
자유는 책임을 의미하는데, 그게 대부분의 사람들이 자유를 두려워하는 이유야.

Think **13** Wrinkles should merely indicate ______ smiles have been.
주름은 단지 웃음이 어디 있었는지 보여 주어야 해.

Up! **14** A lunar eclipse is ______ the Moon passes directly behind the Earth into its shadow.
월식은 달이 지구 바로 뒤 지구의 그림자 속을 지나가는 때야.

15 Teacher: Are you talking back to me?
Student: Yes, that's ______ a conversation works.
선생님: 너 내게 말대답하고 있는 거니?
학생: 그래요, 그게 대화가 되어 가는 방식이잖아요.

12
Know More Rainbow p.91
liberty 자유
responsibility 책임
dread 두려워하다

13
Know More Rainbow p.91
wrinkle 주름
merely 단지
indicate 보여 주다[나타내다]

14
lunar eclipse 월식
pass 지나가다
directly 바로
shadow 그림자

15
Know More Rainbow p.91
talk back 말대답하다
work 잘되어 가다

Chapter 07

A 오색빛깔 영어문장 우리말로 바꾸기.

01 One of the first conditions of happiness is that the link between man and nature should not be broken. *Tolstoy*

02 Isaac Asimov, a science fiction writer, said that science fiction is possible, but fantasy is not.

03 A recent discovery seems to support the idea that birds evolved from dinosaurs.

04 Here is the test to find whether your mission on Earth is finished: if you're alive, it isn't. *Richard Bach*

05 You reap what you sow. No, you sow a seed, but you reap what grows from it.

06 Whatever is begun in anger ends in shame. *Benjamin Franklin*

07 Whoever loves dancing too much seems to have more brains in their feet than in their head.

B 뜻 새겨 보면서, 괄호 안 둘 중 하나 고르기.

08 Don't ask (about / whether) it is going to be easy; ask (whether / what) it is worth it.

09 You become responsible forever for (what / whether) you've tamed.
The Little Prince

10 I grew up with six brothers; that's (how / when) I learned to dance waiting for the bathroom.

01 Know More Rainbow p.92
condition 조건
link 연결

02 Know More Rainbow p.92
possible (발생이) 가능한

03
discovery 발견
support 뒷받침[지지]하다
evolve 진화하다

04 Know More Rainbow p.92
alive 살아 있는

05 Know More Rainbow p.92
reap 거두다[수확하다]
sow 뿌리다
seed 씨

06
anger 화
shame 수치심[부끄러움]

07 Know More Rainbow p.92

09 Know More Rainbow p.92
responsible 책임이 있는
tame 길들이다

10 Know More Rainbow p.92

관계절(명사수식어)

Block Board Overview

- 관계절은 앞명사를 수식하는 절로, 그 속 관계사는 관계절과 앞명사의 관계를 맺어 준다.
- 관계사는 앞명사(사람/사물)와 관계절 속 관계사 기능(주어/목적어/소유격/부사어)이 합해져 결정된다.

	명사수식 관계절		추가정보 관계절	
	사람	사물	사람	사물
주어 관계사	who[that]	which[that]	who	which
목적어 관계사	(who(m)[that])	(which[that])	who(m)	which
소유격 관계사	whose	whose[of which]	whose	whose[of which]

- 관계절의 의미와 형식은 앞명사를 관계사 자리에 넣어 그냥 이해하면 된다.
- 추가정보 관계절은 앞명사를 수식하지 않고, 앞명사나 앞문장 전체나 일부에 대해 보충 설명한다.

Unit 37

주어 관계사 관계절 | (대)명사 + who / which[that] + 동사

(대)명사 + who + 동사		동사	목적어
A person	who never made a mistake	never tried	anything new.

Unit 38

목적어 관계사 관계절 | (대)명사 + (who(m) / which[that]) + 주어 + 동사

(대)명사 + (which) + 주어 + 동사		동사	부사어
The rights	(which) we enjoy today	were won	through long struggles.

Unit 39

기타 관계사 관계절 | (대)명사 + <전치사 + which> + 주어 + 동사
| (대)명사 + (where / when / why[that]) + 주어 + 동사

주어	동사	(대)명사 + in which + 주어 + 동사	
Behavior	is	a mirror	in which everyone shows his image.

Unit 40

추가정보 관계절 | ~, 관계사 + (주어) + 동사

주어	동사	목적어,	which	동사	보어
Non-violence	leads to	the highest ethics,	which	is	the goal of all evolution.

unit 37

주어 관계사 관계절

Block Board

| (대)명사 + who / which(that) + 동사 |

(대)명사 + who + 동사		동사	목적어
A person	who never made a mistake	never tried	anything new.

- **관계절**: 앞명사를 수식하는 절로, 그 속 관계사는 앞명사를 대신하면서 관계절과 앞명사를 관계 맺음.('~하는')
- **관계사 결정**: **앞명사**(사람/사물) + 관계절 속 **관계사 기능**(주어/목적어/소유격/전치사목적어/부사어)
  - ▹ 앞명사 **사람** + 관계절 속 **주어** 관계사: **who(that)**(주로 who.)
  - ▹ 앞명사 **사물** + 관계절 속 **주어** 관계사: **which(that)**(주로 that.)

Plus+ only/every/all/any/no/first/same/very + 앞명사: 주로 that.(절대적이지 않고, 사람은 주로 who.)

※앞명사를 관계사 자리에 넣어 보면 됨.(앞명사=관계사)

a person **who(that)(= a person)** loves nature 자연을 사랑하는 사람

trees **which(that)(= trees)** give us fruits, nuts, and shade 우리에게 과일과 견과와 그늘을 주는 나무들

Standard Sentences

01 **A person who never made a mistake** never tried **anything new.** *Albert Einstein*

↳ 한 번도 잘못을 해 본 적이 없는 사람은 한 번도 **새로운 것을** 시도해 본 적이 없어.

02 Goals provide **the energy source which(that) powers our lives.** *Denis Waitley*

↳ 목표는 우리 삶에 동력을 공급하는 에너지원을 제공해. *provide 제공하다 *power 동력을 공급하다

03 Love is **the only thing that transcends time and space.** *Movie "Interstellar"*

↳ 사랑은 시공을 초월하는 유일한 거야. *transcend 초월하다 *space 공간

A 톡톡 튀는 영어문장 우리말로 바꾸기.

04 A friend is someone who knows all about you and still loves you.

→ 친구란 ____.

05 The man who does not read has **no advantage** over the man who cannot read. *Mark Twain*

→ ____ 유리한 점이 없어.

06 Junk food is unhealthy food which has a lot of calories but little nutritional value.

→ 정크 푸드는 ____.

Up! **07** Art is the lie that enables us to realize the truth. *Pablo Picasso*

→ 예술은 ____.

04
Know More Rainbow p.94

05
advantage 유리한 점(이점)

06
unhealthy 건강에 나쁜

07
Know More Rainbow p.94
lie 거짓말
enable ~할 수 있게 하다

B 뜻 새겨 보면서, 괄호 안 둘 중 하나 고르기.

08 People (which / who) love themselves don't hurt other people.

09 God helps those (which / who) help themselves. *Proverb*

10 The only thing (that / who) overcomes hard luck is hard work.

11 Q: What do you call a boomerang (which / who) doesn't work?
A: A stick.

08
Know More Rainbow p.95

10
Know More Rainbow p.95
overcome 극복하다
hard luck 불행[불운]
11
work 기능하다[작동하다]

C who[that]/that[which]로 빈칸 채워 멋진 문장 끝내주기.

12 He ______________ laughs last probably didn't get the joke.
마지막에 웃는 사람은 아마 농담을 이해하지 못했을 거야.

12
Know More Rainbow p.95
get 이해하다

13 Everything ______________ has a beginning has an end.
시작이 있는 모든 것은 끝이 있어.

14 A diamond is just a lump of coal ______________ did well under pressure.
다이아몬드는 그저 압력에 잘 견뎌 낸 석탄 덩어리야.

14
Know More Rainbow p.95
lump 덩어리
coal 석탄
pressure 압력

15 There are two things ______________ don't have to mean anything; one is music, and the other is laughter.
아무것도 의미할 필요가 없는 두 가지가 있는데, 하나는 음악이고 다른 건 웃음이야.

15
Know More Rainbow p.95
mean 의미하다
laughter 웃음

unit 38

목적어 관계사 관계절

Block Board

| (대)명사 + (who(m) / which[that]) + 주어 + 동사 |

(대)명사 + (which) + 주어 + 동사		동사	부사어
The rights	(which) we enjoy today	were won	through long struggles.

- 앞명사 **사람** + 관계절 속 **목적어/전치사목적어** 관계사: who(m)[that]
- 앞명사 **사물** + 관계절 속 **목적어/전치사목적어** 관계사: which[that]
- **관계사 생략**: 관계절 속 목적어/전치사목적어 관계사는 주로 생략됨.

※앞명사 + (who(m) / which[that]) + 주어 + 동사 → (대)명사 + (대)명사 + 동사 the rights(명사) we(대명사) enjoy(동사)

※앞명사를 관계절 속 목적어 자리에 넣어 보면 됨.(앞명사=관계사)

people (who(m)[that]) I love (people) 내가 사랑하는 사람들

everything (that) we need (everything) to survive 우리가 생존하기 위해 필요한 모든 것

Standard Sentences

01 **The rights (which) we enjoy today** were won through long struggles.
↳ 우리가 오늘날 누리는 권리들은 오랜 투쟁을 통해 쟁취되었어. *win 쟁취하다[이기다] *struggle 투쟁

02 We rely on nature for **everything (that) we need to survive.**
↳ 우리는 생존하기 위해 필요한 모든 것을 자연에 의존해. *rely on ~에 의존하다 *survive 생존하다[살아남다]

Think **03** No one loves **the man whom he fears.** *Aristotle*
↳ 아무도 자기가 두려워하는 사람을 사랑하지 않아. *fear 두려워하다

A 톡톡 튀는 영어문장 우리말로 바꾸기.

04 Everyone I meet is my superior in some way. *Ralph Emerson*
→ ______________________ 어떤 점에서 내 윗사람이야.

Think **05** Kindness is the language which the deaf can hear and the blind can see. *Mark Twain*
→ 친절은 ______________________.

06 We will never know all the good a simple smile can do. *Mother Teresa*
→ 우리는 ______________________ 결코 알지 못할 거야.

07 The answers you get depend upon the questions you ask. *Thomas Kuhn*
→ ______________________ 달려 있어.

04 Know More Rainbow p.96
superior 윗사람[선배]

05
deaf 귀가 먹은
blind 눈이 먼

06 Know More Rainbow p.96
simple 평범한

07 Know More Rainbow p.96
depend upon ~에 달려 있다

B 뜻 새겨 보면서, 괄호 안 둘 중 하나 고르기.

08 Never memorize something (that / whom) you can look up.
Albert Einstein

Up! **09** Technology has changed (the world / the world where) we live in.

10 I worry about the destructive effect that (may have violent films / violent films may have) on children.

Up! **11** (All we need / We all need) to make us really happy is something to be enthusiastic about.

08
memorize 암기하다
look up 찾아보다

10
destructive 파괴적인
effect 영향
violent 폭력적인

11
Know More Rainbow p.97
enthusiastic 열중하는[열렬한]

We will never know all the good a simple smile can do.

Technology has changed the world we live in.

C 보기 딱 맞는 것 골라 멋진 문장 끝내주기.

보기

it deserves	we must pay for success
you are with	you're proud of

deserve
~을 받을 만하다[누릴 자격이 있다]

12 I hope you live a life ____________________.
난 네가 너 자신이 자랑스러워하는 삶을 살길 바라.

13 Hard work is the price ____________________.
노력은 우리가 성공을 위해 치러야 하는 대가야.

13
price 대가[값]

14 Society has the politicians and teenagers ____________________.
사회는 그것이 가질 만한 수준의 정치가들과 십대들을 가져.

14
Know More Rainbow p.97
politician 정치가

15 The most important one is always the one ____________________.
가장 중요한 사람은 언제나 너와 함께 있는 사람이야.

unit 39

기타 관계사 관계절

Block Board

| (대)명사 + 〈전치사 + which〉 + 주어 + 동사 | (대)명사 + (where / when / why[that]) + 주어 + 동사 |

주어	동사	(대)명사 + in which + 주어 + 동사	
Behavior	is	a mirror	in which everyone shows his image.

- 앞명사 + 관계절 속 **소유격** 관계사: 앞명사가 **사람**이면 **whose**, **사물**이면 **whose[of which]**.
  앞명사 + **whose**(사람/사물)/**of which**(사물) + 명사 + (주어) + 동사 ~ the girl **whose** hair is long 머리가 긴 소녀
- 앞명사 + **전치사**(in/with/through 등) + **whom/which**(× that) + 주어 + 동사 ~: 전치사를 관계절 동사 뒤에 둘 수 있음.
  the chair **on which**(× that) I sat = the chair **(which[that])** I sat **on**
- 앞명사 **장소**(place/world/point 등) + **(where[that])** + 주어 + 동사 ~: where[that]는 생략 가능.
- 앞명사 **시간**(time/day/period 등) + **(when[that])** + 주어 + 동사 ~: when[that]은 생략 가능.
- 앞명사 **이유**(reason) + **(why[that])** + 주어 + 동사 ~: why[that]는 생략 가능.

Standard Sentences

01 Behavior is **a mirror in which everyone shows his image.** *Goethe*
↳ 행동은 모든 이가 자신의 이미지를 보여 주는 거울이야. *behavior 행동 *mirror 거울

02 A baby is **an angel whose wings decrease as his legs increase.** *French Proverb*
↳ 아기는 다리가 늘어나면서 날개가 줄어드는 천사야. *decrease 줄다[감소하다] *increase 늘다[증가하다]

03 The dictionary is **the only place where success comes before work.**
↳ 사전은 success(성공)가 work(노력)보다 먼저 오는 유일한 곳이야. *dictionary 사전 *only 유일한 *work 노력[일]

A 톡톡 튀는 영어문장 우리말로 바꾸기.

Up! **04** The dance is a poem of which each movement is a word. *Mata Hari*
→ 춤은 ______________________________.

05 We all need friends with whom we can speak of our deepest concerns.
→ 우리 모두는 ______________________________.

06 Adolescence is a period when a young person searches for their identity.
→ 청소년기는 ______________________________.

Think **07** You get to the point where you have to wash the dishes; that's the fun in life. *Frederick Lenz*
→ 넌 ______________________ 이르렀는데, 설거지는 삶의 재미야.

04
Know More Rainbow p.98

05
concern 관심사[걱정]

06
adolescence 청소년기
period 시기
search for 찾다
identity 정체성

07
Know More Rainbow p.98

B 뜻 새겨 보면서, 괄호 안 둘 중 하나 고르기.

08 Never go to a doctor (of which / whose) office plants have died.

08 Know More Rainbow p.99

09 Mistakes and errors are the discipline (which / through which) we advance. *William Channing*

09 discipline 훈련[단련]
advance 진보[발전]하다

Up! 10 The day will come (when / which) we will remember these days with joy.

10 joy 기쁨

11 There's no reason (which / why) we shouldn't be friends.

C 보기 관계사 골라 멋진 문장 끝내주기.

보기

when where whose why

12 There are times ______________ life calls for a change.
삶이 변화를 요구할 때가 있어.

12 call for 요구하다[필요로 하다]

13 I am the inferior of any man ______________ rights I trample underfoot.
난 내가 그의 권리를 발밑에 짓밟는 어떤 사람보다도 못한 사람이야.

13 Know More Rainbow p.99
inferior 못한 (사람)
trample 짓밟다
underfoot 발밑에

14 The reason ______________ so little is done is that so little is attempted.
너무 적은 것이 이루어지는 이유는 너무 적은 것이 시도되기 때문이야.

14 done 다 끝난[이루어진]

15 My mission is to create a world ______________ we can live in harmony with nature.
나의 임무는 우리가 자연과 조화롭게 살 수 있는 세상을 만드는 거야.

15 Know More Rainbow p.99
mission 임무
in harmony with ~와 조화롭게

추가정보 관계절

Block Board

I ~, 관계사 + (주어) + 동사 I

주어	동사	목적어,	which	동사	보어
Non-violence	leads to	the highest ethics,	which	is	the goal of all evolution.

- **추가정보 관계절**: 앞명사를 수식(제한)하지 않고, 앞명사나 앞문장 전체/일부에 대해 보충 설명함.

※관계절 앞(뒤)에 콤마(,)를 찍고, who/which는 생략할 수 없고, that/what은 쓸 수 없음.

- 주어, **관계사(who(se)/which/where) + (주어) + 동사 ~**, 동사 ...: 관계절이 삽입절로 앞명사를 보충 설명함.
- 주어 + 동사 ~ , **which/who + (주어) + 동사 ...**: 관계절이 앞명사나 앞문장 전체/일부를 받아 보충 설명함.
  = 주어 + 동사 ~ , **and + that[they·them] ...**: '~인데, 그것(들)은 ...'
- 주어 + 동사 ~ , **전치사(in/on/to 등) + whom/which + 주어 + 동사 ...**: 전치사를 관계절 동사 뒤에 둘 수 있음.
- 주어 + 동사 ~ , **all/each/most + of + whom/which + (주어) + 동사 ...**
- 주어 + 동사 ~ , **where/when + 주어 + 동사 ...**: why/that은 쓸 수 없음.

Standard Sentences

Think **01** Non-violence leads to **the highest ethics, which** is the goal of all evolution. *Thomas Edison*
↳ 비폭력은 **가장 높은 윤리에** 이르는데, 그것은 모든 진화의 목표야. *non-violence 비폭력 *lead to ~에 이르다 *ethics 윤리 *evolution 진화

02 Vincent van Gogh, **whose** paintings are popular today, was not appreciated during his life.
↳ 빈센트 반 고흐는, 그의 그림이 오늘날에는 인기 있는데, 생전에는 진가를 인정받지 못했어. *popular 인기 있는 *appreciate 진가를 알아보다[인정하다]

03 I have had **a lot of worries** in my life, **most of which** never happened. *Mark Twain*
↳ 난 살면서 많은 걱정거리가 있어 왔지만, 그것들 중 대부분은 결코 일어나지 않았어. *worry 걱정(거리)

Think **04** Look deep into **nature, when** you will understand **everything** better. *Albert Einstein*
↳ **자연을** 깊이 들여다보면, 그때 넌 **모든 걸** 더 잘 이해하게 될 거야. *look deep into 깊이 들여다보다

A 톡톡 튀는 영어문장 우리말로 바꾸기.

05 King Sejong, who was the 4th king of the Joseon Dynasty, created Hangeul with the help of a team of scholars.
→ 세종대왕은, ______________________, 학자들의 도움으로 한글을 창제했어.

06 Nobody is going to pour **truth** into your brain, which is something you have to find out for yourself. *Noam Chomsky*
→ 아무도 **진실을** 너의 뇌 속으로 쏟아부어 주지 않을 거고, ______________________.

Up! **07** I can't imagine **anything more important than air, water, soil, energy and biodiversity**, which are the things that keep us alive. *David Suzuki*
→ 난 공기, 물, 흙, 에너지 그리고 생물 다양성보다 ______________________.

05
dynasty 왕조
scholar 학자

06
Know More Rainbow p.100
pour 붓다[따르다]

07
biodiversity 생물 다양성
alive 살아 있는

B 뜻 새겨 보면서, 괄호 안 둘 중 하나 고르기.

08 The human heart, (what / which) weighs about 300 grams, pumps blood throughout the body.

09 I try to add color to my diet, (that / which) means vegetables and fruits.

10 The palace, (where / which) the royal family once lived, is now open to the public.

Up! **11** Each species plays a role in the functioning of ecosystems, (which / on which) humans depend.

08
weigh 무게가 ~이다
pump 퍼내다

09
Know More Rainbow p.101
add A to B A를 B에 더하다
diet 음식[식사]
vegetable 채소

10
palace 궁전
royal 왕의
public 일반인들[대중]

11
Know More Rainbow p.101
function 기능하다
ecosystem 생태계

Look deep into nature, when you will understand everything better.

C 딱 맞는 관계사로 빈칸 채워 멋진 문장 끝내주기.

12 The Mona Lisa was painted by Leonardo da Vinci, ______________ was also a prolific engineer and inventor.
모나리자는 레오나르도 다빈치가 그렸는데, 그는 또한 많은 것을 만든 기술자이자 발명가였어.

13 The McDonald's employee health page, ______________ is now shut down, once warned against eating McDonald's burgers and fries.
맥도널드의 (웹 사이트) 종업원 건강 페이지가, 지금은 닫혀 있는데, 한때는 맥도널드의 햄버거와 감자튀김을 먹는 것에 대해 경고했어.

14 We are all living together on a single planet, ______________ is threatened by our own actions.
우리는 모두 단 하나의 행성에 함께 살고 있는데, 그것이 우리 자신의 행동들에 의해 위협받고 있어.

Up! **15** Love means a warm feeling about humans, ______________ you want to be with them and take care of them.
사랑은 인간들에 대한 따뜻한 감정을 의미하는데, 거기서 넌 그들과 함께하며 그들을 돌보고 싶어.

12
prolific 다산[다작]하는

13
Know More Rainbow p.101
shut down 문을 닫다[정지하다]
warn 경고하다
burger 햄버거
fries 감자튀김

14
threaten 위협하다

15
take care of 돌보다

Chapter 08

Review

A 오색빛깔 영어문장 우리말로 바꾸기.

01 Those who fail to prepare prepare to fail.

Think 02 The whole world steps aside for the man who knows where he is going.

Up! 03 The biggest mistake you can make is continually fearing you will make one.

04 Don't do anything (that) you might regret later.

05 Math is the only place where someone can buy 100 watermelons and nobody wonders why.

06 The reason why people go to a mountaintop is to look at something larger than themselves. *Diane Paulus*

07 Facebook, which was launched in 2004, became the largest social networking site in the world in early 2009.

B 뜻 새겨 보면서, 괄호 안 둘 중 하나 고르기.

08 I want someone (who / whose) heart is big enough to hold me.

09 All labor (that / who) uplifts humanity has dignity and importance.
Martin Luther King

10 Evidence of climate change exists in several forms, (that / which) include temperature increases, melting ice, sea level rise, and extreme weather.

01
Know More Rainbow p.102
fail 실패하다[~하지 못하다]
prepare 준비하다

02
Know More Rainbow p.102
step aside (길을) 비키다

03
continually 계속
fear 두려워하다

04
regret 후회하다
later 나중에

05
watermelon 수박

06
mountaintop 산꼭대기

07
launch 시작하다

08
hold 잡고[안고] 있다

09
Know More Rainbow p.102
labor 노동
uplift 더 행복하게 하다
dignity 존엄성[위엄]

10
exist 존재하다
form 형태
temperature 기온

A Day Without Laughter is a Day Wasted.

웃지 않는 날은 허비되는 날이야. *Charlie Chaplin*

01 I'm on a seafood diet. I see food, and then I eat it.
난 해산물 다이어트 중이야. 난 음식을 보고, 그러고 나서 그것을 먹어.

02 I could agree with you, but then we would both be wrong.
난 너에게 동의할 수도 있겠지만, 그러면 우리는 둘 다 틀릴 거야.

03 Worrying is like paying a debt you don't owe. *Mark Twain*
걱정하는 것은 네가 빚지지 않은 빚을 갚는 것과 같아.

03
debt 빚
owe 빚지고 있다

04 My bed and I are perfect for each other, but my alarm clock keeps trying to break us up.
내 침대와 난 서로에게 완벽하지만, 내 알람 시계가 계속 우리를 떨어뜨리려 해.

05 Some cause happiness wherever they go; others, whenever they go.
어떤 이들은 어디 가든지 기쁨을 주는데, 다른 이들은 언제 가든지(떠나든지) 기쁨을 줘. *Oscar Wilde*
유머 코드 와서 기쁨을 주는 이도 있고, 떠나서 기쁨을 주는 이도 있다는 것.

06 Everything is going to be fine in the end. If it's not fine, it's not the end.
모든 건 결국(끝에는) 좋아질 거야. 그게 좋지 않으면, 그건 끝이 아니야. *Oscar Wilde*

07 If you think you are too small to make a difference, try sleeping with a mosquito. *Dalai Lama*
네가 너무 작아서 영향을 미칠 수 없다고 생각하면, 모기와 자 봐.

07
mosquito 모기

08 Q: What begins with T, ends with T and has T in it? A: A teapot.
문: 무엇이 T로 시작해 T로 끝나고 그 안에 T가 있을까? 답: A teapot(찻주전자)

09 Q: What English word begins and ends with the same 3 letters?
A: Underground.
문: 어떤 영어 단어가 같은 세 글자로 시작하고 끝날까? 답: Underground.(지하의 / 영국 지하철)

09
letter 글자

10 A man is talking to God. "God, how long is a million years?"
God answers, "To me, it's about a minute."
"God, how much is a million dollars?" "To me, it's a penny."
"God, may I have a penny?" "Wait a minute."
한 남자가 신과 이야기하고 있어. "신이시여, 백만 년이 얼마나 기나요?"
신이 "내게 그건 1분쯤이지."라고 대답해.
"신이시여, 백만 달러는 얼마나 되나요?" "내게 그건 1페니지."
"신이시여, 제가 1페니를 가져도 되나요?" "1분만 기다려."

이 게임은 영어문장 완전 정복을 위한 '단계적(나선형) 학습' 과정이 3단계로 이루어져, 게임자는 게임을 즐기는 사이 자연스레 영어문장의 전체 숲에서 세부 나무들로 나아가게 된다.

* 마지막 STAGE III에서는 먼저 STAGE I·II에서 이미 단계별로 습득한 영어문장을 종합해서 주성분(주어/보어/목적어)별로 나누어 총정리하게 된다.
* 이어 대등·상관접속사로 단어·구·절이 같은 꼴로 대등하게 연결되는 원리를 이해한다.
* 끝으로 영어문장을 길고 복잡하게 하는 다양한 부사절마저 잘 챙겨 영어문장 습득 게임에 실질적인 마침표를 찍는다.
* 아울러 좀 까다롭지만 오묘한 맛인 가정표현과, 기타 영어 특유의 구문들도 그 핵심을 뽑아 내 뇌리에 새겨 둔다.
* Chapter 9에서 주어·보어·목적어의 총정리와 대등 연결과, Chapter 10에서 여러 부사절과, Chapter 11에서 가정표현과, Chapter 12에서 비교와 기타 구문과 게임을 벌이게 된다.
* 이로써 세계 최고의 명문장들이 최적의 프로그램으로 파인 영어문장 습득 게임을 해피엔딩으로 마무리하며 뿌듯한 보람을 만끽하자!

Stage Ⅲ

모든 문장과 특수 구문

문장성분 & 연결

Block Board Overview

- 주어/목적어로는 (대)명사/v-ing/to-v/that절/whether절/what절/wh-절 등이 쓰인다.
- 보어로는 형용사(구)/(대)명사/v-ing/to-v/that절/whether절/what절/wh-절 등이 쓰인다.
- 주어/보어/목적어는 형용사(구)/v-ing/v-ed분사/to-v/전치사구/관계절(who/which[that]절) 등의 수식을 받는다.
- 목적보어로는 (대)명사/형용사/to-v/V/v-ing/v-ed분사 등이 쓰인다.
- 대등접속사(and/but/or/for)는 단어/구/절을 대등하게 연결한다.
- 상관접속사(both ~ and/either ~ or/neither ~ nor/not ~ but/not only ~ (but) also)는 단어/구/절을 대등하게 연결한다.
- 대등접속사와 상관접속사로 연결되는 것은 같은 꼴(명사/(조)동사/형용사/부사/v-ing/to-v[V]/전치사구/절)이어야 한다.

Unit 41 주어(구·절) **종합** | (대)명사/명사구/명사절 + 동사

주어	동사	부사어
Loving other people	starts	with loving ourselves.

Unit 42 보어(구·절) **종합** | 주어 + be동사 + (대)명사/명사구/명사절/형용사(구)

주어	동사	보어
The main thing	is	to keep the main thing the main thing.

Unit 43 목적어/목적보어(구·절) **종합** | 주어 + 동사 + (대)명사/명사구/명사절

주어	동사	목적어
You	get	what you work for.

Unit 44 대등접속사 | and/but/or/for

주어	동사	보어,	and	주어	동사	보어
Success	is never	final,	and	failure	is never	fatal.

Unit 45 상관접속사 | both ~ and/either ~ or/neither ~ nor/not ~ but/not only ~ (but) also

주어	동사	not	부사어	but	부사어
Our greatest glory	is	not	in never falling,	but	in rising.

주어(구·절) 종합

Block Board

| (대)명사 / 명사구 / 명사절 + 동사 |

주어	동사	부사어
Loving other people	starts	with loving ourselves.

- 주어: (대)명사/명사구(v-ing/to-v)/명사절(that절/whether[if]절/what절/wh-절/wh-ever절)
  ▷ **v-ing**+(보어/목적어/수식어)/**to-v**+(보어/목적어/수식어)(**'v하는 것'**) + 동사 ~
  ▷ **that절**(that+주어+동사='~ 것')/**whether절**(whether+주어+동사=**'~인지 (아닌지)'**) + 동사 ~
  ▷ **what절**(what+(주어)+동사=**'~인 것'/'무엇 ~인지'**) + 동사 ~
  ▷ **who/where/when/how/why절**(wh-+(주어)+동사=**'누구/어디/언제/어떻게·얼마나/왜 ~인지'**) + 동사 ~
  ▷ **whatever/whoever절**(whatever/whoever+(주어)+동사=**'~인 무엇이든지'/'~인 누구든지'**) + 동사 ~
- **It**(형식주어) + 동사 ~ + **to-v/v-ing/that절/whether[if]절/wh-절**(진주어)
- 주어: (대)명사 + **뒤수식어(형용사(구)/v-ing/v-ed분사/to-v/전치사구/관계절**(who/which[that]절))

Standard Sentences

01 Loving other people starts with loving ourselves. *Ellen Page*
↳ 다른 사람들을 사랑하는 것은 우리 자신을 사랑하는 것과 함께 시작돼.

02 It does not matter how many talents we have; what matters is how we use them.
↳ 우리가 얼마나 많은 재능을 가지고 있는지는 중요하지 않고, 중요한 것은 우리가 그것들을 어떻게 쓰는지야. *matter 중요하다 *talent 재능

03 Anyone who isn't embarrassed of who they were last year probably isn't learning **enough**.
↳ 지난해의 자신에 대해 쑥스럽지 않은 누구나 아마 **충분히** 배우고 있지 않은 거야. *embarrassed 쑥스러운(창피한) *probably 아마

A 톡톡 튀는 영어문장 우리말로 바꾸기.

04 Changing someone else's life positively changes **yours** for the better as well. *Cameron Boyce*
→ ________________ 너의 삶도 더 좋게 변화시켜.

05 To know what you know and what you do not know is true knowledge.
→ ________________ 참된 앎이야.

06 It is good to rub and polish our brain against that of others. *Montaigne*
→ ________________ 좋은 거야.

Up! **07** It is in your hands to create a better world for all who live in it.
→ ________________ 네 손에 달려 있어.

04
positively 긍정적으로
for the better 더 좋게
as well ~도

05
knowledge 앎[지식]

06
Know More Rainbow p.106
rub 비비다[문지르다]
polish 광[윤]을 내다

B 뜻 새겨 보면서, 괄호 안 둘 중 하나 고르기.

08 Teachers (who / which) make physics boring are criminals.

09 A life (spending / spent) making mistakes is more honorable and useful than a life (spending / spent) doing nothing. *Bernard Shaw*

10 It is strange (that / what) "sword" and "words" have the same letters.

11 The most important thing to (do / doing) in solving a problem is to begin.

08
Know More Rainbow p.107
physics 물리학
criminal 범죄자
09
honorable 명예로운

10
Know More Rainbow p.107

C 보기 딱 맞는 것 골라 멋진 문장 끝내주기.

보기

what whether who whoever

12 ______________ is done out of love always takes place beyond good and evil.

사랑으로부터 행해지는 것은 언제나 선악을 초월해 일어나.

13 ______________ you talk well depends upon whom you have to talk to.

네가 말을 잘하는지 아닌지는 네가 누구에게 말을 해야 하는지에 달려 있어.

14 ______________ wishes to keep a secret must hide the fact that he possesses one.

비밀을 지키기 바라는 누구든지 자신이 비밀을 갖고 있다는 사실을 숨겨야 해.

15 There are lots of people ______________ mistake their imagination for their memory.

자신의 상상을 기억으로 착각하는 사람들이 많아.

12
take place 일어나다
good and evil 선악

13
Know More Rainbow p.107

14
Know More Rainbow p.107
fact 사실
possess 소유하다

15
mistake A for B
A를 B로 착각[오인]하다

unit 42

보어(구·절) 종합

Block Board

I 주어 + be동사 + (대)명사 / 명사구 / 명사절 / 형용사(구) I

주어	동사	보어
The main thing	is	to keep the main thing the main thing.

- 보어: (대)명사/명사구(v-ing/to-v)/명사절(that절/whether절/what절/wh-절/wh-ever절)/형용사(구)
  - ▹주어 + be동사 + **v-ing**+(보어/목적어/수식어)/**to-v**+(보어/목적어/수식어)(**'v하는 것'**)
  - ▹주어 + be동사 + **that절**(that + 주어 + 동사 = **'~ 것'**)/**whether절**(whether + 주어 + 동사 = **'~인지 (아닌지)'**)
  - ▹주어 + be동사 + **what절**(what + (주어) + 동사 = **'~인 것'/'무엇 ~인지'**)
  - ▹주어 + be동사 + **who/where/when/how/why절**(wh- + (주어) + 동사 = **'누구/어디/언제/어떻게·얼마나/왜 ~인지'**)
- 보어: (대)명사 + **뒤수식어(형용사(구)/v-ing/v-ed분사/to-v/전치사구/관계절**(who/which[that]절))

Standard Sentences

01 The main thing is to keep the main thing the main thing. *Stephen Covey*
↳ 가장 중요한 것은 가장 중요한 것을 가장 중요한 것으로 유지하는 거야. *main 주된[가장 중요한]

02 The question is not whether we will die but how we will live. *Joan Borysenko*
↳ 문제는 우리가 죽을지 말지가 아니라 우리가 어떻게 살 것인지야.

Think **03** Silence is argument carried out by other means. *Che Guevara*
↳ 침묵은 다른 수단으로 행해지는 논쟁이야. *silence 침묵 *argument 논쟁[말다툼] *carry out 수행[실시]하다 *means 수단

A 톡톡 튀는 영어문장 우리말로 바꾸기.

04 Love is putting someone else's needs before yours. *Movie "Frozen"*
→ 사랑은 ______________________________.

05 Today is the tomorrow you worried about yesterday. *Dale Carnegie*
→ 오늘은 ______________________________.

06 The miracle is not to walk on water, but to be alive and walk on this beautiful earth. *Thich Nhat Hanh*
→ 기적은 ______________________________.

Up! **07** Forests are the lungs of our land purifying the air and giving fresh strength to our people. *Franklin Roosevelt*
→ 숲은 ______________________________.

04
put ~ before …
~을 …보다 더 우선시하다
need 필요[욕구]

05
Know More Rainbow p.108

06
Know More Rainbow p.108

07
forest 숲
lung 허파[폐]
purify 정화하다

B 뜻 새겨 보면서, 괄호 안 둘 중 하나 고르기.

08 The biggest risk is (not taking / taking not) any risk. *Mark Zuckerberg*

09 The problem is (that / what) everybody treats teenagers like they're stupid.

10 Gaming addiction is a disorder (that / who) can cause severe damage to one's life.

Up! **11** That some achieve great success is proof (that / which) others can achieve it as well. *Abraham Lincoln*

The chief function of the body is to carry the brain around.

C 보기 딱 맞는 것 골라 멋진 문장 끝내주기.

보기
that to what when

Think **12** Man is the only animal ______________ must be encouraged to live.

인간은 살아가도록 격려되어야만 하는 유일한 동물이야.

13 The chief function of the body is ______________ carry the brain around.

몸의 주된 기능은 뇌를 들고 다니는 거야.

14 We are ______________ we repeatedly do; excellence is not an act, but a habit.

우리는 우리가 반복해서 하는 것으로 이루어지므로, 뛰어남은 행동이 아니라 습관이야.

Up! **15** Happiness is ______________ what you think, what you say, and what you do are in harmony.

행복이란 네가 생각하는 것과 말하는 것과 행하는 것이 조화를 이룰 때야.

08
Know More Rainbow p.109

09
treat 취급하다[대하다]
stupid 어리석은

10
addiction 중독
disorder 질병[장애]
severe 심각한
damage 손상

11
achieve 이루다[성취하다]
as well ~도

12
Know More Rainbow p.109
encourage 격려하다

13
Know More Rainbow p.109
chief 주된
function 기능
carry around 들고 다니다

14
Know More Rainbow p.109
repeatedly 반복해서[되풀이해서]
excellence 뛰어남[탁월함]

15
harmony 조화

unit 43

목적어 / 목적보어(구·절) 종합

Block Board

| 주어 + 동사 + (대)명사 / 명사구 / 명사절 |

주어	동사	목적어
You	get	what you work for.

- **목적어**: (대)명사 / 명사구(v-ing / to-v) / 명사절(that절 / whether절 / what절 / wh-절 / wh-ever절)
  - ▷ 주어 + 동사 + **v-ing** + (보어 / 목적어 / 수식어) / **to-v** + (보어 / 목적어 / 수식어)(**'v하는 것'**)
  - ▷ 주어 + 동사 + **that절**(that + 주어 + 동사 = '**~ 것**') / **whether절**(whether + 주어 + 동사 = '**~인지 (아닌지)**')
  - ▷ 주어 + 동사 + **what절**(what + (주어) + 동사 = '**~인 것**' / '**무엇 ~인지**')
  - ▷ 주어 + 동사 + **who / where / when / how / why절**(wh- + (주어) + 동사 = '**누구 / 어디 / 언제 / 어떻게·얼마나 / 왜 ~인지**')
- **목적어**: (대)명사 + **뒤수식어(형용사(구) / v-ing / v-ed분사 / to-v / 전치사구 / 관계절**(who / which[that]절))
- **목적보어**: (대)명사 / 형용사 / to-v / V / v-ing / v-ed분사
  - ▷ 주어 + 동사 + 목적어 + **(대)명사 / 형용사 / to-v / V / v-ing / v-ed분사**

Standard Sentences

01 You get what you work for, not what you wish for. *Howard Tullman*
↳ 넌 네가 바라는 것이 아니라, 네가 일하는[노력하는] 것을 얻어.

02 No man has a good enough memory to be a successful liar. *Abraham Lincoln*
↳ 아무도 성공적인 거짓말쟁이가 될 만큼 충분히 좋은 기억력을 갖고 있지 않아. *successful 성공적인 *liar 거짓말쟁이

03 Some people want it to happen; others make it happen. *Michael Jordan*
↳ 어떤 사람들은 그것이 일어나길 바라지만, 다른 사람들은 그것이 일어나게 해.

A 톡톡 튀는 영어문장 우리말로 바꾸기.

04 Try to be a rainbow in someone's cloud. *Maya Angelou*
→ ______________________________

05 Most of us have a memory of a food that takes us back to childhood.
→ 우리 대부분은 ______________________________.

06 Sports teach you to know what it feels like to win and lose.
→ 스포츠는 ______________________________.

Up! **07** Education enables citizens to live lives that are economically, politically, socially, and culturally responsible. *Wendell Berry*
→ 교육은 ______________________________.

04
Know More Rainbow p.110

05
take ~ back to … ~에게 …을 상기시키다[기억나게 하다]
childhood 어린 시절

07
enable 할 수 있게 하다
economically 경제적으로
politically 정치적으로
responsible 책임이 있는

B 뜻 새겨 보면서, 괄호 안 둘 중 하나 고르기.

08 Stop (hating / to hate) yourself for what you aren't; start loving yourself for what you are.

Up! **09** Our own genomes carry the story of evolution (writing / written) in DNA, the language of molecular genetics.

09
genome 게놈
evolution 진화
molecular 분자의
genetics 유전학

10 The future belongs to those (which / who) believe in the beauty of their dreams.

11 I see people (throwing / thrown) away useful things, and it makes me (feel / to feel) sad. *Mother Teresa*

Sports teach you to know what it feels like to win and lose.

Our own genomes carry the story of evolution written in DNA, the language of molecular genetics.

C 보기 딱 맞는 것 골라 멋진 문장 끝내주기.

보기
that what whether why

12 You should learn ____________ is true in order to do what is right.
넌 옳은 일을 하기 위해선 무엇이 진실인지 알아야 해.

12 Know More Rainbow p.111

13 We have to understand ____________ we do what we do, not just do what we do.
우리는 우리가 하는 것을 그저 하지만 말고, 왜 우리가 하는 것을 하는지 이해해야 해.

14 Always remember ____________ you are absolutely unique, just like everyone else.
넌 다른 모든 사람과 똑같이 완전히 유일하다는[단 하나밖에 없는 존재라는] 걸 늘 기억해.

14 Know More Rainbow p.111
absolutely 완전히[절대로]
unique 유일한[독특한]

Up! **15** We decide ____________ to make ourselves learned or ignorant, compassionate or cruel.
우리는 자신을 박식하게 할지 무식하게 할지, 인정 있게 할지 잔인하게 할지를 결정해.

15
learned 박식한
ignorant 무식한
compassionate 인정[동정심] 있는
cruel 잔인한

대등접속사

Block Board

and / but / or / for

주어	동사	보어,	and	주어	동사	보어
Success	is never	final,	and	failure	is never	fatal.

- **대등접속사**: A(단어/구/절) + **대등접속사** + B(단어/구/절) – A와 B를 대등하게 연결.
  (A와 B: 대등)

※ A와 B는 **같은 꼴**(명사/(조)동사/형용사/부사/v-ing/to-v[V]/전치사구/절)이어야 함.
▹ A(, B,) **and** C: 부가(~와[그리고/~하고])/연속(~하고)/결과(~해서)/대조(~지만)/설명(~한데)
▹ A **but** B: 대조(~지만)
▹ A(, B,) **or** C: 둘 이상 중 하나 선택(~이나[또는])
▹ **for**: 이유(왜냐면 ~) – 판단의 근거 추가적 설명.(because와 달리 문장 앞에 쓸 수 없음.)
▹ **명령문, and** ... : ~하면, ...　　▹ **명령문, or** ... : ~하지 않으면, ...

Standard Sentences

01 Success is never final, **and** failure is never fatal. *Winston Churchill*
↳ 성공은 결코 최종적이지 않고, 실패는 결코 치명적이지 않아.　*final 최종적인　*fatal 치명적인

02 You can choose your friends, **but** you can't choose your family. *Proverb*
↳ 넌 친구는 선택할 수 있지만, 넌 가족은 선택할 수 없어.

03 Don't give up on your dreams, **or** your dreams will give up on you. *John Wooden*
↳ 네 꿈을 포기하지 마. 그렇지 않으면 네 꿈이 널 포기할 거야.　*give up on ~에 대해 포기하다

04 Let us always meet each other with smile, **for** the smile is the beginning of love.
↳ 늘 웃으며 서로 만나자. 왜냐면 웃음은 사랑의 시작이기 때문이야.

A 톡톡 튀는 영어문장 우리말로 바꾸기.

05 Civilization begins with order, grows with liberty and dies with chaos.
→ 문명은 ______________________________.

06 All grown-ups were once children, but only few of them remember it. *The Little Prince*
→ 모든 어른들은 ______________________________.

Up! **07** Find someone who is having a hard time, or is ill, or lonely, and do something for him or her. *Thomas Monson*
→ ______________________________

05
civilization 문명
order 질서
chaos 무질서[혼돈]

06
grown-up 어른
once 한때

B 뜻 새겨 보면서, 괄호 안 둘 중 하나 고르기.

08 Sometimes all we need is a hand to hold, an ear to listen (and / but) a heart to understand.

09 Life is never boring, (and / but) some people choose to be bored.

10 Give a man a fish, (and / or) you feed him for a day; teach a man to fish, (and / or) you feed him for a lifetime. *Proverb*

11 I love myself, (for / but) I am a beloved child of the universe, and the universe lovingly takes care of me now.

09
Know More Rainbow p.113

10
feed 먹여 살리다[먹이다]
fish 물고기, 낚시하다
lifetime 평생

11
beloved 사랑하는
universe 우주
lovingly 애정을 갖고

C 보기 딱 맞는 접속사 골라 멋진 문장 끝내주기.

보기
and but for or

12 Keep your face always toward the sunshine, ________ shadows will fall behind you.
네 얼굴을 늘 햇빛을 향하게 하면, 그림자는 네 뒤로 떨어질 거야.

13 Control your own destiny, ________ someone else will.
너 자신의 운명을 지배하지 않으면, 다른 누군가가 지배할 거야.

14 Everyone wants to go to heaven, ________ nobody wants to die.
모든 사람이 천국에 가길 원하지만, 아무도 죽고 싶어 하지 않아.

15 The most interesting information comes from children, ________ they tell all they know.
가장 흥미로운 정보는 아이들에게서 나오는데, 왜냐면 그들은 자신이 아는 모든 걸 말하기 때문이야.

12
Know More Rainbow p.113
shadow 그림자

13
Know More Rainbow p.113
destiny 운명

상관접속사

Block Board

| both ~ and / either ~ or / neither ~ nor / not ~ but / not only ~ (but) also |

주어	동사	not	부사어	but	부사어
Our greatest glory	is	not	in never falling,	but	in rising.

• **상관접속사: 상관접속사** + A(단어/구/절) + **상관접속사** + B(단어/구/절) – A와 B를 대등하게 연결.
(A와 B: 대등)

※ A와 B는 같은 꼴(명사/(조)동사/형용사/부사/v-ing/to-v[V]/전치사구/절)이어야 함.

▹ **both A and B**: A와 B 둘 다 The movie is **both** moving **and** funny. 그 영화는 감동적이고 웃긴다.

▹ **either A or B**: A와 B 둘 중 하나 You can **either** stay **or** leave. 넌 남아도 되고 떠나도 된다.

▹ **neither A nor B**: A도 B도 아닌(= not either A or B)

▹ **not A but B**: A가 아니라 B It is **not** wrong **but** different. 그건 틀린 게 아니라 다르다.

▹ **not only[merely] A but (also) B**: A뿐만 아니라 B도(= both A and B / B as well as A)

Standard Sentences

01 Our greatest glory is **not** in never falling, **but** in rising every time we fall. *Confucius(공자)*
↳ 가장 큰 영광은 결코 넘어지지 않는 데 있는 게 아니라, 넘어질 때마다 일어서는 데 있어. *glory 영광 *rise 일어나다

02 You cannot serve **both** God **and** money. *Jesus*
↳ 넌 신과 돈을 둘 다 섬길 수 없어. *serve 섬기다

03 Knowledge rests **not only** upon truth, **but also** upon error. *Carl Jung*
↳ 지식은 사실뿐만 아니라, 오류에도 의지해. *rest upon ~에 의지하다[달려 있다] *error 오류[잘못]

A 톡톡 튀는 영어문장 우리말로 바꾸기.

04 A good story feels both surprising and inevitable, fresh and familiar.
→ 좋은 이야기는 ______________________.

05 Life is either a daring adventure or nothing. *Helen Keller*
→ 삶은 ______________________.

06 The music is not in the notes, but in the silence between. *Mozart*
→ 음악은 ______________________.

07 The law of conservation of energy means that energy can be neither created nor destroyed.
→ 에너지 보존 법칙은 ______________________.

04
Know More Rainbow p.114
inevitable 필연적인[불가피한]
familiar 친숙[익숙]한

05
Know More Rainbow p.114
daring 대담한

06
Know More Rainbow p.114
note 음

07
conservation 보존

B 뜻 새겨 보면서, 괄호 안 둘 중 하나 고르기.

08 Flattery corrupts both the receiver (and / or) the giver.

09 I never lose; I (either / neither) win or learn from it.

10 The way of progress is neither swift (or / nor) easy. *Marie Curie*

11 Voting is not only our right, (and / but) it is our power.

08
flattery 아첨
corrupt 타락[부패]시키다

09
Know More Rainbow p.115

10
progress 진보[진전]
swift 빠른[신속한]

11
vote 투표하다
right 권리

C 보기 딱 맞는 상관접속사 골라 멋진 문장 끝내주기.

보기

either – or	neither – nor
not – but	not merely – but

not merely A but (also) B
단지 A뿐만 아니라 B도

12 Technology itself is ________ good ________ bad; people are good or bad.
과학 기술 자체는 좋지도 나쁘지도 않은데, 사람들이 좋거나 나빠.

13 Every day you ________ get better ________ worse; you never stay the same.
매일 넌 더 좋아지거나 더 나빠지지, 결코 같은 상태로 있지 않아.

14 Thought is ________ expressed in words, ________ it comes into existence through them.
생각은 단지 말로 표현될 뿐만 아니라, 말을 통해 존재하게 돼.

14
Know More Rainbow p.115
thought 생각[사고]
express 표현하다
existence 존재

15 Mathematics is ________ about numbers, equations, computations or algorithms, ________ about understanding.
수학은 숫자, 방정식, 계산 또는 알고리즘에 대한 것이 아니라, 이해에 대한 것이야.

15
equation 방정식
computation 계산
algorithm 알고리즘

Chapter 09

A 오색빛깔 영어문장 우리말로 바꾸기.

01 Doing what you like is freedom; liking what you do is happiness.

01
freedom 자유

02 What society does to its children is what its children will do to society. *Cicero*

02
Know More Rainbow p.116

03 The most important thing in communication is hearing what isn't said.

03
Know More Rainbow p.116

Up! **04** Ecological change and growing travel and trade have allowed new infectious diseases to emerge and spread all over the world.

04
ecological 생태계의
infectious 전염의
emerge 나오다[생겨나다]
spread 퍼지다

05 What appears to us solid is ultimately both a particle and a wavelength.

05
Know More Rainbow p.116
solid 고체의[단단한]
particle 입자
wavelength 파동

06 Don't judge each day by the harvest you reap but by the seeds that you plant.

06
harvest 수확(물)
reap 거두다[수확하다]
seed 씨(앗)

07 Education is not the learning of facts, but the training of the mind to think. *Albert Einstein*

B 뜻 새겨 보면서, 괄호 안 둘 중 하나 고르기.

08 (That / What) makes a book "good" is (that / what) we are reading it at the right moment for us. *Alain de Botton*

Up! **09** We should accept the fact (that / which) learning is a lifelong process of keeping abreast of change.

09
lifelong 평생의
abreast 나란히

10 Laugh, (and / or) the world laughs with you; snore, (and / or) you sleep alone.

10
snore 코를 골다

부사절

Block Board Overview

- 부사절은 접속사를 앞세워 주절을 수식하는 〈주어 + 동사〉를 갖춘 절이다.
- 시간 부사절은 접속사 when / while / as / before / after / until[till] / since 등이 이끈다.
- 이유(원인) 부사절은 접속사 because / since / as 등이 이끈다.
- 목적 / 결과 부사절은 접속사 so (that) / in order that / lest / so[such] ~ that 등이 이끈다.
- 대조(반전) 부사절은 접속사 whereas / while / although / (even) though[if] 등이 이끈다.
- 조건 부사절은 접속사 if / unless / once 등이 이끈다.
- v-ing 구문은 〈접속사 + 주어 + 동사〉에서 접속사와 주어를 생략하고 동사를 v-ing로 한 것이다.

Unit 46 시간 부사절 | 시간 부사절 + 주어 + 동사

시간 부사절				주어	동사	목적어
When	it	is	dark enough,	you	can see	the stars.

Unit 47 이유[원인] 부사절 | 이유[원인] 부사절 + 주어 + 동사

주어	동사	보어	이유[원인] 부사절			
I	am	intelligent	because	I	know	that I know nothing.

Unit 48 목적 / 결과 / 양상 부사절 | 목적 / 결과 / 양상 부사절 + 주어 + 동사

주어	동사	목적어	목적 부사절			
I	want	to live my life	so that	my nights	are not	full of regrets.

Unit 49 대조[반전] 부사절 | 대조[반전] 부사절 + 주어 + 동사

대조[반전] 부사절				주어	동사	보어
Although	the world	is	full of suffering,	it	is also	full of the overcoming of it.

Unit 50 조건 부사절 | 조건 부사절 + 주어 + 동사

조건 부사절			주어	동사	목적어
If	you	don't vote,	you	lose	the right to complain.

Unit 51 v-ing 구문 | v-ing ~ + 주어 + 동사

v-ing ~	주어	동사	목적어	부사어
Looking at the world through art,	we	appreciate	it	from fresh perspectives.

시간 부사절

Block Board

I 시간 부사절 + 주어 + 동사 I

시간 부사절				주어	동사	목적어
When	it	is	dark enough,	you	can see	the stars.

- **부사절**: 접속사 앞세워 주절 수식. 주절(주어 + 동사 ~) + 부사절(접속사 + 주어 + 동사 ~) / 부사절 + 주절 (수식)
- **when**(~할 때): 주절과 부사절의 시간 중 한 쪽이 앞설 수도 있고, 동시일 수도 있음.
- **while / as**(~하는 동안[~하면서]): 주절과 부사절의 시간이 동시.
- **as soon as**(~하자마자): 주절과 부사절의 동시성 강조.
- **the moment[the minute]**(~하는 순간[~하자마자])
- **until[till]**(~할 때까지)
- **not A until[till] B**: B할 때까지 A하지 않다[B하고 나서야 비로소 A하다]
- **before**(~하기 전에)
- **after**(~한 후에)
- **since**(~한 이후로)
- **each time[every time]**(~할 때마다)

Standard Sentences

01 When it is dark enough, you can see the stars. *Ralph Emerson*
↳ 충분히 어두울 때, 넌 별들을 볼 수 있어. *dark 어두운

02 You'll never know what you have until you clean your room.
↳ 넌 네가 방을 청소할 때까지 네가 무엇을 갖고 있는지 절대 모를 거야[청소하고 나서야 비로소 네가 무엇을 갖고 있는지 알 거야].

03 Since Social Security started, poverty among seniors has declined.
↳ 사회 보장 제도가 시작된 이후로, 어르신 빈곤이 감소해 왔어. *Social Security 사회 보장 제도 *senior 어르신 *decline 감소하다

A 톡톡 튀는 영어문장 우리말로 바꾸기.

04 My heart leaps up when I behold a rainbow in the sky. *William Wordsworth*
→ ______________________ 내 가슴은 뛰네.

05 Sorry I'm late, I got here as soon as I wanted to.
→ 늦어서 미안한데, ______________________.

06 The moment you give close attention to anything, it becomes a mysterious and magnificent world in itself. *Henry Miller*
→ ______________________, 그것은 그 자체가 신비하고 감명 깊은 세계가 돼.

07 I hate it when people text "Call me." I'm going to start calling people and as soon as they answer, I'll say "Text me," then hang up.
→ 난 ______________________ 정말 싫어. 난 사람들에게 전화하기 시작해서 ______________________.

04
Know More Rainbow p.118
leap up 뛰다
behold 보다

05
Know More Rainbow p.118

06
give close attention 세심한 주의를 기울이다
magnificent 감명 깊은
in itself 그것 자체가

07
text 문자를 보내다
hang up 전화를 끊다

B 뜻 새겨 보면서, 괄호 안 둘 중 하나 고르기.

08 It's not over (till / while) it's over. *Proverb*

09 Time seems to go faster (as / until) you get older.

10 Don't count your chickens (after / before) they are hatched. *Proverb*

11 More than a million copies of this novel have been sold (as / since) it was first published.

Don't count your chickens before they are hatched.

08
over 끝난

10
Know More Rainbow p.119
hatch 부화하다

11
publish 출판하다

C 보기 딱 맞는 것 골라 멋진 문장 끝내주기.

보기			
after	each time	just as	while

Up! **12** I spilled the milk ______________ I was getting up.
난 막 일어나면서 우유를 쏟았어.

13 Some animals, such as dolphins, can sleep ______________ they are moving.
돌고래 같은 일부 동물들은 움직이고 있는 동안 잘 수 있어.

14 You will not be admitted to the theater ______________ the performance has started.
넌 공연이 시작된 후에는 극장에 입장이 허락되지 않을 거야.

15 ______________ Earth rotates on its axis, it goes through one day, a cycle of light and dark.
지구가 축을 중심으로 회전할 때마다, 그것은 하루인 빛과 어둠의 한 주기를 거쳐.

12
spill 쏟다

13
dolphin 돌고래

14
admit 입장을 허락하다
performance 공연

15
rotate 회전하다
axis 축
go through 거치다
cycle 주기[사이클]

unit 47

이유[원인] 부사절

Block Board

| 이유[원인] 부사절 + 주어 + 동사 |

주어	동사	보어	이유[원인] 부사절			
I	am	intelligent	because	I	know	that I know nothing.

- 이유[원인] 부사절 접속사: because / since / as(~ 때문에)
- because + 주어 + 동사 (비교) because of + 명사
  I was late **because** the traffic was heavy. (비교) I was late **because of** the heavy traffic.
  난 교통 체증 때문에 늦었다.
- now (that): (이제) ~이므로
- in that: ~이므로[~라는 점에서]

Standard Sentences

01 I am intelligent **because** I know that I know nothing. *Socrates*
↳ 난 내가 아무것도 알지 못한다는 걸 알기 때문에 똑똑해.

02 **Since** cellphone use while driving is considered dangerous, it is prohibited by law.
↳ 운전 중 휴대폰 사용은 위험하다고 여겨지기 때문에, 그것은 법으로 금지돼. *prohibit 금지하다

03 **As** I have tasted **frustration**, I **value fulfillment**. *Leonard Nimoy*
↳ 난 **좌절감을** 맛보았기 때문에, **성취를** 소중히 여겨. *frustration 좌절감 *value 소중히 여기다 *fulfillment 성취

A 톡톡 튀는 영어문장 우리말로 바꾸기.

04 Don't cry because it's over; smile because it happened.
→ ______________________________

05 You are like nobody since I love you. *Pablo Neruda*
→ 넌 ______________________________ 아무와도 같지 않아.

06 My fake plants died because I did not pretend **to water them**.
→ 내 인조 식물들은 ______________________________ 죽었어.

Up! **07** Men love **their country**, not because it is great, but because it is their own. *Seneca*
→ 사람들은 ______________________________ 자기 나라를 사랑해.

04 Know More Rainbow p.120

05 Know More Rainbow p.120

06 Know More Rainbow p.120
fake 인조의(가짜의)
pretend ~인 척하다
water 물을 주다

07
country 나라

B 뜻 새겨 보면서, 괄호 안 둘 중 하나 고르기.

08 Experience is a hard teacher (because / because of) she gives the test first, the lesson afterwards.

09 Courage is the first of human qualities (because / before) it is the quality which guarantees the others. *Winston Churchill*

10 (Since / Until) everything is in our heads, we had better not lose them. *Coco Chanel*

11 (Now that / That) we are all part of the global village, everyone becomes a neighbor.

08
experience 경험
hard 냉정한
afterwards 나중에

09
Know More Rainbow p.121
courage 용기
quality 자질
guarantee 보장하다

10
Know More Rainbow p.121
had better
~하는 것이 좋을 것이다
lose your head 냉정을 잃다

C 뜻 새겨 보면서, 접속사 자리 찾아 멋진 문장 끝내주기.

12 How wonderful life is you're in the world! (now that)
이제 네가 세상에 있으니 삶은 얼마나 멋진가!

13 This life is worth living it is what we make it. (since)
이 삶은 우리가 그걸 만드는 것이기 때문에 살 가치가 있어.

14 I've been lucky my parents have always supported me. (in that)
난 부모님이 언제나 날 지지해 오셨으므로 운이 좋았어.

Up! **15** Never do something permanently foolish you are temporarily upset. (just because)
단지 네가 일시적으로 속상하다고 영원히 어리석을 짓을 절대 하지 마.

13
worth v-ing v할 가치가 있는

14
support 지지[지원]하다

15
permanently 영원히[영구히]
temporarily 일시적으로

unit 48

목적/결과/양상 부사절

Block Board

| 목적/결과/양상 부사절 + 주어 + 동사 |

주어	동사	목적어	목적 부사절			
I	want	to live my life	so that	my nights	are not	full of regrets.

- 목적 부사절 접속사
  - ▷ so (that)/in order that ~ (can/may): ~하기 위해[~하도록]
  - ▷ lest ~ (should): ~하지 않도록(= so that ~ not)
  - ▷ (just) in case: 1. ~할 경우에 대비해 2. ~면(= if)
- 결과 부사절 접속사
  - ▷ so + 형용사/부사 + (that) …: 너무 ~해서 …하다
  - ▷ such + (a(n)) (형용사) 명사 + that …: 너무 ~해서 …하다
  - ▷ so (that): 그래서[~해서]
- as: ~대로/~처럼[듯이](= like)
- (just) as ~ , so …: (꼭) ~인 것처럼 …하다
- as if[as though](= like): 마치 ~인 것처럼[~인 듯이](가정표현 ➲ Unit 52~54으로도 씀.)

Standard Sentences

01 I want to live my life **so that** my nights are not full of regrets. *D.H. Lawrence*
↳ 난 밤이 후회로 가득하지 않도록 내 삶을 살기 원해. *regret 후회

02 The Internet is **so** big **that** no one can completely control it. *Laura Ramsey*
↳ 인터넷은 너무 커서 아무도 그것을 완전히 통제할 수 없어. *completely 완전히 *control 통제하다

03 Treat others **as** you would like them to treat you. *Jesus*
↳ 네가 다른 사람들이 널 대하기를 원하는 대로 그들을 대해. *treat 대하다

A 톡톡 튀는 영어문장 우리말로 바꾸기.

04 Learn to say "no" to the good so you can say "yes" to the best.
→ ______________________ 좋은 것에 '아니요'라고 말하는 것을 배워.

Up! **05** We are in such a hurry to grow up that we long for our lost childhood.
→ 우리는 ______________________ 잃어버린 어린 시절을 갈망해.

06 I paint objects as I think them, not as I see them. *Pablo Picasso*
→ 난 대상을 ______________________ 그려.

07 Just as appetite comes by eating, so work brings inspiration.
→ 식욕이 ______________________, 작업이 영감을 가져와.

05
in a hurry 바쁜[서둘러]
grow up 성장하다
long for 갈망하다[간절히 바라다]
06
object 대상[물체]
07
Know More Rainbow p.122
appetite 식욕
inspiration 영감

B 뜻 새겨 보면서, 괄호 안 둘 중 하나 고르기.

08 In gambling, the many must lose (in order that / in order to) the few may win. *Bernard Shaw*

09 The gravitational field of a black hole is (so / such) strong that nothing can escape from around it.

10 Mom: Your room is (so / such) a mess that I can't even walk through it.
Me: This is my design.

11 I couldn't repair your brakes, (as / so) I made your horn louder.

Treat others as you would like them to treat you.

I paint objects as I think them, not as I see them.

08
gambling 도박

09
gravitational 중력의
gravitational field 중력장
escape 탈출하다

10
mess 엉망

11
Know More Rainbow p.123
repair 고치다
brake 브레이크
horn 경적

C 보기 딱 맞는 것 골라 멋진 문장 끝내주기.

보기
as if   in case   lest   so that

12 Aim higher ____________ you fall short.
미치지 못할 경우에 대비해 더 높이 겨냥해.

13 Act ____________ what you do makes a difference; it does.
마치 네가 하는 것이 중요한 영향을 미치는 듯이 행동하면, 그건 그리돼.

Up! **14** Watch your speech a little ____________ you should ruin your fortunes.
네가 운을 망치지 않도록 네 말을 좀 조심해.

15 Be different ____________ people can see you clearly among the crowds.
사람들이 널 군중 속에서 분명히 볼 수 있도록 남달라져.

12
aim 겨누다[목표하다]
fall short 미치지 못하다

13
Know More Rainbow p.123
make a difference
(중요한) 영향을 미치다

14
watch 조심하다
ruin 망치다
fortune (행)운

15
crowd 군중[사람들]

대조(반전) 부사절

Block Board

| 대조(반전) 부사절 + 주어 + 동사 |

대조(반전) 부사절				주어	동사	보어
Although	the world	is	full of suffering,	it	is also	full of the overcoming of it.

- 대조(반전) 부사절(접속사 + 주어 + 동사 ~) + 주절(주어 + 동사 ~) / 주절 + 대조(반전) 부사절
  (대조(반전))
- **although / though**: ~지만
- **even though**: 비록 ~지만(사실 전제.) • **even if**: 비록 ~지라도(~더라도)(가정 가능.)
- **while / whereas**: ~ 데 반해(~지만)
- **no matter what / who / where / when / how**: 무엇(어떤) / 누구 / 어디 / 언제 / 아무리 ~든지(~더라도)
  = whatever(비교 ➔ Unit 35) / whoever(비교 ➔ Unit 36) / wherever / whenever / however
- **whether (~) or not**: ~이든 아니든

Standard Sentences

01 Although the world is full of suffering, it is also full of the overcoming of it. *Helen Keller*
↳ 세상이 고통으로 가득하지만, 세상은 또한 그걸 극복하는 것으로 가득해. *suffering 고통 *overcome 극복하다

02 While the birth rate continues to decrease, the average life expectancy is increasing.
↳ 출생률이 계속 감소하는 데 반해, 평균 기대 수명은 증가하고 있어. *birth rate 출생률 *average 평균의 *life expectancy 기대 수명

03 Whereas knowledge can be acquired from books, skills must be learned through practice.
↳ 지식이 책에서 습득될 수 있는 데 반해, 기술은 연습을 통해서 학습되어야 해. *acquire 습득하다 *practice 연습

04 Wherever you go, go with all your heart. *confucius(공자)*
↳ 네가 어디를 가든지, 네 온 마음과 함께 가.

A 톡톡 튀는 영어문장 우리말로 바꾸기.

05 Even though the future seems far away, it is actually beginning right now. *Mattie Stepanek*

→ ________________________, 그건 사실 바로 지금 시작되고 있어.

06 You can always give something to someone even if it is a simple act of kindness. *Anne Frank*

→ 넌 ________________________ 항상 누군가에게 뭔가를 줄 수 있어.

07 No matter who you are, no matter where you come from, you are beautiful. *Michelle Obama*

→ ________________________, 넌 아름다워.

05
actually 실제로(사실은)
right now 바로 지금

06
act 행동

07
come from ~ 출신이다

B 뜻 새겨 보면서, 괄호 안 둘 중 하나 고르기.

08 (In spite of / Though) you're growing up, you should never stop having fun.

08 Know More Rainbow p.125

09 I am always ready to learn (although / despite) I do not always like being taught. *Winston Churchill*

09 Know More Rainbow p.125

10 I forget what I had for dinner yesterday (whereas / wherever) I remember lyrics to 17 different songs in 2 days.

11 (Whatever / However) you're doing, always give 100 percent unless you're donating blood.

11 donate 기부[헌혈]하다

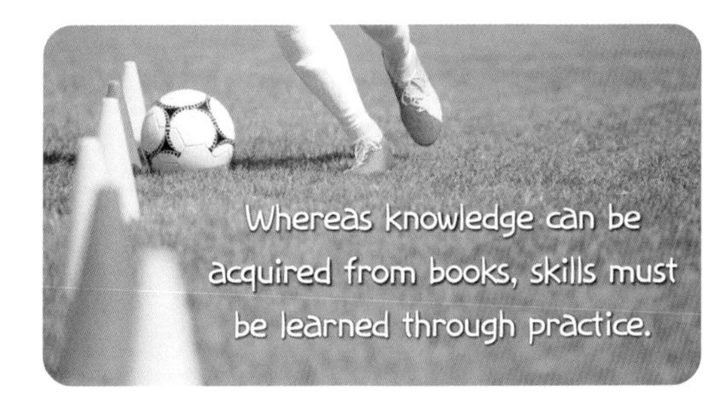

C 보기 딱 맞는 것 골라 멋진 문장 끝내주기.

보기

no matter how   though   whether or not   while

12 The day will happen ______________ you get up.

하루는 네가 일어나든 일어나지 않든 일어날 거야.

13 Some people dream of success ______________ others wake up and work.

어떤 사람들은 성공을 꿈꾸는 데 반해 다른 사람들은 깨어나서 일[공부]해.

13 wake up 깨나다

14 You have to do your own growing ______________ tall your grandfather was.

넌 네 할아버지께서 아무리 크셨더라도 너 자신의 성장을 해야 해.

Up! **15** Friendship, like love, is destroyed by long absence ______________ it may be increased by short intermissions.

우정은 사랑처럼 짧은 중단으로 커질지도 모르지만 오랜 부재로는 파괴돼.

15 absence 부재[없음]
intermission 중단[중간 휴식 시간]

조건 부사절

Block Board

| 조건 부사절 + 주어 + 동사 |

조건 부사절			주어	동사	목적어
If	you	don't vote,	you	lose	the right to complain.

- 조건 부사절 접속사: if(~면)
- if ~ not: ~하지 않으면 / 가정표현 ➔ Unit 52~54 가능.
- unless: ~하지 않는 한 / 가정표현 ➔ Unit 52~54 불가.
- once: 일단 ~하면
- as[so] long as: ~하기만 하면[~하는 한]
- 미래를 나타내는 조건·시간 부사절(if/unless/when ~)에 현재시제가 쓰임. ➔ Unit 08

  If/Unless/When + 주어 + V(-s)(× will V), 주어 + will V[be going to-v]

Standard Sentences

01 If you don't vote, you lose the right to complain. *George Carlin*

↳ 네가 투표하지 않으면, 넌 항의할 권리를 잃는 거야. *vote 투표하다 *complain 항의[불평]하다

02 A house is not a home unless it contains food and fire for the mind as well as the body.

↳ 집은 신체뿐만 아니라 정신을 위한 음식과 불(난방)을 포함하지 않는 한 가정이 아니야. *contain 포함하다 *as well as ~뿐만 아니라

03 Once you stop learning, you start dying. *Albert Einstein*

↳ 일단 네가 배우는 것을 멈추면, 넌 죽기 시작해.

A 톡톡 튀는 영어문장 우리말로 바꾸기.

04 If you like water, you already like 60% of me.

→ ______________________, 넌 이미 나의 60%를 좋아하는 거야.

05 Knowledge becomes evil if the aim is not virtuous. *Plato*

→ ______________________ 지식은 해가 돼.

06 All our dreams can come true if we have the courage to pursue them. *Walt Disney*

→ 모든 우리의 꿈들은 ______________________ 실현될 수 있어.

07 It does not matter how slowly you go as long as you do not stop.

→ ______________________ 네가 얼마나 천천히 가는지는 중요하지 않아.

04 Know More Rainbow p.126

05 Know More Rainbow p.126
evil 사악한[유해한]
aim 목적[목표]
virtuous 도덕적인[고결한]

06 Know More Rainbow p.126
courage 용기
pursue 추구하다

B 뜻 새겨 보면서, 괄호 안 둘 중 하나 고르기.

08 Three may keep a secret (if / unless) two of them are dead.
Benjamin Franklin

08 Know More Rainbow p.127
secret 비밀

09 (If / Unless) your name is “Google”, stop acting like you know.

09 Know More Rainbow p.127

10 Weeds are flowers, too, (once / unless) you get to know them.

10
weed 잡초
get to-v v하게 되다

11 If you (know / will know) the enemy and yourself, you will not be at risk in a hundred battles. *Sun Tzu(손자)*

11 Know More Rainbow p.127

C 뜻 새겨 보면서, 접속사 자리 찾아 멋진 문장 끝내주기.

12 My parents don't care what job I do I'm happy. (as long as)
내 부모님은 내가 행복하기만 하면 내가 무슨 일을 하는지 상관하지 않아.

12
care 상관하다

13 Never look down on anybody you're helping him up. (unless)
네가 누군가를 돕고 있지 않는 한, 그를 절대 낮춰 보지 마.

13 Know More Rainbow p.127
look down on
낮춰 보다[얕보다]

14 You find something you love to do, be the best at doing it. (once)
일단 네가 정말 하고 싶은 것을 찾으면, 그것을 하는 데 최고가 돼.

15 Evolution really works, how come mothers only have two hands? (if)
진화가 실제로 되어 간다면 어째서 어머니들은 손이 두 개만 있을까?

15 Know More Rainbow p.127
evolution 진화
how come 어째서[왜]

v-ing 구문

Block Board

ㅣ v-ing ~ + 주어 + 동사 ㅣ

v-ing ~	주어	동사	목적어	부사어
Looking at the world through art,	we	appreciate	it	from fresh perspectives.

- 〈v-ing ~〉 ↔ 〈접속사(and / while / when / because ...) + 주어 + 동사 ~〉
- 주어 + 동사 ~ + v-ing ~: 가장 흔한 형식으로, 주절과의 동시[연속] 동작[상황]을 나타냄.
- v-ing ~ + 주어 + 동사 ~: 문맥에 따라 때(when) / 이유(because) / 조건(if) 등을 나타냄.
- (being) v-ed분사 ~ + 주어 + 동사 ~: 주절의 주어와 수동의 관계이면 수동형으로 하되, being은 생략됨.
- having v-ed분사 ~ + 주어 + 동사 ~: 주절보다 앞선 시간을 분명히 할 때 완료형을 씀.
- not v-ing ~ + 주어 + 동사 ~: 부정은 v-ing 앞에 not을 붙임.
- 주어 + v-ing ~ + 주어 + 동사 ~: 주절의 주어와 다를 경우.
- 주어 + 동사 ~ + with + 명사 + v-ing / v-ed분사: 명사와 능동의 관계이면 **v-ing**, 수동의 관계이면 **v-ed분사**.

Standard Sentences

01 **Looking** at the world through art, we appreciate **it** from fresh perspectives.
↳ 예술을 통해 세상을 볼 때, 우리는 새로운 관점으로 세상을 인식해. *appreciate 인식하다 *perspective 관점

02 **Moved** by the last scene, the audience stayed in their seats for a while.
↳ 마지막 장면에 감동해서, 관객들은 잠시 동안 자리에 그대로 있었어. *move 감동시키다 *audience 관객[청중] *for a while 잠시 동안

03 **Not knowing** when the dawn will come, I open **every door**. *Emily Dickinson*
↳ 언제 새벽이 올지 몰라, 난 모든 문을 열어 놓아. *dawn 새벽

04 I saw you **sitting** in the rain **with** tears **running** down your face.
↳ 난 네가 얼굴에 눈물을 흘리며 빗속에 앉아 있는 걸 보았어.

A 톡톡 튀는 영어문장 우리말로 바꾸기.

05 Feeling so tired, I fell asleep as soon as my head hit **the pillow**.
→ ______________________, 난 머리가 **베개**에 닿자마자 잠이 들었어.

06 The world is always open, waiting to be discovered. *Dejan Stojanovic*
→ 세상은 언제나 열려 있어, ______________________.

07 With the summer approaching, the weather keeps **getting hotter**.
→ ______________________, 날씨가 계속 더 더워지고 있어.

05 pillow 베개

06 discover 발견하다

07 approach 다가오다

B 뜻 새겨 보면서, 괄호 안 둘 중 하나 고르기.

08 (Being / Having) made the mistake once, I won't let it happen again.

Up! **09** (Equipping / Equipped) with his five senses, man explores the universe around him and calls the adventure Science.

10 Other things (are / being) equal, simpler explanations are better than more complex ones.

Up! **11** Our parents love us with no strings (attaching / attached).

09
Know More Rainbow p.129
equip 장비[준비]를 갖추다
five senses 오감

10
equal 동일한[같은]
explanation 설명
complex 복잡한

11
string 줄[조건]
attach 붙이다

C 맨 뒤 동사 알맞은 꼴로 바꿔 멋진 문장 끝내주기.

12 ______________ exhausted and sorry for yourself, at least change your socks. (feel)

진이 다 빠지고 자신이 불쌍히 여겨지면, 하다못해 양말이라도 갈아 신어.

13 Drinking water hydrates skin cells, ______________ your skin a healthy glow. (give)

물을 마시는 것은 피부 세포에 수분을 공급해, 피부가 건강한 홍조를 띠게 해 줘.

14 The acid in sodas interacts with stomach acid, ______________ nutrient absorption. (block)

탄산음료에 든 산은 위산과 상호 작용해서, 영양소의 흡수를 막아.

15 Color is associated with a person's emotions, ______________ their mental or physical state. (influence)

색깔은 사람의 감정과 관련되어, 정신이나 신체의 상태에 영향을 미쳐.

12
exhausted
진이 다 빠진[탈진한]
feel sorry for 불쌍히 여기다
at least 하다못해[적어도]

13
hydrate 수분을 공급하다
glow 홍조

14
acid 산
stomach 위
nutrient 영양소
absorption 흡수
block 막다

15
associate 관련시키다
mental 정신의
physical 신체의
state 상태
influence 영향을 미치다

Chapter 10
Review

A 오색빛깔 영어문장 우리말로 바꾸기.

01 As soon as you trust yourself, you will know how to live. *Goethe*

02 If you cannot do great things, do small things in a great way.

03 I can't hear you, so I'll just laugh and hope it wasn't a question.

04 No matter how fast a lie runs, the truth will someday overtake it.

05 Always listen to your heart, because even though it's on your left side, it's always right.

06 If you live to be a hundred, I want to live to be a hundred minus one day so that I never have to live without you. *Story "Winnie-the-Pooh"*

Up! 07 Air pollution adds harmful substances to the atmosphere, resulting in damage to the environment, human health and quality of life.

03
Know More Rainbow p.130
so 그래서(~해서)

04
lie 거짓말
someday 언젠가
overtake 따라잡다(앞지르다)

05
Know More Rainbow p.130

07
add A to B A를 B에 더하다
harmful 해로운
substance 물질
atmosphere 대기
result in 야기하다

B 뜻 새겨 보면서, 괄호 안 둘 중 하나 고르기.

08 Facts do not cease to exist (because / because of) they are ignored.

09 Life can be boring (if / unless) you put some effort into it.

10 I love my six-pack (so / such) much that I protect it with a layer of fat.

08
Know More Rainbow p.130
cease 중단되다(그치다)
ignore 무시하다

09
effort 노력(수고)

10
Know More Rainbow p.130
six-pack 복부 근육(식스 팩)
layer 층
fat 지방

가정표현

Block Board Overview

- 가정표현은 사실이 아닌 상황을 가정(상상)·소망하거나 완곡하게 나타내는 것이다.
- 가정표현은 현실과 떨어져 있다는 걸 나타내기 위해 실제보다 앞선 시간표현의 동사를 쓴다.
- 현재·미래에 대해 가정·소망할 때는 동사 과거형(v-ed)을, 과거에 대해 가정·소망할 때는 동사 과거완료형(had v-ed분사)을 쓴다.
- 여러 형태의 가정표현에서 '태도'조동사 would[could/might]는 가정을 나타내는 중요한 요소가 된다.
- 현재·미래에 대해서는 〈would + 동사원형〉으로, 과거에 대해서는 〈would + have v-ed분사〉로 나타낸다.

Unit 52

가정표현 1 | If + 주어 + v-ed, 주어 + 과거조동사 + V

If + 주어 + v-ed,				주어	would V	목적어
If	we	were	good at everything,	we	would have	no need for each other.

Unit 53

가정표현 2 | If + 주어 + had v-ed분사, 주어 + 과거조동사 + have v-ed분사
| 혼합 가정표현

If + 주어 + had v-ed분사,				주어	would + have v-ed분사	보어
If	I	had been	you,	I	would have felt	the same way.

Unit 54

가정표현 3 | wish | as if[as though] | It's time

주어	wish	주어 + v-ed[could / would + V]		
I	wish	you	could know	how much I love you.

Unit 52

가정표현 1

Block Board

I If + 주어 + v-ed, 주어 + 과거조동사 + V I

If + 주어 + v-ed,				주어	would V	목적어
If	we	were	good at everything,	we	would have	no need for each other.

- **가정표현**: 사실이 아닌 상황을 가정·상상하거나 완곡하게 나타내는 것으로, 실제보다 앞선 시제를 씀.
- 가정조건절(If + 주어 + v-ed ~), 주절(주어 + 과거조동사 + V ...): 사실이 아닌 현재·미래 상황 가정·상상.
  - ▷ If + 주어 + v-ed ~(만약 ~다면): 동사과거형이지만 과거가 아니라 현재·미래에 대한 가정·상상.
  - **Plus⊕** be동사: were/was(둘 다 가능.)
  - ▷ 주어 + would/could/might + V ~(~할 텐데[거야]): 과거조동사로 현재·미래에 대한 가정을 나타냄.
- if it were not for ~ / without[but for] ~: 만약 ~이 없다면
- suppose[supposing] (that) = if
- 주어(가정조건 내포) + 과거조동사 + V ~: Even a child could do it. 어린애라도 그걸 할 수 있을 거야.

Standard Sentences

01 If we **were** good at everything, we **would have** no need for each other. *Simon Sinek*
↳ 만약 우리가 모든 걸 잘한다면, 우리는 서로에게 필요가 없을 거야.

02 Modern life **could not exist if it were not for** electricity and electronics.
↳ 만약 전기와 전자 장치가 없다면 현대 생활은 존재할 수 없을 거야. *modern 현대의 *exist 존재하다 *electricity 전기 *electronics 전자 장치

03 **Without** music, life **would be** a blank to me. *Jane Austen*
↳ 만약 음악이 없다면, 삶은 내게 공백일 거야. *blank 공백[빈칸]

A 톡톡 튀는 영어문장 우리말로 바꾸기.

04 Much trouble would be saved if we opened our hearts more.
→ ________________________ 많은 문제가 없어질 텐데.

05 If we were meant to talk more than listen, we would have two mouths and one ear. *Mark Twain*
→ ________________________, 우리는 두 입과 한 귀를 갖고 있을 거야.

06 I would not be who I am today without my parents' love and support.
→ 만약 부모님의 사랑과 지지가 없다면 ________________________.

Up! **07** Only a true friend would be that truly honest. *Movie "Shrek"*
→ ________________________

04 save 피하다[구하다]

05 mean 의도하다

06 support 지지[지원]

07 Know More Rainbow p.132 honest 정직한

B 뜻 새겨 보면서, 괄호 안 둘 중 하나 고르기.

08 If Shakespeare (is / were) alive today, he would be doing classic guitar solos on YouTube.

09 Everyone would be healthier if they (don't / didn't) eat junk food.

10 Life (will / would) be tragic if it weren't funny. *Stephen Hawking*

Up! 11 Suppose you (have / had) a million dollars, how would you spend it?

10
Know More Rainbow p.133
tragic 비극적인
11
suppose 만약 ~다면

C 맨 뒤 (조)동사 알맞은 꼴로 바꿔 멋진 가정표현 문장 끝내주기.

12 You ______________ better if you talked to someone. (may feel)

만약 네가 누군가와 이야기를 한다면 넌 기분이 나아질지도 모를 텐데.

13 I'm sorry, if you were right, I ______________ with you. (will agree)

미안해. 만약 네가 옳다면, 난 네게 동의할 텐데.

14 We could never learn to be brave and patient if there ______________ only joy in the world. (be)

만약 세상에 오직 기쁨만 있다면 우리는 용기 있고 인내하는 걸 결코 배울 수 없을 거야.

15 Teacher: If you ______________ 13 apples, 12 grapes, 3 pineapples and 3 strawberries, what would you have? (have)

Billy: A delicious fruit salad.

선생님: 만약 네가 13개의 사과와 12개의 포도와 3개의 파인애플과 3개의 딸기를 가지고 있다면, 넌 무엇을[모두 몇 개를] 가지고 있겠니?

빌리: 맛있는 과일 샐러드요.

13
Know More Rainbow p.133
agree 동의하다

14
brave 용감한
patient 인내심 있는

15
Know More Rainbow p.133

unit 53

가정표현 2

Block Board

I If + 주어 + had v-ed분사, 주어 + 과거조동사 + have v-ed분사 I 혼합 가정표현 I

If + 주어 + had v-ed분사,				주어	would + have v-ed분사	보어
If	I	had been	you,	I	would have felt	the same way.

- If + 주어 + had v-ed분사 ~, 주어 + 과거조동사 + have v-ed분사 ...: 사실이 아닌 과거 상황 가정·상상.
  - ▹ If + 주어 + had v-ed분사 ~(만약 ~했더라면): 동사 과거완료형이지만 과거에 대한 가정·상상.
  - ▹ 주어 + would/could/might + have v-ed분사 ~(~했을 텐데[거야]): 과거에 대한 가정을 나타냄.
- If + 주어 + had v-ed분사 ~ → Had + 주어 + v-ed분사 ~
- if it had not been for ~ / without[but for] ~: 만약 ~이 없었더라면
- otherwise: 만약 그렇지 않(았)다면(= if ~ not)
- If + 주어 + had v-ed분사 ~, 주어 + 과거조동사 + V ...: 만약 ~했더라면(과거 가정), …할 텐데(현재 가정)

Standard Sentences

01 If I **had been** you, I **would have felt** the same way.
↳ 만약 내가 너였더라면, 나도 같은 식으로 느꼈을 거야.

02 **Had** you **studied** harder, you **could have passed** the exam.
↳ 만약 네가 더 열심히 공부했더라면, 넌 시험에 합격할 수 있었을 텐데.

03 But for books the development of civilization **would have been** impossible. *Schopenhauer*
↳ 책이 없었더라면 문명의 발전은 불가능했을 거야. *civilization 문명

04 If you **had listened** to my advice, you **would not be** in trouble now.
↳ 만약 네가 내 조언을 들었더라면, 넌 지금 어려움에 처해 있지 않을 텐데.

A 톡톡 튀는 영어문장 우리말로 바꾸기.

05 Would I have changed, if I had chosen a different path, if I had stopped and looked back? *Song "Path" by BTS*
→ 난 달라졌을까, ______________________________?

06 Paradise was unendurable, otherwise the first man would have adapted to it. *Emil Cioran*
→ 천국은 견딜 수 없었어. 만약 그렇지 않았다면 ______________________________.

07 Without anxiety and illness I would have been like a ship without a rudder. *Edvard Munch*
→ 걱정과 병이 없었더라면 ______________________________.

05
path 길

06
Know More Rainbow p.134
paradise 천국
unendurable 견딜 수 없는
adapt 적응하다

07
Know More Rainbow p.134
anxiety 걱정[불안]
illness 병
rudder (배의) 키

B 뜻 새겨 보면서, 괄호 안 둘 중 하나 고르기.

08 If it (were not / had not been) for your help, I would not have succeeded.

☺ **09** If I (observe / had observed) all the rules, I could never have got anywhere.

10 If the rescue had been carried out reasonably, more passengers (may / might) have survived.

Up! **11** If I had not been wearing a helmet, I would not (be / have been) here now.

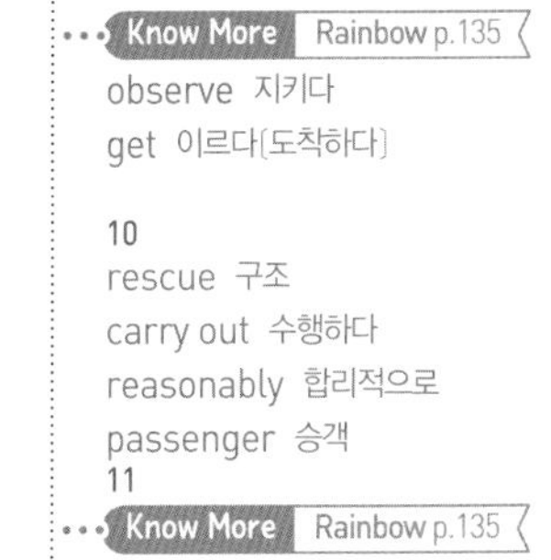
09
Know More Rainbow p.135
observe 지키다
get 이르다(도착하다)

10
rescue 구조
carry out 수행하다
reasonably 합리적으로
passenger 승객

11
Know More Rainbow p.135

But for books the development of civilization would have been impossible.

C 맨 뒤 (조)동사 알맞은 꼴로 바꿔 멋진 가정표현 문장 끝내주기.

12 If God had wanted me otherwise, He ________________ me otherwise. (will create)

만약 신이 나를 다르게 원했더라면, 신은 나를 다르게 창조했을 거야.

12
Know More Rainbow p.135
otherwise 다르게
create 창조하다

☺ **13** If I ________________ enough patience that day, I would have tolerated all your nonsense. (have)

내가 그날 충분한 인내심이 있었더라면, 너의 모든 말도 안 되는 짓을 참았을 텐데.

13
Know More Rainbow p.135
patience 인내심
tolerate 참다
nonsense 말도 안 되는 짓(말)

Up! **14** If I had read more books, I ________________ more knowledge now. (will have)

만약 내가 더 많은 책을 읽었더라면, 난 지금 더 많은 지식을 갖고 있을 텐데.

☺ **15** If I ________________ born in the 1800s, I would be dead now. (be)

만약 내가 1800년대에 태어났더라면, 난 지금 죽어 있을 거야.

15
Know More Rainbow p.135

가정표현 3

Block Board

I wish I as if[as though] I It's time I

주어	wish	주어 + v-ed[could / would + V]		
I	wish	you	could know	how much I love you.

- 주어 + wish(ed) + 주어 + v-ed[would / could + V] ~: ~다면 좋(았)을 텐데[~하기를 바라[바랐어]](주절과 같은 때 이룰 수 없는 소망.)
  주어 + wish(ed) + 주어 + had v-ed분사 ~: ~했다면 좋(았)을 텐데[~했기를 바라[바랐어]](주절보다 앞선 때 이룰 수 없었던 소망.)

※가정표현은 주절의 시제(현재/과거)에 영향을 받지 않음.

- 주어 + 동사 + as if[though] + 주어 + v-ed ~(마치 ~인 것처럼): 주절과 같은 때에 대한 가정.
  주어 + 동사 + as if[though] + 주어 + had v-ed분사 ~(마치 ~였던 것처럼): 주절보다 앞선 때에 대한 가정.
- It's (about[high]) time + 주어 + v-ed ~(~해야 할 때다): 동사 과거형이지만 현재·미래에 대한 불만·촉구.

Standard Sentences

01 I wish you could know how much I love you. *Song "My Sweet Lady" by John Denver*
↳ 내가 널 얼마나 많이 사랑하는지 네가 알 수 있으면 좋을 텐데.

02 We damage this planet as if we had someplace else to go. *Ann Druyan*
↳ 우리는 마치 우리가 갈 다른 어딘가가 있는 것처럼 이 세상을 훼손해. *damage 훼손하다 *planet 세상[행성] *someplace 어딘가

03 It's time we did something instead of just sitting back.
↳ 우리가 그저 가만히 있는 대신에 뭔가를 해야 할 때야. *sit back 가만히[편히] 있다

A 톡톡 튀는 영어문장 우리말로 바꾸기.

04 Have you ever wished you were someone else?
→ 넌 ______________________________?

05 To achieve great things, we must live as though we were never going to die. *Luc de Clapiers*
→ 큰일을 이루기 위해, 우리는 ______________________________.

Up! **06** Dance as if no one were watching, sing as if no one were listening, and live every day as if it were your last. *Irish Proverb*
→ 마치 아무도 보고 있지 않는 것처럼 춤추고, ______________________________
______________________________.

07 Win as if you were used to it, lose as if you enjoyed it for a change.
→ 마치 네가 그것(승리)에 익숙한 것처럼 이기고, ______________________________.

05 Know More Rainbow p.136
die 죽다

06 Know More Rainbow p.136

07 Know More Rainbow p.136
be used to ~에 익숙하다

B 뜻 새겨 보면서, 괄호 안 둘 중 하나 고르기.

08 I wish common sense (is / were) more common.

09 I wish I (known / had known) then what I know now.

10 She smiled at me as if she (saw / had seen) me before.

11 It's about time we (stop / stopped) buying things we don't need with money we don't have.

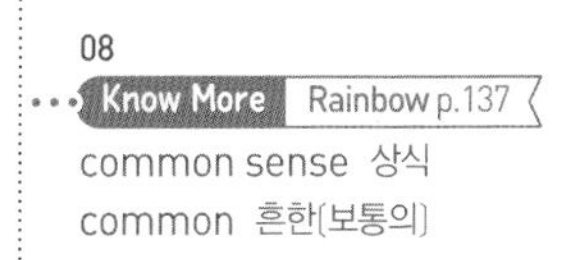

08
Know More Rainbow p.137
common sense 상식
common 흔한[보통의]

Dance as if no one were watching, sing as if no one were listening, and live every day as if it were your last.

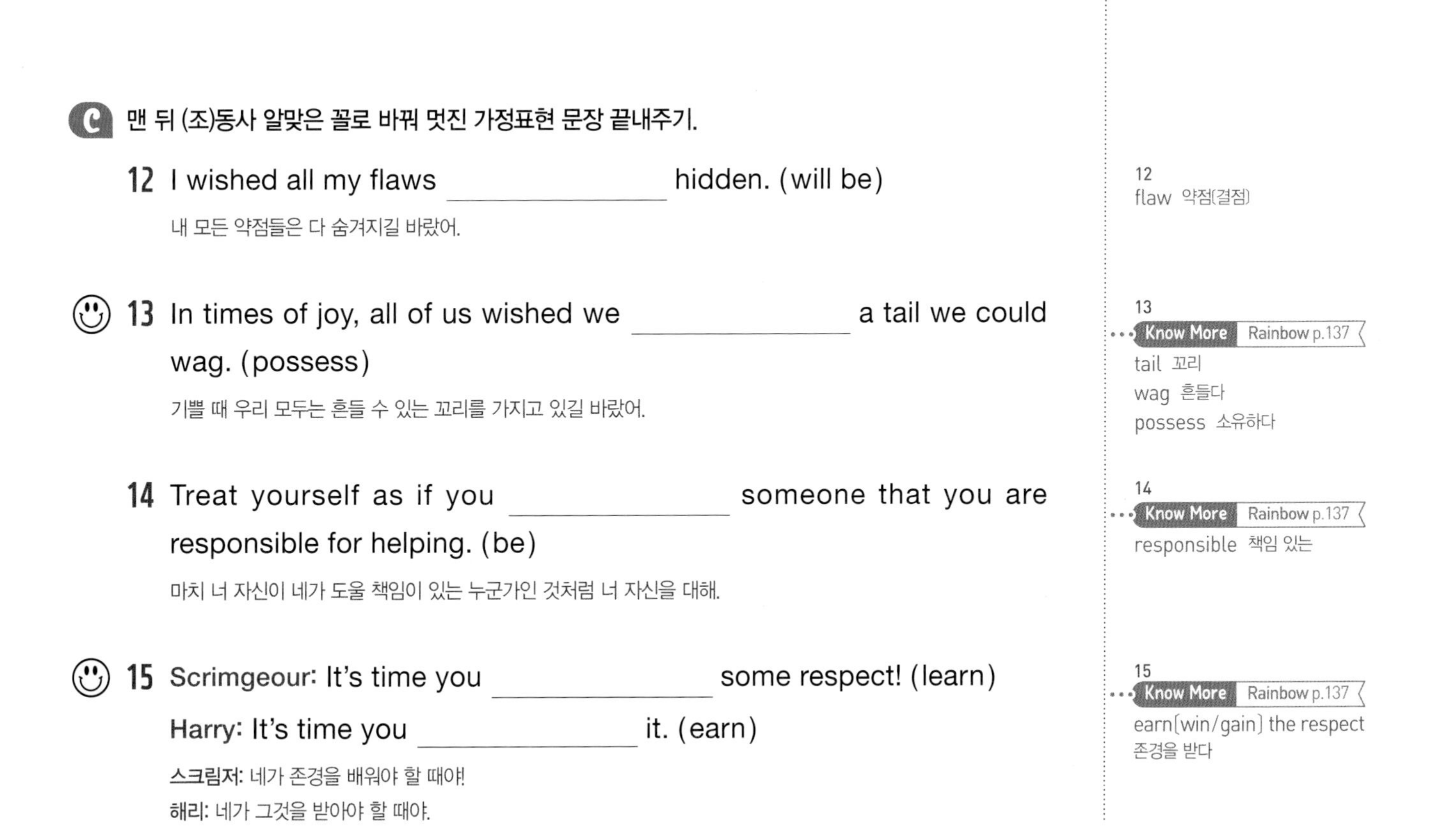

C 맨 뒤 (조)동사 알맞은 꼴로 바꿔 멋진 가정표현 문장 끝내주기.

12 I wished all my flaws ______________ hidden. (will be)
내 모든 약점들은 다 숨겨지길 바랐어.

12
flaw 약점[결점]

13 In times of joy, all of us wished we ______________ a tail we could wag. (possess)
기쁠 때 우리 모두는 흔들 수 있는 꼬리를 가지고 있길 바랐어.

13
Know More Rainbow p.137
tail 꼬리
wag 흔들다
possess 소유하다

14 Treat yourself as if you ______________ someone that you are responsible for helping. (be)
마치 너 자신이 네가 도울 책임이 있는 누군가인 것처럼 너 자신을 대해.

14
Know More Rainbow p.137
responsible 책임 있는

15 Scrimgeour: It's time you ______________ some respect! (learn)
Harry: It's time you ______________ it. (earn)
스크림저: 네가 존경을 배워야 할 때야!
해리: 네가 그것을 받아야 할 때야.

15
Know More Rainbow p.137
earn[win/gain] the respect 존경을 받다

Chapter 11
Review

A 오색빛깔 영어문장 우리말로 바꾸기.

01 The word "happy" would lose its meaning if it were not balanced by sadness. *Carl Jung*

02 What would life be if we had no courage to attempt anything? *Vincent van Gogh*

03 Without memory, there would be no civilization, no society, no culture, and no future.

Up! **04** Had I listened to everyone who told me I couldn't, I wouldn't have accomplished anything.

05 I wish I were supernaturally strong so I could put right everything that is wrong. *Greta Garbo*

06 I wish I could go back in life, not to change things but just to feel things twice.

07 If you want a quality, act as if you already had it. *William James*

B 뜻 새겨 보면서, 괄호 안 둘 중 하나 고르기.

08 If it (is / were) not for injustice, men would not know justice. *Heraclitus*

09 If I had known studying was so fun, I would (be / have been) addicted to it long ago.

10 It's time we (focus / focused) not just on GDP, but on GNH.

01
Know More Rainbow p.138
balance 균형을 잡다
sadness 슬픔

02
Know More Rainbow p.138
attempt 시도하다

04
accomplish 이루다(성취하다)

05
supernaturally 초자연적으로
put right 바로잡다

06
Know More Rainbow p.138
go back 돌아가다

07
Know More Rainbow p.138
quality (자)질

08
Know More Rainbow p.138
injustice 불의
justice 정의

09
addicted to ~에 중독된

10
focus on ~에 집중하다
GDP 국내 총생산
GNH 국민 총행복 지수

비교/기타 구문

Block Board Overview

- 형용사·부사의 꼴을 바꾸어 성질·상태·수량의 정도 차이를 나타내는 것을 비교라 한다.
- 비교에는 동등비교(as ~ as ~)와 우월비교(비교급 + than ~)와 최상급비교(the + 최상급)가 있다.
- 〈It + be동사 + 강조 초점 + that ~〉은 문장의 일부를 강조하는 대표적 형식이다.
- 부정에는 전체 부정(no / nobody / nothing)과 부분 부정(not + all[every]/always)이 있다.
- 부정어/부사어 등이 문장 첫머리에 오면, 〈주어 + (조)동사〉가 〈(조)동사 + 주어〉로 도치될 수 있다.

Unit 55

동등비교 | as + 형용사[부사] + as ~

주어	동사	as + 형용사[부사] + as ~
To go beyond	is	as wrong as to fall short.

Unit 56

우월비교 | 형용사[부사] 비교급 + than ~

주어	동사	형용사[부사] 비교급 + than ~
Imagination	is	more important than knowledge.

Unit 57

최상급 표현 | the + 형용사[부사] 최상급 | 최상급 표현

주어	동사	the + 형용사[부사] 최상급
Striving for social justice	is	the most valuable thing to do in life.

Unit 58

부정 구문 | 전체 부정(no / nobody / nothing) | 부분 부정(not + all[every]/always)

주어	동사	목적어	조건 부사절			
Nobody	will believe in	you	unless	you	believe in	yourself.

Unit 59

도치 구문 | 부정어/부사어 + (조)동사 + 주어

부정어	조동사	주어	동사	목적어
Never	have	I	heard	such nonsense.

Unit 60

강조 구문 | It + be동사 ~ that + (주어) + 동사

It is	주어	that	동사	목적어
It is	choice, not chance,	that	determines	your destiny.

동등비교

Block Board

as + 형용사[부사] + as ~

주어	동사	as + 형용사[부사] + as ~
To go beyond	is	as wrong as to fall short.

- as 형용사[부사] as ~: ~만큼 …한[하게]
- not as[so] 형용사[부사] as ~: ~만큼 …하지 않는[않게]
- as 형용사[부사] as possible = as 형용사[부사] as + 주어 + can: 가능한 한 ~한[하게]
- as many[much] as ~: 무려 ~나 되는
- not so much A as B: A라기보다는 B(= B rather than A)
- twice / ~ times / half as 형용사[부사] as ~: ~의 두 배/~배/반 …한[하게]

Standard Sentences

01 To go beyond is **as wrong as** to fall short. *Confucius(공자)*
↳ 지나침은 미치지 못함만큼 나빠.(과유불급) *fall short 부족하다

02 I'll think of you tonight **as many** times **as** I blink. *Song "Vanilla Twilight" by Owl City*
↳ 난 오늘 밤 눈을 깜박이는 만큼 여러 번 너를 생각할 거야. *blink 눈을 깜박이다

03 Everything should be made **as simple as possible**, but not simpler. *Albert Einstein*
↳ 모든 건 가능한 한 간단히 만들어져야 하지만, 더 간단히는 아니야.

A 톡톡 튀는 영어문장 우리말로 바꾸기.

Up! **04** The joy of learning is as indispensable in study as breathing is in running. *Simone Weil*
→ 배움의 즐거움은 ______________________.

05 A is 2 times as old as B; 12 years ago, A was 6 times as old as B; how old is B now?
→ ______________________. B는 지금 몇 살일까?

06 Education is not so much the filling of a bucket as the lighting of a fire. *William Yeats*
→ 교육은 ______________________.

07 Leadership is practiced not so much in words as in attitude and in actions. *Harold Geneen*
→ 지도력은 ______________________.

04
indispensable 필수적인[필수불가결한]
breathe 숨 쉬다

05
Know More Rainbow p.140
~ times as … as ~
~의 ~배 …한

06
Know More Rainbow p.140
bucket 물통[양동이]
light 불을 붙이다

07
leadership 지도력
practice 실천[연습]하다

B 뜻 새겨 보면서, 괄호 안 둘 중 하나 고르기.

08 Everything is as (important / importantly) as everything else.

09 Things are not always so (simple / simpler) as black and white.

10 Love as (many / much) as you can from wherever you are.

11 Children smile as (many / much) as 400 times a day; and adults only 20.

08
Know More Rainbow p.141

09
not always
언제나 ~인 것은 아닌

C 보기 형용사/부사 골라 〈as + 형용사/부사 + as〉 문장 끝내주기.

보기

contagious fast funny important

12 A smile is just ______________ a yawn.
미소는 꼭 하품처럼 전염돼.

13 Are you learning ______________ the world is changing?
넌 세상이 변하고 있는 것만큼 빨리 배우고 있니?

14 Counting time is not ______________ making time count.
시간을 재는 것은 시간을 중요하게 하는 것만큼 중요하지 않아.

15 The best ideas come as jokes; make your thinking ______________ possible.
최고의 아이디어는 농담처럼 나오니, 네 생각을 가능한 한 웃기게[재미있게] 만들어.

contagious 전염되는

12
yawn 하품

14
Know More Rainbow p.141
count 세다/중요하다

15
Know More Rainbow p.141

우월비교

Block Board

형용사[부사] 비교급 + than ~

주어	동사	형용사[부사] 비교급 + than ~
Imagination	is	more important than knowledge.

- 형용사[부사]-er/more 형용사[부사] + than ~: ~보다 더 …한[하게]
- 비교급 강조: much/a lot/(by) far/even/still + 비교급
- the 비교급 ~, the 비교급 …: 더 ~할수록 더 …하다
- less 형용사[부사] than ~: ~보다 덜 …한[하게](= not as 형용사[부사] as ~)
- A no more ~ than B …: A가 ~ 아닌 것은 B가 … 아닌 것과 같다(A와 B 둘 다 부정.)
- ~times 비교급 than ~: ~보다 ~배 …한(× 〈twice/half 비교급 than ~〉은 불가.)

Standard Sentences

01 Imagination is **more important than** knowledge. *Albert Einstein*
↳ 상상력은 지식보다 더 중요해. *imagination 상상력

02 Sound travels **four times faster** in water **than** in air.
↳ 소리는 공기 중에서보다 물속에서 4배 더 빨리 이동해. *travel 이동하다

03 **The harder** you fall, **the higher** you bounce.
↳ 네가 더 세게 떨어질수록, 넌 더 높이 튀어 올라. *bounce 튀다

A 톡톡 튀는 영어문장 우리말로 바꾸기.

04 It is much more difficult to judge oneself than to judge others.
→ ______________________

05 I love you more than yesterday, less than tomorrow. *Edmond Rostand*
→ 난 ______________________.

06 The more you learn, the more self-confidence you will have. *Brian Tracy*
→ ______________________

Up! **07** Computer science is no more about computers than astronomy is about telescopes.
→ 컴퓨터 과학이 ______________________.

04 judge 판단하다

05 Know More Rainbow p.142

06 self-confidence 자신(감)

07 Know More Rainbow p.142
astronomy 천문학
telescope 망원경

B 뜻 새겨 보면서, 괄호 안 둘 중 하나 고르기.

08 The whole is (great / greater) than the sum of its parts. *Aristotle*

09 Beauty is (less / little) important than quality.

10 It is (far / very) better to be alone than to be in bad company.

11 Mars is more than 100 times farther from Earth (as / than) the moon.

08
Know More Rainbow p.143
whole 전체
sum 합(계)
09
Know More Rainbow p.143
quality (자)질
10
company 함께 있는 사람들
11
Mars 화성
more than ~ ~ 이상

C 보기 형용사/부사 골라 〈비교급 + than〉 문장 끝내주기.

보기

important long loud strong

12 Actions speak ______________ words.
행동은 말보다 더 크게 말해.

13 The ballot is ______________ the bullet.
투표는 총알보다 더 강해.

14 According to a WHO report, females live ______________ males on average by six to eight years.
세계 보건 기구 보고서에 따르면, 여성은 남성보다 평균 6년에서 8년 더 오래 살아.

15 The ability to perceive or think differently is ______________ the knowledge gained.
다르게 지각하거나 생각하는 능력은 얻어진 지식보다 더 중요해.

13
Know More Rainbow p.143
ballot 투표(용지)
bullet 총알
14
WHO(= World Health Organization) 세계 보건 기구
according to ~에 따르면
report 보고(서)
on average 평균
15
Know More Rainbow p.143
perceive 지각[인지]하다
gain 얻다

unit 57

최상급 표현

Block Board

| the + 형용사[부사] 최상급 | 최상급 표현 |

주어	동사	the + 형용사[부사] 최상급
Striving for social justice	is	the most valuable thing to do in life.

- the 형용사[부사]-est / the most 형용사[부사] + (in 단수명사 / of 복수명사): (~ (중)에서) 가장 …한[하게]
- the 최상급 + (that) 주어 + have ever v-ed분사: 이제껏 ~한 것 중에 가장 …한
- 최상급 강조: much / by far / the very + 최상급
- one of the 최상급 + 복수명사: 가장 ~한 것들 중 하나
- 최상급 표현
  ▷ nothing[no ~] … as[so] 형용사[부사] as ~: 아무것도 ~만큼 …하지 않은[않게](가장 …한[하게])
  ▷ nothing[no ~] … 비교급 than ~: 아무것도 ~보다 더 …하지 않은[않게](가장 …한[하게])
  ▷ 비교급 than any (other) 단수명사 ~: 어떤 것보다도 더 …한[하게](가장 …한[하게])

Standard Sentences

01 Striving for social justice is **the most valuable** thing to do in life. *Albert Einstein*
↳ 사회 정의를 위해 힘쓰는 건 살면서 할 수 있는 가장 가치 있는 일이야. *strive 힘쓰다[분투하다] *valuable 가치 있는[소중한]

02 Satisfaction of one's curiosity is **one of the greatest sources** of happiness in life.
↳ 호기심의 충족은 삶의 행복의 가장 큰 원천 중 하나야. *satisfaction 충족[만족] *curiosity 호기심 *source 원천

03 **Nothing** makes a person **more productive than** the last minute.
↳ 아무것도 사람을 마지막 순간보다 더 생산적이게 하지 않아. *productive 생산적인 *last minute 마지막 순간

A 톡톡 튀는 영어문장 우리말로 바꾸기.

04 The flower that blooms in adversity is the rarest and most beautiful of all. *Movie "Mulan"*
→ 역경에서 피는 꽃이 ______________________.

Up! **05** No entertainment is so cheap as reading, nor any pleasure so lasting. *Mary Montagu*
→ 어떤 오락도 ______________________.

06 Any fact facing us is not as important as our attitude toward it.
→ 우리에게 닥치는 어떤 사실도 ______________________.

07 There is no better way to learn to love nature than to understand art. *Oscar Wilde*
→ ______________________

04
bloom 꽃이 피다
adversity 역경
rare 희귀한[드문]

05
entertainment 오락
lasting 오래가는[지속적인]

06
Know More Rainbow p.144
face 닥치다[직면하다]
attitude 태도

07
Know More Rainbow p.144

B 뜻 새겨 보면서, 괄호 안 둘 중 하나 고르기.

08 Smartphones have become (more / the most) empowering tool we've ever created.

09 Humor is by far (more / the most) significant activity of the human brain.

10 The search engine Google is one of (greater / the greatest) inventions in human history.

Up! **11** There is no passion so (contagious / more contagious) as that of fear. *Montaigne*

Humor is by far the most significant activity of the human brain.

Blue whales are the largest animals ever known to have lived on Earth.

08
empower 권한[능력]을 주다
ever 이제껏

09
by far 단연[훨씬]
significant 중요한[의미 있는]

10
search engine 검색 엔진

11
passion 감정[열정]
contagious 전염성의
fear 공포[두려움]

C 보기 형용사 골라 비교급/최상급 문장 끝내주기.

보기
complex large much regular

12 No clock is ________________ than the belly.
어떤 시계도 배보다 더 규칙적이지 않아.

13 ____________ heat is lost through the head than any other part of the body.
더 많은 열이 어떤 다른 신체 부위보다 머리를 통해 손실돼.

Up! **14** Blue whales are ________________ animals ever known to have lived on Earth.
흰긴수염고래는 지구상에 살아 왔다고 이제껏 알려진 가장 큰 동물이야.

15 The human brain is by far ________________ physical object known to us in the entire cosmos.
인간 뇌는 전 우주에서 우리에게 알려진 단연 가장 복잡한 물체야.

complex 복잡한
regular 규칙적인

12
Know More Rainbow p.145
belly 배

13
heat 열(기)

14
blue whale 흰긴수염고래

15
physical 물질의
object 물체
entire 전체의
cosmos 우주

unit 58

부정 구문

Block Board

| 전체 부정(no / nobody / nothing) | 부분 부정(not + all[every]/always) |

주어	동사	목적어	조건 부사절			
Nobody	will believe in	you	unless	you	believe in	yourself.

- 부정어: no / not / never / nobody[no one] / none / nothing / neither / nor
  few[little] (거의 없는) / rarely[seldom] (좀처럼 ~ 않다) / hardly[scarcely] (거의 ~ 않다) / without (~ 없이)
- 전체 부정: no / nobody[no one] / none / nothing / neither / not[never] ~ any[any- / either]
- 부분 부정(일부 부정, 일부 긍정): not + all[every] / both / always / necessarily / entirely / completely ...
  모두 / 둘 다 / 항상 / 반드시 / 전부 / 완전히 ~한 것은 아니다
- not … until ~: ~까지는 … 않다[~해서야 비로소 …하다]
- It won't be long before ~: 머지않아 ~할 것이다

Standard Sentences

01 **Nobody** will believe in **you unless** you believe in **yourself.** *Liberace*
↳ 네가 너 자신을 믿지 않는 한 아무도 널 믿지 않을 거야. *unless ~하지 않는 한

02 A friend is long sought, **hardly** found, **and** with difficulty kept. *Jerome*
↳ 친구는 오래 찾아지고, 거의 발견되지 않고, 어렵게 유지돼. *seek-sought 찾다 *find-found 찾다[발견하다] *with difficulty 어렵게

03 All that glitters is **not** gold. *William Shakespeare*
↳ 반짝이는 모든 게 다 금은 아니야. *glitter 반짝반짝 빛나다

A 톡톡 튀는 영어문장 우리말로 바꾸기.

04 Success in life does not necessarily originate with academic success.
→ 삶의 성공이 ______________________.

Up! **05** Action may not always bring **happiness; but** there is no happiness without action. *Benjamin Disraeli*
→ 행동이 ______________________.

06 Power must never be trusted without a check. *John Adams*
→ 권력은 ______________________.

07 It won't be long before the whole world acknowledges **the results of** my work. *Gregor Mendel*
→ ______________________

04
not necessarily 반드시[꼭] ~은 아닌
originate 비롯되다[유래하다]
academic 학업[학문]의

05
action 행동
bring 가져오다

06
Know More Rainbow p.146
trust 신뢰하다[믿다]
check 확인[점검]

07
Know More Rainbow p.146
acknowledge 인정하다

B 뜻 새겨 보면서, 괄호 안 둘 중 하나 고르기.

08 Conceited people never hear (anything / something) but praise. *The Little Prince*

09 (No / None) of this is a coincidence. *Song "DNA" by BTS*

10 Not (everything / nothing) happens for a reason.

11 Everything has beauty, but not (everyone / nobody) sees it. *Confucius(공자)*

08
conceited 자만하는
praise 칭찬

09
none 아무(것)도[하나도] ~ 않다
coincidence 우연

C 보기 딱 맞는 것 골라 멋진 문장 끝내주기.

보기

few no not everyone seldom

12 Barking dogs __________ bite.
짖는 개는 좀처럼 물지 않아.

13 It's okay if you don't like me; __________ has good taste.
네가 날 좋아하지 않아도 괜찮아. 모두가 다 고상한 취향을 갖고 있는 건 아니니까.

14 Until you spread your wings, you'll have __________ idea how far you can fly.
네가 날개를 펼칠 때까지는, 넌 네가 얼마나 멀리 날 수 있는지 모를 거야[네가 날개를 펼쳐서야 비로소 넌 네가 얼마나 멀리 날 수 있는지 알 거야].

15 __________ people can look at a painting longer than it takes to peel an orange and eat it.
많지 않은 사람들이 오렌지 껍질을 벗겨 먹는 데 걸리는 시간보다 더 오래 그림을 볼 수 있어.

12
Know More Rainbow p.147
bark 짖다
bite 물다

13
Know More Rainbow p.147
taste 취향

14
Know More Rainbow p.147
spread 펼치다
wing 날개

15
Know More Rainbow p.147
few (수가) 많지 않은[적은]
peel 껍질을 벗기다

도치 구문

Block Board

| 부정어 / 부사어 + (조)동사 + 주어 |

부정어	조동사	주어	동사	목적어
Never	have	I	heard	such nonsense.

- 도치: 〈주어 + (조)동사〉 → 〈(조)동사 + 주어〉
  - ▷ 부정어(Never / Not / Not only / Only / Rarely[Seldom] / Little) + (조)동사 + 주어
  - ▷ 장소[방향] 부사어 + (조)동사 + 주어
  - ▷ 보어 + (조)동사 + 주어
  - ▷ 주어 + 동사 ~, and so / neither[nor] + do(es)[did] / 조동사 / be동사 + 주어: ~도 그렇다 / 그렇지 않다
- Not until ~, (조)동사 + 주어 ...: ~해야 비로소 …하다

Standard Sentences

01 Never have I heard such nonsense.
↳ 난 그런 말도 안 되는 소리를 들어 본 적이 없어.　*nonsense 말도 안 되는[터무니없는] 생각[말]

02 In the middle of difficulty lies opportunity. *Albert Einstein*
↳ 어려움 한가운데에 기회가 있어.　*in the middle of ~의 한가운데에　*lie 있다　*opportunity 기회

03 By far the best proof is experience. *Francis Bacon*
↳ 경험은 단연 최고의 증거야.　*by far 단연　*proof 증거

04 The world is changing, and so is fashion. *Giorgio Armani*
↳ 세상이 변하고 있고, 패션도 그래.

A 톡톡 튀는 영어문장 우리말로 바꾸기.

05 Rarely do you succeed unless you have fun in what you are doing.
→ 네가 하고 있는 것이 재미있지 않는 한 ____________________.

Up! **06** Not until we respect ourselves, can we gain the esteem of others.
→ 우리가 ____________________.

07 With ignorance comes fear; from fear comes hatred. *Kathleen Patel*
→ 무지와 함께 ____________________.

05
Know More Rainbow p.148
rarely 좀처럼 ~ 않는
unless ~하지 않는 한
have fun 재미있게 보내다

06
respect 존중[존경]하다
esteem 존경

07
Know More Rainbow p.148
ignorance 무지
hatred 증오[혐오]

B 뜻 새겨 보면서, 괄호 안 둘 중 하나 고르기.

Up! **08** Not only (we must / must we) be good, but we must also be good for something.

09 Under no circumstances (you should / should you) lose hope.

10 More important than a clean house (a close family is / is a close family).

11 Earning trust is not easy, nor (it happens / does it happen) quickly.

08
not only A but also B
A뿐만 아니라 B도

09
circumstance 상황
under no circumstances
어떤 상황에서도

11
earn 얻다

C 밑줄 친 단어에 주의해서, 틀린 곳 찾아 고쳐 멋진 문장 끝내주기.

12 <u>Seldom</u> I had seen so many people on the streets.
난 거리에서 그렇게 많은 사람들을 보았던 적이 거의 없었어.

Up! **13** <u>Little</u> I realized at the time how the chance meeting would change my life completely.
난 그때는 그 우연한 만남이 어떻게 내 삶을 완전히 바꾸게 될지 거의 깨닫지 못했어.

14 Toddlers ask many questions, and <u>so</u> school children do until about grade three.
걸음마를 배우는 아이들은 많은 질문을 하고, 학교 다니는 아이들도 3학년쯤까지 그래.

15 A child has no trouble believing the unbelievable, <u>nor</u> the genius or the madman does.
아이는 믿기 힘든 것을 믿는 데 어려움이 없는데, 천재나 미친 사람도 그래.

12
seldom 좀처럼(거의) ~ 않는

13
little 거의 ~ 않다
realize 깨닫다
chance meeting 우연한 만남

14
Know More Rainbow p.149
toddler 걸음마를 배우는 아이
grade 학년

15
Know More Rainbow p.149
unbelievable 믿기 힘든
madman 미친 사람

강조 구문

Block Board

It + be동사 ~ that + (주어) + 동사

It is	주어	that	동사	목적어
It is	choice, not chance,	that	determines	your destiny.

- It + be동사 + 강조 초점 + (that) ~: "~하는 것은 바로 〈강조 초점〉이다."(that 생략 가능.)
- 강조 초점: 주어/목적어/부사어/(일부) 보어
- It + be동사 + 강조 초점 + who/which ~: 강조 초점이 사람/사물이면 who/which도 쓸 수 있음.
- 의문사 강조: Wh- + be동사 + it + that ~? What is it that you love? 넌 도대체 무엇을 사랑하니?
- 문장 강조: do/does/did(강조 조동사) + 동사원형(동사만이 아니라 앞 내용에 반하는 사실을 강조함.)
- 감탄문: What + (a(n)) + (형용사) + 명사 + 주어 + 동사 ~! / How + 형용사/부사 + (a(n)) + (명사) + 주어 + 동사 ~!

Standard Sentences

01 It's choice, not chance, that determines your destiny. *Jean Nidetch*
↳ 네 운명을 결정하는 것은 우연이 아니라 바로 선택이야. *chance 우연(운) *determine 결정하다 *destiny 운명

02 Sometimes "no" really does mean "no".
↳ 때때로 '아니요'는 정말로 '아니요'를 의미해.

03 What a noble gift to man the forests are! *Susan Cooper*
↳ 숲은 인간에게 얼마나 고귀한 선물인가! *noble 고귀한 *gift 선물 *forest 숲

A 톡톡 튀는 영어문장 우리말로 바꾸기.

Up! **04** It's hard work which makes things happen; it's hard work which creates change. *Shonda Rhimes*

→ ______________________________

05 It's not until you lose everything that you can truly appreciate everything. *Movie "Beauty and the Beast"*

→ ______________________________

06 What is it that you love in others? — My hopes. *Nietzsche*

→ ______________________________? 나의 희망.

07 I didn't do it! Oh, wait, that? Yes, I did do that.

→ 난 그것을 하지 않았어! 음, 기다려, 고것 말이야? 그래, ______________________________.

04
hard work 힘든 일(노고)

05
until ~까지
appreciate 진가를 알다

06
Know More Rainbow p.150

07
Know More Rainbow p.150

B 뜻 새겨 보면서, 괄호 안 둘 중 하나 고르기.

08 It is at midnight, not midday, (that / which) stars shine the brightest.

09 It was my parents (which / who) always encouraged me to do my best.

Think 10 It's the time you spent on your rose (that / who) makes your rose so important. *The Little Prince*

11 (How / What) beautiful a day can be, when kindness touches it!

08
midnight 한밤중
midday 한낮

09
encourage 격려하다

10
Know More Rainbow p.151

11
kindness 친절
touch 감동시키다

C 보기 딱 맞는 것 골라 〈It is ~ that(who)〉 강조 문장 끝내주기.

보기

because of its emptiness	children
only with the heart	love and laughter

12 It is ________________ that you need most in your life.
네가 삶에서 가장 필요한 것은 바로 사랑과 웃음이야.

13 It is ________________ that one can see rightly.
사람이 제대로 볼 수 있는 것은 오직 마음으로만이야.

14 It is ________________ that the cup is useful.
컵이 쓸모 있는 것은 바로 그것이 비어 있기 때문이야.

15 It is ________________ who are God's presence, promise and hope for mankind.
인류를 위한 신의 실재와 약속과 희망은 바로 아이들이야.

13
rightly 제대로[올바르게]

15
presence 실재[존재]
promise 약속
mankind 인류

Chapter 12
Review

A 오색빛깔 영어문장 우리말로 바꾸기.

01 A chain is only as strong as its weakest link. *Proverb*

02 Do more than belong: participate. Do more than care: help. Do more than believe: practice. Do more than be fair: be kind.

03 The harder something is, the more rewarding the results will be.

04 No duty is more urgent than that of returning thanks. *James Allen*

05 The most personal is the most creative. *Martin Scorsese*

Up! **06** Until you value yourself, you won't value your time; until you value your time, you will not do anything with it.

07 It is not living that matters, but living rightly. *Socrates*

B 뜻 새겨 보면서, 괄호 안 둘 중 하나 고르기.

08 Q: Who can jump (high / higher) than the highest mountain?
A: We all can do it, because mountains can't jump.

09 It is from Einstein's theory (that / which) we do get the idea that nothing goes faster than light.

10 Not only (we are / are we) in the universe, but the universe is in us.

01
Know More Rainbow p.152
chain 사슬
link 고리[연결]

03
rewarding 보람 있는

04
duty 의무
urgent 시급한[긴급한]

05
Know More Rainbow p.152
personal 개인의[개인적인]

06
until ~까지
value 소중히[가치 있게] 여기다

07
matter 중요하다
rightly 제대로[올바르게]

09
theory 이론

10
Know More Rainbow p.152
not only A but also B
A뿐만 아니라 B도

▶ 정답을 확인하세요.

STAGE Ⅰ 영어문장 구조와 동사

Chpater 01 영어문장 기본형

Unit 01 영어문장 1형 pp.26~27

Ⓐ 04 하나하나씩 별들이 하늘에 나타났어.
05 호화로운 시간은 오래 지속되지 않고, 아주 빨리 사라져.
06 세상의 아름다움은 사람들의 다양성에 있어.
07 땅속 어느 굴에 호빗이 살고 있었어.
Ⓑ 08 begins with 09 goes through
10 lay on, talked about 11 are, are
Ⓒ 12 Time flies like an arrow.
13 turns on its axis once every 24 hours
14 travel all over the world, always stay in my corner
15 Beauty is in the eye of the beholder.

Unit 02 영어문장 2형 pp.28~29

Ⓐ 04 아무것도 오랫동안 같은 상태로 있지 않아.
05 우리 꿈은 이루어질 거야.
06 가장 강력한 두 전사는 인내력과 시간이야.
07 과학의 모든 중요한 발상은 처음에는 이상하게 들려.
Ⓑ 08 sweet 09 calm
10 comfortable, normal 11 tired
Ⓒ 12 The essential is invisible
13 seems different in different places
14 turn yellow, orange and red in the fall
15 Good medicine tastes bitter.

Unit 03 영어문장 3형 pp.30~31

Ⓐ 04 모든 큰 업적은 시간을 필요로 해.
05 책을 표지를 보고 판단하지 마.
06 선생님들은 문을 열어 줄 뿐, 네가 혼자 진리의 세계에 들어가는 거야.
07 네 눈은 별들을 지켜보게 하고, 네 발은 땅을 딛고 있게 해.
Ⓑ 08 approached 09 explain
10 lays 11 raise, raise
Ⓒ 12 The early bird catches the worm.
13 answers all my questions with patience
14 Love yourself, enjoy yourself
15 do not inherit the Earth from our ancestors, borrow it

Unit 04 영어문장 4형 pp.32~33

Ⓐ 04 내게 자유를 달라, 아니면 내게 죽음을 달라!
05 음악은 우리에게 평화와 행복을 가져다줘.
06 그는 그녀에게 그녀의 이름을 물어봤고, 그녀는 그에게 그의 전화번호를 물어봤어.
07 난 특이해. 나와 비슷한 사람을 찾으면, 내가 네게 밥을 사 줄게!
Ⓑ 08 us 09 you
10 us poetry 11 me healthy meals
Ⓒ 12 sent you a message of apology
13 owe my parents everything
14 offered me a role in the movie
15 me all her problems, her mine

Unit 05 영어문장 5형 pp.34~35

Ⓐ 04 내 어깨 위의 햇살이 나를 행복하게 해.
05 난 이 책이 내게 매우 도움이 된다는 걸 알게 되었어.
06 우리는 기후 변화를 최대의 도전 중 하나로 여겨.
07 식물을 아름답다고 하면 그건 꽃이 되고, 식물을 못생겼다고 하면 그건 잡초가 돼.
Ⓑ 08 wise 09 open 10 beating 11 to share
Ⓒ 12 Her parents named her "Minju (Democracy)."
13 keep your heart strong
14 drives me confused 15 helps me see things

Unit 06 구동사 1 pp.36~37

Ⓐ 04 지구가 우리에게 속한 게 아니라, 우리가 지구에 속해 있어.
05 마리 퀴리는 과학에 대한 공헌으로 유명해.
06 민주주의의 생존은 깨우친 시민들에 의존해.
07 자연은 경이와 신비한 것들로 가득해.
Ⓑ 08 of 09 about, of 10 for 11 of loving
Ⓒ 12 deals with grief in their own way
13 consists in keeping people
14 dependent on your parents all your life
15 responsible for about 90% of deaths from lung cancer

Unit 07 구동사 2 pp.38~39

Ⓐ 04 우리의 음식 선택과 식습관은 우리 몸에 나타나.
05 우리는 문제에 대한 해결책을 찾아낼 거야.
06 난 더 이상 네 나쁜 행동을 참지 않을 거야!
07 건강을 위해서 단것을 줄이고 채소를 많이 먹어.
Ⓑ 08 to, to 09 for 10 for 11 proving
Ⓒ 12 carried out an experiment on the cells in the laboratory
13 reminds a person of all their memories
14 transform ordinary opportunities into blessings
15 prevent me from speaking out

Chapter 01 Review p.40

A 01 훌륭한 것들은 결코 편안한 곳에서 나오지 않았어.
02 어떤 겨울도 영원히 계속되지 않고, 어떤 봄도 자기 차례를 건너뛰지 않아.

03 우리는 더 늙어 가는 게 아니라, 더 익어 가(성숙되어 가).
04 내게 아무 질문도 하지 않으면, 난 네게 아무 거짓말도 하지 않을게.
05 고통이 널 더 강하게 하고, 두려움이 널 더 용감하게 하고, 상심이 널 더 지혜롭게 해.
06 난 누구에게도 아무것도 가르칠 수 없고, 난 그들이 생각하게 할 수 있을 뿐이야.
07 생태계의 모든 것은 다른 모든 것에 의존해.

B 08 attractive, us satisfaction 09 attend, discuss
10 from shining

Chpater 02 시간표현 & 조동사

Unit 08 시간표현 1: 현재/과거/미래/진행 pp.42~43

A 05 모든 학생은 시험 마지막 5분 동안에 초자연적인 힘을 얻어.
06 옳은 일을 해 봐. 그것은 어떤 사람들은 기쁘게 하고 다른 사람들은 깜짝 놀라게 할 거야.
07 우리는 싸울 거고, 우리는 다치게 될 거고, 결국 우리는 일어설 거야.

B 08 were 09 will have 10 blossoms 11 love

C 12 are melting, is rising
13 are – talking, are – teaching
14 was – wearing 15 be having

Unit 09 시간표현 2: 현재완료/과거완료/미래완료 pp.44~45

A 05 지구 온난화에 대한 경고들은 오랫동안 분명했어.
06 태양열 발전이 수십 년 동안 증가해 오고 있어.
07 난 10년 후에 내 목표들을 성취해 있을 거야.

B 08 hadn't eaten 09 have been getting
10 have been creating 11 had been sleeping

C 12 has gotten 13 have been
14 have – faced 15 Have – brought

Unit 10 조동사 1: 능력(가능)/의무(권고)/추측(가능성) pp.46~47

A 05 넌 긴 하루를 보낸 후라 틀림없이 피곤할 거야.
06 자선은 가정에서 시작되어야 하지만 거기서 머물러선 안 돼.
07 넌 누구를 사랑할 필요는 없지만, 그저 그들의 권리는 존중해야 해.

B 08 could 09 must 10 should 11 might

C 12 cannot 13 may 14 ought to 15 had to

Unit 11 조동사 2: 과거 추측(가능성)/후회/기타 조동사 pp.48~49

A 05 네가 그런 어리석은 짓을 했을 리가 없어.
06 개미 한 마리가 아마도 댐 전체를 무너뜨릴 거야.
07 사회악을 다루는 데 있어서는 아무리 극단적이어도 지나치지 않아.

B 08 used to 09 would 10 might as well 11 than

C 12 must have left 13 shouldn't have stayed up
14 ought to have arrived 15 might have given up

Chapter 02 Review p.50

A 01 매년 영국 크기의 열대 우림 지역이 사라져.
02 북극곰은 지구 온난화 때문에 그들의 집을 잃고 있어.
03 난 살면서 한 시간도 결코 지루한 적이 없어.
04 사랑은 바람과 같아. 넌 그것을 볼 수 없지만, 그것을 느낄 수 있어.
05 넌 스스로 현실적인 목표를 세워야 해.
06 난 내 말에 더 신중했어야 했어.
07 내가 너에게 문자를 보내는 동안 내게 문자 보내지 마. 지금 난 내 문자를 바꿔야 해.

B 08 played, were 09 are 10 must

Chpater 03 수동태

Unit 12 수동태 1: 기본 수동태 pp.52~53

A 04 기회의 문은 밀어야 열려.
05 영어는 전 세계 많은 나라에서 20억 이상의 사람들에 의해 말해지고 있어.
06 우리는 모두 지금 거대한 뇌 속의 뉴런처럼 인터넷으로 연결되어 있어.
07 그 사고에서 세 명이 죽고 다섯 명이 부상을 입었어.

B 08 are supported 09 are remembered
10 wasn't built 11 were raised

C 12 were divided 13 was watched
14 is – preceded 15 is collected

Unit 13 수동태 2: 4형/5형 수동태 pp.54~55

A 05 오직 준비된 사람들에게만 멋진 도전의 기회가 주어져.
06 자유 없는 안전은 감옥이라고 불려.
07 학생들은 설문지를 작성해 달라고 요청받았어.

B 08 are created 09 to
10 are encouraged 11 to learn

C 12 was asked 13 was – made
14 was left 15 are required

Unit 14 진행/완료/미래 수동태 pp.56~57

A 04 온실가스가 지구 대기에 가두어지고 있어.
05 난 그 소문에 대해 아무것도 들은 적이 없어.
06 모든 사람이 에너지를 절약하도록 권장되고 있어.
07 네 삶의 결과는 네 인생관에 의해 결정될 거야.

B 08 being used 09 been done
10 will be remembered 11 will not be admitted

C 12 has been studied 13 has been – read
14 have been thought 15 have been finished

Unit 15 조동사 수동태 pp.58~59

A 04 누구도 좋은 교육이 거부되어선 안 돼.
05 아이들은 옳고 그름의 차이를 배워야 해.
06 새로운 아이디어는 그것의 즉각적인 결과로 판단되어선 안 돼.
07 그 개인 정보는 미디어에 공개되지 말았어야 했어.

B 08 can be overcome 09 has to be found
10 been handled 11 been painted

C 12 cannot be hidden 13 must not be injured
14 should be encouraged 15 may be considered

Unit 16 기타 수동태 pp.60~61

Ⓐ 05 공기가 라일락 향기로 가득 차 있어.
06 집은 벽과 기둥으로 만들어지고, 가정은 희망과 꿈으로 만들어져.
07 현재는 미래를 잉태하고 있다고 말해져.
Ⓑ 08 to 09 for
10 is often compared 11 was called off
Ⓒ 12 is used 13 be dealt with
14 is looked up to 15 are believed

Chapter 03 Review p.62

A 01 난 방학 중 도서관 일자리를 제안받았어.
02 그 산불은 낙뢰와 건조한 날씨에 의해 일어났어.
03 가상 현실은 교육과 오락에 이용되고 있어.
04 춤은 말로 설명될 수 없고, 추어져야 해.
05 아이들은 처벌이 아니라 사랑으로 교육되어야 해.
06 많은 물을 마시는 것이 피부에 좋다고 흔히 생각돼.
07 아름다운 꽃들이 쓰레기 더미에서 자란다고 알려져 왔어.
B 08 has been called 09 are dealt with 10 to cry

Chpater 04 v-ing/v-ed분사 & 전치사구

Unit 17 v-ing/v-ed분사(형용사) pp.64~65

Ⓐ 04 난 (그가) 늦게 나타나서 그에게 정말 짜증났어.
05 청소년기는 단지 하나의 커다란 걸어 다니는 여드름이야.
06 가르치는 것은 도전적이지만 보람 있는 직업이야.
07 업사이클링은 버려진 재료들을 쓸모 있는 것으로 완전히 바꾸는 과정이야.
Ⓑ 08 amazed 09 amazing
10 inspiring 11 hidden
Ⓒ 12 frightening 13 frightened
14 confusing 15 confused

Unit 18 명사 + v-ing/v-ed분사(명사수식어) pp.66~67

Ⓐ 04 거꾸로 철자된 'stressed'(스트레스 받은)가 'desserts'(디저트)야.
05 난 단지 샐러드 앞에 서서 샐러드에게 도넛이 되어 주기를 부탁하고 있는 소녀일 뿐이야.
06 HOMEWORK(숙제)는 Half Of My Energy Wasted On Random Knowledge(마구잡이 지식으로 낭비되는 내 에너지의 반)의 앞 글자를 딴 거야.
07 우리 만남은 내게 주어진 운명의 증거야.
Ⓑ 08 enjoying 09 affecting 10 affected 11 lived
Ⓒ 12 combining 13 reserved
14 frozen 15 needed

Unit 19 목적보어 v-ing/v-ed분사 pp.68~69

Ⓐ 04 우리는 제시간에 보고서가 마무리되게 해야 해.
05 시험 감독관은 그들이 시험에서 부정행위를 하고 있는 것을 알아챘어.
06 난 한 채식주의자가 모피 코트를 입고 있는 걸 봐서, 더 가까이서 봤는데, 그건 풀로 만들어져 있었어.
07 네 모든 소프트웨어가 정기적으로 업데이트되도록 해.
Ⓑ 08 talking 09 played 10 burning 11 removed
Ⓒ 12 cut 13 thrown
14 pounding, rushing 15 waiting, waiting

Unit 20 전치사구(명사수식어/부사어) pp.70~71

Ⓐ 04 간접흡연에 대한 노출은 폐암의 위험을 높여.
05 꿈이 없는 삶은 날개가 부러진 새와 같아.
06 노력을 대신할 수 있는 건 아무것도 없어.
07 매력적인 입술을 갖기 위해선 친절한 말을 하고, 사랑스런 눈을 갖기 위해선 사람들에게서 좋은 점을 찾아내.
Ⓑ 08 except 09 of 10 due to
11 because of, because of
Ⓒ 12 including 13 in 14 According to 15 To

Chapter 04 Review p.72

A 01 집단 따돌림(약자 괴롭히기)은 피해자에게 창피스럽고 고통스러우니, 지금 당장 약자를 괴롭히는 걸 그만둬!
02 모바일 소프트웨어 시장에 진입하는 새로운 회사들이 많이 있어.
03 난 태양이 창문을 통해 빛나고 있는 걸 봤어.
04 A: 너 내가 널 부르는 거 들었니?
B: 응, 난 네가 날 부르는 거 들었는데, 넌 내가 널 무시하는 거 봤니?
05 날 위해 네 손가락(검지와 중지)을 겹쳐지게 해 줘(행운을 빌어 줘).
06 모든 면에서의 삶에 대한 호기심은 대단히 창의적인 사람들의 비결이야.
07 나비처럼 떠돌며 벌처럼 쏘아라.
B 08 embarrassed 09 built 10 called

STAGE Ⅱ 주어/보어/목적어구·절 & 관계절

Chpater 05 v-ing: 주어/보어/목적어

Unit 21 주어/보어 v-ing pp.78~79

Ⓐ 04 뛰어남은 흔한 것을 흔치 않은 방식으로 하는 것이야.
05 기쁨을 나누는 것은 기쁨을 증가시키고, 슬픔을 나누는 것은 슬픔을 감소시켜.
06 안전 수칙을 따르는 것이 심각한 부상으로부터 널 보호할 수 있어.
07 창의성은 창의적인 사람들이 사물들과 경험들을 연결하는 것이야.
Ⓑ 08 Trying 09 not being
10 Not voting 11 preparing
Ⓒ 12 Planning 13 Having 14 doing 15 creating

Unit 22 목적어 v-ing pp.80~81

Ⓐ 05 나뭇잎들이 나무에서 떨어지기 시작했어.
06 여가 시간에 난 친구들과 놀고, 음악을 듣고, 운동하는 것을 좋아해.
07 난 집에서 잠자는 걸 끝내지 못해서, 학교에서 계속 잠을 자야 해.
Ⓑ 08 making 09 staying
10 pursuing 11 not studying
Ⓒ 12 reading 13 hearing 14 making 15 rolling

Unit 23 전치사목적어 v-ing pp.82~83

A 04 넌 달걀을 깨지 않고는 오믈렛을 만들 수 없어.
05 넌 교복을 입는 것에 찬성하니 반대하니?
06 넌 규칙을 따르면서 걷는 것을 배우지 않고, 넌 걸으면서 넘어지면서 배워.
07 시시티브이[폐쇄 회로 티브이]는 공공의 안전을 지키고 범죄를 예방하고 조사하기 위해 사용돼.

B 08 making 09 my worrying
10 breaking 11 influencing

C 12 seeing 13 doing 14 preserving 15 being

Unit 24 수동형/완료형 v-ing pp.84~85

A 04 더 빠른 조치가 승객들을 구했을 수도 있었음을 부인할 수 없어.
05 대부분의 학생들이 왕따시킨 적이나 왕따당한 적이 있다는 걸 부인했어.
06 양심 없는 삶은 인간의 것이라 불릴 만하지 않아.
07 부모님은 첫 해를 우리에게 걷고 말하는 걸 가르치면서 보내고, 나머지를 우리에게 앉아 입 다물고 있으라고 하면서 보내셔.

B 08 eating 09 crying
10 being interrupted 11 being found

C 12 making 13 living 14 preparing 15 fighting

Chapter 05 Review p.86

A 01 고마움을 느끼고 그걸 표현하지 않는 것은 선물을 싸서 그걸 주지 않는 것과 같아.
02 창의성의 필수적인 측면은 실패하는 걸 두려워하지 않는 거야.
03 십대를 키우는 건 등 뒤로 손이 묶인 채 미끄러운 물고기와 씨름하는 거야.
04 아무도 내가 내 방식대로 내 삶을 사는 걸 막을 수 없어.
05 난 부모님께 너무나 멋진 아이를 가지신 걸 축하드리고 싶어!
06 우리는 전쟁의 벽 대신에 평화의 다리를 만들어야 해.
07 우리는 온라인에서 채팅하면서 몇 시간을 보냈어.

B 08 giving 09 saving 10 being treated

Chpater 06 to-v: 주어/보어/목적어/목적보어

Unit 25 주어/보어 to-v pp.88~89

A 05 우리가 춤추는 걸 보는 건 우리 마음이 말하는 걸 듣는 거야.
06 뒤돌아보고 후회하는 것보다 앞을 내다보고 준비하는 게 더 나아.
07 과학의 올바른 이용은 자연을 정복하는 것이 아니라 자연 속에 사는 거야.

B 08 Not to be 09 for 10 of 11 of

C 12 to make 13 to move 14 to sit 15 to know

Unit 26 목적어 to-v pp.90~91

A 04 어려운 순간에도 마음을 침착하게 유지할 것을 기억해.
05 우리는 우리의 다름을 받아들이고 즐기기 시작할 수 있어.
06 난 사람들을 기다리게 하는 것과 기다리게 되는 걸 좋아하지 않아.
07 사람들은 어떻게 자연과 조화롭게 살아야 할지 배울 필요가 있어.

B 08 to waste 09 to climb
10 not to get 11 where to find, how to use

C 12 to hurt 13 to accept
14 to take 15 to educate

Unit 27 목적보어 to-v pp.92~93

A 04 법은 모든 사람이 건강 보험을 갖도록 요구해.
05 네 과거나 현재 상태가 널 지배하게 두지 마.
06 스마트폰은 사진 찍는 걸 쉽게 해.
07 당국은 바이러스의 확산 때문에 사람들에게 실내에 머물 것을 권고하고 있어.

B 08 to change 09 to become
10 not to say 11 it

C 12 to see 13 to give up 14 to grow 15 to fit

Unit 28 목적보어 V pp.94~95

A 04 내 평생 자연의 새로운 모습들은 날 아이처럼 크게 기뻐하게 했어.
05 다른 사람들이 널 규정하게 놔두지 말고, 과거가 널 한정하게 놔두지 마.
06 평생 단 한 번만이라도, 난 거짓말쟁이의 바지가 불붙는 걸 실제로 보고 싶어.
07 글쓰기는 네가 마음에 귀 기울이고 내면의 안내를 믿도록 도와줘.

B 08 feel 09 eat 10 raise 11 quicken

C 12 be your teacher 13 melt away
14 rustle in the wind 15 come in

Unit 29 명사수식어 to-v pp.96~97

A 04 살면서 우리는 내려야 할 결정들이 있고 택해야 할 길들이 있고 활용해야 할 기회들이 있어.
05 성공하는 가장 확실한 방법은 언제나 한 번만 더 시도하는 거야.
06 우리 문화는 그것을 지키려는 우리의 노력 없이는 살아남지 못할 거야.
07 행복은 깊이 느끼고, 단순하게 즐기고, 자유롭게 생각하는 능력의 결과야.

B 08 to live 09 to support
10 talk to 11 worry about

C 12 to try 13 to bring 14 to adapt 15 to prioritize

Unit 30 부사어/형용사수식어 to-v pp.98~99

A 04 넌 밖으로 빛나기 위해 안으로 너 자신을 사랑해야 해.
05 난 도착해서 다른 사람들이 이미 떠났다는 걸 알게 되었을 뿐이야.
06 적은 노력으로 행해진 일은 작은 성과를 낼 것 같아.
07 우리는 자유롭게 자신의 행동을 선택하지만, 이 행동의 결과를 선택하기엔 자유롭지 않아.

B 08 to 09 To 10 to 11 to use

C 12 to tell 13 to believe
14 to complete 15 to see

Unit 31 수동형/완료형 to-v pp.100~101

A 05 아무도 배우기에 너무 나이 들지는 않았어[너무 나이 들어서 배울 수 없지는 않아].
06 아무것도 하지 않을 만큼 충분한 시간은 결코 없어.
07 가족 오락의 시절은 우리를 떠난 것 같아.

B 08 for 09 to be reformed
10 long enough 11 to have been included

C 12 to be misunderstood 13 To be honest
14 To begin with 15 Needless to say

Chapter 06 Review p.102

A 01 수학을 배울 수 있는 유일한 길[방법]은 수학을 하는 거야.
02 계속 앞으로 나아가기 위해, 우리는 계속 새로운 걸 배워야 해.

03 작은 논쟁이 큰 관계를 해치게 하지 마.
04 오 주여, 제가 순결해지도록 도와주소서, 그러나 아직은 말고요.
05 결정을 미뤄서 얻어지는 건 아무것도 없어.
06 진정한 친구는 찾기 정말 힘들고, 떠나기 어렵고, 잊는 게 불가능해.
07 혼자 사는 건 탓할 누군가를 찾기를 더 어렵게 해.
B 08 fly 09 for 10 to divide it with

Chpater 07 주어절 / 보어절 / 목적어절

Unit 32 주어 / 보어 / 목적어 that절 pp.104~105

A 05 우리의 과학 기술이 우리의 인간성을 넘어섰다는 것은 분명해졌어.
06 어리석음과 천재성의 차이는 천재성은 그 한계가 있다는 거야.
07 난 사람들이 마침내 '인류'라는 오직 하나의 '인종'만 있다는 걸 깨닫게 되길 바라.
B 08 that 09 that 10 that 11 that
C 12 that there is no big secret
13 that the Earth has rights
14 it amazing that
15 that 90% of people aged 18 to 34 use

Unit 33 기타 that절 pp.106~107

A 05 세계는 엄청난 변화를 겪고 있는 것 같아.
06 난 사람들이 날 너무 질투해서 유감이지만, 나도 인기 있는 걸 어쩔 수 없어.
07 네 삶이 끝날 걸 두려워하지 말고, 그것이 결코 시작되지 않을 걸 두려워해.
B 08 that 09 that 10 that 11 that
C 12 the feeling that 13 the hope that
14 The proof that 15 no doubt that

Unit 34 주어 / 보어 / 목적어 whether(if)절 pp.108~109

A 04 네가 변하길 선택할지는 네 선택이야.
05 내 성공의 기준은 내가 내 임무를 다하고 있는지야.
06 삶이 살 가치가 있는지는 삶에 사랑이 있는지에 달려 있어.
07 중요한 문제는 네가 실패했는지가 아니라 네가 실패에 만족하는지 아닌지야.
B 08 whether 09 if 10 whether 11 whether
C 12 whether the news comes
13 whether a child under 14 should be
14 whether or not the sun will rise
15 whether you can see

Unit 35 주어 / 보어 / 목적어 what절 pp.110~111

A 04 아름다움은 즐거움을 주는 무엇이든지야.
05 네가 하는 것은 네가 생각하는 것에서 나와.
06 미래는 네가 오늘 무엇을 하는지에 달려 있어.
07 명성은 다른 사람들이 너에 대해 아는 것이고, 명예는 네가 너 자신에 대해 아는 것이야.
B 08 what 09 what 10 whatever 11 what
C 12 What does not kill me 13 What goes up
14 what they seem to be 15 what you write

Unit 36 주어 / 보어 / 목적어 wh-절 pp.112~113

A 04 네가 무엇이든 어떻게 하는지가 네가 모든 걸 어떻게 하는지야.
05 행복은 네가 얼마나 많은 소유물을 소유하는지에 있지 않아.
06 가정은 네가 사는 곳이 아니라, 네 가족이 널 이해하는 곳이야.
07 우리는 어떻게 노래 가사들은 기억할 수 있으면서, 시험을 위해선 아무것도 기억할 수 없는지 웃겨.
B 08 who 09 which 10 why 11 whichever
C 12 why 13 where 14 when 15 how

Chapter 07 Review p.114

A 01 행복의 첫 번째 조건들 중 하나는 인간과 자연 사이의 연결이 끊어져선 안 된다는 거야.
02 공상 과학 소설가인 아이작 아시모프는 공상 과학 소설은 일어날 수 있는 일이지만, 판타지 소설은 그렇지 않다고 말했어.
03 최근 발견은 새가 공룡에서 진화했다는 생각을 뒷받침하는 거 같아.
04 여기 지상의 네 임무가 끝났는지 알아내는 테스트가 있는데, 만약 네가 살아 있다면, 그것(네 임무)은 끝난 게 아니야.
05 넌 뿌린 것을 거둬. 아니야, 넌 씨를 뿌리지만, 넌 씨에서 자라는 것을 거두는 거야.
06 화로 시작된 것은 무엇이든 부끄러움으로 끝나.
07 춤을 너무도 좋아하는 누구든 머리보다 발에 뇌가 더 많이 있을 거 같아.
B 08 whether, whether 09 what 10 how

Chpater 08 관계절(명사수식어)

Unit 37 주어 관계사 관계절 pp.116~117

A 04 친구란 너에 대해 모든 걸 아는데 아직도 널 사랑하는 사람이야.
05 읽지 않는 사람은 읽지 못하는 사람보다 유리한 점이 없어.
06 정크 푸드는 칼로리는 많지만 영양가는 거의 없는 건강에 나쁜 음식이야.
07 예술은 우리가 진실을 깨달을 수 있게 해 주는 거짓말이야.
B 08 who 09 who 10 that 11 which
C 12 who(that) 13 that(which)
14 that(which) 15 that(which)

Unit 38 목적어 관계사 관계절 pp.118~119

A 04 내가 만나는 모든 사람은 어떤 점에선 내 윗사람이야.
05 친절은 귀먹은 사람들도 들을 수 있고 눈먼 사람들도 볼 수 있는 언어야.
06 우리는 평범한 미소가 할 수 있는 모든 좋은 것을 결코 알지 못할 거야.
07 네가 얻는 답은 네가 하는 질문에 달려 있어.
B 08 that 09 the world
10 violent films may have 11 All we need
C 12 you're proud of 13 we must pay for success
14 it deserves 15 you are with

Unit 39 기타 관계사 관계절 pp.120~121

A 04 춤은 각 움직임이 단어인 시야.
05 우리 모두는 우리의 가장 깊은 관심사를 말할 수 있는 친구가 필요해.
06 청소년기는 젊은이가 자신의 정체성을 찾는 시기야.
07 넌 설거지를 해야 할 시점에 이르렀는데, 설거지는 삶의 재미야.

B 08 whose 09 through which
10 when 11 why
C 12 when 13 whose 14 why 15 where

Unit 40 추가정보 관계절 pp.122~123

A 05 세종대왕은, 조선 왕조의 네 번째 왕이었는데, 학자들의 도움으로 한글을 창제했어.
06 아무도 진실을 너의 뇌 속으로 쏟아부어 주지 않을 거고, 그것은 너 스스로 알아내야 하는 거야.
07 난 공기, 물, 흙, 에너지 그리고 생물 다양성보다 더 중요한 아무것도 상상할 수 없는데, 그것들은 우리를 살아 있게 해 주는 것들이야.
B 08 which 09 which 10 where 11 on which
C 12 who 13 which 14 which 15 where

Chapter 08 Review p.124

A 01 준비하지 못하는 사람들은 실패할 준비를 하는 거야.
02 온 세상이 어디로 갈지 아는 사람에게는 길을 비켜 줘.
03 네가 할 수 있는 가장 큰 잘못은 네가 잘못할 것을 계속 두려워하는 거야.
04 네가 나중에 후회할지도 모를 아무것도 하지 마.
05 수학은 어떤 사람이 100개의 수박을 살 수 있고 아무도 이유를 궁금해 하지 않는 유일한 곳이야.
06 사람들이 산꼭대기에 가는 이유는 자신들보다 더 큰 뭔가를 보려는 거야.
07 페이스북은, 2004년에 시작되었는데, 2009년 초에 세계에서 가장 큰 소셜 네트워킹 사이트가 되었어.
B 08 whose 09 that 10 which

STAGE III 모든 문장과 특수 구문

Chpater 09 문장성분 & 연결

Unit 41 주어(구·절) 종합 pp.130~131

A 04 다른 누군가의 삶을 긍정적으로 변화시키는 것은 너의 삶도 더 좋게 변화시켜.
05 네가 무엇을 알고 무엇을 모르는지 아는 것이 참된 앎이야.
06 우리의 뇌를 다른 사람들의 뇌와 맞대어 비비고 광을 내는 것은 좋은 거야.
07 세상에 사는 모두를 위해 더 나은 세상을 만드는 것은 네 손에 달려 있어.
B 08 who 09 spent, spent 10 that 11 do
C 12 What 13 Whether 14 Whoever 15 who

Unit 42 보어(구·절) 종합 pp.132~133

A 04 사랑은 다른 사람의 필요를 네 것보다 더 우선시하는 거야.
05 오늘은 네가 어제 걱정했던 내일이야.
06 기적은 물 위를 걷는 것이 아니라, 살아서 이 아름다운 땅 위를 걷는 거야.
07 숲은 공기를 정화하고 우리 사람들에게 새로운 힘을 주는 우리 땅의 허파야.
B 08 not taking 09 that 10 that 11 that
C 12 that 13 to 14 what 15 when

Unit 43 목적어/목적보어(구·절) 종합 pp.134~135

A 04 누군가의 구름 속 무지개가 되려고 노력해.
05 우리 대부분은 우리에게 어린 시절을 기억나게 하는 음식에 대한 추억이 있어.
06 스포츠는 네게 이기고 지는 게 어떤 느낌인지 알도록 가르쳐 줘.
07 교육은 시민들이 경제적으로 정치적으로 사회적으로 문화적으로 책임 있는 삶을 살 수 있게 해.
B 08 hating 09 written
10 who 11 throwing, feel
C 12 what 13 why 14 that 15 whether

Unit 44 대등접속사 pp.136~137

A 05 문명은 질서와 함께 시작하고, 자유와 함께 성장하고, 무질서와 함께 사라져.
06 모든 어른들은 한때 아이였지만, 그들 중 오직 소수만 그걸 기억해.
07 힘든 시간을 보내고 있거나 아프거나 외로운 누군가를 찾아서, 그 또는 그녀를 위해 뭔가를 해.
B 08 and 09 but 10 and, and 11 for
C 12 and 13 or 14 but 15 for

Unit 45 상관접속사 pp.138~139

A 04 좋은 이야기는 놀라우면서도 필연적이고, 신선하면서도 친숙해.
05 삶은 대담한 모험이거나 아무것도 아닌 것 둘 중 하나야.
06 음악은 음들 속에 있는 게 아니라, 그것들 사이 침묵 속에 있어.
07 에너지 보존 법칙은 에너지가 생성될 수도 파괴될 수도 없다는 것을 의미해.
B 08 and 09 either 10 nor 11 but
C 12 neither – nor 13 either – or
14 not merely – but 15 not – but

Chapter 09 Review p.140

A 01 네가 좋아하는 것을 하는 것은 자유이고, 네가 하는 것을 좋아하는 것은 행복이야.
02 사회가 그 아이들에게 행하는 것은 그 아이들이 (나중에) 사회에 대해 행하게 될 것이야.
03 커뮤니케이션[의사소통]에서 가장 중요한 것은 말해지지 않는 것을 듣는 거야.
04 생태계 변화와 증가하는 여행과 무역이 새로운 전염병들이 발생해 전 세계에 퍼지도록 해 왔어.
05 우리에게 고체로 보이는 것은 궁극적으로 입자와 파동 둘 다야.
06 하루하루를 네가 거두는 수확물로 판단하지 말고, 네가 심는 씨앗들로 판단해.
07 교육은 사실의 학습이 아니라, 사고하는 정신의 훈련이야.
B 08 What, that 09 that 10 and, and

Chpater 10 부사절

Unit 46 시간 부사절 pp.142~143

A 04 내가 하늘의 무지개를 볼 때 내 가슴은 뛰네.
05 늦어서 미안한데, 난 여기 오고 싶자마자 바로 왔어.
06 네가 무엇에든 세심한 주의를 기울이는 순간, 그것은 그 자체가 신비하고 감명 깊은 세계가 돼.
07 난 사람들이 "내게 전화해."라고 문자할 때 정말 싫어. 난 사람들에게 전화하기 시작해서 그들이 받자마자 "내게 문자해."라고 말하고 바로 끊을 거야.

Ⓑ 08 till 09 as 10 before 11 since
Ⓒ 12 just as 13 while 14 after 15 Each time

Unit 47 이유(원인) 부사절 pp.144~145

Ⓐ 04 그게 끝났다고 울지 말고, 그게 있었으니 웃어.
05 넌 내가 널 사랑하기 때문에 아무와도 같지 않아.
06 내 인조 식물들은 내가 그들에 물을 주는 척하지 않았기 때문에 죽었어.
07 사람들은 자기 나라가 위대하기 때문이 아니라, 그것이 자신의 나라이기 때문에 자기 나라를 사랑해.
Ⓑ 08 because 09 because
10 Since 11 Now that
Ⓒ 12 How wonderful life is now that you're in the world!
13 This life is worth living since it is what we make it.
14 I've been lucky in that my parents have always supported me.
15 Never do something permanently foolish just because you are temporarily upset.

Unit 48 목적/결과/양상 부사절 pp.146~147

Ⓐ 04 가장 좋은 것에 '예'라고 말할 수 있도록 좋은 것에 '아니요'라고 말하는 것을 배워.
05 우리는 너무 바쁘게 성장해서 잃어버린 어린 시절을 갈망해.
06 난 대상을 내가 보는 대로가 아니라, 생각하는 대로 그려.
07 식욕이 먹어서 생겨나는 것처럼, 작업이 영감을 가져와.
Ⓑ 08 in order that 09 so 10 such 11 so
Ⓒ 12 in case 13 as if 14 lest 15 so that

Unit 49 대조(반전) 부사절 pp.148~149

Ⓐ 05 비록 미래가 멀리 있는 것 같지만, 그건 사실 바로 지금 시작되고 있어.
06 넌 그것이 비록 친절을 베푸는 단순한 행동일지라도 항상 누군가에게 뭔가를 줄 수 있어.
07 네가 누구이든지, 네가 어디 출신이든지, 넌 아름다워.
Ⓑ 08 Though 09 although
10 whereas 11 Whatever
Ⓒ 12 whether or not 13 while
14 no matter how 15 though

Unit 50 조건 부사절 pp.150~151

Ⓐ 04 네가 물을 좋아하면, 넌 이미 나의 60%를 좋아하는 거야.
05 목적이 도덕적이지 않으면 지식은 해가 돼.
06 모든 우리의 꿈들은 우리가 그것들을 추구할 용기가 있으면 실현될 수 있어.
07 네가 멈추지 않기만 하면 네가 얼마나 천천히 가는지는 중요하지 않아.
Ⓑ 08 if 09 Unless 10 once 11 know
Ⓒ 12 My parents don't care what job I do as long as I'm happy.
13 Never look down on anybody unless you're helping him up.
14 Once you find something you love to do, be the best at doing it.
15 If evolution really works, how come mothers only have two hands?

Unit 51 v-ing 구문 pp.152~153

Ⓐ 05 너무 피곤해서, 난 머리가 베개에 닿자마자 잠이 들었어.
06 세상은 언제나 열려 있어, 발견되길 기다리고 있어.
07 여름이 다가오면서, 날씨가 계속 더 더워지고 있어.
Ⓑ 08 Having 09 Equipped
10 being 11 attached
Ⓒ 12 Feeling 13 giving
14 blocking 15 influencing

Chapter 10 Review p.154

A 01 네가 너 자신을 믿자마자, 넌 어떻게 살아야 할지 알게 될 거야.
02 네가 큰 일들을 할 수 없으면, 멋진 방법으로 작은 일들을 해.
03 난 네 말을 알아들을 수 없어서, 그저 웃으며 그게 물음이 아니었길 바랄 거야.
04 거짓말이 아무리 빨리 달린다 하더라도, 진실이 언젠가 그걸 따라잡을 거야.
05 늘 네 마음(심장)의 소리에 귀 기울여. 왜냐면 심장은 비록 왼쪽(left)에 있지만 그건 늘 옳기(right) 때문이야.
06 네가 100살까지 산다면, 난 너 없이 절대 살 필요가 없도록 100살 하루 전까지 살고 싶어.
07 대기 오염은 해로운 물질들을 대기에 더하여, 환경과 인간의 건강과 삶의 질에 피해를 야기해.
B 08 because 09 unless 10 so

Chpater 11 가정표현

Unit 52 가정표현 1 pp.156~157

Ⓐ 04 만약 우리가 마음을 더 연다면 많은 문제가 없어질 텐데.
05 만약 우리가 듣기보다 더 많이 말하도록 되어 있다면, 우리는 두 입과 한 귀를 갖고 있을 거야.
06 만약 부모님의 사랑과 지지가 없다면 난 오늘날의 내가 아닐 거야.
07 오직 진정한 친구만이 그렇게 진실로 정직할 거야.
Ⓑ 08 were 09 didn't 10 would 11 had
Ⓒ 12 might feel 13 would agree 14 were 15 had

Unit 53 가정표현 2 pp.158~159

Ⓐ 05 난 달라졌을까, 다른 길을 택했다면, 멈춰서 뒤돌아봤다면?
06 천국은 견딜 수 없었어. 만약 그렇지 않았다면 최초의 인간이 거기에 적응했을 거야.
07 걱정과 병이 없었더라면 난 키 없는 배와 같았을 거야.
Ⓑ 08 had not been 09 had observed
10 might 11 be
Ⓒ 12 would have created 13 had had
14 would have 15 had been

Unit 54 가정표현 3 pp.160~161

Ⓐ 04 넌 네가 다른 누군가이기를 바란 적이 있니?
05 큰일을 이루기 위해, 우리는 마치 우리가 절대 죽지 않을 것처럼 살아야 해.
06 마치 아무도 보고 있지 않는 것처럼 춤추고, 아무도 듣고 있지 않는 것처럼 노래하고, 그날이 마지막인 것처럼 매일을 살아.
07 마치 네가 그것(승리)에 익숙한 것처럼 이기고, 마치 네가 변화를 위해 그것(패배)을 즐기는 것처럼 져.

Ⓑ 08 were 09 had known
10 had seen 11 stopped
Ⓒ 12 would be 13 possessed
14 were 15 learned, earned

Chapter 11 Review p.162

A 01 '행복한'이란 단어는 만약 슬픔으로 균형이 잡히지 않는다면 그 의미를 상실할 거야.
02 만약 우리가 뭔가를 시도할 용기가 없다면 삶은 무엇이겠는가?
03 만약 기억이 없다면, 문명도 사회도 문화도 미래도 없을 거야.
04 만약 내가 이룰 수 없다고 내게 말한 모두의 말에 귀 기울였더라면, 난 아무것도 이루지 못했을 거야.
05 내가 잘못된 모든 것을 바로잡을 수 있도록 초자연적으로 힘이 세면 좋을 텐데.
06 난 상황을 바꾸기 위해서가 아니라 단지 두 번 느낄 수 있기 위해 삶에 거꾸로 돌아갈 수 있기를 바라.
07 네가 어떤 자질을 원하면, 마치 네가 이미 그것을 가지고 있는 것처럼 행동해.
B 08 were 09 have been 10 focused

Chpater 12 비교/기타 구문

Unit 55 동등비교 pp.164~165

Ⓐ 04 배움의 즐거움은 숨쉬기가 달리기에서 필수적인 만큼 공부에서 필수불가결해.
05 A는 B의 두 배 나이이고, 12년 전에 A는 B의 6배 나이였는데, B는 지금 몇 살일까?
06 교육은 물통을 채우는 거라기보다는 불을 붙이는 거야.
07 지도력은 말로라기보다는 자세와 행동으로 실천돼.
Ⓑ 08 important 09 simple 10 much 11 many
Ⓒ 12 as contagious as 13 as fast as
14 as important as 15 as funny as

Unit 56 우월비교 pp.166~167

Ⓐ 04 자기 자신을 판단하는 것이 다른 사람들을 판단하는 것보다 훨씬 더 어려워.
05 난 널 어제보다는 더, 내일보다는 덜 사랑해.
06 네가 더 많이 배울수록, 넌 더 많은 자신감을 갖게 될 거야.
07 컴퓨터 과학이 컴퓨터에 대한 것이 아닌 것은 천문학이 망원경에 대한 것이 아닌 것과 같아.
Ⓑ 08 greater 09 less 10 far 11 than
Ⓒ 12 louder than 13 stronger than
14 longer than 15 more important than

Unit 57 최상급 표현 pp.168~169

Ⓐ 04 역경에서 피는 꽃이 모든 것 중에서 가장 희귀하고 아름다워.
05 어떤 오락도 독서만큼 돈이 적게 들지 않고, 어떤 즐거움도 (독서만큼) 오래가지 않아.
06 우리에게 닥치는 어떤 사실도 그것에 대한 우리 태도만큼 중요하지 않아.
07 예술을 이해하는 것보다 자연을 사랑하는 걸 배울 수 있는 더 좋은 방법은 없어.
Ⓑ 08 the most 09 the most
10 the greatest 11 contagious

Ⓒ 12 more regular 13 More
14 the largest 15 the most complex

Unit 58 부정 구문 pp.170~171

Ⓐ 04 삶의 성공이 반드시 학업 성공에서 비롯되는 건 아니야.
05 행동이 늘 행복을 가져오지는 않을지도 모르지만, 행동 없이는 행복도 없어.
06 권력은 절대 확인 없이 신뢰되어선 안 돼.
07 전 세계가 내 작업의 결과를 인정하기 전까지 오래지 않을 거야(머지않아 전 세계가 내 작업의 결과를 인정할 거야).
Ⓑ 08 anything 09 None
10 everything 11 everyone
Ⓒ 12 seldom 13 not everyone 14 no 15 Few

Unit 59 도치 구문 pp.172~173

Ⓐ 05 네가 하고 있는 것이 재미있지 않는 한 넌 좀처럼 성공하지 못해.
06 우리가 우리 자신을 존중할 때까지 우리는 다른 사람들의 존경을 받을 수 없어(우리 자신을 존중해야 비로소 우리는 다른 사람들의 존경을 받을 수 있어).
07 무지와 함께 공포가 생기고, 공포에서 증오가 생겨.
Ⓑ 08 must we 09 should you
10 is a close family 11 does it happen
Ⓒ 12 I had seen → had I seen
13 I realized → did I realize
14 school children do → do school children
15 the genius or the madman does → does the genius or the madman

Unit 60 강조 구문 pp.174~175

Ⓐ 04 일들이 일어나게 하는 것은 바로 힘든 일이고, 변화를 만드는 것은 바로 노고야.
05 넌 모든 것의 진가를 네가 모든 걸 잃을 때까지는 진짜 알 수 없어(넌 모든 것의 진가를 네가 모든 걸 잃고 나서야 비로소 진짜 알 수 있어).
06 네가 다른 사람들에게서 사랑하는 것은 도대체 무엇이니? 나의 희망.
07 난 그것을 하지 않았어! 음, 기다려, 고것 말이야? 그래, 내가 고것을 했다 했어.
Ⓑ 08 that 09 who 10 that 11 How
Ⓒ 12 love and laughter 13 only with the heart
14 because of its emptiness 15 children

Chapter 12 Review p.176

A 01 사슬은 가장 약한 고리만큼만 강할 뿐이야.
02 속하는 것 이상을 해: 참여하기. 관심 가지는 것 이상을 해: 돕기. 믿는 것 이상을 해: 실천하기. 공정한 것 이상을 해: 친절하기.
03 뭔가가 더 힘들수록, 결과는 더 보람 있을 거야.
04 어떤 의무도 고마움을 되돌려 주는 의무보다 더 시급하지 않아.
05 가장 개인적인 것이 가장 창의적인 것이야.
06 네가 너 자신을 소중히 여길 때까지는 넌 네 시간을 소중히 여기지 않을 거고, 네가 네 시간을 가치 있게 여길 때까지는 넌 그 시간으로 아무것도 못할 거야(네가 너 자신을 소중히 여겨야 비로소 넌 네 시간을 소중히 여길 거고, 네가 네 시간을 가치 있게 여겨야 비로소 넌 그 시간으로 뭔가를 할 거야).
07 중요한 것은 사는 것이 아니라 바로 제대로 사는 거야.
B 08 higher 09 that 10 are we

마법같은 블록구문

삶을 바꿀 영어 학습의 혁명!
컬러 과학과 의미 기억의 힘!

Rainbow Book

김승영 고지영

문장성분별 완전 **컬러화 해설서**

무지개 속 박혀 있는 보석 같은 문장

기본편

Rainbow Book 기본편

Stage I
영어문장 구조와 동사

Stage I

Contents of Stage

영어문장 기본형

Unit Words

■ 본격적인 구문 학습에 앞서, 각 유닛별 주요 단어를 확인하세요.

Unit 01 영어문장 1형

- ☐ still 고요한
- ☐ diversity 다양성
- ☐ fly 빨리 가다[날다]
- ☐ charm 매력
- ☐ step 걸음
- ☐ axis 축
- ☐ appear 나타나다
- ☐ plenty of 많은
- ☐ stay 머무르다

Unit 02 영어문장 2형

- ☐ come true 이루어지다[실현되다]
- ☐ remain 계속 ~이다
- ☐ invisible 보이지 않는
- ☐ patience 인내력
- ☐ essential 본질적인
- ☐ turn 변하다

Unit 03 영어문장 3형

- ☐ achievement 업적[성취]
- ☐ enter ~에 들어가다
- ☐ standard 수준[기준]
- ☐ judge 판단하다
- ☐ cautiously 조심스럽게
- ☐ ancestor 조상

Unit 04 영어문장 4형

- ☐ encouragement 격려
- ☐ bring 가져다주다
- ☐ ingredient 재료[성분]
- ☐ liberty 자유
- ☐ amazing 놀라운
- ☐ owe 빚지고 있다[신세를 지고 있다]
- ☐ death 죽음
- ☐ trick 마술
- ☐ offer 제안하다

Unit 05 영어문장 5형

- ☐ challenge 도전
- ☐ silence 고요
- ☐ name 이름을 지어주다
- ☐ adversity 역경
- ☐ beat 고동치다
- ☐ democracy 민주주의
- ☐ loss 상실
- ☐ share 공유하다
- ☐ confused 혼란스러운

Unit 06 구동사 1

- ☐ prosperity 번영
- ☐ contribution 공헌
- ☐ atmosphere 대기
- ☐ condition 조건[상태]
- ☐ enlightened 깨우친
- ☐ vulnerable 취약한
- ☐ consequence 결과
- ☐ wonder 경이[로운 것]
- ☐ cancer 암

Unit 07 구동사 2

- ☐ means 수단
- ☐ prove 입증[증명]하다
- ☐ blessing 축복
- ☐ inspiration 영감
- ☐ experiment 실험
- ☐ speak out 공개적으로 말하다

본책 26~27쪽을 함께 펴놓고 보세요!

영어문장 1형

주어	자동사	부사어
Still waters	run	deep.

Standard Sentences

01 Still waters run deep. *Proverb*
잔잔한 물이 깊이 흘러.
- 주어(Still waters) + 자동사(run) + 부사어(deep): 1형 문장

Know More 〈숨은 의미〉 조용한 사람이 깊이 생각한다는 것.

still 고요한
deep 깊이

02 We live in a wonderful world full of beauty, charm, and adventure. *Jawaharlal Nehru*
우리는 아름다움과 매력과 모험으로 가득한 멋진 세상에 살고 있어.
- 주어(We) + 자동사(live) + 부사어(in a wonderful world ~): 1형 문장
- world + 〈full of ~〉: 형용사구(full of ~)가 명사(world)를 뒤에서 수식(뒤수식).

beauty 아름다움
charm 매력
adventure 모험

03 There is a time for many words, **and** there is also a time for sleep. *Homer*
많은 말을 해야 할 때도 있**고**, 잠을 자야 할 때도 있어.
- There + be동사(is) + 주어(a time ~): ~가 있다

Know More 〈숨은 의미〉 고대 그리스 최초의 서사시 《일리아스》와 《오디세이아》를 쓴 전설적인 시인 호머의 말로, 만사 다 때가 있다는 것과, 말과 함께 잠의 중요성을 강조한 것.

A **04** One by one, the stars appeared in the sky.
하나하나씩 별들이 하늘에 나타났어.
- 부사어(one by one)가 문장 맨 앞(문두)에 왔음.
- appear + 장소 부사어(in the sky): ~에 나타나다

one by one 하나하나씩

05 Times of luxury do not last long, but pass away very quickly. *Buddha(석가모니)*
호화로운 시간은 오래 지속되지 않고, 아주 빨리 사라져.
- not A(last ~) but B(pass away ~): A가 아니라 B(A는 부정되고 B가 긍정됨.)

luxury 호화로움[사치]
last 지속[계속]되다
pass away 사라지다

Up! **06** The beauty of the world lies in the diversity of its people.
세상의 아름다움은 사람들의 다양성에 있어.
- lie + 장소 부사어(in the diversity ~): ~에 있다

diversity 다양성

07 In a hole in the ground, there lived a hobbit. *J.R.R. Tolkien*
땅속 어느 굴에 호빗이 살고 있었어.
- 부사어(in a hole in the ground)가 문두로 나왔음.
- there + live(lived) + 주어(a hobbit): ~가 살고 있다

Know More 〈배경 지식〉 호빗(hobbit)은 톨킨의 소설에 등장하는 종족으로 '굴 파는 사람들'이란 뜻.

hole 굴[구멍]
ground 땅

B **08** A journey of a thousand miles begins with a single step. *Lao Tzu(노자)*
천 마일 여행도 한 걸음부터 시작돼.

- 자동사(begin) + 부사어(with a single step): ~로 시작되다

journey 여행
single 단 하나의
step 걸음

09 **Riddle:** What goes through towns and over hills **but** never moves?
Answer: A road.
수수께끼: 도시를 통과해 언덕을 넘지**만** 절대 움직이지 못하는 것은? **답: 도로[길]**

- 주어(What) + 자동사(goes) + 부사어(through towns and over hills): 1형 문장

riddle 수수께끼
move 움직이다

10 We lay on the grass, **and** talked about our dreams.
우리는 풀밭에 누워**서**, 우리의 꿈에 관해 이야기했어.

- lie + 장소 부사어(on the grass): ~에 눕다
- lie-lay-lain(눕다: 자동사) + 부사어 (비교) lay-laid-laid(놓다: 타동사) + 목적어(명사)
- 자동사(talk) + 부사어(about our dreams): ~에 대해 이야기하다 (×) talk our dreams

Up! **11** There are no perfect parents and children, **but** there are plenty of perfect moments along the way. *Dave Willis*
완벽한 부모와 자식은 없지**만**, (살아가는) 도중에 완벽한 순간들은 많이 있어.

- There + be동사(are) + 복수명사(주어): ~들이 있다 (비교) There + be동사(is) + 단수명사(주어)

Know More 〈숨은 의미〉 서로 부족하지만 가족의 유대를 이어 가면서 멋진 순간들을 창조할 수 있다는 것.

perfect 완벽한
plenty of 많은
along the way 도중에

C **12** Time flies like an arrow. *Proverb*
시간이 쏜살같이 가.

- 주어(Time) + 자동사(flies) + 부사어(like an arrow): 1형 문장

fly 빨리 가다[날다]
arrow 화살

13 The earth turns on its axis once every 24 hours.
지구는 24시간마다 한 번 축을 중심으로 돌아.

- 주어(The earth) + 자동사(turns) + 부사어(on its axis ~): 1형 문장

turn 돌다
axis 축

14 **Riddle:** What am I? I travel all over the world, **but** always stay in my corner.
Answer: A stamp.
수수께끼: 난 누구일까? 난 전 세계를 여행하**지만**, 늘 모퉁이에 머물러. **답: 우표**

- travel + 부사어(all over the world): 여행하다
- stay + 장소 부사어(in my corner): ~에 머물다

corner 모퉁이
stamp 우표

15 Beauty is in the eye of the beholder. *Proverb*
아름다움은 보는 사람의 눈에 달려 있어.

- 주어(Beauty) + be동사(is 있다) + 부사어(in the eye ~): 1형 문장

beholder 보는 사람

본책 28~29쪽을 함께 펴놓고 보세요!

영어문장 2형

주어	연결동사	보어
Man	is	a social animal.

Standard Sentences

01 Man is a social animal. *Aristotle*

인간은 사회적 동물이야.

- 주어(Man) + 연결동사(is) + 보어(a social animal): 2형 문장

Know More 〈숨은 의미〉 아리스토텔레스의 말로, 인간은 홀로 살 수 없고 사회를 이루어 상호 작용하며 살아가는 존재라는 것.

social 사회의

Think **02** At the touch of love, everyone becomes a poet. *Plato*

사랑의 손길이 닿으면, 모두가 시인이 돼.

- 부사어(at the touch of love)가 문장 맨 앞(문두)에 왔음.
- 연결동사(become) + 명사(a poet): ~이 되다

touch 손길
poet 시인

03 Feel good, and you will look good.

기분이 좋으면, 넌 좋아 보일 거야.

- 연결동사(feel) + 형용사(good): ~하게 느끼다
- 연결동사(look) + 형용사(good): ~하게 보이다
- 명령문(Feel good), and ...: ~하면, ... ➜ unit 44

A

04 Nothing stays the same for long.

아무것도 오랫동안 같은 상태로 있지 않아.

- 연결동사(stay) + 명사(the same): 계속 ~ 상태로 있다

same 같은 (것)
for long 오랫동안

05 Our dreams will come true.

우리 꿈은 이루어질 거야.

- 연결동사(come) + 형용사(true): ~되다

come true 이루어지다[실현되다]

06 The two most powerful warriors are patience and time. *Tolstoy*

가장 강력한 두 전사는 인내력과 시간이야.

- be동사(are) + 명사(patience and time): ~이다

powerful 강력한
warrior 전사
patience 인내력

07 Every important idea in science sounds strange at first. *Thomas Kuhn*

과학의 모든 중요한 발상은 처음에는 이상하게 들려.

- 연결동사(sound) + 형용사(strange): ~하게 들리다 부사(strangely)는 올 수 없음.
- 단수 주어(every + 단수명사 idea) + 단수형 동사(sounds)

Know More 〈배경 지식〉 과학사학자 토머스 쿤의 말로, 과학 혁명은 새로운 '패러다임'(사회가 공유하는 신념과 가치 체계)의 등장을 통해 이루어진다는 것.

important 중요한
strange 이상한
at first 처음에

B **08** Spring is beautiful, and smells sweet. *Virginia Hudson*

봄은 아름답고, 달콤한 향기가 나.

- be동사 + 형용사(beautiful): 어떠하다
- smell + 형용사(sweet): ~한 냄새가 나다 부사(sweetly)는 올 수 없음.

sweet 달콤한

09 Remain calm in case of an emergency.

비상시에는 침착함을 유지해.

- remain + 형용사(calm): 계속 어떠하다

calm 침착한
in case of 발생 시에는
emergency 비상

10 I don't feel comfortable with luxury, and I stay normal. *Vince Cable*

난 호화로움에 편치 않아서, 평범하게 지내.

- feel + 형용사(comfortable): ~하게 느끼다 부사(comfortably)는 올 수 없음.
- stay + 형용사(normal): ~하게 계속 있다 부사(normally)는 올 수 없음.

comfortable 편안한
luxury 호화로움[사치]
normal 평범한

Up! **11** I never get tired of the blue sky. *Vincent van Gogh*

난 절대 푸른 하늘에 싫증나지 않아.

- get + 형용사(tired): ~해지다
- get tired of + 명사(the blue sky): ~에 싫증나다
- tired(피곤한/싫증난) 비교 tiring(피곤하게 하는) a long tiring day 길고 피곤하게 하는 하루

Know More **<배경 지식>** 비운의 화가 고흐의 말로, 그는 정신 병원에서 그린 '별이 빛나는 밤'에서 짙은 푸른색의 밤하늘과 노란색의 별들과 달을 강렬히 대비시켰음.

C **12** The essential is invisible to the eyes. *Saint-Exupéry*

본질적인 건 눈에 보이지 않아.

- the + 형용사(essential)=추상명사
- be동사 + 형용사(invisible) + 전치사구(to ~): ~에 보이지 않다

essential 본질적인
invisible 보이지 않는

13 For me, all of life seems different in different places. *Anne Rice*

내게는, 삶의 모든 게 다른 장소에서는 다르게 보여.

- seem + 형용사(different): ~하게 보이다[~인 것 같다] 부사(differently)는 올 수 없음.
- all of 단수명사(life) + 단수형 동사(seems)

Know More <숨은 의미> 다른 공간에 의해 세상에 대한 관점이 달라질 수 있다는 것.

different 다른

14 Leaves turn yellow, orange and red in the fall.

잎들은 가을에 노랑, 주황, 빨강으로 변해.

- turn + 형용사(yellow, orange and red): ~하게 변하다

leaf 잎
fall 가을

15 Good medicine tastes bitter. *Proverb*

좋은 약은 입에 써.

- taste + 형용사(bitter): ~한 맛이 나다

medicine 약
bitter 쓴

본책 30~31쪽을 함께 펴놓고 보세요!

영어문장 3형

주어	타동사	목적어
Creativity	takes	courage.

Standard Sentences

01 Creativity takes courage. *Henri Matisse*
창의성은 용기가 필요해.
- 주어(Creativity) + 타동사(takes) + 목적어(courage): 3형 문장

Know More 〈배경 지식〉 피카소와 함께 최고의 현대 화가로 꼽히는 앙리 마티스의 말로, 그는 표현 수단의 순수함을 재발견하는 용기를 북돋우기 위해 포비즘(야수파) 운동을 이끌었음.

creativity 창의성
take 필요하다
courage 용기

02 Don't put all of your eggs in one basket. *Proverb*
모든 네 달걀을 한 바구니에 담지 마.
- 타동사(put) + 목적어(all of your eggs) + 부사어(in one basket): ~에 …을 놓다(반드시 부사어가 필요함.)

Know More 〈숨은 의미〉 한 가지에만 모든 걸 거는 모험을 피하고 위험을 분산시키라는 것.

basket 바구니

03 Even a snail will eventually reach its destination. *Gail Tsukiyama*
달팽이도 결국 목적지에 이를 거야.
- 타동사(reach) + 목적어(its destination): ~에 이르다
- reach 뒤에 전치사를 붙일 수 없음. (×) reach ~~to~~ 비교 arrive at its destination

snail 달팽이
eventually 결국
destination 목적지

A

04 All great achievements require time. *Maya Angelou*
모든 큰 업적은 시간을 필요로 해.
- 타동사(require) + 목적어(time): ~이 필요하다

achievement 업적(성취)

05 Don't judge a book by its cover.
책을 표지를 보고 판단하지 마.
- 타동사(judge) + 목적어(a book) + 부사어(by its cover): ~에 의해 …을 판단하다

cover 표지

06 Teachers open the door; you enter the world of truth by yourself. *Chinese Proverb*
선생님들은 문을 열어 줄 뿐, 네가 혼자 진리의 세계에 들어가는 거야.
- 타동사(enter) + 목적어(the world of truth) + 부사어(by yourself): ~에 들어가다

by yourself 혼자

Up! **07** Keep your eyes on the stars, and your feet on the ground. *Theodore Roosevelt*
네 눈은 별들을 지켜보게 하고, 네 발은 땅을 딛고 있게 해.
- 타동사(keep) + 목적어(your eyes / your feet) + 부사어(on the stars / on the ground): ~을 …에 계속 있게 하다

Know More 〈숨은 의미〉 늘 높은 이상을 추구하면서도 동시에 현실에 바탕을 두어야 한다는 것.

ground 땅
keep your eyes on ~을 지켜 보다
keep your feet on the ground 현실에 발을 딛고 있다

B **08** The cat approached the baby cautiously.

고양이가 조심스럽게 아기에게 다가갔어.

- 타동사(approach) + 목적어(the baby): ~에 다가가다 (×) approach ~~to~~ the baby

cautiously 조심스럽게

09 Can you explain the rules of the game to me?

너 내게 그 게임의 규칙을 설명해 줄래?

- 타동사(explain) + 목적어(the rules ~) + 부사어(to me): ~을 …에게 설명하다 (×) explain ~~about~~ the rules

10 The cuckoo lays its eggs in other birds' nests.

뻐꾸기는 다른 새들의 둥지에 알을 낳아.

- 타동사(lay) + 목적어(its eggs) + 부사어(in other birds' nests): ~을 …에 낳다[놓다]
- lay-laid-laid(타동사: 놓다/놓다) + 목적어(명사) 비교 lie-lay-lain(자동사: 눕다/있다) + 장소 부사어

cuckoo 뻐꾸기
nest 둥지

11 If you like me, raise your hand; if you don't, raise your standards. *Shahrukh Khan*

네가 날 좋아하면, 네 손을 들어. 네가 날 좋아하지 않으면, 네 수준을 올려.

- if + you like me: ~면(조건 부사절) Unit 50
- if you don't (like me): 반복 어구 생략
- 타동사(raise) + 목적어(your hand / standards): ~을 들다[올리다]
- raise(타동사: 올리다[들다]) 비교 rise(자동사: 오르다[뜨다])

Know More <유머 코드> raise[들다/올리다]를 이용한 유머로, 날 좋아하지 않으면 자신의 수준이 낮아 그러니 그걸 올리라는 것.

standard 수준[기준]

C **12** The early bird catches the worm.

일찍 일어나는 새가 벌레를 잡아.

- 타동사(catch) + 목적어(the worm): ~을 잡다

worm 벌레

13 She answers all my questions with patience.

그녀는 인내심을 갖고 내 모든 질문에 대답해.

- 타동사(answer) + 목적어(all my questions): ~에 대답하다 (×) answer ~~to~~ 비교 reply to it
- with + 추상명사(patience)=부사(patiently)

patience 인내심

14 Love yourself; enjoy yourself now.

너 자신을 사랑하고, 지금 즐겁게 보내.

- 타동사(love / enjoy) + '자기'대명사 목적어(yourself): 자기를 사랑하다/즐기다

enjoy yourself 즐겁게 보내다

15 We do not inherit the Earth from our ancestors; we borrow it from our children.

우리는 지구를 우리 조상에게서 물려받지 않고, 우리는 그것을 우리 아이들에게 빌려. *Native American Proverb*

- 타동사(inherit / borrow) + 목적어(the Earth / it) + 부사어(from ~): ~에게서 …을 물려받다/빌리다

Know More <배경 지식> 북미 원주민의 격언으로, 지구를 잘 보존해 우리 후손들에게 돌려줄 책무가 있다는 것.

inherit 물려받다[상속받다]
ancestor 조상
borrow 빌리다

본책 32~33쪽을 함께 펴놓고 보세요!

영어문장 4형

주어	(주는)동사	(에게)목적어	(을)목적어
My teacher	gives	me	a lot of encouragement.

Standard Sentences

01 My teacher gives me a lot of encouragement.

선생님께서 내게 많은 격려를 해 주셔.

- 주어(My teacher) + (주는)동사(gives) + (에게)목적어(me) + (을)목적어(encouragement): 4형 문장

encouragement 격려

02 Teach me everything about you. *Song "Boy with Luv" by BTS*

내게 네 모든 걸 다 가르쳐 줘.

- (주는)동사(teach) + (에게)목적어(me) + (을)목적어(everything ~): ~에게 …을 가르쳐 주다

03 I bought my mother some flowers.

난 어머니께 꽃을 사 드렸어.

- 주어(I) + (주는)동사(bought) + (에게)목적어(my mother) + (을)목적어(some flowers): 4형 문장
  → I bought some flowers for my mother.

A 04 Give me liberty, or give me death! *Patrick Henry*

내게 자유를 달라, 아니면 내게 죽음을 달라!

- (주는)동사(give) + (에게)목적어(me) + (을)목적어(liberty / death): ~에게 …을 주다
- A(Give me liberty) or B(give me death): A와 B가 or로 대등 연결. ➲ unit 44

Know More 〈배경 지식〉 미국의 독립 운동에 앞장선 패트릭 헨리가 한 연설에서 독립을 주장하며 외친 말.

liberty 자유
death 죽음

05 Music brings us peace and happiness.

음악은 우리에게 평화와 행복을 가져다줘.

- (주는)동사(bring) + (에게)목적어(us) + (을)목적어(peace and happiness): ~에게 …을 가져다주다

peace 평화
happiness 행복

06 He asked her her name, and she asked him his phone number.

그는 그녀에게 그녀의 이름을 물어봤고, 그녀는 그에게 그의 전화번호를 물어봤어.

- (주는)동사(ask) + (에게)목적어(her / him) + (을)목적어(her name / his phone number): ~에게 …을 묻다

07 I am different; find another like me, and I will buy you dinner! *Mario Balotelli*

난 특이해. 나와 비슷한 사람을 찾으면, 내가 네게 밥을 사 줄게!

- 명령문(find another like me), and ...: ~하면, ... ➲ unit 44
- (주는)동사(buy) + (에게)목적어(you) + (을)목적어(dinner): ~에게 …을 사 주다

different 특이한
another 다른 사람
like ~와 비슷한

B **08** The magician showed us amazing tricks.
그 마술사가 우리에게 놀라운 마술을 보여 줬어.

- (주는)동사(show) + (에게)목적어(us) + (을)목적어(amazing tricks): ~에게 …을 보여 주다

magician 마술사
amazing 놀라운
trick 마술

09 We wish you a Merry Christmas and a Happy New Year!
우리는 네가 즐거운 성탄절과 행복한 새해를 맞길 바라!

- (주는)동사(wish) + (에게)목적어(you) + (을)목적어(a Merry Christmas ~): ~에게 …을 바라다[빌어 주다]

10 Our English teacher often reads us poetry.
우리 영어 선생님은 자주 우리에게 시를 읽어 주셔.

- (주는)동사(read) + (에게)목적어(us) + (을)목적어(poetry): ~에게 …을 읽어 주다

often 자주
poetry 시

11 My parents always buy good ingredients, and make me healthy meals.
부모님께서는 늘 좋은 재료를 사서, 내게 건강에 좋은 식사를 만들어 주셔.

- (주는)동사(make) + (에게)목적어(me) + (을)목적어(healthy meals): ~에게 …을 만들어 주다

ingredient 재료[성분]
healthy 건강에 좋은
meal 식사

C **12** I sent you a message of apology.
난 네게 사과의 메시지를 보냈어.

- (주는)동사(send) + (에게)목적어(you) + (을)목적어(a message of apology): ~에게 …을 보내다

send-sent-sent 보내다
apology 사과

13 I owe my parents everything.
난 부모님께 모든 걸 빚지고 있어.

- (주는)동사(owe) + (에게)목적어(my parents) + (을)목적어(everything): ~에게 …을 빚지고 있다

14 They offered me a role in the movie.
그들이 내게 영화의 한 배역을 제안했어.

- (주는)동사(offer) + (에게)목적어(me) + (을)목적어(a role): ~에게 …을 제안하다

role 배역[역할]

Up! **15** She told me all her problems, and I told her mine.
그녀는 내게 자신의 모든 문제를 말해 주었고, 난 그녀에게 내 모든 문제를 말해 주었어.

- (주는)동사(tell) + (에게)목적어(me / her) + (을)목적어(all her problems / mine): ~에게 …을 말하다
- mine = (all) my problems

problem 문제

본책 34~35쪽을 함께 펴놓고 보세요!

unit 05
영어문장 5형

주어	타동사	목적어	목적보어
We	can make	the world	a better place.

Standard Sentences

01 We can make the world **a better place.**
우리는 세상을 **더 좋은 곳으로** 만들 수 있어.
- 타동사(make) + 목적어(the world) + 목적보어[명사](a better place): 5형 문장
- 목적어(the world)−목적보어(a better place): 주어−서술어 관계.(The world is a better place.)

02 The rising sun turned the sky **red.**
떠오르는 태양은 하늘을 **붉게** 변하게 해.
- 타동사(turn) + 목적어(the sky) + 목적보어[형용사](red): 5형 문장
- 목적어(the sky)−목적보어(red): 주어−서술어 관계.(The sky is red.)

rise (떠)오르다
turn 변하게 하다

03 Let your food **be your medicine.** *Hippocrates*
네 음식이 **약이 되도록** 해.
- 타동사(let) + 목적어(your food) + 목적보어[V](be your medicine): 5형 문장
- 목적어(your food)−목적보어(be your medicine): 주어−서술어 관계.(Your food is your medicine.)

Know More <배경 지식> 의학의 아버지라 불리는 히포크라테스의 말로, 건강한 먹거리야말로 최고의 명약이라는 것.

medicine 약

A **04** Sunshine on my shoulders makes me **happy.**
내 어깨 위의 햇살이 나를 **행복하게** 해. *Song "Sunshine On My Shoulders" by John Denver*
- 타동사(make) + 목적어(me) + 목적보어[형용사](happy): 5형 문장
- 목적어(me)−목적보어(happy): 주어−서술어 관계.(I am happy.)

sunshine 햇살
shoulder 어깨

05 I found this book **very helpful for me.**
난 이 책이 **내게 매우 도움이 된다는** 걸 알게 되었어.
- 타동사(find) + 목적어(this book) + 목적보어[형용사](very helpful ~)

find-found-found 알게 되다
helpful 도움이 되는

06 We consider climate change **one of the greatest challenges.**
우리는 기후 변화를 **최대의 도전 중 하나로** 여겨.
- 타동사(consider) + 목적어(climate change) + 목적보어[명사](one ~)
- one of the 최상급 + 복수명사(the greatest challenges): 가장 ~한 것들 중 하나. ➲ Unit 57

consider 여기다
challenge 도전

07 Call a plant **beautiful, and** it becomes a flower; call it **ugly, and** it becomes a weed. *Jonathan Huie*
식물을 **아름답다고** 하**면** 그건 꽃이 되고, 식물을 **못생겼다고** 하**면** 그건 잡초가 돼.
- 타동사(call) + 목적어(a plant/it) + 목적보어[형용사](beautiful/ugly): ~을 …라고 하다
- 명령문(Call a plant beautiful/call it ugly), and ...: ~하면, ... ➲ Unit 44

plant 식물
weed 잡초

B **08** Adversity and loss make a man wise. *Proverb*
역경과 상실은 사람을 **지혜롭게** 해.

- 타동사(make) + 목적어(a man) + 목적보어(wise): ~을 …하게 하다
- 목적어(a man)–목적보어[형용사](wise): 주어–서술어 관계. (A man is wise.) 부사(wisely)는 틀림.

adversity 역경
loss 상실

09 Leave yourself open to learning something new.
새로운 걸 배우는 것에 대해 너 자신을 열어 둬.

- 타동사(leave) + 목적어(yourself) + 목적보어[형용사](open): ~을 …하게 두다
- 전치사(to) + v-ing(learning ~): 전치사 뒤에 동사가 올 경우 v-ing. ➲ Unit 23
- -thing(something) + 형용사(new): 형용사가 -thing을 뒤에서 수식(뒤수식).

10 Listen to the silence, and you'll hear your heart beating.
고요에 귀 기울이**면**, 넌 심장이 **고동치는** 소리를 들을 거야.

- 명령문(Listen to the silence), and …: ~하면, … ➲ Unit 44
- 타동사(hear) + 목적어(your heart) + 목적보어[v-ing](beating): 지각동사(hear) 목적보어 v-ing/V. (to-v는 불가.)

silence 고요
beat 고동치다

Up! **11** Social networking services allow users to share ideas, photos and videos.
소셜 네트워킹 서비스는 이용자들이 **아이디어와 사진과 동영상을 공유할 수 있도록** 해.

- 타동사(allow) + 목적어(users) + 목적보어[to-v](to share ~): allow 목적보어 to-v. (V는 불가.)

allow ~하게 하다(허락하다)
share 공유하다

C **12** Her parents named her "Minju (Democracy)."
그녀의 부모님은 그녀를 **'민주'라고** 이름을 지었어.

- 타동사(name) + 목적어(her) + 목적보어[명사]("Minju (Democracy)"): ~의 이름을 …라고 짓다

democracy 민주주의

13 Keep your head up; keep your heart strong. *Shalane Flanagan*
네 고개를 **위로** 하고, 마음을 **강하게** 유지해.

- 타동사(keep) + 목적어(your head/your heart) + 목적보어(up/strong): ~을 …하게 유지하다
- 목적보어로 부사가 아닌 형용사가 오는 게 원칙이나, 위치[방향] 부사(up/down 등)도 올 수 있음.

Think **14** A question sometimes drives me confused: am I or are the others crazy? *Albert Einstein*
한 의문이 때때로 날 **혼란스럽게** 몰아가: 내가 미친 걸까 다른 사람들이 미친 걸까?

- 타동사(drive) + 목적어(me) + 목적보어[형용사](confused): ~을 …하게 몰아가다

Know More <숨은 의미> 천재의 대명사로 꼽히는 아인슈타인이 했다고도 전해지는 말로, 정상–비정상이나 천재–광인 간의 경계가 모호하다는 것.

confused 혼란스러운
crazy 미친

15 Every book teaches me something new, or helps me see things differently. *Bill Gates*
모든 책은 내게 **새로운 것을** 가르쳐 **주거나**, 내가 **사물들을 다르게 보도록** 도와줘.

- (주는)동사(teach) + (에게)목적어(me) + (을)목적어(something new): ~에게 …을 가르쳐 주다
- 타동사(help) + 목적어(me) + 목적보어[V/to-v](see/to see ~ 둘 다 가능.): ~가 …하도록 도와주다

differently 다르게

본책 36~37쪽을 함께 펴놓고 보세요!

구동사 1

주어	동사 + 전치사	목적어
A country's future prosperity	depends upon	the quality of education.

Standard Sentences

01 A country's prosperity depends upon the quality of education.
한 나라의 번영은 교육의 질에 달려 있어.
- 구동사[동사 + 전치사](depend upon) + 목적어(the quality ~): ~에 달려 있다

prosperity 번영
quality 질
education 교육

02 A good song deals with the truth of the human condition. *Emmylou Harris*
좋은 노래는 인간 조건의 진실을 다뤄.
- 구동사[동사 + 전치사](deal with) + 목적어(the truth ~): ~을 다루다

truth 진실
human 인간의
condition 조건[상태]

03 You are responsible for the consequences of your actions.
넌 네 행동의 결과에 책임이 있어.
- be동사(are) + 형용사(responsible) + 전치사(for) + 명사(the consequences ~): ~에 책임이 있다

consequence 결과
action 행동

A

04 The Earth does not belong to us; we belong to the Earth. *Chief Seattle*
지구가 우리에게 속한 게 아니라, 우리가 지구에 속해 있어.
- 구동사(belong to) + 목적어(us / the Earth): ~에 속하다

Know More 〈배경 지식〉 백인들의 환경 파괴를 비판한 북미 원주민 시애틀 추장의 말로, 우리는 지구를 소유하고 있는 게 아니라 지구에 종속되어 있다는 것.

05 Marie Curie is famous for her contribution to science.
마리 퀴리는 과학에 대한 공헌으로 유명해.
- be동사 + 형용사(famous) + 전치사(for) + 명사(her contribution ~): ~로 유명하다

contribution 공헌

06 The survival of democracy depends on enlightened citizens.
민주주의의 생존은 깨우친 시민들에 의존해.
- 구동사(depend on) + 목적어(enlightened citizens): ~에 의존하다

Know More 〈숨은 의미〉 깨우친 시민들의 참여와 행동이 있어야만 민주주의가 유지될 수 있다는 것.

survival 생존
democracy 민주주의
enlightened 깨우친
citizen 시민

07 Nature is full of wonders and mysterious things.
자연은 경이와 신비한 것들로 가득해.
- be동사 + 형용사(full) + 전치사(of) + 명사(wonders ~): ~로 가득하다

wonder 경이(로운 것)
mysterious 신비한

B **08** The atmosphere consists of 78% nitrogen, 21% oxygen, and 1% other gases.
Up!
대기는 질소 78%, 산소 21%, 그리고 다른 기체들 1%로 구성되어 있어.

- 구동사(consist of) + 목적어(78% nitrogen ~): ~로 구성되다[이루어지다]

atmosphere 대기
nitrogen 질소
oxygen 산소

09 I'm not worried about you; you can take care of **yourself**.
난 너에 대해 걱정하지 않아. 넌 **자신을** 돌볼 수 있어.

- be동사 + 형용사(worried) + 전치사(about) + 명사(you): ~에 대해 걱정하다

take care of ~을 돌보다

10 The government should care for **vulnerable groups in society**.
정부는 **사회 취약 계층을** 돌봐야 해.

- 구동사(care for) + 목적어(vulnerable groups ~): ~을 돌보다

government 정부
vulnerable 취약한
society 사회

11 Selfish people are not capable of loving themselves as well as others. *Erich Fromm*
이기적인 사람들은 다른 사람들뿐만 아니라 자기 자신도 사랑할 수 없어.

- be동사 + 형용사(capable) + 전치사(of) + v-ing(loving ~): ~을 할 수 있다
- 전치사(of) + v-ing(loving ~): 전치사 뒤에 동사가 올 경우 v-ing. ➔ Unit 23
- A(themselves) as well as B(others): B뿐만 아니라 A도

Know More <배경 지식> 《사랑의 기술》로 유명한 사회심리학자·정신분석학자 에리히 프롬의 말로, 오직 자신만을 위한다면 타인에 대한 사랑을 통해 이루어지는 자아실현이 불가능하고 결국 인격 파탄에 이르게 된다는 것.

C **12** Everyone deals with **grief** in their own way. *Alex Roe*
모든 사람은 자기 자신의 방식으로 **큰 슬픔을** 처리해.

- 구동사(deal with) + 목적어(grief): ~을 처리하다

grief 큰 슬픔

13 The art of acting consists in keeping **people from coughing**. *Ralph Richardson*
연기의 기술은 **사람들이 기침을 못하게 하는** 데 있어.

- 구동사(consist in) + 목적어(keeping ~): ~에 있다 (비교) consist of: ~로 구성되다[이루어지다]
- keep + 목적어(people) + from v-ing(coughing): ~가 v하지 못하게 하다

Know More <유머 코드> 관객이 배우의 연기에 몰입되어 기침조차 참게 하는 게 진짜 연기라는 것.

art 기술
acting 연기
cough 기침하다

14 You can't be dependent on your parents all your life.
넌 평생 부모님께 의존할 수는 없어.

- be동사 + 형용사(dependent) + 전치사(on) + 명사(your parents): ~에 의존하다

all your life 평생

Up! **15** Smoking is responsible for about 90% of deaths from lung cancer.
흡연은 폐암으로 인한 사망의 90% 정도에 대한 원인이 돼.

- be동사 + 형용사(responsible) + 전치사(for) + 명사(about 90% of deaths ~): ~에 대한 원인이 되다
- 명사(deaths) + 전치사구(from lung cancer): 전치사구가 앞 명사를 뒤에서 수식. ➔ Unit 20

about 약[~쯤]
lung 폐
cancer 암

본책 38~39쪽을 함께 펴놓고 보세요!

unit 07
구동사 2

주어	동사 + 부사	목적어	부사어
You	should carry out	your plan	by all means.

Standard Sentences

01 You should carry out your plan by all means.
넌 무슨 수를 쓰더라도 네 계획을 수행해야 해.
- 구동사[동사 + 부사](carry out) + 목적어(your plan): ~을 수행하다

plan 계획
means 수단
by all means 무슨 수를 쓰더라도

02 I look forward to growing old and wise and bold. *Glenda Jackson*
난 나이가 들어 지혜롭고 대담해지기를 고대해.
- 구동사[동사 + 부사 + 전치사](look forward to) + 목적어(growing ~): ~을 고대하다
- 전치사(to) + v-ing(growing ~): 전치사 뒤에 동사가 올 경우 v-ing. unit 23

grow ~해지다
wise 지혜로운
bold 대담한

03 Books provide us with knowledge, entertainment, and inspiration.
책은 우리에게 지식과 오락과 영감을 줘.
- provide A(us) with B(knowledge ~): A에게 B를 제공하다(= provide B(knowledge ~) for A(us))

knowledge 지식
entertainment 오락
inspiration 영감

A

04 Our food choices and eating habits show up on our body. *India Arie*
Think 우리의 음식 선택과 식습관은 우리 몸에 나타나.
- 구동사[동사 + 부사](show up): 나타나다

choice 선택
habit 습관
eating habits 식습관

05 We will come up with a solution to our problem.
우리는 문제에 대한 해결책을 찾아낼 거야.
- 구동사[동사 + 부사 + 전치사](come up with) + 목적어(a solution ~): ~을 찾아내다
- 명사(a solution) + 전치사구(to our problem): 전치사구가 앞 명사를 뒤에서 수식. unit 20

solution 해결책
problem 문제

06 I will not put up with your bad behavior any longer!
난 더 이상 네 나쁜 행동을 참지 않을 거야!
- 구동사[동사 + 부사 + 전치사](put up with) + 목적어(your bad behavior): ~을 참다
- not ~ any longer: 더 이상 ~ 아닌(= no longer)

behavior 행동

07 For good health, cut down on sweets and eat a lot of vegetables.
건강을 위해서 단것을 줄이고 채소를 많이 먹어.
- 구동사[동사 + 부사 + 전치사](cut down on) + 목적어(sweets): ~을 줄이다

sweet 단것
vegetable 채소

B **08** Many people prefer cats to other people; many cats prefer people to other cats. *Mason Cooley*

많은 사람들은 고양이들을 다른 사람들보다 더 좋아하고, 많은 고양이들은 사람들을 다른 고양이들보다 더 좋아해.

- prefer A(cats/people) to B(other people/other cats): A를 B보다 더 좋아하다

09 The government provides public goods and services for the community.

정부는 주민들에게 공공재와 공공 서비스를 제공해.

- provide A(public goods ~) for B(the community): A를 B에게 제공하다(= provide B(the community) with A(public goods ~))

government 정부
public goods 공공재
community 주민(공동체)

10 Do not blame anybody for your mistakes and failures. *Bernard Baruch*

네 실수와 실패에 대해 다른 사람을 탓하지 마.

- blame A(anybody) for B(your mistakes ~): A를 B에 대해 탓하다

failure 실패

11 I look forward to proving something to myself and others. *Eric Lindros*

난 무엇인가를 나 자신과 다른 사람들에게 입증해 보이기를 고대해.

- 구동사[동사 + 부사 + 전치사](look forward to) + 목적어(proving ~): ~을 고대하다
- 전치사(to) + v-ing(proving ~): 전치사 뒤에 동사가 올 경우 v-ing. ➲ Unit 23

Know More 〈숨은 의미〉 무언가를 성취해 자신과 타인에게서 자신의 존재 가치를 인정받고 싶다는 것.

prove 입증(증명)하다

C **12** We carried out an experiment on the cells in the laboratory.

우리는 실험실에서 세포에 대한 실험을 실시했어.

- 구동사[동사 + 부사](carry out) + 목적어(an experiment ~): ~을 실시[수행]하다
- 명사(an experiment) + 전치사구(on the cells): 전치사구가 앞 명사를 뒤에서 수식. ➲ Unit 20

experiment 실험
cell 세포
laboratory 실험실

13 Smell reminds a person of all their memories.

냄새는 사람에게 모든 기억을 생각나게 해.

- remind A(a person) of B(all their memories): A에게 B를 생각나게 하다

Know More 〈배경 지식〉 냄새가 뇌로 전달되는 통로가 기억과 감정을 다루는 영역인 편도체와 해마와 가깝게 연결되어 있기 때문임.

smell 냄새
memory 기억

14 Gratitude can transform ordinary opportunities into blessings. *William Ward*

감사는 평범한 기회를 축복으로 완전히 바꿀 수 있어.

- transform A(ordinary opportunities) into B(blessings): A를 B로 완전히 바꾸다

Know More 〈숨은 의미〉 평범한 기회라도 감사하는 마음으로 잡아 최선을 다하면 비범한 성과를 이룰 수 있다는 것.

gratitude 감사
ordinary 평범한
opportunity 기회
blessing 축복

15 Nothing will prevent me from speaking out against injustice.

아무것도 내가 부정에 반대해 공개적으로 말하는 것을 막지 못할 거야.

- prevent A(me) from v-ing(speaking ~): A가 v하는 것을 막다

speak out 공개적으로 말하다
injustice 부정[부당함]

Chapter 01

Review

본책 40쪽을 함께 펴놓고 보세요!

A

01 Great things never came from comfort zones. *Neil Strauss*
훌륭한 것들은 결코 편안한 곳에서 나오지 않았어.
- 자동사(come) + 부사어(from comfort zones): ~에서 나오다

comfort 편안
zone 지역[구역]

02 No winter lasts forever; no spring skips its turn. *Hal Borland*
어떤 겨울도 영원히 계속되지 않고, 어떤 봄도 자기 차례를 건너뛰지 않아.
- 자동사(last) + 부사어(forever): 계속[지속]되다
- 타동사(skip) + 목적어(its turn): ~을 건너뛰다

forever 영원히
turn 차례

03 We don't grow older; we grow riper. *Pablo Picasso*
우리는 더 늙어 가는 게 아니라, 더 익어 가[성숙되어 가].
- 연결동사(grow) + 보어[형용사](older/riper): ~해지다

ripe 익은[숙성한]

04 Ask me no questions, and I'll tell you no lies. *Oliver Goldsmith*
내게 아무 질문도 하지 않으면, 난 네게 아무 거짓말도 하지 않을게.
- (주는)동사(ask/tell) + (에게)목적어(me/you) + (을)목적어(no questions/no lies): ~에게 …을 묻다/말하다
- 명령문(Ask me ~), and ...: ~하면, ... Unit 44

Know More 〈유머 코드〉 질문을 하면 답변으로 거짓말을 할 수밖에 없다는 것.(자신의 거짓말에 대한 책임을 상대에 떠넘김.)

lie 거짓말

05 Pain makes you stronger; fear makes you braver; heartbreak makes you wiser. *Drake*
고통이 널 더 강하게 하고, 두려움이 널 더 용감하게 하고, 상심이 널 더 지혜롭게 해.
- 타동사(make) + 목적어(you) + 목적보어[형용사](stronger/braver/wiser): ~을 …하게 하다

pain 고통
fear 두려움[공포]
brave 용감한
heartbreak 상심
wise 지혜로운

Up! **06** I cannot teach anybody anything; I can only make them think. *Socrates*
난 누구에게도 아무것도 가르칠 수 없고, 난 그들이 생각하게 할 수 있을 뿐이야.
- (주는)동사(teach) + (에게)목적어(anybody) + (을)목적어(anything): ~에게 …을 가르치다
- 타동사(make) + 목적어(them) + 목적보어[V](think): ~가 …하게 하다

Know More 〈배경 지식〉 서양 철학의 효시 소크라테스의 말로, '산파술'이라 부른 그의 대화법은 상대편에게 질문을 던져 스스로 무지를 깨닫게 함으로써 올바른 개념을 낳게 하는 것이었음.

07 Everything in an ecosystem depends on everything else.
생태계의 모든 것은 다른 모든 것에 의존해.
- 구동사(depend on) + 목적어(everything else): ~에 의존하다

ecosystem 생태계
else 다른[그 밖의]

B

08 Laziness may appear attractive, but work gives us satisfaction. *Anne Frank*
게으름이 멋있어 보일지도 모르지만, 일이 우리에게 만족을 줘.
- 연결동사(appear) + 보어[형용사](attractive): ~처럼 보이다[~인 것 같다] 부사(attractively)는 틀림.
- (주는)동사(give) + (에게)목적어(us) + (을)목적어(satisfaction): ~에게 …을 주다

laziness 게으름
attractive 멋진[매력적인]
satisfaction 만족

09 Politicians attend dinners at hotels; bankers discuss interest rates at lunch. *Jimmy Breslin*
정치가는 호텔 만찬에 참석하고, 은행가는 점심에 금리에 대해 논의해.
- 타동사(attend/discuss) + 목적어(dinners/interest rates): attend/discuss 뒤에 전치사를 붙일 수 없음.
(×) attend ~~to~~/discuss ~~about~~

Know More 〈숨은 의미〉 각기 다른 직업에 따라 다른 시간과 다른 장소에서 다른 일을 수행해 나간다는 것.

politician 정치가
attend 참석하다
banker 은행가
discuss 논의하다
interest rate 금리[이자율]

10 The dark clouds can't prevent the truth from shining for long.
먹구름이 오랫동안 진실이 빛나는 걸 막을 수 없어.
- prevent A(the truth) from v-ing(shining): A가 v하는 것을 막다

Know More 〈숨은 의미〉 진실은 거짓이 일시적으로 가릴 수는 있어도 머잖아 밝혀지고야 만다는 것.

truth 진실
for long 오랫동안

시간표현 & 조동사

Unit Words

■ 본격적인 구문 학습에 앞서, 각 유닛별 주요 단어를 확인하세요.

Unit 08 시간표현 1: 현재 / 과거 / 미래 / 진행

- ☐ wait for 기다리다
- ☐ land 착륙시키다
- ☐ supernatural 초자연적인
- ☐ please 기쁘게 하다
- ☐ astonish 깜짝 놀라게 하다
- ☐ hurt 다친
- ☐ in the end 결국[마침내]
- ☐ visible 보이는
- ☐ half (절)반
- ☐ blossom 꽃이 피다
- ☐ ice sheet 빙상[대륙 빙하]
- ☐ melt 녹다
- ☐ conversation 대화
- ☐ bright 밝은[눈부신], 똑똑한

Unit 09 시간표현 2: 현재완료 / 과거완료 / 미래완료

- ☐ volunteer work 자원봉사
- ☐ warning 경고
- ☐ global warming 지구 온난화
- ☐ clear 분명한
- ☐ grow 증가하다
- ☐ decade 10년
- ☐ achieve 성취하다[이루다]
- ☐ pimple 여드름
- ☐ lately 최근에
- ☐ immemorial 태곳적부터의
- ☐ recently 최근에
- ☐ remarkable 놀랄[주목할] 만한
- ☐ advance 발전
- ☐ face 직면하다
- ☐ critical 위태로운[중대한]

Unit 10 조동사 1: 능력[가능] / 의무[권고] / 추측[가능성]

- ☐ resist 참다[견디다]
- ☐ temptation 유혹
- ☐ repeat 되풀이[반복]하다
- ☐ take responsibility 책임을 지다
- ☐ charity 자선
- ☐ respect 존중하다
- ☐ right 권리
- ☐ believe 믿다
- ☐ confidence 신뢰[자신감]
- ☐ competence 능력
- ☐ put aside 저축하다
- ☐ chance 기회
- ☐ overcome 이기다[극복하다]
- ☐ prejudice 편견

Unit 11 조동사 2: 과거 추측[가능성] / 후회 / 기타 조동사

- ☐ study 공부하다
- ☐ exam 시험
- ☐ calculation 계산
- ☐ at first sight 첫눈에
- ☐ hang out 놀다[많은 시간을 보내다]
- ☐ destroy 파괴하다
- ☐ extreme 극단적인
- ☐ social ills 사회악
- ☐ childhood 어린 시절
- ☐ take care of 돌보다
- ☐ amusing 재미있는[즐거운]
- ☐ stay up 깨어 있다
- ☐ by now 지금쯤
- ☐ give up 포기하다

본책 42~43쪽을 함께 펴놓고 보세요!

Unit 08

시간표현 1: 현재/과거/미래/진행

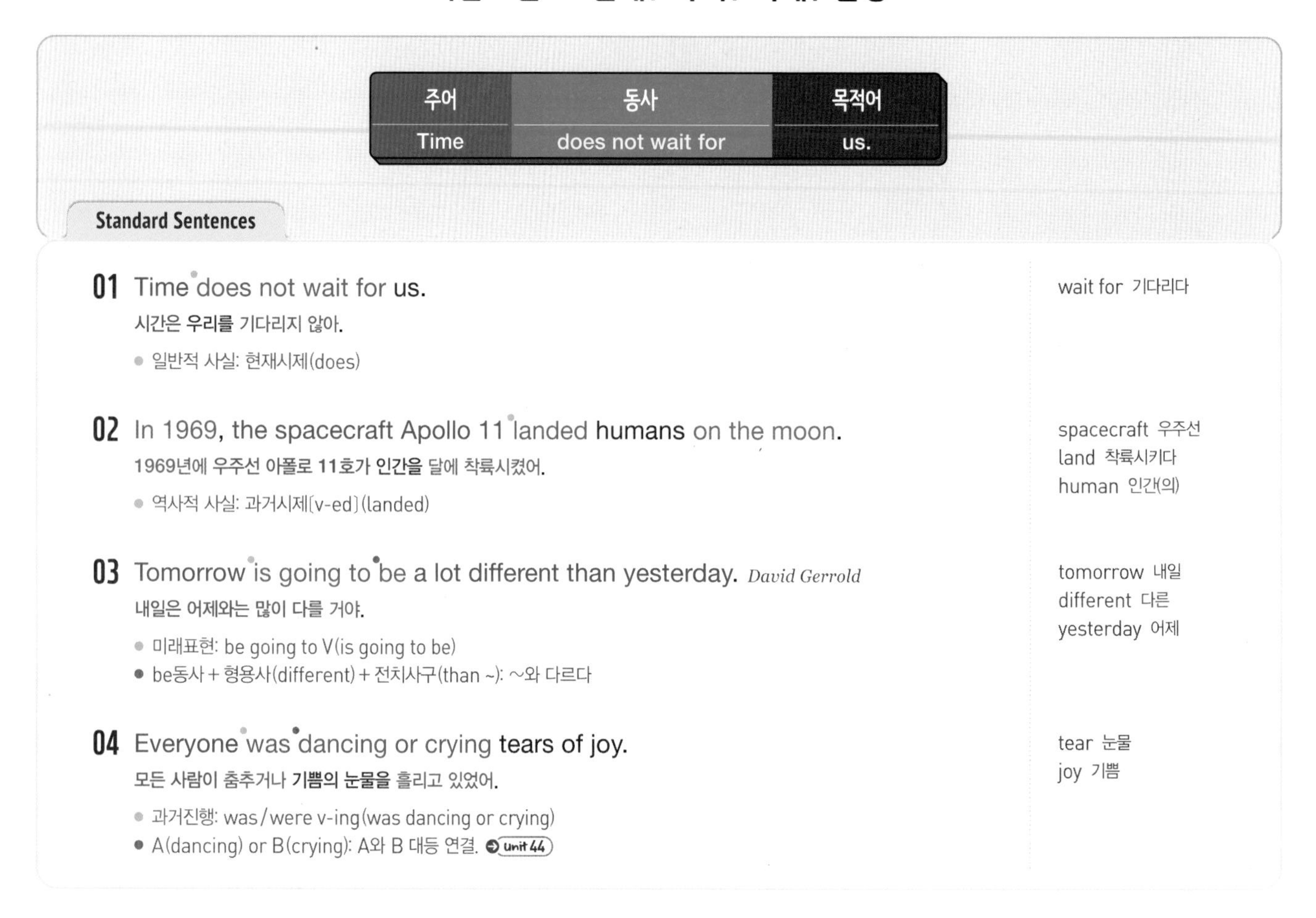

주어	동사	목적어
Time	does not wait for	us.

Standard Sentences

01 Time does not wait for us.
시간은 우리를 기다리지 않아.
- 일반적 사실: 현재시제(does)

wait for 기다리다

02 In 1969, the spacecraft Apollo 11 landed humans on the moon.
1969년에 우주선 아폴로 11호가 인간을 달에 착륙시켰어.
- 역사적 사실: 과거시제[v-ed](landed)

spacecraft 우주선
land 착륙시키다
human 인간(의)

03 Tomorrow is going to be a lot different than yesterday. *David Gerrold*
내일은 어제와는 많이 다를 거야.
- 미래표현: be going to V(is going to be)
- be동사 + 형용사(different) + 전치사구(than ~): ~와 다르다

tomorrow 내일
different 다른
yesterday 어제

04 Everyone was dancing or crying tears of joy.
모든 사람이 춤추거나 기쁨의 눈물을 흘리고 있었어.
- 과거진행: was/were v-ing(was dancing or crying)
- A(dancing) or B(crying): A와 B 대등 연결. ➔ unit 44

tear 눈물
joy 기쁨

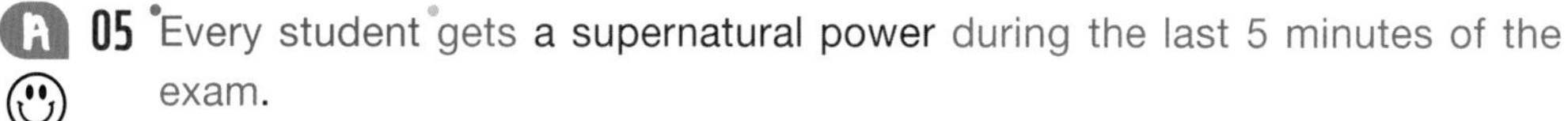

A 05 Every student gets a supernatural power during the last 5 minutes of the exam.
모든 학생은 시험 마지막 5분 동안에 초자연적인 힘을 얻어.
- 현재시제: V(-s)(gets)
- 단수 주어(every + 단수명사 student) + 단수형 동사(gets)

supernatural 초자연적인
power 힘
exam 시험

06 Do the right thing; it will please some people and astonish the rest. *Mark Twain*
옳은 일을 해 봐. 그것은 어떤 사람들은 기쁘게 하고 다른 사람들은 깜짝 놀라게 할 거야.
- 미래표현: will V(will please/astonish)

Know More 〈유머 코드〉 옳은 일을 하면 일부 사람들은 기뻐하겠지만, 평소 익숙하지 않거나 기대하지 않는 사람들은 크게 놀랄 거라는 것.

right 옳은
please 기쁘게 하다
astonish 깜짝 놀라게 하다
rest 나머지[다른 사람들]

07 We are going to fight; we are going to be hurt; and in the end, we will stand. *Stephen King*
우리는 싸울 거고, 우리는 다치게 될 거고, 결국 우리는 일어설 거야.
- 미래표현: be going to V(are going to fight/be)
- 미래표현: will V(will stand)

fight 싸우다
hurt 다친
in the end 결국[마침내]

B **08** In the past, about 2,500 stars were visible to the naked human eye.
과거에는 약 2,500개의 별이 사람의 육안으로 보였어.

- 과거시제(v-ed)(were)
- be동사 + 형용사(visible) + 전치사구(to ~): ~에 보이다

past 과거
visible 보이는
the naked eye 육안

09 Teacher: Class, we will have only half a day of school this morning.
Class: Hooray!
Teacher: We will have the other half this afternoon.
선생님: 학생 여러분, 우리는 오늘 아침에 반나절만 수업을 할 거예요.
학생들: 만세!
선생님: 우리는 오늘 오후에 나머지 반을 할 거예요.

- 미래표현: will V(will have)

class 학급(반)(학생들)
half (절)반
hooray 만세

10 When the flower blossoms, the bee will come. *Srikumar Rao*
꽃이 피면 벌이 올 거야.

- when + 주어 + 동사: ~할 때(~하면)(시간 부사절) ➲ Unit 46
- 미래 시간 부사절(when ~)에 현재시제가 쓰임. When + 주어 + V(-s)(blossoms), 주어 + will V(come).

blossom 꽃이 피다
bee 벌

Up! **11** If you love life, life will love you back. *Arthur Rubinstein*
네가 삶을 사랑하면, 삶이 네게 사랑을 갚아 줄 거야.

- if + 주어 + 동사: ~면(조건 부사절) ➲ Unit 50
- 미래 조건 부사절(if ~)에 현재시제가 쓰임. If + 주어 + V(-s)(love) ~, 주어 + will V(love) ~.

Know More <배경 지식> 최고의 피아니스트 루빈스타인의 말로, 가장 널리 사랑받는 인용문 중 하나.(*원문: Love life and life will love you back.)

love back 사랑을 갚아 주다

C **12** The ice sheets are melting and the sea level is rising.
대륙 빙하가 녹고 있고, 해수면이 상승하고 있어.

- 현재진행: be v-ing(are melting, is rising)

ice sheet 빙상(대륙 빙하)
melt 녹다
sea level 해수면
rise 상승하다

13 Teacher: Why are you talking during my lesson?
Student: Why are you teaching during my conversation?
선생님: 넌 왜 내 수업 시간에 말을 하는 거니?
학생: 선생님은 왜 제 대화 중에 가르치고 계신가요?

- 현재진행: be v-ing(are talking, are teaching)

during ~ 동안(중에)
lesson 수업
conversation 대화

14 Q: Why was the teacher wearing sunglasses?
A: She had so bright students!
문: 선생님은 왜 선글라스를 끼고 있었을까?
답: 그녀에게 너무 눈부신(똑똑한) 학생들이 있었어!

- 과거진행: was/were v-ing(was wearing)
- 과거시제: v-ed(had)

bright 밝은(눈부신), 똑똑한

15 I will be having dinner between 6 and 7.
난 6시와 7시 사이에 저녁을 먹고 있을 거야.

- 미래진행: will be v-ing(will be having)

본책 44~45쪽을 함께 펴놓고 보세요!

시간표현 2: 현재완료 / 과거완료 / 미래완료

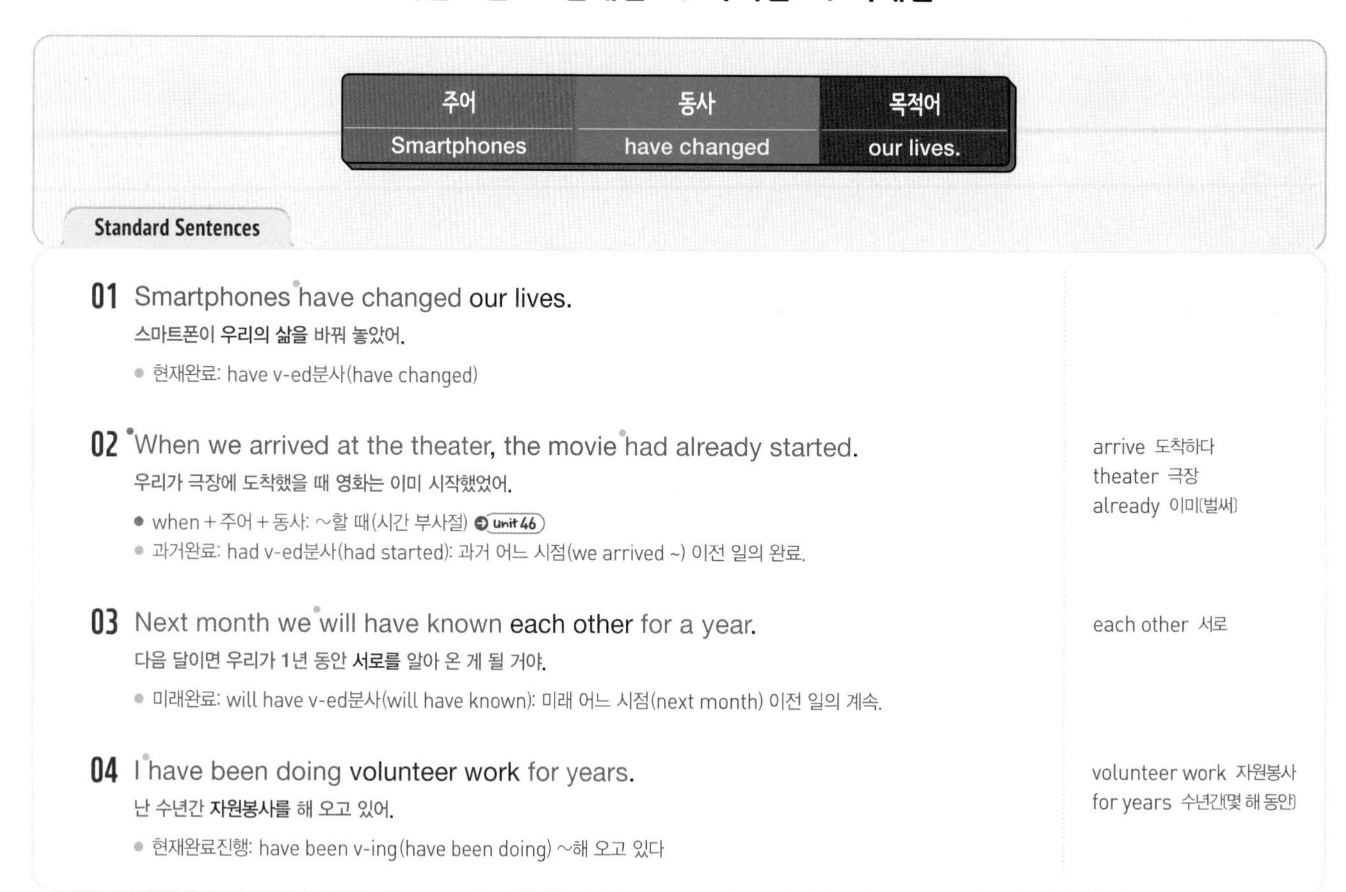

주어	동사	목적어
Smartphones	have changed	our lives.

Standard Sentences

01 Smartphones have changed our lives.
스마트폰이 우리의 삶을 바꿔 놓았어.
- 현재완료: have v-ed분사(have changed)

02 When we arrived at the theater, the movie had already started.
우리가 극장에 도착했을 때 영화는 이미 시작했었어.
- when + 주어 + 동사: ~할 때(시간 부사절) unit 46
- 과거완료: had v-ed분사(had started): 과거 어느 시점(we arrived ~) 이전 일의 완료.

arrive 도착하다
theater 극장
already 이미(벌써)

03 Next month we will have known each other for a year.
다음 달이면 우리가 1년 동안 서로를 알아 온 게 될 거야.
- 미래완료: will have v-ed분사(will have known): 미래 어느 시점(next month) 이전 일의 계속.

each other 서로

04 I have been doing volunteer work for years.
난 수년간 자원봉사를 해 오고 있어.
- 현재완료진행: have been v-ing(have been doing) ~해 오고 있다

volunteer work 자원봉사
for years 수년간(몇 해 동안)

A **05** The warnings about global warming have been clear for a long time. *Al Gore*
지구 온난화에 대한 경고들은 오랫동안 분명했어.
- 현재완료: have v-ed분사(have been)
- 명사(warnings) + 전치사구(about global warming): 전치사구가 앞 명사를 뒤에서 수식. unit 20

warning 경고
global warming 지구 온난화
clear 분명한

06 Solar power has been growing for decades.
태양열 발전이 수십 년 동안 증가해 오고 있어.
- 현재완료진행: have[has] been v-ing(has been growing) ~해 오고 있다

solar 태양의
solar power 태양열 발전
grow 증가하다
decade 10년

Up! **07** I will have achieved my goals in ten years.
난 10년 후에 내 목표들을 성취해 있을 거야.
- 미래완료: will have v-ed분사(will have achieved)

achieve 성취하다(이루다)
goal 목표

B **08** I was hungry; I hadn't eaten all day.
난 배가 고팠어. 하루 종일 먹질 못했었거든.
- 과거완료: had v-ed분사(hadn't eaten): 과거 어느 시점(I was hungry) 이전의 일.

all day 하루 종일

09 I have been getting **a lot of pimples** lately.
난 최근에 **여드름이 많이** 나고 있어.
- 현재완료진행: have been v-ing(have been getting)

pimple 여드름
lately 최근에

10 People have been creating **art** since time immemorial.
사람들은 태곳적부터 **예술을** 창조해 오고 있어.
- 현재완료진행: have been v-ing(have been creating) ~해 오고 있다

create 창조하다
art 예술
immemorial 태곳적부터의

Up! **11** I had been sleeping when you called.
네가 전화했을 때 난 자고 있었어.
- 과거완료진행: had been v-ing(had been sleeping): 과거 어느 시점(you called) 이전 일의 계속.
- when + 주어 + 동사: ~할 때(시간 부사절) ➲ Unit 46

call 전화하다

C **12** My eyesight has gotten **worse** recently.
내 시력이 최근에 **나빠**졌어.
- 현재완료: have[has] v-ed분사(has gotten)

eyesight 시력
recently 최근에

13 There have been **remarkable advances in technology**.
과학 기술에 있어서 놀랄 만한 발전이 있었어.
- There + be동사(have been) + 주어(remarkable advances ~): ~가 있다
- 현재완료: have v-ed분사(have been)

remarkable 놀랄(주목할) 만한
advance 발전
technology (과학) 기술

14 We have never faced **a more critical time on our planet**. *Richard Leakey*
우리는 결코 **지구상의 더 위태로운 시기에** 직면한 적이 없어.
- 현재완료: have never v-ed분사(have never faced): 결코 ~한 적이 없다

Know More **<배경 지식> 현재 지구의 미래를 위협하고 있는 기후 변화(climate change)를 가리킴.**

face 직면하다
critical 위태로운[중대한]
planet 지구, 행성

☺ **15** Have you ever brought **your pet** up to a mirror **and** said, "That's you."?
넌 **네 애완동물을** 거울까지 데려가서 **'그게 너야.'**라고 말해 본 적 있니?
- 현재완료: have v-ed분사(have (ever) brought/said)

Know More **<배경 지식> 인간은 보통 생후 15개월이면 거울 속의 자신을 인식하는데, 동물은 종과 개체에 따라 달라, 침팬지, 코끼리, 돌고래 등은 비교적 빨리 알아보지만 개나 고양이는 느리게 알아본다고 함.**

bring-brought-brought 데려가다
pet 애완동물
up to ~까지
mirror 거울

본책 46~47쪽을 함께 펴놓고 보세요!

조동사 1: 능력(가능) / 의무(권고) / 추측(가능성)

주어	조동사 + V	목적어
I	can resist	everything except temptation.

Standard Sentences

01 I can resist everything except temptation. *Oscar Wilde*
난 유혹을 제외하고는 모든 걸 참을 수 있어.
- can V(can resist): ~할 수 있다(능력·가능)
- 명사(everything) + 전치사구(except temptation): 전치사구가 앞 명사를 뒤에서 수식. ➲ Unit 20

Know More 〈유머 코드〉 날카로운 재치로 유명한 작가 오스카 와일드의 말로, 참기 어려운 게 바로 유혹인데 그걸 제외하고 참을 수 있다는 건 결국 아무것도 아니란 것.

resist 참다(견디다)
except ~ 제외하고는(외에는)
temptation 유혹

02 We must not repeat the mistakes of the past.
우리는 과거의 실수를 되풀이해선 안 돼.
- must not V(must not repeat): ~해선 안 된다(금지)

repeat 되풀이(반복)하다
past 과거

03 Look closely; the beautiful may be small. *Immanuel Kant*
자세히 봐. 아름다운 것은 작을지도 몰라.
- may V(may be): ~일지도 모른다(불확실한 추측)

Know More 〈숨은 의미〉 인식론·윤리학·미학 등 서양 철학의 모든 분야에 큰 영향력을 남긴 칸트의 말로, 미적 판단을 통해 작고 특수한 대상에서 보편적인 아름다움을 찾을 수 있다는 것.

look 보다
closely 자세히

04 People should take responsibility for their own lives.
사람들은 자신의 삶에 대해 책임을 져야 해.
- should V(should take): ~해야 한다(약한 의무·권고)

take responsibility 책임을 지다

A 05 You must be tired after a long day.
넌 긴 하루를 보낸 후라 틀림없이 피곤할 거야.
- must V(must be): 틀림없이 ~일 것이다(확실한 추측)

tired 피곤한

Think 06 Charity should begin at home, but should not stay there. *Phillips Brooks*
자선은 가정에서 시작되어야 하지만, 거기서 머물러선 안 돼.
- should V(should begin): ~해야 한다(약한 의무)
- should not V(should not stay): ~해선 안 된다

Know More 〈숨은 의미〉 우선 가장 가까운 가족에게 친절이나 자비를 베풀어야 할 뿐만 아니라 남들에게로 나아가야 한다는 것.

charity 자선

07 You don't have to love someone; you just have to respect their rights. *Ed Koch*
넌 누구를 사랑할 필요는 없지만, 그저 그들의 권리는 존중해야 해.
- don't have to V(don't have to love): ~할 필요가 없다(불필요)
- have to V(have to respect): ~해야 한다(강한 의무·권고)

respect 존중하다
right 권리

B **08** I could not believe my eyes.
난 내 눈을 믿을 수가 없었어.

- could not V(could not believe): ~할 수 없었다

believe 믿다

09 You must have confidence in your competence. *Elijah Cummings*
넌 자신의 능력을 신뢰해야 해.

- must V(must have): ~해야 한다(강한 의무·권고)

confidence 신뢰[자신감]
competence 능력

10 One should always put a little money aside for a rainy day. *Proverb*
우리는 늘 만일의 경우를 대비하여 조금의 돈을 저축해야 해.

- should V(should put): ~해야 한다(약한 의무·권고)
- 동사(put) + 목적어(a little money) + 부사(aside)=동사(put) + 부사(aside) + 목적어(a little money)

put aside 저축하다
for a rainy day 만일의 경우를 대비해

11 You might not trust me, but give me a chance.
넌 날 믿지 않을지도 모르지만, 내게 기회를 줘.

- might not V(might not trust): ~하지 않을지도 모른다

trust 믿다(신뢰하다)
chance 기회

C **12** Darkness cannot overcome light.
어둠은 빛을 이길 수 없어.

- cannot V(cannot overcome): ~할 수 없다

darkness 어둠
overcome 이기다[극복하다]

13 A student may borrow up to five books at any one time.
학생은 언제든 한 번에 5권까지 빌려도 돼.

- may V(may borrow): ~해도 된다[좋다](허가)

borrow 빌리다
up to ~까지
at any one time 언제든 한 번에

14 Liars ought to have good memories. *Quintilian*
거짓말쟁이는 기억력이 좋아야 해.

- ought to V(ought to have): ~해야 한다(약한 의무·권고)

Know More <유머 코드> 거짓말이 탄로 나지 않으려면 했던 거짓말을 다 기억하고 있어야 한다는 것.

liar 거짓말쟁이
memory 기억

15 They had to fight against prejudices from our society.
그들은 우리 사회의 편견에 맞서 싸워야 했어.

- had to V(had to fight): ~해야 했다

prejudice 편견
society 사회

본책 48~49쪽을 함께 펴놓고 보세요!

조동사 2: 과거 추측(가능성) / 후회 / 기타 조동사

주어	조동사 + have v-ed분사	부사어
I	should have studied	more for the exam.

Standard Sentences

01 I should have studied more for the exam.
난 그 시험을 위해서 더 많이 공부했어야 했어.
- should have v-ed분사(should have studied): ~했어야 했는데 (하지 않았다)(과거에 대한 후회)

study 공부하다
exam 시험

02 I may have made **a mistake** in my calculations.
내가 계산에서 **실수**했을지 몰라.
- may have v-ed분사(may have made): ~였을지도 모른다(과거에 대한 불확실한 추측·가능성)

calculation 계산

03 He must have fallen in love with her at first sight.
그는 틀림없이 첫눈에 그녀와 사랑에 빠졌을 거야.
- must have v-ed분사(must have fallen): 틀림없이 ~였을 것이다(과거에 대한 확실한 추측)

fall in love with ~와 사랑 에 빠지다
at first sight 첫눈에

04 We used to hang out together a lot.
우리는 함께 많이 놀곤 했어.
- used to V(used to hang out): ~하곤 했다(반복된 동작(습관))

hang out 놀다(많은 시간을 보내다)

A 05 You can't have done **such a foolish thing.**
네가 **그런 어리석은 짓을** 했을 리가 없어.
- can't have v-ed(can't have done): ~했을 리가 없다

foolish 어리석은

06 An ant may well destroy **a whole dam.** *Proverb*
개미 한 마리가 아마도 **댐 전체를** 무너뜨릴 거야.
- may well V(may well destroy): 아마도 ~할 것이다

ant 개미
destroy 파괴하다
dam 댐

Up! 07 One cannot be too extreme in dealing with social ills. *Emma Goldman*
사회악을 다루는 데 있어서는 아무리 극단적이어도 지나치지 않아.
- cannot ~ too … (cannot be too extreme): 아무리 …해도 지나치지 않다
- 전치사(in) + v-ing(dealing with ~): 전치사 뒤에 동사가 올 경우 v-ing. ➔ Unit 23

extreme 극단적인
deal with 다루다
social ills 사회악

B **08** There used to be a forest here, but it's all gone now.
Up! 전에는 여기에 숲이 있었는데, 지금은 다 사라졌어.

- used to V: 전에는 어떠했다(과거 오랫동안 계속된 상태) 비교 would: 상태 동사와 함께하지 못함.

forest 숲
gone 사라진

09 In my childhood, my grandmother would take care of me.
내 어린 시절에, 할머니께서 나를 돌봐 주시곤 했어.

- would V(would take care of): ~하곤 했다(과거 얼마동안 반복된 동작[습관])

childhood 어린 시절
take care of 돌보다

10 You live but once; you might as well be amusing. *Coco Chanel*
넌 한 번만 사는데, 즐거운 편이 나아.

- might as well V: ~하는 편이 낫다 비교 may well: 아마도 ~할 것이다/~하는 것도 당연하다

but ~만
amusing 재미있는(즐거운)

11 Most people would rather talk than listen.
대부분의 사람들은 듣기보다 말하고 싶어 해.

- would rather A(talk) than B(listen): B보다 A하고 싶다

C **12** I must have left my phone on the bus.
내가 틀림없이 전화기를 버스에 두고 내렸을 거야.

- must have v-ed분사(must have left): 틀림없이 ~했을 것이다(과거에 대한 확실한 추측)

leave-left-left
두고 오다[가다]

13 You shouldn't have stayed up all night.
넌 밤샘을 하지 말았어야 했어.

- shouldn't have v-ed분사(shouldn't have stayed up): ~하지 말았어야 했는데 (했다)(과거에 대한 유감)

stay up 깨어 있다
all night 밤새도록

14 The delivery man ought to have arrived by now.
배달 기사가 지금쯤 도착했어야 했어.

- ought to have v-ed분사(ought to have arrived): ~했어야 했는데 (하지 않았다)(과거에 대한 유감)

delivery man 배달 기사
arrive 도착하다
by now 지금쯤

15 Some people might have given up then and there, but I didn't.
어떤 사람들은 그때 거기서 포기했을지도 모르지만, 난 그러지 않았어.

- might have v-ed분사(might have given up): ~했을지도 모른다(과거에 대한 불확실한 추측·가능성)

give up 포기하다

Chapter 02

Review

본책 50쪽을 함께 펴놓고 보세요!

A

01 An area of rainforest the size of the UK disappears every year.
Up! 매년 영국 크기의 열대 우림 지역이 사라져.

- 현재시제: V(-s)(disappears)
- 명사(an area of rainforest) + the size of ~: ~ 크기의 명사

area 지역
rainforest 열대 우림
disappear 사라지다

02 Polar bears are losing **their homes** because of global warming.
북극곰은 지구 온난화 때문에 **그들의 집을** 잃고 있어.

- 현재진행: be v-ing(are losing)

polar bear 북극곰
lose 잃다
because of ~때문에

03 I have never been **bored** an hour in my life. *William White*
난 살면서 한 시간도 결코 **지루한** 적이 없어.

- 현재완료 have never v-ed분사(have never been): 결코 ~한 적이 없다

bored 지루한

Think **04** Love is like the wind; you can't see **it**, **but** you can feel **it**. *Nicholas Sparkas*
사랑은 바람과 같아. 넌 **그것을** 볼 수 없**지만**, **그것을** 느낄 수 있어.

- can't V(can't see)/can V(can feel): ~할 수 없다/있다(능력·가능)

05 You must set **realistic goals** for yourself.
넌 스스로 **현실적인 목표를** 세워야 해.

- must V(must set): ~해야 한다(강한 의무·권고)

realistic 현실적인
for oneself 스스로

06 I should have been **more considerate** with my words.
난 내 말에 더 **신중했**어야 했어.

- should have v-ed분사(should have been): ~했어야 했는데 (하지 않았다)(과거에 대한 후회)

considerate 신중한(사려 깊은)

07 Don't text **me** while I'm texting **you**; now I have to change **my text**.
내가 **너에게** 문자를 보내는 동안 **내게** 문자 보내지 마. 지금 난 **내 문자를** 바꿔야 해.

- while + 주어 + 동사: ~하는 동안[~하면서](시간 부사절) ➲ Unit 46
- 현재진행: be v-ing(am texting)
- have to V(have to change): ~해야 한다(강한 의무·권고)

text 문자(를 보내다)

B

08 **Mom:** What did you do at school today?
Mark: We played a guessing game.
Mom: But I thought you were having a math exam.
Mark: That's right!
엄마: 넌 오늘 학교에서 **뭘** 했니? **마크:** 우리는 **알아맞히기 게임을** 했어요.
엄마: 그런데 난 **네가 수학 시험을 볼 거라고** 생각했어. **마크:** 그게 맞아요!

- 과거시제: v-ed(played/thought)
- 타동사(thought ← think) + (that) + 주어(you) + 동사(were(← are) having) ~: that절이 think의 목적어. ➲ Unit 32

guess 추측하다
guessing game 알아맞히기 게임

09 If you are positive, you'll see **opportunities** instead of obstacles. *Widad Akrawi*
네가 긍정적이라면, 넌 장애물 대신에 **기회를** 보게 될 거야.

- if + 주어 + 동사: ~면(조건 부사절) ➲ Unit 50
- 미래 조건 부사절(if ~)에 현재시제가 쓰임. If + 주어 + V(-s)(are) ~, 주어 + will V(see) ~.

positive 긍정적인
opportunity 기회
instead of ~ 대신에
obstacle 장애(물)

10 If something can't be right, it must be wrong.
무엇이 옳을 리가 없으면, 그건 틀림없이 잘못된 걸 거야.

- if + 주어 + 동사: ~면(조건 부사절) ➲ Unit 50
- cannot V(can't be): ~일 리가 없다(부정)
- must V(must be): 틀림없이 ~일 것이다(확실한 추측)

수동태

Unit Words

■ 본격적인 구문 학습에 앞서, 각 유닛별 주요 단어를 확인하세요.

Unit 12 수동태 1: 기본 수동태

- ☐ cause 초래하다[야기하다]
- ☐ influence 영향을 주다
- ☐ discovery 발견
- ☐ bold 대담한
- ☐ connect 연결하다
- ☐ injure 부상을 입히다
- ☐ crash (충돌) 사고
- ☐ raise 제기하다
- ☐ divide 나누다
- ☐ spectacular 화려한
- ☐ precede 앞서다[선행하다]
- ☐ renewable 재생 가능한

Unit 13 수동태 2: 4형/5형 수동태

- ☐ consider 여기다
- ☐ award 수여하다
- ☐ submit 제출하다
- ☐ assignment 과제
- ☐ seldom 좀처럼 ~ 않는
- ☐ challenge 도전
- ☐ security 안전[보안]
- ☐ complete 기입[작성]하다
- ☐ questionnaire 설문지
- ☐ imagination 상상력
- ☐ public (대중에) 공개된
- ☐ confidential 비밀[기밀]의

Unit 14 진행/완료/미래 수동태

- ☐ globalization 세계화
- ☐ replace 대체[대신]하다
- ☐ trap 가두다
- ☐ atmosphere 대기
- ☐ outcome 결과
- ☐ determine 결정하다
- ☐ outlook 관점
- ☐ from scratch 맨 처음부터
- ☐ latecomer 지각하는[늦게 오는] 사람
- ☐ admit 입장을 허락하다
- ☐ intermission 중간 휴식 시간
- ☐ thought 생각[사고]

Unit 15 조동사 수동태

- ☐ hard work 노력
- ☐ regardless of ~에 상관없이
- ☐ poison 독을 넣다
- ☐ judge 판단하다
- ☐ immediate 즉각적인
- ☐ disclose 공개하다[밝히다]
- ☐ the media 미디어[대중 매체]
- ☐ unfortunate 불행한
- ☐ incident 사고
- ☐ handle 다루다[처리하다]
- ☐ cannon 대포
- ☐ immense 엄청난

Unit 16 기타 수동태

- ☐ surface 표면
- ☐ restoration 복구
- ☐ leisure 여가
- ☐ scent 향기
- ☐ beam 기둥[보]
- ☐ present 현재
- ☐ pregnant 임신한[잉태한]
- ☐ crude oil 원유
- ☐ raw 원자재의
- ☐ material 재료
- ☐ firm 단호한
- ☐ nut 견과

본책 52~53쪽을 함께 펴놓고 보세요!

Unit 12

수동태 1: 기본 수동태

주어	be동사 + v-ed분사	by 명사
Climate change	is caused	by human activity.

Standard Sentences

01 Climate change is caused by human activity.

기후 변화는 인간의 활동으로 초래돼.

- (능동태) 주어(Human activity) + 타동사(causes) + 목적어(climate change).
  → (수동태) 주어[능동태목적어](Climate change) + be v-ed분사(is caused) + by 능동태주어(by human activity).

climate 기후
cause 초래하다[야기하다]

02 Many adolescents are easily influenced by peers.

많은 청소년들이 또래들에게 쉽게 영향을 받아.

- (능동태) 주어(Peers) + (easily) + 타동사(influence) + 목적어(many adolescents).
  → (수동태) Many adolescents are (easily) influenced by peers.

adolescent 청소년
influence 영향을 주다
peer 또래[동료]

03 No great discovery was ever made without a bold guess. *Isaac Newton*

어떤 위대한 발견도 대담한 추측 없이 이루어진 적이 없어.

- (능동태) 주어 + (ever) + 타동사(made) + 목적어(no great discovery) ~.
  → (수동태) No great discovery was (ever) made ~.

discovery 발견
bold 대담한
guess 추측

A 

04 The door of opportunity is opened by pushing.

기회의 문은 밀어야 열려.

- 수동태 be v-ed분사(is opened): ~되다
- 전치사(by) + v-ing(pushing): ~로(방법·수단) 전치사 뒤에 동사가 올 경우 v-ing. ➔ Unit 23

Know More <유머 코드> 기회로 들어가는 문은 자동문이 아니니 직접 힘을 들여 밀어서 열어야 한다는 것.

opportunity 기회
push 밀다

05 English is spoken by over 2 billion people in many countries around the world.

영어는 전 세계 많은 나라에서 20억 이상의 사람들에 의해 말해지고 있어.

- 수동태 be v-ed분사(is spoken): ~되다[~지다]

speak 말하다
billion 10억

06 We are all now connected by the Internet, like neurons in a giant brain. *Stephen Hawking*

우리는 모두 지금 거대한 뇌 속의 뉴런처럼 인터넷으로 연결되어 있어.

- 수동태 be v-ed분사(are connected): ~되다
- 전치사구(like neurons): 동사(are connected) 수식 부사어. ➔ Unit 20
- 명사(neurons) + 전치사구(in a giant brain): 전치사구가 앞 명사를 뒤에서 수식. ➔ Unit 20

Know More <배경 지식> 2018년에 타계한 최고의 이론물리학자 스티븐 호킹의 말로, 세계를 하나의 거대한 뇌로, 인터넷으로 서로 연결된 개인들을 각각의 뉴런들로 비유한 것으로, 집단 지성의 무한한 잠재력과 이를 바탕으로 한 새로운 인류 문명의 진화 가능성을 예견한 것.

connect 연결하다
neuron 뉴런
giant 거대한
brain 뇌

Up! **07** Three people were killed and five injured in the crash.

그 사고에서 세 명이 죽고 다섯 명이 부상을 입었어.

- 수동태 과거 was/were v-ed분사(were killed/(were) injured): ~당하다

injure 부상을 입히다
crash (충돌) 사고

B **08** Public institutions are supported by all taxpayers. *Robert Reich*
공공 기관은 모든 납세자들에 의해 지원돼.

- 수동태 be v-ed분사(are supported): ~되다[~지다]

Know More 〈배경 지식〉 공공 기관(학교, 도서관, 박물관[미술관], 병원, 공원, 대중교통 등)은 국민의 세금으로 지원되니 누구나 최대한 이용할 권리가 있다는 것.

public institution 공공 기관
support 지원하다
taxpayer 납세자

09 Actions are remembered long after words are forgotten. *John Maxwell*
행동은 말이 잊힌 후에도 오랫동안 기억돼.

- 수동태 be v-ed분사(are remembered / are forgotten): ~되다[~지다]
- after + 주어 + 동사: ~한 후에 (시간 부사절) ➔ unit 46

remember 기억하다
forget 잊다

10 Rome wasn't built in a day. *Proverb*
로마는 하루에 지어지지 않았어.

- 수동태 과거 was / were not v-ed분사(was not built): ~되지 않았다

build 짓다[건설하다]

Up! **11** A number of issues were raised at the meeting.
여러 문제들이 회의에서 제기되었어.

- 복수 주어(a number of + 복수명사: 여러 ~) + 복수형 동사(were)
- 수동태 과거 was / were v-ed분사(were raised): ~되었다
  raise 올리다[제기하다] (타동사) 비교 rise-rose-risen 오르다(자동사): 수동태 불가

a number of 여러
issue 문제[쟁점]
raise 제기하다

C **12** The participants were divided into two groups.
참가자들은 두 집단으로 나뉘었어.

- 수동태 과거 was / were v-ed분사(were divided): ~되었다

participant 참가자
divide 나누다

13 The game was watched by over 10 million viewers.
그 경기는 천만 명이 넘는 시청자들이 보았어.

- 수동태 과거 was / were v-ed분사(was watched): ~되었다

watch 보다
million 100만
viewer 시청자

Think **14** Spectacular achievement is always preceded by unspectacular preparation. *Robert Schuller*
화려한 성취는 늘 화려하지 않은 준비가 선행돼.

- 수동태 be v-ed분사(is preceded): ~되다
  ← 능동태 Unspectacular preparation always precedes spectacular achievement.

Know More 〈숨은 의미〉 먼저 귀찮고 고단한 준비 과정을 거쳐야 멋진 성취가 따를 수 있다는 것.

spectacular 화려한
achievement 성취
precede 앞서다[선행하다]
unspectacular 화려하지 않은
preparation 준비

15 Renewable energy is collected from sunlight, wind, tides, and geothermal heat.
재생 가능 에너지는 햇빛, 바람, 조수, 그리고 지열로부터 수집돼.

- 수동태 be v-ed분사(is collected): ~되다

renewable 재생 가능한
collect 수집하다
tide 조수
geothermal 지열의

본책 54~55쪽을 함께 펴놓고 보세요!

unit 13

수동태 2: 4형 / 5형 수동태

주어	be동사 + v-ed분사	보어
Shakespeare	is considered	the greatest English writer.

Standard Sentences

01 Shakespeare is considered the greatest English writer.
셰익스피어는 가장 위대한 영국 작가로 여겨져.

- (능동태) 주어 + 타동사(consider) + 목적어(Shakespeare) + 목적보어(the greatest English writer)
  → (수동태) Shakespeare is considered the greatest English writer.

Know More <배경 지식> "영국은 언젠가 인도를 잃겠지만 셰익스피어는 절대 사라지지 않을 것이다."라는 말이 있었을 정도로 셰익스피어는 이론의 여지가 없는 최고의 작가로, 《햄릿》, 《로미오와 줄리엣》 등 인간 내면과 운명을 통찰한 그의 걸작들은 인류의 고전으로 수백 년이 지난 지금도 널리 읽히고 있음.

consider 여기다
writer 작가

02 At the 2020 Academy Awards, "Parasite" was awarded **four Oscars.**
2020년 아카데미상에서 '기생충'이 **4개의 오스카상을** 수상했어.

- (능동태) 주어 + (주는)동사(awarded) + (에게)목적어("Parasite") + (을)목적어(four Oscars)
  → (수동태) "Parasite" was awarded four Oscars.

parasite 기생충
award 수여하다

03 You are expected to submit all assignments on time.
넌 모든 과제를 제시간에 제출하도록 요구돼.

- (능동태) 주어 + 타동사(expect) + 목적어(you) + 목적보어[to-v] (to submit ~)
  → (수동태) You are expected to submit ~

expect 요구[기대]하다
submit 제출하다
assignment 과제
on time 제시간에

Up! **04** She is often seen to smile, **but** seldom heard to laugh.
그녀가 자주 미소 짓는 건 보이**지만**, 좀처럼 웃는 소리는 들리지 않아.

- (능동태) 주어 + often + see + 목적어(her) + 목적보어[V] (smile) → (수동태) She is often seen **to** smile.
- but (she is) seldom heard ~: 반복 어구 생략.
- (능동태) 주어 + seldom + hear + 목적어(her) + 목적보어[V] (laugh) → (수동태) She is seldom heard **to** laugh.

seldom 좀처럼 ~ 않는
laugh 웃다

A **05** Only the prepared are given **the opportunity of a great challenge.** *Stephen Kinzey*
오직 준비된 사람들에게만 **멋진 도전의 기회가** 주어져.

- the + 형용사(prepared) = 형용사(prepared) + people: ~한 사람들
- (능동태) 주어 + give + (에게)목적어(only the prepared) + (을)목적어(the opportunity ~)
  → (수동태) Only the prepared are given the opportunity ~

prepared 준비된
opportunity 기회
challenge 도전

Think **06** Security without liberty is called prison. *Benjamin Franklin*
자유 없는 안전은 감옥이라고 불려.

- 수동태 be v-ed분사(is called): ~되다[~지다]
  ← (능동태) 주어 + call + 목적어(security without liberty) + 목적보어(prison)

security 안전[보안]
liberty 자유
prison 감옥

07 Students were asked to complete a questionnaire.
학생들은 설문지를 작성해 달라고 요청받았어.

- 수동태 과거 was / were v-ed분사(were asked): ~되었다[~받았다]
  ← (능동태) 주어 + asked + 목적어(students) + 목적보어(to complete ~)

ask 부탁[요청]하다
complete 기입[작성]하다
questionnaire 설문지

B **08** All men and women are created **equal**. *Declaration of Sentiments*
모든 남성과 여성은 평등하게 창조되었어.

- 수동태 be v-ed분사(are created): ~되다
  ← (능동태) 주어 + create + 목적어(all men and women) + 목적보어(equal)

create 창조하다
equal 평등[동등]한

09 Every morning, exactly 86,400 seconds are given to you.
아침마다 정확히 86,400초가 너에게 주어져.

- (능동태) 주어 + (주는)동사(give) + (에게)목적어(you) + (을)목적어(exactly 86,400 seconds)
  → (수동태) exactly 86,400 seconds are given (to) you

exactly 정확히
second (시간의 단위) 초

10 We are encouraged to use our imagination.
우리는 상상력을 이용하도록 권장돼.

- 수동태 be v-ed분사(are encouraged): ~되다
  ← (능동태) 주어 + encourage + 목적어(us) + 목적보어(to use ~)

encourage 권장[장려]하다
imagination 상상력

Up! **11** We were made to learn thirty new words every day.
우리는 매일 30개의 새로운 단어를 배우게 되었어.

- (능동태) 주어 + make(made) + 목적어(us) + 목적보어[V](learn)
  → (수동태) We were made **to** learn ~.

word 단어

C **12** I was asked **a lot of questions about myself**.
난 **나 자신에 대한 많은 질문을** 받았어.

- 수동태 과거 was/were v-ed분사(was asked): ~되었다[~받았다]

13 The full story was never made **public**.
전체 이야기는 결코 공개되지 않았어.

- 수동태 과거 was/were never v-ed분사(was never made): 결코 ~되지 않았다

public (대중에) 공개된

14 I was left **alone** in the classroom during P.E. class.
난 체육 시간에 교실에 **혼자** 남겨졌어.

- 수동태 과거 was/were v-ed분사(was left): ~되었다[~졌다]

leave 남기다
alone 혼자
P.E. 체육
(= physical education)

15 Doctors are required to keep patients' records confidential.
의사들은 환자들의 기록을 비밀로 하도록 요구돼.

- 수동태 be v-ed분사(are required): ~되다
  ← (능동태) 주어 + require + 목적어(doctors) + 목적보어(to keep ~)
- keep + 목적어(patients' records) + 목적보어(confidential): ~을 …하게 유지하다

require 요구하다
record 기록
confidential 비밀[기밀]의

본책 56~57쪽을 함께 펴놓고 보세요!

진행 / 완료 / 미래 수동태

주어	be동사 + being + v-ed분사	부사어
Many traditions	are being challenged	as a result of globalization.

Standard Sentences

01 Many traditions are being challenged as a result of globalization.
많은 전통이 세계화의 결과로 도전받고 있어.
- 진행 수동태 be being v-ed분사(are being challenged): ~되고[~받고] 있다

tradition 전통
challenge 도전하다
result 결과
globalization 세계화

02 The band's songs have been loved by people all over the world.
그 밴드의 노래들은 전 세계 사람들에게 사랑받아 왔어.
- 완료 수동태 have been v-ed분사(have been loved): ~되어 왔다
← (능동태) People all over the world have loved the band's songs.

all over the world 전 세계에

03 One-third of human jobs will be replaced by robots in the near future.
인간 일자리의 3분의 1이 가까운 미래에 로봇으로 대체될 거야.
- 미래 수동태 will be v-ed분사(will be replaced): ~될 것이다
← (능동태) Robots will replace one-third of human jobs in the near future.

replace 대체[대신]하다
near 가까운

A

04 Greenhouse gases are being trapped within the earth's atmosphere.
온실가스가 지구 대기에 가두어지고 있어.
- 진행 수동태 be being v-ed분사(are being trapped): ~되고[~지고] 있다

trap 가두다
within ~ 안에
atmosphere 대기

05 I haven't been told anything about the rumor.
난 그 소문에 대해 아무것도 들은 적이 없어.
- 완료 수동태 have not been v-ed분사(haven't been told): ~된 적이 없다

rumor 소문

06 Everyone is being encouraged to save energy.
모든 사람이 에너지를 절약하도록 권장되고 있어.
- 진행 수동태 be being v-ed분사(is being encouraged): ~되고 있다

encourage 권장[장려]하다
save 절약하다

Up! **07** The outcome of your life will be determined by your outlook on life.
Mark Batterson
네 삶의 결과는 네 인생관에 의해 결정될 거야.
- 미래 수동태 will be v-ed분사(will be determined): ~될 것이다

outcome 결과
determine 결정하다
outlook 관점

B **08** Comics are increasingly being used for educational purposes.
만화가 점점 더 교육적인 목적으로 이용되고 있어.

- 진행 수동태 be being v-ed분사(are (increasingly) being used): ~되고 있다

comic 만화
increasingly 점점 더
educational 교육적인
purpose 목적

09 Nothing like this had ever been done before, so we had to start from scratch.
이와 같은 어떤 것도 전에 행해진 적이 없었기에, 우리는 맨 처음부터 시작해야 했어.

- 과거완료 수동태 had been v-ed분사(had (ever) been done): ~된[~진] 적이 있었다
- had to V(had to start): ~해야 했다

from scratch 맨 처음부터

10 Malala Yousafzai will be remembered for her courage.
말랄라 유사프자이는 그녀의 용기로 기억될 거야.

- 미래 수동태 will be v-ed분사(will be remembered): ~될 것이다

Know More <배경 지식> 말랄라 유사프자이는 파키스탄의 여성 교육 운동가로, 탈레반이 여학생들을 학교에서 쫓아낸 지역에서 총격 등 살해 위협을 무릅쓰고 아동 억압에 대한 저항과 교육권 쟁취를 위한 투쟁에 헌신해 2014년 최연소(17세) 노벨(평화)상을 수상했음.

remember 기억하다
courage 용기

11 Latecomers will not be admitted until the intermission.
늦게 오는 사람들은 중간 휴식 시간까지 입장이 허락되지 않을 거야.

- 미래 수동태 will not be v-ed분사(will not be admitted): ~되지 않을 것이다

latecomer 지각하는[늦게 오는] 사람
admit 입장을 허락하다
intermission 중간 휴식 시간

C **12** The night sky has been studied by humans for centuries.
밤하늘은 수 세기 동안 사람들에 의해 연구되어 왔어.

- 완료 수동태 have[has] been v-ed분사(has been studied): ~되어 왔다

study 연구하다
for centuries 수 세기 동안

13 "Harry Potter" has been widely read for over two decades.
'해리 포터'는 20년 이상 널리 읽혀 왔어.

- 완료 수동태 have[has] been v-ed분사(has been (widely) read): ~되어 왔다

widely 널리
decade 10년

14 All truly wise thoughts have been thought already thousands of times. *Goethe*
모든 정말 현명한 생각들은 이미 수천 번 생각되어 왔어.

- 완료 수동태 have been v-ed분사(have been thought): ~되어 왔다

Know More <숨은 의미> 사람의 생각은 다들 비슷해 좋은 아이디어들은 이미 많은 사람들에 의해 수없이 생각되어진 건데, 나아가 진짜 중요한 건 이들을 구체화시켜 자신의 것으로 만들어야 한다는 것.

truly 정말로
thought 생각[사고]

Up! **15** The group project will have been finished by the end of this month.
그룹 프로젝트[조별 과제]는 이달 말까지는 끝나 있을 거야.

- 미래완료 수동태 will have been v-ed분사(will have been finished): ~되어 있을 것이다

by (늦어도) ~까지는[쯤에는]

본책 58~59쪽을 함께 펴놓고 보세요!

조동사 수동태

주어	조동사 + be + v-ed분사	부사어
Nothing	can be achieved	without hard work and patience.

Standard Sentences

01 Nothing can be achieved without hard work and patience.
아무것도 노력과 인내 없이 이루어질 수 없어.
- can be + v-ed분사(achieved): ~될[~질] 수 있다

achieve 이루다[성취하다]
hard work 노력
patience 인내(심)

02 Everyone should be treated equally regardless of gender or race.
모든 사람은 성별이나 인종에 상관없이 동등하게 대우받아야 해.
- should be + v-ed분사(treated): ~되어야[~받아야] 한다

treat 대(우)하다
regardless of ~에 상관없이
gender 성(별)
race 인종

03 Never cry over spilt milk; it may have been poisoned. *W.C. Fields*
엎지른 우유를 두고 절대 울지 마. 그건 독이 들어 있었을지도 몰라.
- may have been + v-ed분사(poisoned): ~되었을지도 모른다 (과거에 대한 추측)

spill-spilled[spilt]-spilled[spilt] 엎지르다[흘리다]
poison 독을 넣다

A

04 No one should be denied a good education.
누구도 좋은 교육이 거부되어선 안 돼.
- should be + v-ed분사(denied): ~되어야 한다

deny 거부하다[허락하지 않다]
education 교육

05 Children must be taught the difference between right and wrong.
아이들은 옳고 그름의 차이를 배워야 해.
- must be + v-ed분사(taught): ~되어야[~져야] 한다

difference 차이
right and wrong 옳고 그름

06 A new idea must not be judged by its immediate results. *Nikola Tesla*
새로운 아이디어는 그것의 즉각적인 결과로 판단되어선 안 돼.
- must not be + v-ed분사(judged): ~되어선 안 된다

Know More 〈배경 지식〉 전기 에너지 시대를 창조해 전기 문명의 발전을 가능하게 한 위대한 발명가 니콜라 테슬라의 말로, 새로운 발상의 현실적인 유용성이 증명되기까지는 시간이 걸린다는 것.

judge 판단하다
immediate 즉각적인
result 결과

Up! **07** The personal information should not have been disclosed to the media.
그 개인 정보는 미디어에 공개되지 말았어야 했어.
- should not have been + v-ed분사(disclosed): ~되지 말았어야 했는데 (되었다)

personal 개인의
disclose 공개하다[밝히다]
the media 미디어[대중 매체]

B **08** Obstacles can be overcome through learning.
장애는 학습을 통해 극복될 수 있어.

- can be + v-ed분사(overcome): ~될 수 있다

obstacle 장애(물)
overcome 극복하다

09 Happiness has to be found within yourself.
행복은 너 자신 안에서 발견되어야 해.

- have[has] to be + v-ed분사(found): ~되어야 한다

happiness 행복
find 발견하다[찾다]
within ~ 안에서

10 The unfortunate incident should have been handled differently.
그 불행한 사고는 다르게 처리되었어야 했어.

- should have been + v-ed분사(handled): ~되었어야 했는데 (되지 않았다)

unfortunate 불행한
incident 사고
handle 다루다[처리하다]
differently 다르게

11 "Girl with a Pearl Earring" must have been painted by Vermeer around 1665.
'진주 귀걸이를 한 소녀'는 틀림없이 1665년쯤 페르메이르에 의해 그려졌을 거야.

- must have been + v-ed분사(painted): 틀림없이 ~되었을 것이다

Know More <배경 지식> '진주 귀걸이를 한 소녀'는 네덜란드 화가 페르메이르의 걸작으로, 소녀가 걸고 있는 진주 귀걸이를 그림의 초점으로 사용했고 '북유럽의 《모나리자》'로 불리며 소설·영화화되기도 했음.

pearl 진주
earring 귀걸이
around 약[~쯤]

C **12** Love and a cough cannot be hidden. *George Herbert*
사랑과 기침은 숨겨질 수 없어.

- cannot be + v-ed분사(hidden): ~될[~질] 수 없다

cough 기침
hide-hid-hidden 숨기다

13 A friend must not be injured, even in joke. *Publilius Syrus*
친구는 농담으로라도 상처를 입게 해선 안 돼.

- must not be + v-ed분사(injured): ~되어선 안 된다

Know More <배경 지식> 다양한 의미를 가진 "A rolling stone gathers no moss."(구르는 돌에는 이끼가 끼지 않는다.) 라는 격언을 남긴 고대 로마 작가 시루스의 말로, 친한 사이일수록 예의를 지키며 서로 상처 주는 언행은 삼가라는 것.

injure 상처를 입히다

14 Students should be encouraged to build confidence in their creative spirit. *Ansel Adams*
학생들은 자신들의 창조 정신에 자신감을 쌓도록 격려되어야 해.

- should be + v-ed분사(encouraged): ~되어야 한다
  ← (능동태) 주어 + should encourage + 목적어(students) + 목적보어[to-v](to build ~)

confidence 자신감
creative 창조적인
spirit 정신

15 A volcano may be considered as a cannon of immense size. *Oliver Goldsmith*
화산은 엄청난 크기의 대포로 여겨질지도 몰라.

- may be + v-ed분사(considered): ~될지도[~질지도] 모른다
  ← (능동태) 주어 + may consider + 목적어(a volcano) + 목적보어(as a cannon of immense size)

Know More <숨은 의미> 자연인 화산 폭발의 가공할 규모와 위력을 묘사하면서 잠깐 인간의 장난감 같은 대포에 비유한 것.

volcano 화산
consider 여기다
cannon 대포
immense 엄청난

본책 60~61쪽을 함께 펴놓고 보세요!

기타 수동태

주어	be동사 + v-ed분사	부사어
Two-thirds of the Earth's surface	is covered	with water.

Standard Sentences

01 Two-thirds of the Earth's surface is covered with water.
지표면의 3분의 2가 물로 덮여 있어.
- 단수 주어(two-thirds of 단수명사(the Earth's surface)) + 단수형 동사(is)
- be covered with ~: ~로 덮여 있다

surface 표면

02 The death penalty has been done away with in many countries.
사형은 많은 나라에서 폐지되어 왔어.
- 구동사(do away with) 완료 수동태: have[has] been v-ed분사(has been done away with)

death penalty 사형
do away with 폐지하다
country 나라

Up! **03** It is expected that Notre Dame's restoration will be completed by 2040.
노트르담 대성당의 복구는 2040년까지는 완료될 것으로 예상돼.
- It(형식주어) + be v-ed분사(is expected) + that절[진주어](that Notre Dame's restoration will ~)
  ← 능동태 주어 + expect + 목적어(that Notre Dame's restoration will ~)
- 미래 수동태 will be v-ed분사(will be completed): ~될 것이다

Know More 〈배경 지식〉 노트르담 대성당(Notre Dame Cathedral)은 프랑스 파리에 있는 성당으로 고딕 건축의 정수로 여겨지는데, 2019년 첨탑 주변에서 화재가 발생해 현재 복구 중임.

expect 예상[기대]하다
restoration 복구
complete 완료하다

04 Happiness is thought to depend on leisure. *Aristotle*
행복은 여가에 달려 있다고 생각돼.
- 수동태 be v-ed분사(is thought): ~되다 / = It is thought that happiness depends on leisure.

Know More 〈배경 지식〉 고대 그리스 철학자 아리스토텔레스의 말로, 우리는 여가를 갖기 위해 바쁜 것이라고 했는데, 여기서의 여가란 단지 쉬기 위한 오락(amusement)이 아니라 사색·명상 등 최고의 정신 활동을 의미했음.

depend on ~에 달려 있다[~로 결정되다]
leisure 여가

A **05** The air is filled with the scent of lilac.
공기가 라일락 향기로 가득 차 있어.
- be filled with ~: ~로 가득 차 있다

air 공기[대기]
scent 향기
lilac 라일락

Think **06** A house is made of walls and beams; a home is made of hopes and dreams.
집은 벽과 기둥으로 만들어지고, 가정은 희망과 꿈으로 만들어져.
- be made of ~: ~로 만들어지다

wall 벽
beam 기둥[보]

Think **07** It is said that the present is pregnant with the future. *Voltaire*
현재는 미래를 잉태하고 있다고 말해져.
- 수동태 be v-ed분사(is said): ~되다[~지다] / = The present is said to be pregnant with the future.

Know More 〈숨은 의미〉 어머니 현재가 태아인 미래를 품고 살아가다 그 축적된 결과로 미래를 낳게 된다는 것.

present 현재
pregnant 임신한[잉태한]
future 미래

B **08** K-pop is known to the whole world.
케이팝은 전 세계에 알려져 있어.

- be known to ~: ~에(게) 알려져 있다

09 Jill Bolte Taylor is best known for her work on the human brain.
질 볼트 테일러는 인간의 뇌에 대한 연구로 가장 잘 알려져 있어.

- be known for ~: ~로 알려져 있다
  비교 be known by ~: ~에 의해 알 수 있다 A man **is known by** his friends. (사람은 그의 친구를 보면 알 수 있어.)

Know More **〈배경 지식〉 질 볼트 테일러는 37세의 나이로 뇌졸중에 걸려 뇌 기능이 무너지는 과정을 직접 관찰한 최초의 뇌과학자로, 수술과 8년간의 회복기를 거친 후 자신의 경험을 강연과 저술로 소개해 많은 이들에게 영감을 주고 있음.**

brain (두)뇌

10 Life is often compared to a marathon. *Michael Johnson*
인생은 흔히 마라톤에 비유돼.

- be compared to ~: ~에 비유되다

compare 비유[비교]하다
marathon 마라톤

11 The game was called off because of bad weather.
그 경기는 궂은 날씨 때문에 취소되었어.

- 구동사(call off) 과거 수동태 was/were v-ed분사(was called off): ~되었다

call off 취소하다
because of ~ 때문에

C **12** Crude oil is used as the raw material for making plastics.
원유는 플라스틱을 만드는 원료로 사용돼.

- be used as ~: ~로 사용[이용]되다
- 전치사(for) + v-ing(making ~): 전치사 뒤에 동사가 올 경우 v-ing. ➲ Unit 23

crude oil 원유
raw 원자재의
material 재료
plastic 플라스틱

13 Bullying should be dealt with in an immediate and firm manner.
집단 따돌림[약자 괴롭히기]은 즉각적이고 단호한 방식으로 처리되어야 해.

- 구동사(deal with) 조동사 수동태 should be + v-ed분사(dealt with): 되어야 한다

Know More **〈숨은 의미〉 집단 따돌림[약자 괴롭히기]은 도와야 할 약자를 오히려 해코지하는 정말 잔인하고도 비열한 짓이니 만큼 피해의 최소화는 물론 동조나 확산 방지를 위해 신속하고도 엄중하게 처리되어야 한다는 것.**

bully 약자를 괴롭히다
deal with 처리하다
firm 단호한

14 The president is looked up to as a role model by his people.
그 대통령은 롤 모델로 국민들에게 존경받아.

- 구동사(look up to) 수동태 be v-ed분사(is looked up to): ~되다[~받다]

look up to 존경하다
role model 롤 모델

Up! **15** Fruits, vegetables, and nuts are believed to be good for your health.
과일, 채소, 그리고 견과는 건강에 좋은 것으로 여겨져.

- 수동태 be v-ed분사(are believed): ~되다[~지다]
  = It is believed that fruits, vegetables, and nuts are good for your health.

vegetable 채소
nut 견과
believe 여기다[생각하다]

본책 62쪽을 함께 펴놓고 보세요!

A

01 I was offered a vacation job at the library.
난 방학 중 도서관 일자리를 제안받았어.

- 수동태 과거 was/were v-ed분사(was offered): ~되었다[~받았다]

offer 제안[제의]하다

02 The forest fires were caused by lightning strikes and dry conditions.
그 산불은 낙뢰와 건조한 날씨에 의해 일어났어.

- 수동태 과거 was/were v-ed분사(were caused): ~되었다
  ← (능동태) Lightning strikes and dry conditions caused the forest fires.

forest fire 산불
cause 초래하다[일으키다]
lightning 번개[벼락]
strike 치기
conditions 날씨[환경]

03 Virtual reality (VR) is being used in education and entertainment.
가상 현실은 교육과 오락에 이용되고 있어.

- 진행 수동태 be being + v-ed분사(is being used): ~되고 있다

virtual 가상의
reality 현실
entertainment 오락

04 Dance cannot be explained in words; it has to be danced. *Paige Arden*
춤은 말로 설명될 수 없고, 추어져야 해.

- cannot be + v-ed분사(explained): ~될 수 없다
- have[has] to be + v-ed분사(danced): ~되어야[~져야] 한다

explain 설명하다

05 Children must be educated by love, not punishment. *James Joyce*
아이들은 처벌이 아니라 사랑으로 교육되어야 해.

- must be + v-ed분사(educated): ~되어야 한다

educate 교육하다
punishment (처)벌

06 It is commonly thought that drinking a lot of water is good for the skin.
많은 물을 마시는 것이 피부에 좋다고 흔히 생각돼.

- It(형식주어) + be v-ed분사(is thought) + that절[진주어](that drinking ~)
  = Drinking a lot of water is commonly thought to be good for the skin.
- v-ing(drinking a lot of water) + 동사(is) ~: v-ing(~하는 것)가 that절의 주어. ➔ Unit 21

commonly 흔히[보통]

Up! **07** Lovely flowers have been known to grow out of trash heaps. *Elizabeth Kata*
아름다운 꽃들이 쓰레기 더미에서 자란다고 알려져 왔어.

- 완료 수동태 have been v-ed분사(known): ~되어[~져] 왔다

Know More 〈숨은 의미〉 A lotus grows in the mud.(연꽃은 진흙 속에서 피어나.)

trash 쓰레기
heap 더미[무더기]

B

08 Geography has been called the bridge between the human and the physical sciences.
지리학은 인문 과학과 자연 과학 사이의 다리라고 불려 왔어.

- 완료 수동태 have[has] been v-ed분사(has been called): ~되어[~져] 왔다

geography 지리학
human science 인문 과학
physical science 자연 과학

09 Complaints are dealt with by the customer service department.
불만 사항들은 고객 서비스 부서에서 처리돼.

- 구동사(deal with) 수동태 be v-ed분사(are dealt with): ~되다

complaint 불평[항의] (거리)
customer 고객
department 부서

Up! **10** No voice in nature is heard to cry aloud. *Robert Frost*
어떤 자연의 소리도 큰 소리로 외치는 게 들리지 않아.

- (능동태) 주어 + hear + 목적어(no voice in nature) + 목적보어[V](cry aloud)
  → (수동태) No voice in nature is heard to cry aloud.

Know More 〈숨은 의미〉 〈The Road Not Taken〉(가지 않은 길)로 유명한 미국의 국민 시인 로버트 프로스트의 시구로, 자연 속에서 인생의 깊은 의미를 찾으려고 노력한 시인답게 차분히 질서에 순응하는 자연을 노래한 것.

voice (목)소리[음성]
aloud 큰 소리로[크게]

v-ing/v-ed분사 & 전치사구

Unit Words

■ 본격적인 구문 학습에 앞서, 각 유닛별 주요 단어를 확인하세요.

Unit 17 v-ing / v-ed분사(형용사)

- ☐ motive 동기
- ☐ work 작품
- ☐ turn up 나타나다
- ☐ challenging 도전적인
- ☐ rewarding 보람 있는
- ☐ career 직업
- ☐ transform 완전히 바꾸다
- ☐ discard 버리다
- ☐ progress 진전
- ☐ inspiring 영감을 주는[고무하는]
- ☐ strength 세기[강도]
- ☐ typhoon 태풍
- ☐ instruction 설명서
- ☐ label 라벨[표]

Unit 18 명사 + v-ing / v-ed분사(명사수식어)

- ☐ lead 이어지다
- ☐ glory 영광
- ☐ mammal 포유류
- ☐ spell 철자하다
- ☐ backwards 거꾸로
- ☐ evidence 증거
- ☐ affect 영향을 미치다/병이 나게 하다
- ☐ obesity 비만
- ☐ triple 세 배가 되다
- ☐ worthwhile 가치[보람] 있는
- ☐ combine 결합하다
- ☐ solitude (즐겁게) 홀로 있기
- ☐ company 함께하기
- ☐ reserve 따로 두다
- ☐ the elderly 어르신들

Unit 19 목적보어 v-ing / v-ed분사

- ☐ unconscious 의식을 잃은
- ☐ alley 골목
- ☐ goods 상품
- ☐ deliver 배달하다
- ☐ supervisor 감독관
- ☐ cheat 부정행위를 하다
- ☐ burn 타다
- ☐ remove 없애다[제거하다]
- ☐ change 기분 전환
- ☐ throw away 버리다
- ☐ pound 쿵쿵 뛰다
- ☐ rush 급히 움직이다
- ☐ vein 혈관[정맥]

Unit 20 전치사구(명사수식어 / 부사어)

- ☐ foundation 토대[기초]
- ☐ innovation 혁신
- ☐ exposure 노출
- ☐ secondhand 간접의
- ☐ risk 위험
- ☐ substitute 대신하는 것[사람]
- ☐ attractive 매력적인
- ☐ seek out 찾아내다
- ☐ natural disaster 자연재해
- ☐ limit 제한[한정]하다
- ☐ resource 자원
- ☐ republic 공화국
- ☐ represent 나타내다
- ☐ receive 받다

본책 64~65쪽을 함께 펴놓고 보세요!

Unit 17

v-ing / v-ed분사(형용사)

v-ing + 명사	동사	v-ed분사
Only boring people	are	bored.

Standard Sentences

01 Only **boring** people are **bored**. *Katherine Neville*
오직 재미없는 사람들만이 재미없어해.
- v-ing(boring) + 명사(people): v-ing 단독으로 앞에서 명사 수식(앞수식).
- 주어 + be동사(are) + 보어[v-ed분사](bored): v-ed분사(형용사)가 보어.
- bore(감정동사: 지루하게 하다) → boring(감정동사-ing: 지루한) 비교 bored(감정동사-ed분사: 지루해하는)

Know More <유머 코드> 창의적인 사람은 지루할 틈 없이 늘 자신도 재미있어하고 남들에게도 재미있지만, 재미없는 사람은 자신도 지루해한다는 것. 창의적이고 재미있는 사람이 오히려 더 일상을 지루해한다는 반론도 있을 수 있음.

02 Good advice is often **annoying**, bad advice never is. *French Proverb*
좋은 권고는 흔히 짜증스러운데, 나쁜 권고는 절대 그렇지 않아.
- 감정동사(annoy: 짜증나게 하다) → 감정동사-ing(annoying: 짜증스러운) 비교 감정동사-ed분사(annoyed: 짜증난)

advice 권고

03 **Frustrated** love has been the motive for many great works. *John Mitchell*
좌절당한 사랑은 많은 위대한 작품의 동기가 되어 왔어.
- 감정동사-ed분사(frustrated) + 명사(love): 감정동사-ed분사가 단독으로 앞에서 명사 수식(앞수식).

frustrated 좌절당한
motive 동기
work 작품

A 04 I was so **annoyed** with him for turning up late.
난 (그가) 늦게 나타나서 그에게 정말 짜증났어.
- 감정동사(annoy: 짜증나게 하다) → 감정동사-ed분사(annoyed: 짜증난) 비교 감정동사-ing(annoying: 짜증스러운)
- 전치사(for) + v-ing(turning up ~): 전치사 뒤에 동사가 올 경우 v-ing. ➲ Unit 23

turn up 나타나다

05 Adolescence is just one big **walking** pimple. *Carol Burnett*
청소년기는 단지 하나의 커다란 걸어 다니는 여드름이야.
- v-ing(walking) + 명사(pimple): v-ing 단독으로 앞에서 명사 수식(앞수식).

Know More <유머 코드> 사춘기에 성호르몬 분비에 대한 반응으로 난다고 해서 청춘의 상징이라 불리는 여드름은, 당시엔 정말 감당하기 불편하고 어색하고 창피한 현상인데, 때가 되면 언제 그랬느냐는 듯 사라져 그리움(?)으로 남기도 하는 것.

adolescence 청소년기
pimple 여드름

06 Teaching is a **challenging** but **rewarding** career.
가르치는 것은 도전적이지만 보람 있는 직업이야.
- v-ing(challenging/rewarding) + 명사(career): v-ing 단독으로 앞에서 명사 수식(앞수식).

challenging 도전적인
rewarding 보람 있는
career 직업

Up! 07 Upcycling is the process of transforming **discarded** materials into something useful.
업사이클링은 버려진 재료들을 쓸모 있는 것으로 완전히 바꾸는 과정이야.
- 명사(the process) + 전치사구(of transforming ~): 전치사구가 뒤에서 앞 명사 수식. ➲ Unit 20
- transform A(discarded materials) into B(something): A를 B로 완전히 바꾸다
- v-ed분사(discarded) + 명사(materials): v-ed분사 단독으로 앞에서 명사 수식(앞수식).

process 과정
discard 버리다
useful 쓸모 있는[유용한]

B **08** I am **amazed** at my progress in English.
난 영어에서의 나의 진전이 몹시 놀라워.

- 감정동사(amaze: 놀라게 하다) → 감정동사-ed분사(amazed 놀란) 비교 감정동사-ing(amazing 놀라운)

progress 진전

09 The technology of artificial intelligence and robotics is **amazing**.
인공 지능과 로봇 공학의 기술은 놀라워.

- 명사(the technology) + 전치사구(of artificial intelligence and robotics): 전치사구가 뒤에서 앞 명사 수식.
- 감정동사(amaze: 놀라게 하다) → 감정동사-ing(amazing 놀라운) 비교 감정동사-ed분사(amazed 놀란)

artificial intelligence 인공 지능(= AI)
robotics 로봇 공학

10 Spring and fall are very **inspiring** times of the year. *Henry Rollins*
봄과 가을은 한 해 중 매우 영감을 주는 시기야.

- v-ing(inspiring) + 명사(times): v-ing가 앞에서 명사 수식(앞수식).

inspiring 영감을 주는[고무하는]

11 Dance is the **hidden** language of the soul of the body. *Martha Graham*
춤은 몸의 영혼의 숨겨진 언어야.

- v-ed분사(hidden) + 명사(language): v-ed분사 단독으로 앞에서 명사 수식(앞수식).
- 명사(language) + 전치사구(of the soul) / 명사(the soul) + 전치사구(of the body): 전치사구가 뒤에서 앞 명사 수식.

Know More <배경 지식> 독창적이고 종합 예술적인 춤의 창조로 현대 무용 발전에 크게 공헌한 무용가 마사 그레이엄의 말로, 춤은 몸속의 영혼이 자신을 표현하는 비장의 수단이라는 것.

hide-hid-hidden 숨다
language 언어
soul 영혼

C **12** The strength of the typhoon was **frightening**.
태풍의 세기는 무서웠어.

- 감정동사-ing(frightening 무서운) 비교 감정동사-ed분사(frightened 무서워하는)

strength 세기[강도]
typhoon 태풍

13 Most people are **frightened** of dentists or snakes.
대부분의 사람들은 치과 의사와 뱀을 무서워해.

- 감정동사-ed분사(frightened 무서워하는) 비교 감정동사-ing(frightening 무서운)

dentist 치과 의사

14 The instructions of the game are very **confusing**.
그 게임의 설명서는 매우 혼란스러워.

- 감정동사-ing(confusing 혼란스러운) 비교 감정동사-ed분사(confused 혼란스러워하는)

instruction 설명서

15 People are **confused** about all the different labels on food.
사람들은 식품의 온갖 각기 다른 라벨들에 혼란스러워해.

- 감정동사-ed분사(confused 혼란스러워하는) 비교 감정동사-ing(confusing 혼란스러운)

label 라벨[표]

본책 66~67쪽을 함께 펴놓고 보세요!

명사 + v-ing / v-ed분사(명사수식어)

There	동사	명사 + v-ing	
There	is	no road of flowers	leading to glory.

Standard Sentences

01 There is no road of flowers **leading** to glory. *Jean Fontaine*
영광으로 이어지는 꽃길은 없어.

- 명사(no road of flowers) + v-ing(leading ~): v-ing가 뒤에서 앞 명사 수식(뒤수식).
  no road of flowers – leads to glory: 능동 관계(~하는) → leading ~

Know More 〈숨은 의미〉 영광에 이르는 길은 험난한 가시밭길이라는 것.

lead 이어지다
glory 영광

02 Human beings belong to a large group of animals **called** "mammals."
인간은 '포유류'라고 불리는 큰 동물 집단에 속해.

- 명사(a large group of animals) + v-ed분사(called ~): v-ed분사가 뒤에서 앞 명사 수식(뒤수식).
  a large group of animals – (are) called "mammals": 수동 관계(~되는) → called ~

human being 인간
belong to ~에 속하다
mammal 포유류

03 We are still dealing with problems **resulting** from errors **made** in the past.
우리는 아직 과거에 한 잘못으로 생긴 문제들을 처리하고 있어.

- 명사(problems) + v-ing(resulting ~): v-ing가 뒤에서 앞 명사 수식(뒤수식).
  problems – result from errors: 능동 관계(~하는) → resulting ~
- 명사(errors) + v-ed분사(made ~): v-ed분사가 뒤에서 앞 명사 수식(뒤수식).
  errors – (were) made in the past: 수동 관계(~되는) → made ~

deal with 처리하다[다루다]
error 잘못[오류]
result (from) (~의 결과로) 생기다[발생하다]

A

04 "Stressed" **spelled** backwards is "desserts."
거꾸로 철자된 'stressed'(스트레스 받은)가 'desserts'(디저트)야.

- 명사("Stressed") + v-ed분사(spelled ~): v-ed분사가 뒤에서 앞 명사 수식(뒤수식).
  "Stressed" – (is) spelled backwards: 수동 관계(~되는) → spelled ~

Know More 〈유머 코드〉 스트레스 받으면 단 디저트가 당긴다는 것.

stressed 스트레스 받은
spell 철자하다
backwards 거꾸로

05 I'm just a girl **standing** in front of salad and **asking** it to be a donut.
난 단지 샐러드 앞에 서서 샐러드에게 도넛이 되어 주기를 부탁하고 있는 소녀일 뿐이야.

- 명사(just a girl) + v-ing(standing ~/asking ~): v-ing가 뒤에서 앞 명사 수식(뒤수식).
  just a girl – stands in front of salad / asks it to be a donut: 능동 관계(~하는) → standing ~ / asking ~

Know More 〈유머 코드〉 다이어트를 위해선 샐러드를 먹어야겠는데 도넛 생각이 간절하다는 것.

donut 도넛(= doughnut)

06 HOMEWORK is Half Of My Energy **Wasted** On Random Knowledge.
HOMEWORK(숙제)는 **Half Of My Energy Wasted On Random Knowledge**(마구잡이 지식으로 낭비되는 내 에너지의 반)의 앞 글자를 딴 거야.

- 명사(Half Of My Energy) + v-ed분사(Wasted ~): v-ed분사가 뒤에서 앞 명사 수식(뒤수식).
  Half Of My Energy – (is) Wasted On Random Knowledge: 수동 관계(~되는) → Wasted ~

waste 낭비하다
random 마구잡이의[무작위의]

07 Our meeting is the evidence of destiny **given** to me. *Song "DNA" by BTS*
우리 만남은 내게 주어진 운명의 증거야.

- 명사(the evidence of destiny) + v-ed분사(given ~): v-ed분사가 뒤에서 앞 명사 수식(뒤수식).
  the evidence of destiny – (was) given to me: 수동 관계(~되는) → given ~

evidence 증거
destiny 운명

B **08** The park was full of people **enjoying** themselves in the sunshine.
공원은 햇빛을 즐기는 사람들로 가득 차 있었어.

- 명사(people) + v-ing(enjoying ~): v-ing가 뒤에서 앞 명사 수식(뒤수식).
  people – enjoyed themselves in the sunshine: 능동 관계(~하는) → enjoying ~

enjoy yourself 즐기다
sunshine 햇빛

09 Technology **affecting** our lifestyle is growing in all ways.
우리의 생활 양식에 영향을 미치는 기술이 모든 면에서 성장하고 있어.

- 명사(technology) + v-ing(affecting ~): v-ing가 뒤에서 앞 명사 수식(뒤수식).
  technology – affects our lifestyle: 능동 관계(~하는) → affecting ~

technology (과학) 기술
affect 영향을 미치다
lifestyle 생활 양식

10 The number of kids **affected** by obesity has tripled in the past two decades.
비만이 된 아이들의 수가 지난 20년 만에 세 배가 되었어.

- 단수 주어(the number of ~: ~의 수) + 단수형 동사(has tripled)
- 명사(kids) + v-ed분사(affected ~): v-ed분사가 뒤에서 앞 명사 수식(뒤수식).
  kids – (are) affected by obesity: 수동 관계(~되는) → affected ~

affect 병이 나게 하다
obesity 비만
triple 세 배가 되다
past 지난
decade 10년

Up! **11** Only a life **lived** for others is a life worthwhile. *Albert Einstein*
다른 사람들을 위해 사는 삶만이 가치 있는 삶이야.

- live + 동족목적어(a life): 동사와 비슷한 꼴과 뜻의 목적어.('삶'을 '살다')
- 명사(only a life) + v-ed분사(lived ~): v-ed분사가 뒤에서 앞 명사 수식(뒤수식).
  only a life – (is) lived for others: 수동 관계(~되는) → lived ~

Know More 〈숨은 의미〉 여러 위인들과 마찬가지로 아인슈타인도 이타적인 삶의 가치를 강조한 것.

worthwhile 가치[보람] 있는
live a life 삶을 살다

C **12** Social networking services can be a medium **combining** solitude with good company.
Up!
에스엔에스는 즐겁게 홀로 있기를 좋은 사람들과 함께하기와 결합시키는 매체가 될 수 있어.

- 명사(a medium) + v-ing(combining ~): v-ing가 뒤에서 앞 명사 수식(뒤수식).
  a medium – combines solitude with good company: 능동 관계(~하는) → combining ~

Know More 〈배경 지식〉 흔히 우리말로 '고독'(홀로 있어 외롭고 쓸쓸함.)이라고 잘못 옮겨지는 영어 'solitude'는 '즐겁게 혼자 있는 상태'인데, SNS가 이러한 'solitude' 간을 서로 연결하는 매개체가 될 수 있다는 것.

medium 매체[수단]
combine 결합하다
solitude (즐겁게) 홀로 있기
company 함께하기[함께하는 사람들]

13 There are seats **reserved** for the elderly in the buses and subways.
버스와 지하철에는 어르신들을 위해 따로 마련된 좌석들이 있어.

- 명사(seats) + v-ed분사(reserved ~): v-ed분사가 뒤에서 앞 명사 수식(뒤수식).
  seats – (are) reserved for the elderly: 수동 관계(~되는) → reserved ~
- the + 형용사(elderly) = 복수보통명사(elderly people): ~한 사람들

reserve 따로 두다
the elderly 어르신들

14 Food **frozen** too long will lose **nutritional value and overall quality.**
너무 오래 냉동된 식품은 **영양가와 전반적인 질이** 떨어질 거야.

- 명사(food) + v-ed분사(frozen ~): v-ed분사가 뒤에서 앞 명사 수식(뒤수식).
  food – (is) frozen too long: 수동 관계(~되는) → frozen ~

freeze 냉동하다[얼리다]
nutritional value 영양가
overall 전반[종합]적인
quality 질

15 Light from the sun provides **the energy needed** for plant growth.
태양의 빛은 **식물 성장에 필요한 에너지를** 공급해.

- 명사(the energy) + v-ed분사(needed ~): v-ed분사가 뒤에서 앞 명사 수식(뒤수식).
  the energy – (is) needed for plant growth: 수동 관계(~되는) → needed ~

provide 공급하다
plant 식물
growth 성장

본책 68~69쪽을 함께 펴놓고 보세요!

목적보어 v-ing / v-ed분사

주어	동사	목적어	v-ing
I	watched	the children	playing on the playground.

Standard Sentences

01 I watched the children **playing** on the playground.
난 아이들이 놀이터에서 놀고 있는 걸 봤어.

- 지각동사(watch) + 목적어(the children) + 목적보어(v-ing)(playing ~): ~가 v하고 있는 것을 보다
  목적어(the children) – 목적보어(playing ~): 의미상 주어 – 서술어(능동·진행 관계).
  ← I **watched** the children + they were **playing** on the playground

playground 놀이터(운동장)

02 We found him **lying** unconscious in an alley.
우리는 그가 골목에 의식을 잃고 누워 있는 걸 발견했어.

- find + 목적어(him) + 목적보어(v-ing)(lying ~): ~가 v하고 있는 것을 발견하다
  목적어(him) – 목적보어(lying ~): 의미상 주어 – 서술어(능동·진행 관계).
  ← We **found** him + he was **lying** unconscious in an alley

lie 눕다
unconscious 의식을 잃은
alley 골목

03 You can have your goods **delivered** to your home.
넌 상품을 너의 집까지 배달시킬 수 있어.

- have + 목적어(your goods) + 목적보어(v-ed분사)(delivered ~): ~가 v되게 시키다
  목적어(your goods) – 목적보어(delivered ~): 의미상 주어 – 서술어(수동 관계: your goods are **delivered** ~).

goods 상품
deliver 배달하다

A

04 We must get the report **finished** on time.
우리는 제시간에 보고서가 마무리되게 해야 해.

- get + 목적어(the report) + 목적보어(v-ed분사)(finished ~): ~가 v되게 하다
  목적어(the report) – 목적보어(finished ~): 의미상 주어 – 서술어(수동 관계: the report is **finished** ~).

report 보고서
on time 제시간에

05 The exam supervisor noticed them **cheating** on the test.
시험 감독관은 그들이 시험에서 부정행위를 하고 있는 것을 알아챘어.

- 지각동사(notice) + 목적어(them) + 목적보어(v-ing)(cheating ~): ~가 v하고 있는 것을 알아채다
  목적어(them) – 목적보어(cheating ~): 의미상 주어 – 서술어(능동·진행 관계).
  ← The exam supervisor **noticed** them + they were **cheating** on the test

supervisor 감독관
cheat 부정행위를 하다

06 I saw a vegetarian **wearing** a fur coat, so I looked closer; it was made of grass.
난 한 채식주의자가 모피 코트를 입고 있는 걸 봐서, 더 가까이서 봤는데, 그건 풀로 만들어져 있었어. *Steven Wright*

- 지각동사(see) + 목적어(a vegetarian) + 목적보어(v-ing)(wearing ~): ~가 v하고 있는 것을 보다
  목적어(a vegetarian) – 목적보어(wearing ~): 의미상 주어 – 서술어(능동·진행 관계).

vegetarian 채식주의자
fur coat 모피 코트

07 Keep all of your software **updated** regularly.
네 모든 소프트웨어가 정기적으로 업데이트되도록 해.

- keep + 목적어(all of your software) + 목적보어(v-ed분사)(updated ~): ~가 v되게 유지하다
  목적어(all of your software) – 목적보어(updated ~): 의미상 주어 – 서술어(수동 관계: all of your software is **updated** ~).

update 업데이트하다(갱신하다)
regularly 정기(규칙)적으로

B **08** **Teacher:** Why can I hear someone **talking**?
Student: Because you have **ears**.
선생님: 왜 내게 누군가가 **이야기하고** 있는 소리가 들리지?
학생: 선생님께서도 **귀가** 있으시니까요.

- 지각동사(hear)+목적어(someone)+목적보어[v-ing](talking): ~가 v하고 있는 것을 듣다
목적어(someone) – 목적보어(talking): 의미상 주어 – 서술어(능동·진행 관계).

09 I heard my favorite song **played** on the street.
난 길거리에서 내가 매우 좋아하는 노래가 **연주되는** 걸 들었어.

- 지각동사(hear)+목적어(my favorite song)+목적보어[v-ed분사](played ~): ~가 v되는 것을 듣다
목적어(my favorite song) – 목적보어(played ~): 의미상 주어 – 서술어(수동 관계).
← I **heard** my favorite song + my favorite song was **played** on the street

favorite 매우 좋아하는

10 Don't you smell something **burning** in the kitchen?
부엌에서 뭔가 **타고** 있는 냄새가 나지 않니?

- 지각동사(smell)+목적어(something)+목적보어[v-ing](burning ~): ~가 v하고 있는 것을 냄새 맡다
목적어(something) – 목적보어(burning ~): 의미상 주어 – 서술어(능동·진행 관계).
← Don't you **smell** something + something is **burning** in the kitchen

burn 타다

11 Do I have to have my wisdom teeth **removed**?
난 사랑니를 **뽑아야만** 하나요?

- have+목적어(my wisdom teeth)+목적보어[v-ed분사](removed): ~가 v되게 시키다
목적어(my wisdom teeth) – 목적보어(removed): 의미상 주어 – 서술어(수동 관계: my wisdom teeth are **removed**).

wisdom teeth 사랑니
remove 없애다[제거하다]

C **12** I got my hair **cut** short for a change.
난 기분 전환으로 머리를 **짧게 잘랐어**.

- get+목적어(my hair)+목적보어[v-ed분사](cut ~): ~가 v되게 하다
목적어(my hair) – 목적보어(cut ~): 의미상 주어 – 서술어(수동 관계: my hair was **cut** ~).

cut 자르다
change 기분 전환

13 I see so much food **thrown** away every day.
난 매일 너무 많은 음식들이 **버려지는** 걸 봐.

- 지각동사(see)+목적어(so much food)+목적보어[v-ed분사](thrown away): ~가 v되는 것을 보다
목적어(so much food) – 목적보어(thrown away): 의미상 주어 – 서술어(수동 관계: so much food is **thrown** away).

throw away 버리다

Up! **14** I felt my heart **pounding** and blood **rushing** through my veins.
난 내 심장이 **쿵쿵 뛰고** 피가 **혈관을 타고 빠르게 흐르고** 있는 걸 느꼈어.

- 지각동사(feel)+목적어(my heart/blood)+목적보어[v-ing](pounding/rushing ~): ~가 v하고 있는 것을 느끼다
목적어(my heart/blood) – 목적보어(pounding/rushing ~): 의미상 주어 – 서술어(능동·진행 관계).

pound 쿵쿵 뛰다
blood 피[혈액]
rush 급히 움직이다
vein 혈관[정맥]

15 I kept you **waiting** a quarter of an hour; you kept me **waiting** for an hour.
난 널 **15분** 기다리게 했는데, 넌 날 **한 시간 동안** 기다리게 했어.

- keep+목적어(you/me)+목적보어[v-ing](waiting ~): ~가 계속 v하고 있게 하다
목적어(you/me) – 목적보어(waiting ~): 의미상 주어 – 서술어(능동·진행 관계).

본책 70~71쪽을 함께 펴놓고 보세요!

Unit 20

전치사구(명사수식어/부사어)

주어	동사	명사 + 전치사구	
Imagination	is	the foundation	of all invention and innovation.

Standard Sentences

01 Imagination is the foundation **of** all invention and innovation. *J.K. Rowling*
상상력은 모든 발명과 혁신의 토대야.

- 명사(the foundation) + 전치사구(of all invention ~): 전치사구(전치사 + 명사)가 뒤에서 앞 명사 수식(뒤수식).

Know More <배경 지식> 역사상 가장 많이 팔린 책(4억 5천만 부) 《해리 포터》 시리즈의 작가 조앤 롤링의 말로, 그녀는 4시간 동안 지연된 열차 안에서 마법 학교에 다니는 소년 해리 포터에 대한 착상을 떠올렸다고 함.

imagination 상상력
foundation 토대[기초]
invention 발명
innovation 혁신

02 Kites rise highest **against** the wind, not **with** it. *Winston Churchill*
연은 바람과 함께가 아니라 바람을 거슬러 가장 높이 올라.

- 전치사구(against the wind / with it): 전치사구(전치사 + 명사)가 동사(rise) 수식 부사어.

Know More <숨은 의미> 2차 세계 대전 당시 영국 총리를 지낸 윈스턴 처칠의 말로, 역경을 통해서 오히려 더 높은 성취를 이룰 수 있다는 것.

kite 연
rise 오르다

03 From their errors and mistakes, the wise and good learn **wisdom for the future.** *Plutarch*
오류와 실수에서 현명하고 선량한 이들은 **미래를 위한 지혜를** 배워.

- 전치사구[부사어](from their errors and mistakes)가 문장 맨 앞에 왔음.
- the wise and good = wise and good people

error 오류[잘못]
wisdom 지혜

A

04 Exposure to secondhand smoke raises **the risk of lung cancer.**
간접흡연에 대한 노출은 **폐암의 위험을** 높여.

- 명사(exposure / the risk) + 전치사구(to secondhand smoke / of lung cancer): 전치사구가 앞 명사를 뒤에서 수식.

exposure 노출
secondhand 간접의
raise 높이다
risk 위험

Up! **05** Life without dreams is like **a bird with a broken wing.** *Dan Pena*
꿈이 없는 삶은 날개가 부러진 새와 같아.

- 명사(life / a bird) + 전치사구(without dreams / with a broken wing): 전치사구가 앞 명사를 뒤에서 수식.

like ~같은
broken 부러진
wing 날개

06 There is no substitute **for** hard work.
노력을 대신할 수 있는 건 아무것도 없어.

- There + be동사(is) + 주어(no substitute): ~가 없다
- 명사(substitute) + 전치사구(for hard work): 전치사구(전치사 + 명사)가 뒤에서 앞 명사 수식.

substitute 대신하는 것[사람]
hard work 노력

Think **07** For attractive lips, speak **words of kindness**; **for** lovely eyes, seek out the good in people. *Sam Levenson*
매력적인 입술을 갖기 위해선 **친절한 말을** 하고, 사랑스런 눈을 갖기 위해선 사람들에게서 **좋은 점을** 찾아내.

- 전치사구[부사어](for attractive lips / for lovely eyes)가 문장 맨 앞에 왔음.
- 명사(words) + 전치사구(of kindness): 전치사구(전치사 + 명사)가 앞 명사를 뒤에서 수식.

attractive 매력적인
lip 입술
seek out 찾아내다

B **08** Nobody really needs **a mink coat except** the mink. *Glenda Jackson*
밍크를 제외하고 어떤 사람도 정말로 **밍크코트가** 필요하지 않아.
- 명사(nobody) ~ 전치사구(except the mink): 전치사구가 앞 명사와 떨어져 뒤에서 수식.

except ~을 제외하고

Up! **09** Your simple act will be **of** great help.
네 단순한 행동이 큰 도움이 될 거야.
- be동사 + of + 추상명사(of great help): 〈of + 추상명사〉가 보어 역할.

simple 단순한[간단한]
act 행동[행위]
of great help 큰 도움이 되는

10 Millions of people lose **their homes due to** natural disasters every year.
수백만 명의 사람들이 매년 자연재해 때문에 **그들의 집을** 잃어.
- 동사(lose) ~ 전치사구[부사어](due to natural disasters): 전치사구(전치사 + 명사)가 동사 수식.

due to ~ 때문에
natural disaster 자연재해

11 Never limit **yourself because of** others' limited imagination; never limit **others because of** your own limited imagination. *Mae Jemison*
다른 사람들의 제한된 상상력 때문에 **너 자신을** 절대 제한하지 말고, 너 자신의 제한된 상상력 때문에 **다른 사람들을** 절대 제한하지 마.
- 동사(limit) ~ 전치사구[부사어](because of ~ limited imagination): 전치사구가 동사 수식 부사어.

Know More 〈숨은 의미〉 오로지 자신만의 자유로운 상상력에 따라 자신만의 삶을 꿈꾸고 살라는 것.

limit 제한[한정]하다
because of ~ 때문에

C **12** Renewable energy resources come **from** a wide variety of sources **including** the sun, the wind, and the sea.
재생 에너지 자원은 태양, 바람, 그리고 바다를 포함한 매우 다양한 원천에서 나와.
- 동사(come) + 전치사구[부사어](from a wide variety of sources): 전치사구(전치사 + 명사)가 동사 수식.
- 명사(a wide variety of sources) + 전치사구(including the sun ~): 전치사구가 앞 명사를 뒤에서 수식.

renewable 재생 가능한
resource 자원
a wide variety of 매우 다양한
source 원천[근원]

13 The future **of** the republic is **in** the hands **of** the voter. *Dwight Eisenhower*
공화국의 미래는 투표자의 손안에 있어.
- 명사(the future / the hands) + 전치사구(of + the republic / the voter): 전치사구가 앞 명사를 뒤에서 수식.
- be동사(is) + 전치사구[장소 부사어](in the hands ~): ~에 있다

Know More 〈숨은 의미〉 선출직 공직자를 뽑는 선거에 유권자로서 투표할 수 있는 나이인 선거 연령이 만 18세 이상으로 낮아짐에 따라 청년층의 투표 참여가 더욱 중요해졌음.

republic 공화국
voter 투표자[유권자]

14 **According to** Freud, our dreams represent **our hidden desires.**
프로이트에 따르면 우리의 꿈은 **우리의 숨겨진 욕구들을** 나타내.
- 전치사(according to) + 명사(Freud): 전치사구[부사어]가 문장 맨 앞에서 문장 전체를 수식.

Know More 〈숨은 의미〉 정신분석학의 창시자 프로이트의 말로, 그는 현실에서 충족되지 못한 무의식적 욕구를 충족시키기 위해 꿈을 꾸는 것으로 보고, 다양한 꿈을 분석해 무의식의 세계를 수면 위로 끌어올리는 혁명적인 역할을 했음.

according to ~에 따르면
represent 나타내다
desire 욕구

15 To my great surprise, I received **a message from an old friend.**
매우 놀랍게도 난 **옛 친구로부터 메시지를** 받았어.
- 전치사구(to my great surprise): 문장 맨 앞에서 문장 전체를 수식하는 부사어.

to one's surprise 놀랍게도
receive 받다

Chapter 04

Review

본책 72쪽을 함께 펴놓고 보세요!

A

01 Bullying is **embarrassing** and painful for a victim; stop **bullying** now!
집단 따돌림[약자 괴롭히기]은 피해자에게 창피스럽고 고통스러우니, 지금 당장 **약자를 괴롭히는 걸** 그만둬!

- 감정동사-ing(embarrassing: 창피스러운) 비교 감정동사-ed분사(embarrassed: 창피해하는)
- stop + 목적어[v-ing](bullying): v하는 것을 그만두다 ➔ Unit 22

bully 약자를 괴롭히다
painful 고통스러운
victim 피해자

02 There are a lot of new companies **entering** the mobile software market.
모바일 소프트웨어 시장에 진입하는 새로운 회사들이 많이 있어.

- 명사(a lot of new companies) + v-ing(entering ~): v-ing가 뒤에서 앞 명사 수식.
  a lot of new companies – enter the mobile software market: 능동 관계(~하는) → entering ~

company 회사
enter ~에 진입하다
market 시장

03 I saw the sun **shining** through the window.
난 태양이 **창문을 통해 빛나고 있는** 걸 봤어.

- 지각동사(see) + 목적어(the sun) + 목적보어[v-ing](shining ~): ~가 v하고 있는 것을 보다
  목적어(the sun) – 목적보어(shining ~): 의미상 주어 – 서술어(능동·진행 관계: ~하고 있는).

shine 빛나다
through ~을 통해

04 A: Did you hear me **calling** you?
B: Yes, I heard you **calling** me; did you see me **ignoring** you?
A: 너 내가 널 **부르는** 거 들었니? B: 응, 난 네가 날 **부르는** 거 들었는데, 넌 내가 널 **무시하는** 거 봤니?

- 지각동사(hear) + 목적어(me/you) + 목적보어[v-ing](calling you/me): ~가 v하고 있는 것을 듣다
- 지각동사(see) + 목적어(me) + 목적보어[v-ing](ignoring ~): ~가 v하고 있는 것을 보다

Know More <유머 코드> 자기가 부르는 걸 들었냐고 묻는 친구에게, 들었는데도 못 들은 체한 걸 보았냐고 되묻는 친구.

ignore 무시하다[못 본 척하다]

05 Please keep your fingers **crossed** for me.
날 위해 네 손가락(검지와 중지)을 **겹쳐지**게 해 줘[**행운을 빌어 줘**].

- keep + 목적어(your fingers) + 목적보어[v-ed분사](crossed ~): ~가 계속 v하고 있게 하다
  목적어(your fingers) – 목적보어(crossed ~): 의미상 주어 – 서술어(수동 관계: your fingers are **crossed** ~).

cross 교차하다
cross your fingers
(검지와 중지를 겹쳐서) 행운을 빌다

06 Curiosity **about** life **in** all of its aspects is the secret **of** great creative people. *Leo Burnett*
모든 면에서의 삶에 대한 호기심은 대단히 창의적인 사람들의 비결이야.

- 명사(curiosity) + 전치사구(about life): 전치사구가 앞 명사를 뒤에서 수식.
- 명사(the secret) + 전치사구(of great creative people): 전치사구가 앞 명사를 뒤에서 수식.

curiosity 호기심
aspect 측면[양상]

07 Float **like** a butterfly; sting **like** a bee. *Muhammad Ali*
나비처럼 떠돌며 벌처럼 쏘아라.

- 동사(float/sting) + 전치사구[부사어](like + a butterfly/a bee): 전치사구(전치사 + 명사)가 동사 수식.

Know More <배경 지식> 전설적인 미국 권투 선수 무하마드 알리가 자신의 복싱 스타일을 묘사한 말.

float 떠돌다

B

08 I felt **embarrassed** at being the center of attention.
난 관심의 중심이 된 것이 쑥스러웠어.

- 감정동사-ed분사(embarrassed: 쑥스러워하는) 비교 감정동사-ing(embarrassing: 쑥스러운)

center 중심
attention 관심

09 Machu Picchu is an ancient city **built** by the Incans in the 1400s.
마추픽추는 1400년대에 잉카인들에 의해 건설된 고대 도시야.

- 명사(an ancient city) + v-ed분사(built ~): v-ed분사가 뒤에서 앞 명사 수식.
  an ancient city – (was) built by the Incans in the 1400s: 수동 관계(~되는) → built ~

ancient 고대의
city 도시
build 짓다[건설하다]

10 I heard my name **called** over the loudspeaker.
난 내 이름이 **스피커로 불리는** 게 들렸어.

- 지각동사(hear) + 목적어(my name) + 목적보어[v-ed분사](called ~): ~가 v되는 것을 듣다
  목적어(my name) – 목적보어(called ~): 의미상 주어–서술어(수동 관계).

loudspeaker 스피커[확성기]

Stage Ⅱ

주어 / 보어 / 목적어구·절 & 관계절

Stage Ⅱ

Contents of Stage

v-ing: 주어 / 보어 / 목적어

Unit Words

■ 본격적인 구문 학습에 앞서, 각 유닛별 주요 단어를 확인하세요.

Unit 21 주어 / 보어 v-ing

- ☐ beginning 시작
- ☐ sin 죄(악)
- ☐ common 흔한
- ☐ share 나누다
- ☐ follow 따르다
- ☐ injury 부상
- ☐ a variety of 여러 가지의[다양한]
- ☐ take a chance 위험을 무릅쓰다
- ☐ vote 투표하다
- ☐ protest 항의
- ☐ surrender 항복[굴복]
- ☐ ahead 미리
- ☐ obesity 비만
- ☐ diabetes 당뇨병
- ☐ clone 복제하다

Unit 22 목적어 v-ing

- ☐ log off 로그오프하다
- ☐ log on 로그온하다
- ☐ leaf (나뭇)잎
- ☐ hang out 놀다[많은 시간을 보내다]
- ☐ go on v-ing 계속 v하다
- ☐ avoid 피하다[막다]
- ☐ mind 신경 쓰다
- ☐ pursue 추구하다
- ☐ regret 후회하다
- ☐ industrial 산업의
- ☐ revolution 혁명
- ☐ put off 미루다
- ☐ decision 결정
- ☐ roll 굴리다

Unit 23 전치사목적어 v-ing

- ☐ worthwhile 가치[보람] 있는
- ☐ unlock 열다
- ☐ unlimited 무제한의
- ☐ potential 잠재력
- ☐ maintain 지키다[유지하다]
- ☐ prevent 예방하다
- ☐ investigate 조사하다
- ☐ crime 범죄
- ☐ branch 나뭇가지
- ☐ influence 영향을 미치다
- ☐ prejudice 편견
- ☐ appearance (겉)모습
- ☐ heritage 유산
- ☐ cultivate 기르다[함양하다]
- ☐ grateful 감사하는

Unit 24 수동형 / 완료형 v-ing

- ☐ tease 놀리다
- ☐ accept 받아들이다
- ☐ deny 부인하다
- ☐ save 구하다
- ☐ passenger 승객
- ☐ conscience 양심
- ☐ worthy of ~을 받을 만한
- ☐ shut up 입 다물다
- ☐ interrupt 방해하다[가로막다]
- ☐ pretend ~인 척하다
- ☐ limited 제한된
- ☐ midterm 중간고사
- ☐ justice 정의
- ☐ fight 싸우다

본책 78~79쪽을 함께 펴놓고 보세요!

Unit 21

주어/보어 v-ing

v-ing	동사	보어
Knowing yourself	is	the beginning of all wisdom.

Standard Sentences

01 Knowing yourself is the beginning of all wisdom. *Aristotle*
너 자신을 아는 것이 모든 지혜의 시작이야.
- v-ing[주어](knowing yourself) + 동사(is): v-ing(v하는 것)가 주어.

beginning 시작
wisdom 지혜

02 The worst sin in life is **knowing** right and **not doing** it. *Martin Luther King*
삶에서 가장 나쁜 죄악은 옳은 것을 알면서도 하지 않는 것이야.
- 주어 + be동사 + (not) v-ing[보어](knowing / not doing ~): (not) v-ing(v하는 것(v하지 않는 것))가 보어.
- not + v-ing(doing ~): v-ing의 부정(v하지 않는 것).
- A(knowing ~) and B(not doing ~): A와 B 대등 연결.

Know More 〈배경 지식〉 미국 흑인 인권 운동을 비폭력적으로 이끌어 1964년 노벨 평화상을 받은 마틴 루터 킹의 말로, 정의를 위한 행동의 중요성을 강조한 것.

worst 가장 나쁜[최악의]
sin 죄(악)

03 The cause of the accident was **drivers driving** too fast.
그 사고의 원인은 운전자들이 너무 빨리 달린 것이었어.
- drivers + v-ing(driving ~): v-ing의 의미상 주어는 v-ing 앞에 명사(~가 v하는 것).
- 주어 + be동사(was) + 명사[의미상 주어](drivers) + v-ing(driving ~): 명사 + v-ing(~가 v하는 것)가 보어.

cause 원인
accident 사고

A

04 Excellence is **doing** a common thing in an uncommon way. *Albert Einstein*
뛰어남은 흔한 것을 흔치 않은 방식으로 하는 것이야.
- 주어 + be동사 + v-ing[보어](doing ~): v-ing(v하는 것)가 보어.

excellence 뛰어남[탁월함]
common 흔한
↔ uncommon 흔하지 않은

05 **Sharing** joy increases joy; **sharing** sorrow decreases sorrow.
기쁨을 나누는 것은 기쁨을 증가시키고, 슬픔을 나누는 것은 슬픔을 감소시켜.
- v-ing[주어](sharing ~) + 동사(increases / decreases): v-ing(v하는 것)가 주어.

share 나누다
increase 증가시키다
↔ decrease 감소시키다
sorrow 슬픔

06 **Following** safety rules can protect you from serious injury.
안전 수칙을 따르는 것이 심각한 부상으로부터 널 보호할 수 있어.
- v-ing[주어](following ~) + 동사(can protect): v-ing(v하는 것)가 주어.
- protect + 목적어(you) + from + 명사(serious injury): ~을 …로부터 보호하다

follow 따르다
safety 안전
injury 부상

07 Creativity is creative people **connecting** things and experiences. *Steve Jobs*
창의성은 창의적인 사람들이 사물들과 경험들을 연결하는 것이야.
- creative people + v-ing(connecting ~): v-ing의 의미상 주어는 v-ing 앞에 명사.
- 주어 + be동사 + 명사[의미상 주어](creative people) + v-ing(connecting ~): 명사 + v-ing(~가 v하는 것)가 보어.

Know More 〈배경 지식〉 애플을 창업해 개인용 컴퓨터를 대중화하고 2007년 아이폰을 내놓아 스마트폰 시대를 연 위대한 창조자 스티브 잡스의 말로, 창의성이란 폭넓은 경험들을 깊이 사고해 그들을 점들을 잇듯 연결시키는 능력이라는 것.

connect 연결하다
experience 경험

B 08 **Trying** different foods can help us **enjoy a variety of cultures.**
다른 음식들을 먹어 보는 것은 우리가 **다양한 문화를 즐기도록** 도와줄 수 있어.

- v-ing[주어](trying ~) + 동사(can help): v-ing(v하는 것)가 주어.
- help + 목적어(us) + 목적보어[V](enjoy ~): ~가 V하도록 돕다(목적보어로 to-v도 가능.)

a variety of 여러 가지의[다양한]

09 The important thing is **not being** afraid to take a chance. *Debbi Fields*
중요한 건 위험을 무릅쓰는 걸 두려워하지 않는 거야.

- 주어 + be동사 + not v-ing[보어](not being ~): not v-ing(v하지 않는 것)가 보어.
- be afraid to-v: v하는 것을 두려워하다

take a chance 위험을 무릅쓰다

10 **Not voting** is not a protest but a surrender. *Keith Ellison*
투표하지 않는 것은 항의가 아니라 항복이야.

- not v-ing(not voting) + 동사(is): not v-ing(v하지 않는 것)가 주어.
- not A(a protest) but B(a surrender): A가 아니라 B(A는 부정되고 B가 긍정됨.)

Know More <숨은 의미> 'protest'(항의)는 부당함에 대항하는 적극적인 의사 표시이므로, 주권의 표기인 선거에서의 기권은 결코 항의가 될 수 없고 그냥 굴복이라는 것.

vote 투표하다
protest 항의
surrender 항복[굴복]

11 The first step of cooking is **preparing** the right ingredients.
요리의 첫 단계는 알맞은 재료를 준비하는 것이야.

- 주어 + be동사 + v-ing[보어](preparing ~): v-ing(v하는 것)가 보어.

prepare 준비하다
ingredient 재료

C 12 **Planning** ahead gives you **greater control of your time.**
미리 계획하는 건 네게 **시간에 대한 더 큰 통제력**을 줘.

- v-ing[주어](planning ~) + 동사(gives): v-ing(v하는 것)가 주어.

Know More <숨은 의미> 미리 계획하면 여러 일들에 대해 우선순위 선정이나 적절한 시간 안배가 가능해져 시간을 더 효율적으로 사용할 수 있다는 것.

plan 계획하다
ahead 미리
control 통제(력)

13 **Having** too much sugar can lead to **obesity, heart disease, and diabetes.**
너무 많은 설탕을 먹는 건 **비만, 심장병, 그리고 당뇨병**에 이를 수 있어.

- v-ing[주어](having ~) + 동사(can lead to): v-ing(v하는 것)가 주어.

lead to ~에 이르다
obesity 비만
diabetes 당뇨병

14 The best preparation for tomorrow is **doing** your best today. *Jackson Brown*
내일을 위한 최고의 준비는 오늘 최선을 다하는 거야.

- 주어 + be동사 + v-ing[보어](doing ~): v-ing(v하는 것)가 보어.

Up! 15 **Cloning** is **creating** a copy of living matter, such as a cell or organism.
클로닝은 세포나 유기체와 같은 살아 있는 물질의 복제물을 만드는 거야.

- v-ing[주어](cloning) + be동사 + v-ing[보어](creating ~): v-ing(v하는 것)가 주어/보어.
- A(living matter), such as B(a cell or organism): A와 B는 동격(A⊃B).

Know More <배경 지식> 클로닝(cloning): 미수정란의 핵을 체세포의 핵과 바꿔 유전적으로 똑같은 생물을 얻는 기술.

clone 복제하다
copy 복제[복사]
matter 물질
cell 세포
organism 유기체

본책 80~81쪽을 함께 펴놓고 보세요!

Unit 22
목적어 v-ing

주어	동사	v-ing
I	enjoy	meeting people and seeing new places.

Standard Sentences

01 I enjoy **meeting** people and **seeing** new places.
난 사람들을 만나고 새로운 곳을 보는 것을 즐겨.
- enjoy + v-ing[목적어](meeting ~/seeing ~): v하는 것을 즐기다
- A(meeting ~) and B(seeing ~): A와 B 같은 꼴(v-ing) 대등 연결.

02 If you still have a problem, try **logging** off and **logging** back on.
네가 아직 문제가 있으면, 로그오프했다 다시 로그온해 봐.
- if + 주어 + 동사: ~면(조건 부사절) ➔ Unit 50
- try + v-ing[목적어](logging off/logging back on): v하는 것을 시도하다[해 보다]
- A(logging off) and B(logging back on): A와 B 같은 꼴(v-ing) 대등 연결.

log off 로그오프하다
log on 로그온하다

03 I hate **talking** about people behind their backs.
난 사람들 등 뒤에서[몰래] 그들에 대해 얘기하는 걸 싫어해.
- hate + v-ing[목적어](talking ~): v하는 것을 싫어하다

behind somebody's back ~ 몰래

04 You can't stop **me loving** myself. *Song "IDOL" by BTS*
넌 내가 날 사랑하는 걸 막을 수 없어.
- 내명사 목석격[의미상 주어](me) + v-ing(loving ~): ~가 v하는 것
- stop + 대명사 목적격[의미상 주어](me) + v-ing[목적어](loving ~): ~가 v하는 것을 막다

A

05 The leaves started **falling** off the trees.
나뭇잎들이 나무에서 떨어지기 시작했어.
- start + v-ing[목적어](falling ~): v하기 시작하다
- start + 목적어(v-ing/to-v): The leaves started **falling**. = The leaves started **to fall**.

leaf (나뭇)잎
start 시작하다

06 In my free time, I like **hanging** out with my friends, **listening** to music and **playing** sports.
여가 시간에 난 친구들과 놀고, 음악을 듣고, 운동하는 것을 좋아해.
- like + v-ing[목적어](hanging out ~/listening ~/playing ~): v하는 것을 좋아하다
- A(hanging out ~), B(listening ~) and C(playing ~): A와 B와 C 같은 꼴(v-ing) 대등 연결.
- like + 목적어(v-ing/to-v): I like **listening** to music. = I like **to listen** to music.

hang out 놀다[많은 시간을 보내다]

07 I didn't finish **sleeping** at home, so I have to go on **sleeping** at school.
난 집에서 잠자는 걸 끝내지 못해서, 학교에서 계속 잠을 자야 해.
- finish + v-ing[목적어](sleeping ~): v하는 것을 끝내다
- go on + v-ing[목적어](sleeping ~): 계속 v하다[v하는 것을 계속하다]

Know More <유머 코드> 학교에서 계속 자다 보면 집에 가서 잠이 안 와 밤늦게까지 깨어 있다 잠들어 또 잠을 끝내지 못하고 학교 와서 또 자고...(학교는 숙박업소가 아니니, 이 악순환의 고리를 끊자!)

so 그래서[~해서]

B **08** You should avoid **making** the same mistake.
넌 같은 실수를 하는 것을 피해야 해.
- avoid + v-ing[목적어](making ~): v하는 것을 피하다 (×) avoid + to-v(to make ~)

Up! **09** Don't your parents mind **you staying** out so late?
네 부모님께서는 네가 그렇게 늦게까지 밖에 있는 걸 신경 쓰지 않으시니?
- mind + 대명사 목적격[의미상 주어](you) + 목적어[v-ing](staying ~): ~가 v하는 것을 신경 쓰다 (×) mind + to-v(to stay ~)

10 Don't give up **pursuing** your dream.
네 꿈을 추구하는 걸 포기하지 마.
- give up + v-ing[목적어](pursuing ~): v하는 것을 포기하다 (×) give up + to-v(to pursue ~)

pursue 추구하다

11 I have always regretted **not studying** harder in middle school.
난 중학교 때 더 열심히 공부하지 않은 걸 늘 후회해 왔어.
- not + v-ing(studying ~): v-ing의 부정(v하지 않는 것). (×) studying not
- regret + not v-ing[목적어](not studying ~): (과거에) v하지 않은 것을 후회하다

C **12** I remember **reading** something about the Fourth Industrial Revolution.
난 4차 산업 혁명에 대해 뭔가 읽은 게 기억나.
- remember + v-ing[목적어](reading ~): (과거에) v한 것을 기억하다
  비교 remember + to-v[목적어]: (앞으로) v할 것을 기억하다

Know More <배경 지식> 제4차 산업 혁명: 정보 통신 기술(ICT)의 융합으로 이루어지는 산업 혁명으로, 빅 데이터 분석, 인공지능, 로봇 공학, 사물 인터넷, 무인 운송 수단, 3차원 인쇄, 나노 기술 등 7대 분야에서의 새로운 기술 혁신.

industrial 산업의
revolution 혁명

13 I'll never forget **hearing** this song for the first time.
난 처음으로 이 노래를 들은 걸 절대 잊지 못할 거야.
- forget + v-ing[목적어](hearing ~): (과거에) v한 것을 잊다 비교 forget + to-v[목적어]: (앞으로) v할 것을 잊다

for the first time 처음으로

14 Some people put off **making** decisions by searching for more information.
어떤 사람들은 더 많은 정보를 찾다가 결정하는 걸 미뤄.
- put off + v-ing[목적어](making ~): v하는 것을 미루다
- 전치사(by) + v-ing(searching ~): 전치사 뒤에 동사가 올 경우 v-ing. ➲ Unit 23

decision 결정

☺ **15** Keep **rolling** your eyes, and you'll find your brain back there.
계속 눈을 굴리면, 넌 그 뒤에서 뇌를 보게 될 거야.
- keep + v-ing[목적어](rolling ~): 계속 v하다[v하는 것을 계속하다]
- 명령문(Keep ~), and ...: ~하면, ... ➲ Unit 44

Know More <유머 코드> 눈을 위로 굴리는 것은 주로 상대가 하는 말이나 행동이 짜증나거나 지루하거나 의심스러울 때 보이는 제스처인데, 이를 되받아 그러다가 눈 뒤쪽의 뇌를 보게 될 거라고 반격하는 것.

roll 굴리다
roll your eyes 눈을 굴리다

본책 82~83쪽을 함께 펴놓고 보세요!

Unit 23 전치사목적어 v-ing

주어	동사	전치사 + v-ing
Real joy	comes	from doing something worthwhile.

Standard Sentences

01 Real joy comes **from doing** something worthwhile. *Wilfred Grenfell*
진정한 기쁨은 가치 있는 일을 하는 데서 생겨.

- 전치사(from) + v-ing(doing ~): 전치사 뒤에 동사가 올 경우 v-ing.
- 동사(comes) + 전치사구[부사어](from doing ~): 전치사구(전치사 + 명사)가 동사 수식.
- -thing(something) + 형용사(worthwhile): 형용사가 -thing을 뒤에서 수식.

come from ~에서 생기다[나오다]
worthwhile 가치[보람] 있는

02 Questions provide the key **to unlocking** our unlimited potential. *Tony Robbins*
질문은 우리의 무한한 잠재력을 여는 열쇠를 제공해.

- 전치사(to) + v-ing(unlocking ~): 전치사 뒤에 동사가 올 경우 v-ing.
- 명사(the key) + 전치사구(to + v-ing(unlocking ~)): 전치사구가 뒤에서 앞 명사 수식.

Know More 〈숨은 의미〉 일상과 주어진 일정에 파묻혀 수동적으로 살지만 말고, 때로 잠시 멈춰서 자신과 세상의 과거와 현재, 그리고 미래에 대해 성찰적 질문을 하는 것이야말로 자신의 숨겨진 무한한 잠재력을 깨우는 비결이라는 것.

unlock 열다
unlimited 무제한의
potential 잠재력

03 I am used **to getting** up early in the morning.
난 아침에 일찍 일어나는 데 익숙해.

- be used to v-ing(getting up ~): v하는 데 익숙하다 (비교) used to V: v하곤 했다

A

04 You can't make an omelette **without breaking** eggs. *Proverb*
넌 달걀을 깨지 않고는 오믈렛을 만들 수 없어.

- 전치사(without) + v-ing(breaking ~): v하지 않고(전치사 뒤에 동사가 올 경우 v-ing.)

Know More 〈숨은 의미〉 중요한 일을 이루기 위해서는 따르는 불편과 부작용을 감수해야 한다는 것.

omelette 오믈렛

05 Are you **for** or **against wearing** school uniforms?
넌 교복을 입는 것에 찬성하니 반대하니?

- 전치사(for / against) + v-ing(wearing ~): 전치사 뒤에 동사가 올 경우 v-ing.
- for (wearing school uniforms) or against wearing school uniforms: 공통 어구 생략.

for ~에 찬성하는
against ~에 반대하는

06 You don't learn to walk **by following** rules; you learn **by doing**, and **by falling over**. *Richard Branson*
넌 규칙을 따르면서 걷는 것을 배우지 않고, 넌 걸으면서 넘어지면서 배워.

- learn + to-v(to walk ~): v하는 것을 배우다
- you learn (to walk) by doing ~: 반복 어구 생략.
- 전치사(by) + v-ing(following ~ / doing / falling over): v함으로써(전치사 뒤에 동사가 올 경우 v-ing.)

Up! **07** CCTV is used **for maintaining** public safety and **for preventing** and **investigating** crime.
시시티브이[폐쇄 회로 티브이]는 공공의 안전을 지키고 범죄를 예방하고 조사하기 위해 사용돼.

- 전치사(for) + v-ing(maintaining ~ / preventing / investigating ~): 전치사 뒤에 동사가 올 경우 v-ing.
- A(for maintaining ~) and B(for preventing and investigating ~): A와 B 대등 연결.
- preventing (crime) and investigating crime: 공통 어구 생략.

maintain 지키다[유지하다]
safety 안전
prevent 예방하다
investigate 조사하다
crime 범죄

B **08** **Before making up** your mind, think about **all your options.**
결정하기 전에, **모든 선택할 수 있는 것들**에 대해 생각해.

- 전치사(before) + v-ing(making up ~): 전치사 뒤에 동사가 올 경우 v-ing. (×) before make ~

make up your mind 결정하다
option 선택(할 수 있는 것)

Up! **09** Everything will be okay soon **in spite of my worrying** about it.
내가 그것에 대해 걱정함에도 불구하고 모든 게 곧 괜찮아질 거야.

- 전치사(in spite of) + 대명사 소유격[의미상 주어](my) + v-ing(worrying ~): ~가 v함에도 불구하고(v-ing의 의미상 주어는 v-ing 바로 앞에 대명사 소유격[목적격](my[me])).

in spite of ~에도 불구하고

Up! **10** A bird sitting on a tree is never afraid **of the branch breaking.**
나무에 앉아 있는 새는 나뭇가지가 부러지는 것을 절대 두려워하지 않아.

- 명사(a bird) + v-ing(sitting ~): v-ing가 뒤에서 앞 명사 수식. Unit 18
- 전치사(of) + 명사[의미상 주어](the branch) + v-ing(breaking): 전치사 뒤에 동사가 올 경우 v-ing.

be afraid of ~을 두려워하다
branch 나뭇가지

11 I am looking forward **to influencing** others in a positive way. *Justin Bieber*
난 **긍정적인 방식으로 다른 사람들에게 영향을 미치기를** 고대하고 있어.

- look forward to v-ing(influencing ~): v할 것을 고대하다(전치사(to) 뒤에 동사가 올 경우 v-ing. (×) look forward to influence ~)

influence 영향을 미치다
positive 긍정적인

C **12** Prejudice prevents **us from seeing** the good beyond appearances.
편견은 **우리가 겉모습 너머에 있는 좋은 것을 보는 걸** 막아.

- prevent + 목적어(us) + from + v-ing: ~가 v하는 것을 막다(전치사(from) 뒤에 동사가 올 경우 v-ing.)

prejudice 편견
beyond ~ 너머
appearance (겉)모습

13 Why do you insist **on doing** everything yourself instead **of sharing** with others?
왜 넌 다른 사람들과 나누는 대신 **모든 것을 스스로 하려고** 고집하니?

- insist on + v-ing(doing ~): v하는 것을 고집하다
- 전치사(instead of) + v-ing(sharing ~): v하는 대신에(전치사(instead of) 뒤에 동사가 올 경우 v-ing.)

share 나누다

14 We should try to put more effort **into preserving** our cultural heritage.
우리는 **우리의 문화유산을 지키는 데** 더 많은 애를 쓰려고 노력해야 해.

- try + to-v[목적어](to put ~): v하려고 노력하다
- 전치사(into) + v-ing(preserving ~): 전치사 뒤에 동사가 올 경우 v-ing.

put effort into ~에 애쓰다[공들이다]
preserve 지키다[보존하다]
heritage 유산

15 Cultivate the habit **of being** grateful for every good thing. *Ralph Emerson*
모든 좋은 것에 감사하는 습관을 길러.

- 전치사(of) + v-ing(being ~): 전치사 뒤에 동사가 올 경우 v-ing.
- be grateful for: ~에 대해 감사하다

cultivate 기르다[함양하다]

본책 84~85쪽을 함께 펴놓고 보세요!

Unit 24
수동형/완료형 v-ing

주어	동사	being + v-ed분사
No one	enjoys	being teased.

Standard Sentences

01 No one enjoys **being teased.**
아무도 놀림당하는 걸 즐기지 않아.
- being v-ed분사(being teased): v되는 것(의미상 주어와의 관계가 수동.)
- enjoy + being v-ed분사[목적어](being teased): v되는[당하는] 것을 즐기다

tease 놀리다

02 I greatly regret **not having told** the truth.
난 진실을 말하지 않은 걸 대단히 후회해.
- having v-ed분사(having told ~): v한 것(본동사보다 앞선 시간이나 완료를 나타냄.)
- regret + not having v-ed분사(not having told ~): (과거에) v하지 않은 것을 후회하다(그냥 not v-ing(not telling)도 가능.)

03 Some people **have difficulty** accepting change.
어떤 사람들은 변화를 받아들이는 데 어려움을 겪어.
- have difficulty + v-ing(accepting ~): v하는 데 어려움을 겪다

accept 받아들이다

A **04** There's no **denying** that quicker action could have saved the passengers.
더 빠른 조치가 승객들을 구했을 수도 있었음을 부인할 수 없어.
- There's no v-ing: v할 수 없다
- could + have v-ed분사(have saved): v했을 수도 있었다
- deny + that + 주어(quicker action) + 동사(could ~): ~ 것을 부인하다(that절이 deny의 목적어절.) ➲ Unit 32

save 구하다
passenger 승객

Up! **05** Most of the students denied **having bullied** or **having been bullied.**
대부분의 학생들이 왕따시킨 적이나 왕따당한 적이 있다는 걸 부인했어.
- having v-ed분사(having bullied): v한 적이 있는 것(본동사보다 앞선 시간이나 완료를 나타냄.)
- having been v-ed분사(having been bullied): v된[당한] 적이 있는 것(의미상 주어와의 관계가 수동.)
- deny + having (been) v-ed분사(having bullied/having been bullied): v한/v된 적이 있다는 것을 부인하다

bully
왕따시키다[(약자를) 괴롭히다]

Up! **06** Life without conscience is not worthy of **being called** human.
양심 없는 삶은 인간의 것이라 불릴 만하지 않아.
- 형용사(worthy) + 전치사(of) + being v-ed분사(being called ~): v될 만한

Know More <배경 지식> 'conscience'(양심): '내면의 소리[빛]'(voice within[inner light])이라 불리는 것으로, 도덕적 가치로 옳고 그름[선악]을 판단하고 그에 반하는 짓을 저지르면 가책을 느끼며, 공동선[공익](common good)을 위해 행동하게 하는 것.

conscience 양심
worthy of ~을 받을 만한

☺ **07** Parents **spend the first year** teaching us to walk and talk, **and the rest** telling us to sit down and shut up. *Neil Tyson*
부모님은 첫 해를 우리에게 걷고 말하는 걸 가르치면서 보내고, 나머지를 우리에게 앉아 입 다물고 있으라고 하면서 보내셔.
- spend + 시간(the first year/the rest) + v-ing(teaching ~/telling ~): v하면서 시간을 보내다
- teach/tell + 목적어(us) + to-v(to walk ~/to sit ~): ~에게 v하는 것을 가르치다/~에게 v하라고 말하다

Know More <유머 코드> 미국 천체 물리학자·대중 과학 운동가 닐 타이슨의 말로, 서로 비슷한 소리와 대조되는 뜻의 단어들 <walk/talk>—<sit down/shut up>을 이용해 부모[육아]-자식[성장] 간의 씁쓸한 아이러니를 보여 주는 것.

shut up 입 다물다

B **08** I feel like **eating** something sweet.
난 단것을 먹고 싶어.

- feel like v-ing: v하고 싶다
- -thing(something) + 형용사(sweet): 형용사가 -thing을 뒤에서 수식.

09 **It's no use crying** over spilt milk. *Proverb*
엎질러진 우유를 두고 울어 봐야 소용없어.

- It's no use v-ing: v해 봐야 소용없다

spill-spilled[spilt]-spilled[spilt] 쏟다(엎지르다)

10 I hate **being interrupted** by the people we are talking about.
난 우리가 그들에 대해 말하고 있는 사람들에 의해 말을 방해받는 걸 싫어해.

- being v-ed분사(being interrupted ~): v되는[받는] 것(의미상 주어와의 관계가 수동.)
- hate + being v-ed분사(being interrupted ~): v되는[받는] 것을 싫어하다
- 명사(the people) + 관계절(we are talking about): 관계절이 뒤에서 앞명사 수식. ➲ Unit 38

Know More **<유머 코드>** 남의 뒷담화를 하면서 그 당사자에게 방해받기 싫다는 말도 안 되는 말로, 뒷담화가 정보 습득, 공감대 형성, 스트레스 해소 등의 순기능도 있다고 하지만, 결국 돌고 돌아 뒷감당도 힘들고 자신에게도 돌아오는지라 뒷담화를 멀리하고 뒷담화 하는 사람도 멀리하는 게 상책.

interrupt 방해하다(가로막다)

Think **11** Maybe sometimes we pretend **to be lost** in hopes of **being found** by someone.
어쩌면 때로 우리는 누군가에 의해 발견되리라는 희망을 가지고 **길을 잃은** 척하는지도 몰라.

- pretend to-v(to be): v인 척하다
- being v-ed분사(being found ~): v되는 것(의미상 주어와의 관계가 수동.)
- in hopes of + being v-ed분사(being found ~): v되리라는 희망을 가지고(전치사(of) 뒤에 동사가 올 경우 v-ing.)

Know More <숨은 의미> 인간은 누구나 살아가다 어려움에 부딪혀 혼자 감당하기 힘든 때가 있는데, 때로는 누군가의 위로와 도움의 손길을 바라며 스스로를 어려움에 빠뜨리기도 한다는 것.

maybe 어쩌면(= perhaps)
lost 길을 잃은

C **12** I have **problems** making new friends at the beginning of the school year.
난 학년 초에 새 친구들을 사귀는 데 **문제가** 있어.

- have a problem v-ing: v하는 데 문제가 있다

13 Don't waste **your limited time** living someone else's life. *Steve Jobs*
네 제한된 시간을 다른 사람의 삶을 살면서 낭비하지 마.

- waste + 시간(your limited time) + v-ing(living ~): v하면서 시간을 낭비하다

limited 제한된

14 I have **been busy preparing** for midterms this week.
난 이번 주에 중간고사를 준비하느라 바빴어.

- be busy v-ing: v하느라 바쁘다

prepare 준비하다
midterm 중간고사

15 Justice **is worth fighting** for.
정의는 (이루기 위해) 싸울 가치가 있어.

- be worth v-ing: v할 가치가 있다

Know More **<배경 지식>** 'justice'(정의)는 시대와 문화에 따라 다양한 분야와 관점에서 논의되어 온 것으로, 올바른 개인 간의 관계와 사회를 구성·유지하는 공정성(fairness)인데, 《정의란 무엇인가》의 마이클 샌델은 정의를 판단하는 기준으로 사회 구성원의 행복과 자유의 보장과 공정한 사회에 대한 좋은 영향을 들었음.

justice 정의
fight 싸우다

본책 86쪽을 함께 펴놓고 보세요!

Chapter 05
Review

A

01 Feeling gratitude and not expressing it is like wrapping a present and not giving it. *William Ward*
고마움을 느끼고 그걸 표현하지 않는 것은 선물을 싸서 그걸 주지 않는 것과 같아.

- (not) v-ing(feeling ~/not expressing ~) + 동사(is): v-ing(v하는 것)/not v-ing(v하지 않는 것)가 주어.
- like(전치사) + (not) v-ing(wrapping ~/not giving ~): v하는 것 같은/v하지 않는 것 같은

gratitude 고마움[감사]
like ~같은
wrap 싸다[포장하다]

02 An essential aspect of creativity is not being afraid to fail. *Edwin Land*
창의성의 필수적인 측면은 실패하는 걸 두려워하지 않는 거야.

- 주어 + be동사(is) + not v-ing(not being ~): not v-ing(v하지 않는 것)가 보어.
- be afraid + to-v(to fail): v하는 것을 두려워하다

essential 필수적인[본질적인]
aspect 측면
creativity 창의성

03 Raising teenagers is wrestling slippery fish with your hands tied behind your back.
십대를 키우는 건 등 뒤로 손이 묶인 채 미끄러운 물고기와 씨름하는 거야.

- v-ing[주어](raising ~) + be동사(is) + v-ing[보어](wrestling ~): v-ing(v하는 것)가 주어/보어.
- with + 명사(your hands) + v-ed분사(tied ~): ~가 v된 채(명사와 수동 관계(→ v-ed분사). unit 51)

raise 키우다[기르다]
wrestle 씨름하다[레슬링을 하다]
slippery 미끄러운
tie 묶다

04 No one can prevent me from living my life my way.
아무도 내가 내 방식대로 내 삶을 사는 걸 막을 수 없어.

- prevent + 목적어(me) + from + v-ing(living ~): ~가 v하는 것을 막다(전치사(from) 뒤에 동사가 올 경우 v-ing.)

05 I would like to congratulate my parents for having such an amazing kid!
난 부모님께 너무나 멋진 아이를 가지신 걸 축하드리고 싶어!

- would like to-v: v하고 싶다
- 전치사(for) + v-ing(having ~): v하는 것에 대해(전치사 뒤에 동사가 올 경우 v-ing.)

Know More <유머 코드> 자신이 너무나 멋진 아이라는 것.

congratulate 축하하다

06 We have to build bridges of peace instead of building walls of wars. *Widad Akrawi*
우리는 전쟁의 벽 대신에 평화의 다리를 만들어야 해.

- 전치사(instead of) + v-ing(building ~): v하는 대신에(전치사 뒤에 동사가 올 경우 v-ing.)

bridge 다리
wall 벽
war 전쟁

07 We spent hours chatting online.
우리는 온라인에서 채팅하면서 몇 시간을 보냈어.

- spend + 시간(hours) + v-ing(chatting ~): v하면서 시간을 보내다

B

08 Please stop giving us homework to do on the weekends; we have lives, too.
제발 우리에게 주말에 해야 할 숙제를 그만 내 주세요. 우리에게도 삶이 있어요.

- stop + v-ing[목적어](giving ~): v하는 것을 그만하다 (비교) stop + to-v[부사어]: v하기 위해 멈추다
- 명사(homework) + to-v(to do ~): v해야 할 ~(to-v가 뒤에서 앞 명사 수식.) unit 29

Up! **09** The sharing economy contributes to saving the environment.
공유 경제는 환경을 구하는 데 기여해.

- contribute to v-ing: v하는 데 기여하다(전치사(to) 뒤에 동사가 올 경우 v-ing.) (×) contribute to-v(to save)

Know More <배경 지식> 공유 경제: 인터넷·스마트폰 등 정보 통신 기술을 활용해 물건·공간·서비스를 여럿이 나누고 빌리고 바꾸어 쓰는 협력 소비 방식으로, 자원 활용을 극대화하고 불필요한 생산을 억제해 환경 오염을 줄일 것으로 기대되는 것.

sharing economy 공유 경제
save 구하다

10 Most adolescents are angry at being treated like children.
대부분의 청소년들은 아이처럼 취급당하는 것에 화를 내.

- being v-ed분사(being treated ~): 의미상 주어(most adolescents)와 수동 관계(v되는[당하는] 것).
- be angry at + being v-ed분사(being treated ~): v되는[당하는] 것에 화나다

adolescent 청소년
treat 취급하다[대하다]

to-v: 주어 / 보어 / 목적어 / 목적보어

Unit Words

■ 본격적인 구문 학습에 앞서, 각 유닛별 주요 단어를 확인하세요.

Unit 25 주어 / 보어 to-v

☐ possess 소유하다
☐ open-minded 마음이 열린
☐ ahead 앞으로[앞에]
☐ conquer 정복하다
☐ province 영역[분야]
☐ cure 치료법
☐ seasickness 뱃멀미
☐ extent 정도
☐ ignorance 무지

Unit 26 목적어 to-v

☐ embrace 받아들이다[껴안다]
☐ in harmony with ~와 조화롭게
☐ argue 말다툼하다
☐ get through 합격하다[통과하다]
☐ hurt (감정을) 상하게 하다
☐ fail 실패하다

Unit 27 목적보어 to-v

☐ hierarchy 계층[계급]
☐ control 지배[통제]하다
☐ authorities 당국
☐ spread 확산
☐ work from home 재택근무를 하다
☐ economy 경제

Unit 28 목적보어 V

☐ absence 부재[없음]
☐ fond 좋아하는
☐ sight 모습[광경]
☐ rejoice 크게 기뻐하다
☐ define 규정[정의]하다
☐ confine 한정[제한]하다
☐ quicken 빨라지다
☐ melt away 차츰 사라지다
☐ rustle 바스락거리다

Unit 29 명사수식어 to-v

☐ set foot 발을 딛다
☐ come of ~의 결과이다
☐ capacity 능력
☐ evidence 증거
☐ support 뒷받침하다
☐ bring ~ together 모으다
☐ adapt to ~에 적응하다
☐ prioritize 우선순위를 정하다
☐ task 일[과업]

Unit 30 부사어 / 형용사수식어 to-v

☐ aim 겨냥하다[겨누다]
☐ awake 깨다
☐ yield 내다[산출하다]
☐ consequence 결과
☐ nonsense 말도 안 되는 말[생각]
☐ craze 대유행

Unit 31 수동형 / 완료형 to-v

☐ sit around 빈둥거리다
☐ fairly 공정하게
☐ entertainment 오락
☐ Social Security 사회 보장 제도
☐ reform 개혁하다
☐ vulnerable 취약한[연약한]
☐ perception 인식
☐ selective 선택적인
☐ sustainable 지속 가능한

본책 88~89쪽을 함께 펴놓고 보세요!

unit 25

주어 / 보어 to-v

to-v	동사	to-v
To have another language	is	to possess a second soul.

Standard Sentences

01 To have another language is **to possess** a second soul. *Charlemagne*
또 하나의 언어를 갖는 것은 정신을 하나 더 소유하는 거야.

- to-v[주어](to have ~) + be동사(is) + to-v[보어](to possess ~): to-v(v하는 것)가 주어/보어.

Know More 〈숨은 의미〉 많은 정신 활동이 언어를 통해 이루어지니, 또 다른 언어를 가지면 또 다른 정신세계를 갖게 되는 효과가 있다는 것.

possess 소유하다
soul 정신[영혼]

02 It's important **to be** open-minded about cultural differences.
문화적 차이에 대해 마음을 여는 것이 중요해.

- It(형식주어) + 동사(is) ~ + to-v[진주어](to be ~): 주어 to-v(v하는 것)가 형식주어 it을 앞세우고 뒤에 왔음.

open-minded 마음이 열린

03 It is impossible **for you to be** angry and **laugh** at the same time. *Wayne Dyer*
네가 화나는데 동시에 웃는 건 불가능해.

- It(형식주어) + 동사 ~ + for 명사(의미상 주어) + to-v[진주어](to be ~ / (to) laugh ~): ~가 v하는 것은 …하다

Know More 〈숨은 의미〉 화와 웃음은 서로 배타적인 것으로, 화나는데 동시에 웃거나 화내면서 동시에 웃는 건 정상인이라면 불가능하므로, 둘 중 하나를 선택해야 한다는 것.

at the same time 동시에

04 The important thing is **not to stop** questioning. *Albert Einstein*
중요한 건 질문하는 것을 멈추지 않는 거야.

- not + to-v(to stop ~): to-v의 부정(v하지 않는 것).
- 주어 + be동사(is) + not to-v[보어](not to stop ~): not to-v(v하지 않는 것)가 보어.
- stop + v-ing[목적어](questioning): v하는 것을 멈추다.

question 질문하다

A 05 To watch us dance is **to hear** our hearts speak. *Hopi Indian Proverb*
우리가 춤추는 걸 보는 건 우리 마음이 말하는 걸 듣는 거야.

- to-v[주어](to watch ~) + be동사(is) + to-v[보어](to hear ~): to-v(v하는 것)가 주어/보어.
- watch/hear + 목적어(us/our hearts) + 목적보어(V)(dance/speak): ~가 v하는 것을 보다/듣다

Know More 〈숨은 의미〉 북미 원주민 속담으로, 춤은 마음[가슴]이 말하는 거라는 것.

06 It's better **to look** ahead and **prepare**, than **to look** back and **regret**. *Jackie Joyner-Kersee*
뒤돌아보고 후회하는 것보다 앞을 내다보고 준비하는 게 더 나아.

- It(형식주어) + 동사(is) ~ + to-v[진주어](to look ~ / (to) prepare): 주어 to-v(v하는 것)가 형식주어 it을 앞세우고 뒤에 왔음.
- 비교급(better) + than ~: ~보다 더 …한
  It is better A(to-v ~) than B(to-v ~): A와 B 같은 꼴(to-v) 비교.

ahead 앞으로[앞에]

Up! **07** The proper use of science is not **to conquer** nature but **to live** in it. *Barry Commoner*
과학의 올바른 이용은 자연을 정복하는 것이 아니라 자연 속에 사는 거야.

- 주어 + be동사 + to-v[보어](to conquer ~ / to live ~): to-v(v하는 것)가 보어.
- not A(to conquer ~) but B(to live ~): A가 아니라 B(A는 부정되고 B가 긍정됨.)

proper 올바른
conquer 정복하다

B **08** **Not to be** in your comfort zone is great fun. *Benedict Cumberbatch*
안락 지대에 있지 않는 것이 진짜 재미있어.

- not + to-v(to be ~): to-v의 부정(v하지 않는 것).
- not to-v(not to be ~) + 동사(is): not to-v(v하지 않는 것)가 주어.

Know More <배경 지식> 'comfort zone'(안락 지대)은 친숙해서 편안하고 스스로 통제할 수 있는 상황으로 걱정·스트레스가 적은 심리 상태인데, 이러한 안락한 지대를 벗어나면 도전 의식이 생겨나 진짜 재미가 있다는 것.

comfort 안락[편안]
zone 지대[지역]
comfort zone 안락 지대

09 It is hard **for** a rich man **to enter** the kingdom of heaven. *Jesus*
부자가 천국에 들어가는 것은 어려워.

- It(형식주어) + 동사 ~ + for 명사(의미상 주어) + to-v(진주어): ~가 v하는 것은 …하다

kingdom of heaven 천국

10 It's very kind **of** you **to invite** me to your birthday party.
날 네 생일 파티에 초대해 주다니 넌 정말 친절하구나.

- It(형식주어) + be동사 + 성격 형용사(kind) + of 명사(의미상 주어) + to-v(진주어): ~가 v하는 것은 어떠하다
→ You are very kind to invite me to your birthday party.

invite 초대하다

11 It is foolish **of** you **to believe** such a thing.
그런 걸 믿다니 넌 어리석구나.

- It(형식주어) + be동사 + 성격 형용사(foolish) + of 명사(의미상 주어) + to-v(진주어): ~가 v하는 것은 어떠하다
→ You are foolish to believe such a thing.

foolish 어리석은

C **12** It takes **sunshine and rain to make** a rainbow. *Roy T. Bennett*
Up! 무지개를 만드는 데는 **햇빛과 비가** 필요해.

- It(형식주어) + takes + 명사(sunshine and rain) + to-v(to make ~): v하는 데 ~가 필요하다

Know More <숨은 의미> 비가 갠 후 햇빛을 받아 아름다운 무지개가 뜨듯이, 아름다운 삶도 힘든 시간을 거쳐 이와 함께 찾아오는 자연의 은혜로 만들어진다는 것.

take 필요하다
rainbow 무지개

13 It is the special province of music **to move** the heart. *Johann Sebastian Bach*
마음을 움직이는 건 음악의 특별한 영역이야.

- It(형식주어) + 동사(is) ~ + to-v[진주어](to move ~): 주어 to-v(v하는 것)가 형식주어 it을 앞세우고 뒤에 왔음.

province 영역[분야]

14 A sure cure for seasickness is **to sit** under a tree. *Spike Milligan*
뱃멀미의 확실한 치료법은 나무 아래 앉아 있는 거야.

- 주어 + be동사 + to-v[보어](to sit ~): to-v(~하는 것)가 보어.

Know More <유머 코드> 뱃멀미하는 배에 그 아래 앉아 쉴 나무가 있을 리 없으니...

cure 치료법
seasickness 뱃멀미

15 Real knowledge is **to know** the extent of one's ignorance. *Confucius(공자)*
진정한 앎은 자신의 무지의 정도를 아는 거야.

- 주어 + be동사 + to-v[보어](to know ~): to-v(~하는 것)가 보어.

extent 정도
ignorance 무지

본책 90~91쪽을 함께 펴놓고 보세요!

Unit 26 목적어 to-v

주어	동사	to-v
You	can't expect	to learn a foreign language in a few weeks.

Standard Sentences

01 You can't expect **to learn** a foreign language in a few weeks.
넌 외국어를 몇 주 만에 배울 거라고 기대할 수 없어.
- expect + to-v[목적어] (to learn ~): v하기를 기대하다

foreign 외국의

02 Never forget **to say** "please" and "thank you".
'부디[좀]'와 '고마워요'라고 말할 것을 절대 잊지 마.
- forget + to-v(to say ~): (앞으로) v할 것을 잊다 (비교) forget + v-ing: (과거에) v한 것을 잊다

Know More 〈배경 지식〉 'please'와 'thank you'는 'sorry'(미안해요)와 더불어 'three magic(al) words'(세 가지 마법 단어들)라 불리는 것으로, 가족·친구 사이는 물론 모든 인간관계에서 중요한 말들이니 꼭 생활화하도록 하자!

03 Children must be taught **how to think**, not **what to think.** *Margaret Mead*
아이들에게 무엇을 생각해야 할지가 아니라, 어떻게 생각해야 할지를 가르쳐야 해.
- must + be v-ed분사(be taught): ~되어야 한다
  ← (능동태) 주어 + 동사(must teach) + (에게)목적어(children) + (을)목적어(how to think)
- wh-(how/what) + to-v(to think): wh- + to-v(어떻게/무엇을 v해야 할지)가 목적어.

Know More 〈숨은 의미〉 저명한 인류학자 마거릿 미드의 말로, 아이들에게 생각해야 할 내용을 주입시키려 하지 말고, 스스로 비판적으로 생각할 수 있는 법을 가르쳐야 자립적이고 창의적이 될 수 있다는 것.

A

04 Remember **to keep** the mind calm in difficult moments. *Horace*
어려운 순간에도 마음을 침착하게 유지할 것을 기억해.
- remember + to-v(to keep ~): (앞으로) v할 것을 기억하다 (비교) remember + v-ing: (과거에) v한 것을 기억하다
- keep + 목적어(the mind) + 목적보어(calm): ~을 어떠하게 유지하다

Know More 〈숨은 의미〉 고대 로마의 시인 호라티우스의 말로, 우리 속담 "호랑이에게 물려 가도 정신만 차리면 산다."와 같은 것.

calm 침착한

05 We can begin **to embrace** and **enjoy** our differences.
우리는 우리의 다름을 받아들이고 즐기기 시작할 수 있어.
- begin + to-v[목적어] (to embrace / (to) enjoy ~): v하기 시작하다

embrace 받아들이다[껴안다]

Up! **06** I don't like **to keep** people waiting, and **to be kept** waiting.
난 사람들을 기다리게 하는 것과 기다리게 되는 걸 좋아하지 않아.
- like + to-v / to be v-ed분사(to keep ~ / to be kept ~): v하는 것/v되는 것을 좋아하다
- keep + 목적어(people) + 목적보어[v-ing] (waiting): ~을 계속 v하게 하다

07 People need to learn **how to live** in harmony with nature.
사람들은 어떻게 자연과 조화롭게 살아야 할지 배울 필요가 있어.
- need + to-v[목적어] (to learn ~): v할 필요가 있다[v해야 한다]
- learn + wh-(how) + to-v(to live ~): wh- + to v(어떻게 v해야 할지)가 목적어.

in harmony with ~와 조화롭게

B **08** I don't want **to waste** time arguing.
난 말다툼하면서 시간을 낭비하고 싶지 않아.

- want + to-v[목적어] (to waste ~): v하고 싶다[v하는 것을 원하다]
- waste + 시간(time) + v-ing(arguing): v하면서 시간을 낭비하다

argue 말다툼하다

09 **Q:** When do you need **to climb** a ladder?
A: To get to High School.
문: 넌 언제 사다리를 오를 필요가 있을까? **답:** 고등학교(높은 학교)에 가기 위해.

- need + to-v[목적어] (to climb ~): v할 필요가 있다[v해야 한다]
- to-v(to get to High School): v하기 위해(목적)
- To get to High School (I need to climb a ladder).: 반복 생략.

ladder 사다리

10 Try **not to get** stressed about exams; you'll get through them.
시험에 대해 스트레스를 받지 않으려고 노력해. 넌 시험에 합격할 거야.

- try + not to-v(not to get ~): v하지 않으려고 노력하다

stressed 스트레스를 받는
get through 합격하다[통과하다]

11 Know **where to find** the information and **how to use** it; that's the secret of success. *Albert Einstein*
정보를 어디서 찾아야 할지 그리고 그걸 어떻게 이용해야 할지 알아라. 그것이 성공의 비결이야.

- know + 목적어[wh- + to-v] (where to find ~ / how to use ~): 어디서/어떻게 v해야 할지 알다

information 정보
secret 비결[비밀]

C **12** I didn't mean **to hurt** your feelings.
난 네 기분을 상하게 할 의도가 아니었어.

- mean + to-v[목적어] (to hurt ~): v하려고 의도[작정]하다

mean 의도[작정]하다
hurt (감정을) 상하게 하다

13 I refuse **to accept** anything less than the best.
난 최선이 아닌 어떤 것도 받아들이는 걸 거부해.

- refuse + to-v[목적어] (to accept ~): v하는 것을 거부하다
- less than ~: ~보다 적은[결코 ~가 아닌]

refuse 거부[거절]하다
accept 받아들이다

14 I decided **to take** part in the Seoul Half Marathon.
난 서울 하프 마라톤에 참가하기로 결정했어.

- decide + to-v[목적어] (to take ~): v하기로 결정하다

take part in ~에 참가[참여]하다

15 **Teacher:** You failed the test.
Student: You failed **to educate** me.
선생님: 넌 시험에 실패했어. **학생:** 선생님은 저를 교육하는 데 실패하셨어요.

- fail + to-v[목적어] (to educate ~): v하는 것을 실패하다

Know More <유머 코드> 시험에 실패[불합격]했다는 선생님의 말을 되받아 교육에 실패한 결과라고 하는 학생의 말은 유머니까 그냥 웃고 넘어갈 수 있겠지만, 다음 말에 비추어도 말도 안 되는 것.
"You can lead a horse to water but you can't make it drink."(말을 물가로 데려갈 수는 있어도 물을 마시게 할 수는 없어.)

fail 실패하다

본책 92~93쪽을 함께 펴놓고 보세요!

Unit 27
목적보어 to-v

주어	동사	목적어	to-v
The Internet	enables	us	to share ideas without hierarchy.

Standard Sentences

01 The Internet enables us **to share** ideas without hierarchy.
인터넷은 우리가 **계층에 관계없이 생각을 나눌** 수 있게 해.
- enable + 목적어(us) + to-v(to share ~): ~가 v할 수 있게 하다(목적어 + to-v: 주어-서술어 관계. we share ideas ~)

Know More <배경 지식> 인터넷이 만들어 낸 가상 공간(cyberspace: cybernetics(인공두뇌학) + space(공간))은 현실 세계와 달리 공간·시간의 한계가 없을 뿐만 아니라 어떠한 신분의 차별도 없이 누구나 평등하게 정보와 생각을 나누며 자유로이 활동할 수 있다는 것.

hierarchy 계층[계급]

02 Teachers encourage students **to read** books of different genres.
선생님들은 학생들에게 **다양한 장르의 책들을 읽도록** 권장해.
- encourage + 목적어(students) + to-v(to read ~): ~가 v하도록 권장하다(목적어 + to-v: 주어-서술어 관계. students read books ~)

genre 장르

03 I find **it difficult to make** decisions about my future.
난 내 장래에 대해 결정하는 게 **어렵다는** 걸 알아.
- find + it(형식목적어) + 목적보어(difficult) + to-v(진목적어)(to make ~): v하는 것이 어떠하다는 것을 알다

decision 결정

A

04 The law requires everyone **to have** health insurance.
법은 모든 사람이 **건강 보험을 갖도록** 요구해.
- require + 목적어(everyone) + to-v(to have ~): ~가 v하도록 요구하다

insurance 보험

05 Don't allow your past or present condition **to control** you. *T.D. Jakes*
네 과거나 현재 상태가 널 **지배하**게 두지 마.
- allow + 목적어(your past or present condition) + to-v(to control ~): ~가 v하게 허락하다[두다]

Know More <숨은 의미> 지나간 과거나 주어진 현재의 상태나 상황은 단지 다음 단계로 가기 위해 거쳐야 할 과정일 뿐이니 그에 휘둘리지 말고 오로지 무한한 가능성이 열려 있는 미래를 향해 힘차게 나아가라는 것.

present 현재의
condition 상태
control 지배[통제]하다

06 Smartphones make **it easy to take** photographs.
스마트폰은 사진 찍는 걸 **쉽게** 해.
- make + it(형식목적어) + 목적보어(easy) + to-v(진목적어)(to take ~): v하는 것을 어떠하게 하다[만들다]

photograph 사진

07 Authorities are advising people **to stay** indoors due to the spread of the virus.
당국은 바이러스의 확산 때문에 사람들에게 **실내에 머물 것을** 권고하고 있어.
- advise + 목적어(people) + to-v(to stay ~): ~에게 v할 것을 권고[조언]하다

authorities 당국
indoors 실내에서
due to ~ 때문에
spread 확산

B **08** What caused you **to change** your mind?
무엇이 네가 **마음을 바꾸**게 했니?

- cause + 목적어(you) + to-v(to change ~): ~가 v하게 하다

09 Never permit failure **to become** a habit. *William Book*
실패가 **습관이 되게** 절대 허용하지 마.

- permit + 목적어(failure) + to-v(to become ~): ~가 v하게 허용하다

Know More <숨은 의미> 누구나 무엇에나 실패할 수 있고, "실패는 성공의 어머니."(Failure is the mother of success.) 라는 말도 있지만, 실패의 원인을 제대로 따져서 같은 실패를 되풀이하지는 말아야 한다는 것.

10 She asked me **not to say** anything about the incident.
그녀는 내게 **그 일에 대해** 어떤 **말도 하지 말라고** 부탁했어.

- ask + 목적어(me) + not to-v(not to say ~): ~에게 v하지 말라고 부탁하다

incident 일[사건]

Up! **11** Telecommunication technology has made **it possible** for more people **to work** from home.
통신 기술이 더 많은 사람들이 재택근무를 하는 걸 **가능하**게 해 왔어.

- for + 명사(more people) + to-v(to work ~): ~가 v하는 것(to-v의 의미상 주어: to-v 앞에 for + 명사.)
- make + it(형식목적어) + 목적보어(possible) + for 명사(의미상 주어) + to-v(진목적어)(to work ~): ~가 v하는 것을 어떠하게 하다

telecommunication technology 통신 기술
work from home 재택근무를 하다

C **12** I want people **to see** me as who I am.
난 사람들이 **날 있는 그대로의 나로 봐 주기를** 바라.

- want + 목적어(people) + to-v(to see ~): ~가 v하기를 원하다[바라다]
- as(~로) + wh-절(who I am: 있는 그대로의 나): 전치사(as) + wh-절(명사절) ➲ Unit 36

13 His family finally persuaded him **to give up** smoking.
그의 가족은 마침내 그가 **담배를 끊도록** 설득했어.

- persuade + 목적어(him) + to-v(to give up ~): ~가 v하도록 설득하다
- give up + v-ing[목적어](smoking): v하는 것을 그만두다

14 Economists expect the economy **to grow** by 3% next year.
경제학자들은 경제가 **내년에 3퍼센트 성장할 거라고** 예상해.

- expect + 목적어(the economy) + to-v(to grow ~): ~가 v하리라고 예상하다[기대하다]

economist 경제학자
economy 경제

☺ **15** How do you get that t-shirt **to fit** over your head? That's physically impossible.
넌 어떻게 그 티셔츠에 **네 머리가 들어가게** 하니? 그건 신체적으로 불가능한데.

- get + 목적어(that t-shirt) + to-v(to fit ~): ~가 v하게 하다

Know More **<유머 코드>** 티셔츠의 목에 비해 머리가 커서 안 맞을 것 같은데 어떻게 머리를 들어가게 하느냐는 것.

fit 맞다
physically 신체적으로

본책 94~95쪽을 함께 펴놓고 보세요!

Unit 28
목적보어 V

주어	동사	목적어	V
Absence	makes	the heart	grow fonder.

Standard Sentences

01 Absence makes the heart **grow fonder.** *Proverb*
없는[떨어져 있는] 게 마음을 더 애틋해지게 해.
- make + 목적어(the heart) + V(grow ~): ~가 v하게 하다

Know More 〈숨은 의미〉 사랑하는 사람과 떨어져 있으면 애정이 더 커진다는 뜻으로, "Out of sight, out of mind."(안 보면 마음에서도 멀어져.)라는 말과 대조를 이룸.

absence 부재[없음]
grow ~해지다
fond-fonder-fondest 좋아하는

02 I watched the bus **disappear** into the distance.
난 버스가 저 멀리 사라지는 것을 지켜봤어.
- watch + 목적어(the bus) + V(disappear ~): ~가 v하는 것을 보다

disappear 사라지다
in(to) the distance 저 멀리

03 This song has helped me **(to) get through** some difficult times.
이 노래는 내가 여러 힘든 시기를 이겨내도록 도움이 되어 왔어.
- help + 목적어(me) + V/to-v((to) get through ~): ~가 v하도록 돕다

get through 이겨내다[극복하다]

A **04** All my life through, the new sights of nature made me **rejoice** like a child. *Marie Curie*
내 평생 자연의 새로운 모습들은 날 아이처럼 크게 기뻐하게 했어.
- make + 목적어(me) + V(rejoice ~): ~가 v하게 하다

Know More 〈배경 지식〉 가난과 민족·성차별 등 온갖 역경을 뚫고 방사능 연구의 선구자로 여성 최초이자 물리학·화학 두 분야 노벨상을 받은 전설적인 과학자 마리 퀴리의 말로, 인생의 가장 큰 낙(樂)은 바로 늘 새로운 자연의 모습이라는 것.

all one's life (through) 평생
sight 모습[광경]
rejoice 크게 기뻐하다

Up! **05** Don't let others **define** you; don't let the past **confine** you. *Michael Josephson*
다른 사람들이 널 규정하게 놔두지 말고, 과거가 널 한정하게 놔두지 마.
- let + 목적어(others / the past) + V(define ~ / confine ~): ~가 v하게 놔두다

Know More 〈숨은 의미〉 rhyme(라임[각운])을 이루는 define(규정하다)/confine(한정하다)을 이용해, 타인/과거에 의해 규정/한정되지 말고 주체적/미래지향적 삶을 살라는 것.

define 규정[정의]하다
confine 한정[제한]하다

☺ **06** Just once in my life, I'd like to actually see a liar's pants **catch** on fire.
평생 단 한 번만이라도, 난 거짓말쟁이의 바지가 불붙는 걸 실제로 보고 싶어.
- would like to-v: ~하고 싶다
- see + 목적어(a liar's pants) + V(catch ~): ~가 v하는 것을 보다

Know More 〈배경 지식〉 미국 전래 동요의 일부인 "Liar, liar, pants on fire"(거짓말쟁이, 거짓말쟁이, 바지 불붙지)에서 나온 것으로, 진짜 현실에서도 거짓말쟁이가 화끈하게 응징되는 것을 보고 싶다는 것!

actually 실제로
liar 거짓말쟁이
catch on fire 불붙다

07 Writing helps you **(to) listen** to your heart and **trust** your inner guidance. *Robert Holden*
글쓰기는 네가 마음에 귀 기울이고 내면의 안내를 믿도록 도와줘.
- help + 목적어(you) + V/to-v((to) listen to ~ / (to) trust ~): ~가 v하도록 돕다

Know More 〈숨은 의미〉 글쓰기는 모든 외적인 관계를 벗어나 직접적인 자기 성찰에 의해 자신의 내면세계에 대해 알아 가는 자아의식(自我意識)의 과정이라는 것.

trust 믿다[신뢰하다]
inner 내면의[내부의]
guidance 안내[지도]

B **08** Regular exercise can make you **feel** happier and more energetic.
규칙적인 운동은 네가 **더 행복하고 더 활기차게 느끼**게 할 수 있어.
- make + 목적어(you) + V(feel ~): ~가 v하게 하다

regular 규칙적인
exercise 운동
energetic 활기찬[정력적인]

09 "The people have no bread to eat."
Marie Antoinette: "Then let them **eat** cake."
"백성들이 먹을 빵이 없나이다."
마리 앙투아네트: "그럼 그들이 **케이크를 먹**게 놔둬."
- 명사(no bread) + to-v(to eat): to-v(v하는/v할)가 앞 명사 수식. ➲ Unit 29
- let + 목적어(them) + V(eat ~): ~가 v하게 놔두다

Know More <배경 지식> 프랑스 루이 16세의 왕비로 프랑스 혁명 때 단두대에서 처형된 비운의 '베르사유의 장미' 마리 앙투아네트가 빵이 없다는 백성들에게 케이크나 먹으라고 했다는 일화인데, 이는 원래 굶고 있는 거리의 아이들에게 케이크를 주라고 한 걸 당시 혁명 세력이 악의적으로 왜곡해 퍼뜨린 것이라는 설도 있음.

10 I've never heard the president **raise** his voice.
난 대통령이 **목소리를 높이는** 걸 한 번도 들은 적이 없어.
- 현재완료 have + never + v-ed분사(heard): 결코 ~한 적이 없다(경험)
- hear + 목적어(the president) + V(raise ~): ~가 v하는 것을 듣다

raise 올리다

11 Juliet felt her heartbeat **quicken** as Romeo approached.
줄리엣은 로미오가 다가오자 심장 박동이 **빨라지는** 걸 느꼈어.
- feel + 목적어(her heartbeat) + V(quicken ~): ~가 v하는 것을 느끼다
- as + 주어(Romeo) + 동사(approached): ~하면서(시간 부사절) ➲ Unit 46

heartbeat 심장 박동
quicken 빨라지다

C **12** Let nature **be** your teacher. *William Wordsworth*
자연이 **네 스승이 되**게 해.
- let + 목적어(nature) + V(be ~): ~가 v하게 하다

Know More <배경 지식> 자연의 미묘한 아름다움을 깊이 관찰하고 그 속에서 살아가는 민중의 일상생활을 일상 언어로 노래한 영국 낭만주의의 대표 시인 윌리엄 워즈워스의 말.

13 I felt all my stress **melt** away.
난 내 모든 스트레스가 **차츰 사라지는** 걸 느꼈어.
- feel + 목적어(all my stress) + V(melt away): ~가 v하는 것을 느끼다

melt away 차츰 사라지다

14 Listen to the leaves **rustle** in the wind.
나뭇잎들이 **바람에 바스락거리는** 소리를 들어 봐.
- listen to + 목적어(the leaves) + V(rustle ~): ~가 v하는 것을 듣다

rustle 바스락거리다

15 The teacher didn't even notice me **come** in.
선생님은 내가 **들어온** 걸 알아차리지도 못하셨어.
- notice + 목적어(me) + V(come in): ~가 v하는 것을 알아차리다

even ~도[조차]
notice 알아차리다

본책 96~97쪽을 함께 펴놓고 보세요!

Unit 29

명사수식어 to-v

명사 + to-v		동사	보어
The best way	to predict the future	is	to create it.

Standard Sentences

01 The best way **to predict** the future is to create it. *Peter Drucker*
미래를 예측하는 최선의 방법은 그걸 창조하는 거야.
- 명사(the best way) + to-v(to predict ~): to-v(v하는)가 뒤에서 앞 명사 수식.
- 주어 + be동사(is) + to-v[보어](to create ~): to-v(v하는 것)가 보어.

predict 예측하다

02 Neil Armstrong was the first man **to set** foot on the moon.
닐 암스트롱은 달에 발을 디딘 최초의 사람이었어.
- 명사(the first man) + to-v(to set ~): to-v(v한)가 뒤에서 앞 명사 수식.

Know More 〈배경 지식〉 닐 암스트롱은 미국 우주선 아폴로 11호의 선장으로, 1969년 7월 20일 동료 버즈 올드린과 함께 인류 최초로 달에 발을 디디며 "That's one small step for a man, one giant leap for mankind."(저건 한 인간에겐 작은 한 걸음이지만 인류에겐 거대한 도약이야.)라는 말을 남겼음.

set foot 발을 딛다

03 We all have the right **to make up** our own minds.
우리 모두는 자신의 마음을 정할 권리가 있어. *Declaration of Human Rights(세계 인권 선언)*
- 명사(the right) + to-v(to make up ~): to-v(v할)가 뒤에서 앞 명사 수식.

Know More 〈배경 지식〉 '자기 결정권'이란 국가 권력을 포함한 무엇의 간섭도 없이 사적 사항에 대해 스스로 결정할 수 있는 권리인데, 특히 유엔의 '세계 인권 선언'에서는 '표현의 자유'(Freedom of Expression: 좋아하는 걸 생각하고, 생각하는 걸 말하고, 생각을 다른 사람들과 나눌 수 있는 권리)의 전제 조건이 되는 것.

make up your mind 마음을 정하다[결정하다]

A **04** (Up!) In life we have decisions **to make**, paths **to take** and opportunities **to take** advantage of.
살면서 우리는 내려야 할 결정들이 있고, 택해야 할 길들이 있고, 활용해야 할 기회들이 있어.
- 동사(have) + 목적어[A(decisions ~), B(paths ~) and C(opportunities ~)]: A와 B와 C 대등 연결.
- 명사(decisions/paths/opportunities) + to-v(to make ~/to take ~/to take ~): to-v(v해야 할)가 뒤에서 앞 명사 수식.

path 길
opportunity 기회
take advantage of ~을 이용[활용]하다

05 The most certain way **to succeed** is always to try just one more time.
성공하는 가장 확실한 방법은 언제나 한 번만 더 시도하는 거야. *Thomas Edison*
- 명사(the most certain way) + to-v(to succeed): to-v(v하는)가 뒤에서 앞 명사 수식.
- 주어 + be동사(is) + to-v[보어](to try ~): to-v(v하는 것)가 보어.

Know More 〈배경 지식〉 발명가 토머스 에디슨의 말로, 그는 어린 시절 정규 교육을 몇 달 밖에 받지 못했으나, 실패조차 발견으로 여기는 불굴의 의지로 수많은 실험을 시도해 전구, 축음기 등 많은 발명(1,093개의 미국 특허)에 성공한 것.

certain 확실한
succeed 성공하다
try 시도하다

06 Our culture will not survive without our effort **to preserve** it.
우리 문화는 그것을 지키려는 우리의 노력 없이는 살아남지 못할 거야.
- 명사(our effort) + to-v(to preserve ~): to-v(v하는)가 뒤에서 앞 명사 수식.

culture 문화
survive 살아남다[존속하다]
effort 노력
preserve 지키다[보존하다]

(Up!) **07** Happiness comes of the capacity **to feel** deeply, **to enjoy** simply, and **to think** freely. *Storm Jameson*
행복은 깊이 느끼고, 단순하게 즐기고, 자유롭게 생각하는 능력의 결과야.
- 명사(the capacity) + to-v(to feel ~/to enjoy ~/to think ~): to-v(v하는)가 뒤에서 앞 명사 수식.
- A(to feel ~), B(to enjoy ~), and C(to think ~): A와 B와 C 대등 연결.

come of ~의 결과이다[~에서 나오다] (= come from)
capacity 능력

B **08** Let's make our earth a better place **to live.**
우리 지구를 더 살기 좋은 곳으로 만들자.

- make + 목적어(our earth) + 목적보어(a better place): ~을 …로 만들다
- 명사(a better place) + to-v(to live): to-v(v하는)가 뒤에서 앞 명사 수식.

09 Can you give any evidence **to support** your claim?
넌 네 주장을 뒷받침할 어떤 증거를 제시할 수 있니?

- 명사(evidence) + to-v(to support ~): to-v(v할)가 뒤에서 앞 명사 수식.

evidence 증거
support 뒷받침하다
claim 주장

10 I am lonely and depressed; I need someone **to talk to** about my problems.
난 외롭고 우울해서, 내 문제에 대해 이야기할 누군가가 필요해.

- 대명사(someone) + to-v(to talk) + 전치사(to) ← to talk **to** someone

depressed 우울한
talk to ~와 이야기하다

11 There is nothing **to worry about;** there is no need **to be** concerned.
걱정할 것도 없고, 걱정할 필요도 없어.

- there + be동사(is) + nothing / no ~: 아무것도 / 어떤 ~도 없다
- 대명사(nothing) + to-v(to worry) + 전치사(about) ← to worry **about** nothing
- 명사(no need) + to-v(to be ~): to-v(v할)가 뒤에서 앞 명사 수식.

worry about ~에 대해 걱정하다
concerned 걱정하는

C **12** Here's your chance **to try** something new.
이것은 네가 새로운 것을 시도할 기회야.

- Here + be동사(is) + 주어(your chance ~): 남에게 무엇을 주거나 보여 줄 때 사용.
- 명사(your chance) + to-v(to try ~): to-v(v할)가 뒤에서 앞 명사 수식.
- -thing(something) + 형용사(new): 형용사가 -thing을 뒤에서 수식.

chance 기회

Think **13** Food has the power **to bring** everyone together. *Guy Fieri*
음식은 모든 사람을 모으는 힘이 있어.

- 명사(the power) + to-v(to bring ~): to-v(v하는)가 뒤에서 앞 명사 수식.

Know More 〈숨은 의미〉 기쁜 일에 음식을 차려 놓고 모여 즐기는 '잔치'가 꼭 아니더라도 사람의 모임에는 으레 음식이 따르기 마련이고, 음식을 매개로 각기 다른 사람들이 모여 함께할 수 있다는 것. "언제 밥 한번 같이 먹자."는 말도 모이자는 뜻.

bring ~ together 모으다

14 You need time **to adapt** to the new environment.
넌 새로운 환경에 적응할 시간이 필요해.

- 명사(time) + to-v(to adapt ~): to-v(v할)가 뒤에서 앞 명사 수식.

adapt to ~에 적응하다
environment 환경

15 The ability **to prioritize** tasks is an essential skill in all roles.
일의 우선순위를 정하는 능력은 모든 역할에서 필수적인 기술이야.

- 명사(the ability) + to-v(to prioritize ~): to-v(v하는)가 뒤에서 앞 명사 수식.

ability 능력
prioritize 우선순위를 정하다
task 일[과업]
essential 필수적인

본책 98~99쪽을 함께 펴놓고 보세요!

unit 30

부사어 / 형용사수식어 to-v

주어	동사	부사어	to-v
We	aim	above the mark	to hit the mark.

Standard Sentences

01 We aim above the mark **to hit** the mark. *Ralph Emerson*
우리는 표적을 맞히기 위해 표적 위를 겨냥해.
- 동사(aim) ~ to-v[부사어](to hit ~): to-v가 목적(v하기 위해)을 나타내는 동사 수식 부사어.

Know More 〈숨은 의미〉 목표를 달성하기 위해 적절한 목표보다 좀 더 높게 잡아 추진한다는 것.

aim 겨냥하다[겨누다]
mark 표적[목표물]

02 I awoke one morning **to find** myself famous. *Lord Byron*
난 어느 날 아침 깨어나서 나 자신이 유명해진 걸 알게 되었어.
- 동사(awoke) ~ to-v[부사어](to find ~): ~해서 v하다(예상 밖의 결과)
- find + 목적어(myself) + 목적보어(famous): ~가 어떠하다는 것을 알게 되다

Know More 〈배경 지식〉 영국 시인 바이런의 말로, 무명의 시인에 불과했었는데 여행 후 쓴 기행시가 뜻밖의 성공을 거두면서 하루아침에 유명해졌다는 것.

awake-awoke-awoken 깨다

03 Bad habits are easy **to pick up**, and hard **to break.**
나쁜 습관은 들이긴 쉽고, 버리긴 어려워.
- 형용사(easy/hard) + to-v(to pick up/to break): v하기에 ~한(to-v가 뒤에서 앞 형용사 수식.)

pick up 얻다

A 04 You must love **yourself** internally **to glow** externally. *Hannah Bronfman*
넌 밖으로 빛나기 위해 안으로 너 자신을 사랑해야 해.
- 동사(must love) ~ to-v(to glow ~): to-v가 목적(v하기 위해)을 나타내는 동사 수식 부사어.

Know More 〈숨은 의미〉 먼저 자신을 사랑해야 그 사랑의 밝은 빛과 힘찬 에너지가 세상으로 퍼져 나갈 수 있다는 것.

internally 안으로[내부로]
glow 빛나다
externally 밖으로[외부로]

Up! 05 I arrived only **to find** that the others had already left.
난 도착해서 다른 사람들이 이미 떠났다는 걸 알게 되었을 뿐이야.
- 동사(arrived) + only + to-v[부사어](to find ~): ~해서 v할 뿐이다(예상 밖의 결과)
- find + that절(that + 주어(the others) + 동사(had already left)): ~ 것을 알게 되다
- 과거완료 had v-ed분사(had (already) left): 본동사(arrived) 이전 일의 완료를 나타냄.

06 Work done with little effort is likely **to yield** little result. *B.C. Forbes*
적은 노력으로 행해진 일은 작은 성과를 낼 것 같아.
- 명사(work) + v-ed분사(done ~): v-ed분사가 뒤에서 앞 명사 수식.
- be likely to-v(to yield ~): v할 것 같다

effort 노력
yield 내다[산출하다]
result 성과[결과]

Up! 07 We are free **to choose** our actions, **but** we are not free **to choose** the consequences of these actions. *Stephen Covey*
우리는 자유롭게 자신의 행동을 선택하지만, 이 행동의 결과를 선택하기엔 자유롭지 않아.
- be (not) free to-v(to choose ~): v하기에 자유롭다[자유롭게 v하다](v하기에 자유롭지 않다)

Know More 〈숨은 의미〉 선택은 자유지만, 그 결과는 그대로 책임져야 한다는 것.

consequence 결과

B **08** **In order to have** friends, you must first be one. *Elbert Hubbard*
친구를 사귀기 위해, 넌 먼저 친구가 되어야 해.

- in order to-v(In order to have ~): 목적(v하기 위해)을 나타내는 in order to-v가 문장 맨 앞에 왔음.

09 **To make** the right career choice, you have to learn about yourself.
올바른 직업을 선택하기 위해, 넌 자신에 대해 알아야 해.

- to-v(to make ~): 목적(v하기 위해)을 나타내는 to-v가 문장 맨 앞에 왔음.

career 직업
learn about ~에 대해 알다[알게 되다]

10 I feel very proud **to be** a part of the team.
난 팀의 일원이어서 매우 자랑스러워.

- 감정 형용사(proud) + to-v(to be ~): to-v(v해서)가 감정의 원인을 나타냄.

proud 자랑스러운

11 The app is simple and convenient **to use.**
그 앱은 사용하기에 간단하고 편리해.

- 형용사(simple and convenient) + to-v(to use): v하기에 ~한(to-v가 뒤에서 앞 형용사 수식.)

app 앱[응용 프로그램] (= application)
convenient 편리한

C **12** You are so brave **to tell** your story.
네가 네 이야기를 하다니 정말 용감해.

- 판단 형용사(brave) + to-v(to tell ~): to-v(v하다니)가 판단의 근거를 나타냄.

13 They must be crazy **to believe** such nonsense.
그들이 그런 말도 안 되는 말을 믿다니 틀림없이 제정신이 아닐 거야.

- must + V(be ~): 틀림없이 ~일 것이다(확실한 추측)
- 판단 형용사(crazy) + to-v(to believe ~): to-v(v하다니)가 판단의 근거를 나타냄.

nonsense 말도 안 되는 말[생각]
crazy 제정신이 아닌[미친]

14 We overcame **all obstacles** **to complete** the project.
우리는 프로젝트를 끝마치기 위해 **모든 장애를** 극복했어.

- to-v(to complete ~): v하기 위해(목적)

overcome 극복하다
obstacle 장애
complete 끝마치다[완료하다]

Up! **15** I am glad **to see** K-pop suddenly pop up and become an international craze.
난 케이팝이 갑자기 나타나 세계적 대유행이 되는 걸 봐서 기뻐.

- 감정 형용사(glad) + to-v(to see ~): to-v(v해서)가 감정의 원인을 나타냄.
- see + 목적어(K-pop) + V((suddenly) pop up / become ~): ~가 v하는 것을 보다
- A((suddenly) pop up) and B(become ~): A와 B 같은 꼴(V) 대등 연결.

pop up 불쑥 나타나다
craze 대유행

본책 100~101쪽을 함께 펴놓고 보세요!

Unit 31
수동형 / 완료형 to-v

주어	동사	too + 형용사 + to-v
Life	is	too short to sit around and wait.

Standard Sentences

01 Life is **too short to sit** around and **wait.**
삶은 너무 짧아서 빈둥거리며 기다릴 수 없어.
- too + 형용사(short) + to-v(to sit ~ / (to) wait): 너무 ~해서 v할 수 없는[v하기에 너무 ~한]

sit around 빈둥거리다

02 Our heart is wide **enough to embrace** the world. *Amit Ray*
우리 가슴은 세상을 껴안을 만큼 충분히 넓어.
- 형용사(wide) + enough + to-v(to embrace ~): v할 만큼 충분히 ~한(어순에 주의.)

wide 넓은
embrace (껴)안다

03 Everyone has the right **to be treated** fairly and **be given** equal opportunities.
모두가 공정하게 대우받고 평등한 기회를 얻을 권리가 있어.
- 명사(the right) + to be v-ed분사(to be treated ~ / (to) be given ~): to be v-ed분사(v되는)가 뒤에서 앞 명사 수식.

right 권리
treat 대우하다
fairly 공정하게

04 Doctors claim **to have discovered** a cure for the disease.
의사들이 그 질병에 대한 치료법을 발견했다고 주장해.
- to have + v-ed분사(discovered ~): 완료형 to-v(본동사보다 앞선 때: v했다는 것)
- claim + to have v-ed분사[목적어]: v했다고 주장하다

claim 주장하다
discover 발견하다
disease 질병

A 05 No one is **too old to learn.**
아무도 배우기에 너무 나이 들지는 않았어[너무 나이 들어서 배울 수 없지는 않아].
- too + 형용사(old) + to-v: 너무 ~해서 v할 수 없는[v하기에 너무 ~한]

Know More 〈숨은 의미〉 "You are never too old to learn."(넌 배우기에 결코 너무 나이 들지 않았어.)과 같은 이 말은, 흔히 나이 든 어른들도 새로운 걸 얼마든지 배울 수 있다는 의미로 쓰이지만, 청소년들 역시 배움에 너무 늦었다는 말은 있을 수 없으니 후회할 시간이 있으면 지금 당장 새로운 것이든 못다 한 것이든 배우고 익히기 시작하자.

no one 아무도 ~ 않다

06 There's never **enough time to do** nothing. *Daniel Radcliffe*
아무것도 하지 않을 만큼 충분한 시간은 결코 없어.
- there + be동사(is) + never + 주어(enough time ~): ~가 결코 없다
- enough + 명사(time) + to-v(to do ~): v할 만큼 충분한 ~(어순에 주의.)

Know More 〈숨은 의미〉 뭔가 가치 있는 일을 하기엔 늘 충분한 시간이 있지만, 그렇다고 아무것도 하지 않고 허송세월할 만큼 충분한 시간은 절대 없다는 것.

nothing 아무것도 ~ 않다

Up! 07 The days of family entertainment seem **to have left** us. *Dean Devlin*
가족 오락의 시절은 우리를 떠난 것 같아.
- seem + to-v: v인 것 같다
- to have + v-ed분사(left ~): 완료형 to-v(본동사보다 앞선 때: v했다는 것)

Know More 〈숨은 의미〉 컴퓨터·스마트폰과 소셜 미디어(social media)·가상 공간(cyber space)의 확산·확대로 문화생활의 개인화가 심화됨에 따라 가족 단위의 오락은 그만큼 사라지고 있다는 것.

entertainment 오락
leave-left-left 떠나다

B **08** You speak **too** fast **for** me **to understand.**
네가 너무 빨리 말해서 난 알아들을 수 없어.

- too + 부사(fast) + for 명사[의미상 주어] + to-v: 너무 …해서 ~가 v할 수 없는[~가 v하기에 너무 …하게]

09 Social Security needs **to be reformed** to protect the vulnerable.
사회 보장 제도는 취약 계층을 보호하기 위해 **개혁될** 필요가 있어.

- to be + v-ed분사(reformed ~): 수동형 to-v(v될 것)
- need + to be v-ed분사(to be reformed ~): v될 필요가 있다[v되어야 한다]
- to-v(to protect ~): v하기 위해(목적)
- the + 형용사(vulnerable)=형용사(vulnerable) + people

Social Security 사회 보장 제도
reform 개혁하다
protect 보호하다
vulnerable 취약한[연약한]

Think **10** Time stays long **enough for** anyone **to use** it. *Leonardo da Vinci*
시간은 누구나 그것을 활용할 만큼 충분히 오래 머물러.

- 부사(long) + enough + for 명사[의미상 주어] + to-v: …가 v할 만큼 충분히 ~하게

Know More 〈숨은 의미〉 르네상스의 만능인 레오나르도 다 빈치의 말로, 그는 화가·조각가·발명가·기술자·건축가·도시계획가·해부학자·식물학자·물리학자·천문학자·지리학자·음악가의 시간을 살았는데, 시간은 누구에게나 충분하니 시간이 없다는 핑계를 대지 말고 시간을 잘 활용하라는 것.

stay 머무르다[계속 있다]
anyone 누구나
use 활용[이용]하다

Up! **11** I'm honored **to have been included** in this project.
난 이 프로젝트에 포함되었기에 영광이야.

- be honored to-v: v해서 영광스럽다
- to have been + v-ed분사(included ~): 완료 수동형 to-v(본동사보다 앞선 때: v되었기에)

include 포함하다

C **12** My greatest fear is **to be misunderstood.**
내 가장 큰 두려움은 오해받는 거야.

- to be + v-ed분사(misunderstood): 수동형 to-v(v받는 것)
- 주어 + be동사(is) + to be v-ed분사: to be v-ed분사(v받는 것)가 보어.

misunderstand 오해하다

13 **To be honest**, I am completely natural; I'm very proud to say that. *Nicole Kidman*
솔직히 말해서, 난 완전히 (성형하지 않은) 자연 그대로인데, 난 그걸 말하게 돼서 매우 자랑스러워.

- to be honest(솔직히 말해서): 문장 전체 수식 부사어.
- be proud to-v: v해서 자랑스럽다

Know More 〈유머 코드〉 영화배우 니콜 키드먼의 말로, 하도 성형이 흔해져 자신이 성형하지 않았다는 걸 밝히는 게 자랑스럽기까지 하다는 것.

completely 완전히
natural 자연의[타고난]

14 **To begin with**, our perception of the world is incomplete; then our memory is selective. *Claude Simon*
우선 세계에 대한 우리 인식은 불완전하고, 그 다음 우리 기억은 선택적이야.

- to begin with(우선[먼저]): 문장 전체 수식 부사어.

perception 인식
incomplete 불완전한
selective 선택적인

15 **Needless to say**, you cannot solve **climate change** without sustainable development. *Christiana Figueres*
말할 필요도 없이, 넌 지속 가능한 발전 없이 **기후 변화를** 해결할 수 없어.

- needless to say(말할 필요도 없이): 문장 전체 수식 부사어.

Know More 〈배경 지식〉 sustainable development(지속 가능한 발전): 환경[생태계] 보전과 사회 안정[통합]이 경제성장과 균형을 이루는 발전으로, 미래 세대의 필요 충족 능력을 꺾지 않으면서 현재 세대의 필요를 충족시키는 발전이라는 개념에서 시작된 것.

solve 해결하다
climate change 기후 변화
sustainable 지속 가능한
development 발전

Chapter 06 Review

본책 102쪽을 함께 펴놓고 보세요!

A

01 The only way **to learn** mathematics is **to do** mathematics. *Paul Halmos*
수학을 배울 수 있는 유일한 길[방법]은 수학을 하는 거야.

- 명사(the only way) + to-v(to learn ~): to-v(v하는)가 뒤에서 앞 명사 수식.
- 주어 + be동사(is) + to-v(to do ~): to-v(~하는 것)가 보어.

mathematics 수학

02 **In order to keep** moving forward, we need **to keep** learning new things.
계속 앞으로 나아가기 위해, 우리는 계속 새로운 걸 배워야 해.

- in order to-v(In order to keep ~): 목적(v하기 위해)을 나타내는 in order to-v가 문장 맨 앞에 왔음.
- keep + v-ing[목적어](moving ~/learning ~): 계속 v하다
- need + to-v[목적어](to keep ~): v해야 한다[v할 필요가 있다]

forward 앞으로

03 Don't let a little dispute **injure** a great relationship. *Dalai Lama*
작은 논쟁이 큰 관계를 해치게 하지 마.

- let + 목적어(a little dispute) + 목적보어(V)(injure ~): ~가 v하게 하다

dispute 논쟁[분쟁]
injure 해치다[손상시키다]
relationship 관계

04 O Lord, help me **to be** pure, but not yet. *Saint Augustine*
오 주여, 제가 순결해지도록 도와주소서, 그러나 아직은 말고요.

- help + 목적어(me) + 목적보어[to-v](to be pure): ~가 v하도록 돕다

Know More **<유머 코드>** 초기 기독교 신학의 주춧돌을 놓은 성인으로 공경되는 성 아우구스티누스의 젊은 날에 대한 고백으로, 당장 기도대로 순결해져서 더 이상 세속적 쾌락을 충족시킬 수 없게 될까 봐 두려워 그 시기를 나중으로 미루고 싶었다는 것.

pure 순수한[순결한]

Up! **05** There is nothing **to be gained** from delaying the decision.
결정을 미뤄서 얻어지는 건 아무것도 없어.

- There + be동사(is) + 주어(nothing): 아무것도 없다
- 대명사(nothing) + to be v-ed분사(to be gained ~): to be v-ed분사(v되는 것)가 뒤에서 앞 대명사 수식.

gain 얻다
delay 미루다[연기하다]
decision 결정

06 A real friend is very hard **to find**, difficult **to leave** and impossible **to forget**.
진정한 친구는 찾기 정말 힘들고, 떠나기 어렵고, 잊는 게 불가능해.

- 형용사(hard/difficult/impossible) + to-v(to find/to leave/to forget): v하기에 ~한(to-v가 뒤에서 앞 형용사 수식.)

07 Living alone makes **it** harder **to find** someone **to blame**. *Mason Cooley*
혼자 사는 건 탓할 누군가를 찾기를 더 어렵게 해.

- make + it(형식목적어) + 목적보어(harder) + to-v(진목적어)(to find ~): v하는 것을 어떠하게 하다
- 대명사(someone) + to-v(to blame): to-v(v할)가 뒤에서 앞 대명사 수식.

Know More **<유머 코드>** 남 탓 잘하는 인간의 속성을 아프게 꼬집은 유머.

blame 탓하다

B

08 Q: Why did the boy throw his clock out the window?
A: Because he wanted **to see** time **fly**.
문: 소년은 왜 시계를 창밖으로 던졌을까? 답: 그는 시간이 나는 걸 보고 싶었기 때문이야.

- want + to-v(to see ~): v하는 것을 원하다[v하고 싶어 하다]
- see + 목적어(time) + V(fly): ~가 v하는 것을 보다

Know More **<유머 코드>** "Time flies."(시간이 날 듯이 빨리 가.)라는 표현을 이용한 수수께끼 유머.

clock (벽)시계

09 It is hard **for me to watch** the weak **suffer**. *Kristen Bell*
난 약자들이 고통받는 걸 지켜보는 게 힘들어.

- It(형식주어) + be동사(is) ~ + for 명사[의미상 주어](for me) + to-v[진주어](to watch ~): ~가 v하는 것은 …하다
- watch + 목적어(the weak) + V(suffer): ~가 v하는 것을 (지켜)보다

the weak 약자들
suffer 고통받다

Up! **10** **To get** the full value of joy, you must have someone **to divide** it **with**. *Mark Twain*
기쁨의 가치를 최대로 누리기 위해선, 넌 그걸 함께 나눌 누군가가 있어야 해.

- to-v(to get ~): 목적(v하기 위해)을 나타내는 to-v가 문장 맨 앞에 왔음.
- 대명사(someone) + to-v(to divide it) + 전치사(with) ← to divide it **with** someone

value 가치
joy 기쁨
divide 나누다

주어절 / 보어절 / 목적어절

Unit Words

■ 본격적인 구문 학습에 앞서, 각 유닛별 주요 단어를 확인하세요.

Unit 32 주어 / 보어 / 목적어 that절

- ☐ count on 의지하다[믿다]
- ☐ deprivation 부족[결핍]
- ☐ obvious 분명한
- ☐ exceed 넘다[초과하다]
- ☐ humanity 인간성[인류]
- ☐ stupidity 어리석음
- ☐ genius 천재(성)
- ☐ inform 고지하다[알리다]
- ☐ suspect 용의자[혐의자]
- ☐ recognize 인정[인식]하다
- ☐ pollution 오염
- ☐ purchase 구매[구입]

Unit 33 기타 that절

- ☐ civilization 문명
- ☐ rest on ~에 기초하다
- ☐ await 기다리다
- ☐ make up 이루다[구성하다]
- ☐ sum (총)합
- ☐ undergo 겪다[받다]
- ☐ tremendous 엄청난
- ☐ so-called 소위
- ☐ natural 타고난
- ☐ villain 악당
- ☐ unexpected 예기치 않은
- ☐ doubt 의심

Unit 34 주어 / 보어 / 목적어 whether[if]절

- ☐ improve 나아지다[개선되다]
- ☐ measure 기준[척도]
- ☐ fulfill 다하다[이행하다]
- ☐ content 만족하는
- ☐ servant 하인
- ☐ debatable 논란의 여지가 있는
- ☐ abolish 폐지하다
- ☐ reliable 믿을 만한
- ☐ discuss 논의하다
- ☐ criminally 형사법상
- ☐ prosecute 기소하다
- ☐ regardless of ~에 상관없이

Unit 35 주어 / 보어 / 목적어 what절

- ☐ cradle 요람
- ☐ grave 무덤
- ☐ at all 조금이라도
- ☐ joy 즐거움[기쁨]
- ☐ depend on ~에 달려 있다
- ☐ reputation 명성
- ☐ honor 명예
- ☐ in common 공동으로[공통적으로]
- ☐ put off 미루다
- ☐ go up 올라가다

Unit 36 주어 / 보어 / 목적어 wh-절

- ☐ democracy 민주주의
- ☐ consist in ~에 있다
- ☐ possession 소유(물)
- ☐ lyric (노래의) 가사
- ☐ control 통제[지배]하다
- ☐ personal 개인의
- ☐ remind 상기시키다
- ☐ responsibility 책임
- ☐ dread 두려워하다
- ☐ indicate 보여 주다[나타내다]
- ☐ talk back 말대답하다
- ☐ work 잘되어 가다

본책 104~105쪽을 함께 펴놓고 보세요!

Unit 32
주어 / 보어 / 목적어 that절

It	동사	보어	that절
It	is	a well-known fact	that smoking can cause lung cancer.

Standard Sentences

01 It's a well-known fact **that smoking can cause lung cancer.**
흡연이 폐암을 유발할 수 있다는 것은 잘 알려진 사실이야.
- It(형식주어) + 동사(is) ~ + that절(that + 주어(smoking) + 동사(can cause) ~): that절(~ 것)이 진주어.

cause 유발하다
lung 폐(허파)
cancer 암

Think **02** The weakness of strength is **that it counts only on strength.** *Paul Valery*
강점[힘]의 약점은 그것[강점/힘]이 오직 강점[힘]에만 의지한다는 것이야.
- 주어 + be동사(is) + that절(that + 주어(it) + 동사(counts) ~): that절(~ 것)이 보어.

Know More <숨은 의미> 반의어 weakness(약점[약함])↔strength(강점[힘])를 이용해, 인간이나 세상사는 강점[힘]과 약점[약함]이 함께 조화를 이루어야 하는데, 강점[힘]이 있으면 강점[힘]에만 의지하기 쉬워 오히려 독이 된다는 것.(과유불급: 정도를 지나침은 미치지 못함과 같다. ≪논어≫)

count on 의지하다[믿다]
weakness 약점(약함)
strength 강점[힘]

03 I always think **that something good is about to happen.** *Pete Carroll*
난 언제나 **좋은 일이** 막 생길 거라고 생각해.
- think + that절(that + 주어(something ~) + 동사(is about to happen)): that절(~ 것)이 목적어(~라고 생각하다).
- -thing(something) + 형용사(good): 형용사가 -thing을 뒤에서 수식.
- be about to V(is about to happen): 막 ~하려고 하다

be about to 막 ~하려고 하다

04 Many studies make it **clear** that sleep deprivation is dangerous.
많은 연구들이 수면 부족이 위험하다는 걸 **분명히** 해.
- make + it(형식목적어) + 목적보어(clear) + that절(that + 주어(sleep deprivation) + 동사(is) ~): 형식목적어 it을 내세우고 긴 진목적어 that절(~것)이 뒤에 옴.

clear 분명한
deprivation 부족(결핍)

A **05** It has become obvious **that our technology has exceeded our humanity.** *Albert Einstein*
우리의 과학 기술이 우리의 인간성을 넘어섰다는 것은 분명해졌어.
- It(형식주어) + 동사(has become) ~ + that절(that + 주어(our technology) + 동사(has exceeded) ~): 형식주어 it을 내세우고 긴 진주어 that절(~ 것)이 뒤에 옴.

Know More <숨은 의미> 아인슈타인의 말로, 당시는 인류를 절멸시킬 수 있게 된 핵무기에 대한 언급이었으나, 오늘날 과학 기술이 급속히 발달해 그동안 인간이 지녀 왔던 고유한 성질들이 더 이상 존속하지 못하게 되었다는 것.

obvious 분명한
exceed 넘다[초과하다]
humanity 인간성[인류]

Think **06** The difference between stupidity and genius is **that genius has its limits.** *Alexandre Dumas*
어리석음과 천재성의 차이는 천재성은 그 한계가 있다는 거야.
- 주어 + be동사(is) + that절(that + 주어(genius) + 동사(has) ~): that절(~ 것)이 보어.

Know More <숨은 의미> 인간의 천재성이나 천재의 능력에는 한계가 있는데 어리석음에는 한계가 없다는 것으로, 인간성에 대한 과신과 잘못된 믿음이나 광신의 위험성을 경계한 것.

stupidity 어리석음
genius 천재(성)

Up! **07** I hope **that people will finally come to realize that there is only one "race" —"the human race."** *Margaret Atwood*
난 사람들이 마침내 '인류'라는 오직 하나의 '인종'만 있다는 걸 깨닫게 되길 바라.
- hope + that절(that + 주어(people) + 동사(will come) ~): that절(~ 것)이 목적어(~하기를 바라다).
- realize + that절(that + there + be동사(is) + 주어(only one "race")): that절(~ 것)이 목적어(~ 것을 깨닫다).
- A(only one "race")—B("the human race"): A와 B는 동격(A = B).

Know More <숨은 의미> '인종'(race) 차별이 사라지고 모두 같은 '인류'(human race)라는 걸 인식하기 바란다는 것.

finally 마침내
come to-v ~하게 되다
realize 깨닫다
race 인종
human race 인류

B **08** Is it possible **that humans will live up to 150 years old?**

인간이 150세까지 살 거란 게 가능할까?

- 동사(Is) + it(형식주어) ~ + that절(that + 주어(humans) + 동사(will live) ~)?: that절(~ 것)이 진주어.

up to ~까지

09 My mother always told me **that happiness was the key to life.** *John Lennon*

내 어머니는 언제나 내게 **행복이 삶의 열쇠라고** 말씀했어.

- tell + (에게)목적어(me) + that절(that + 주어(happiness) + 동사(was) ~): that절이 (을)목적어(~에게 …라고 말하다).

10 Police should inform suspects **that they have the right to remain silent.**

경찰은 용의자들에게 **그들이 묵비권이 있다는 걸** 고지해야 해.

- inform + (에게)목적어(suspects) + that절(that + 주어(they) + 동사(have) ~): that절이 (을)목적어(~에게 … 것을 알리다).
- 명사(the right) + to-v(to remain ~): to-v(v할)가 뒤에서 앞 명사 수식.

Know More <배경 지식> 미란다 원칙(Miranda warning[rights]): 수사 기관이 범죄 용의자를 체포할 때 체포의 이유와 변호인의 도움을 받을 수 있는 권리, 진술을 거부할 수 있는 권리 등이 있음을 미리 알려 주어야 한다는 것.

inform 고지하다[알리다]
suspect 용의자[혐의자]
the right to remain silent 묵비권

Up! **11** We should not take it **for granted that we have a democratic government.**

우리는 민주주의 정부를 가진 것을 **당연히** 여겨선 안 돼.

- take + it(형식목적어) + 목적보어(for granted) + that절(that + 주어(we) + 동사(have) ~): 형식목적어 it을 내세우고 긴 진목적어 that절(~ 것)이 뒤에 옴(~ 것을 당연히 여기다).

Know More <숨은 의미> 오늘날 모두가 누리는 민주주의는 저절로 주어진 게 아니라 독재와 압제에 저항한 앞선 시민들의 고귀한 희생을 통해 쟁취한 것으로, 그 의미를 되새겨 민주주의의 유지와 발전을 위해 힘써야 한다는 것.

take ~ for granted 당연히 여기다
democratic 민주주의의

C **12** The big secret in life is **that there is no big secret.** *Oprah Winfrey*

인생의 큰 비밀은 큰 비밀이 없다는 거야.

- 주어 + be동사(is) + that절(that + there + be동사(is) + 주어(no big secret)): that절(~ 것)이 보어.

secret 비밀

13 We have to recognize **that the Earth has rights to live without pollution.** *Evo Morales*

우리는 **지구가 오염 없이 살 권리가 있다는 걸** 인정해야 해.

- recognize + that절(that + 주어(the Earth) + 동사(has) ~): that절(~ 것)이 목적어(~ 것을 인정하다).
- 명사(rights) + to-v(to live ~): to-v(v할)가 뒤에서 앞 명사 수식.

recognize 인정[인식]하다
pollution 오염

14 I find it amazing **that the earth is farthest from the sun in July and is closest to the sun in January.**

난 지구가 7월에 태양에서 가장 멀리 있고 1월에 태양에 가장 가까이 있다는 게 **놀랍다고** 여겨.

- find + it(형식목적어) + 목적보어(amazing) + that절(that + 주어(the earth) + 동사(is) ~): that절이 진목적어(~ 것이 어떠하다고 여기다).

Know More <배경 지식> 지구의 공전 궤도가 타원이고 북반구에서는 여름에 태양과 가장 멀고 겨울에 가장 가까운데, 여름과 겨울의 기온 차이는, 지구와 태양의 거리 차이 때문이 아니라, 23.5도 기울어진 지구의 자전축에 의해 계절에 따라 지구가 태양 광선을 받는 각도가 달라져 양도 달라지고, 아울러 받는 시간도 달라져 생긴다는 것.

amazing 놀라운
find ~라고 여기다

15 A study shows **that 90% of people aged 18 to 34 use social networking sites for their purchase decision-making.**

한 연구는 **18세에서 34세 사람들 중 90퍼센트가 구매 의사 결정을 위해 소셜 네트워킹 사이트를 이용한다는 것을** 보여 줘.

- show + that절(that + 주어(90% of people ~) + 동사(use) ~): that절(~ 것)이 목적어(~ 것을 보여 주다).
- 명사(people) + 형용사구(aged 18 to 34): 형용사구가 뒤에서 앞 명사 수식.

aged (나이가) ~살의
purchase 구매[구입]
decision-making 의사 결정

본책 106~107쪽을 함께 펴놓고 보세요!

unit 33
기타 that절

주어	동사	명사=that절	
Civilization	rests on	the fact	that most people do the right thing.

Standard Sentences

Think **01** Civilization rests on **the fact that most people do the right thing.** *Dean Koontz*
문명은 대부분의 사람들이 옳은 일을 한다는 사실에 기초해.

- 명사(the fact) + that절(that + 주어(most people) + 동사(do) ~) : 명사(the fact) = that절(동격절)(~다는 사실)

Know More 〈숨은 의미〉 일시적으로 문명에 반하는 악행으로 악인들이 이익을 취하는 듯 보이더라도, 장기적으로는 옳은 행동을 하는 대다수의 사람들이 살아남아 문명이 유지되고 발전된다는 것.

civilization 문명
rest on ~에 기초하다
fact 사실

02 I am confident **that a bright future awaits me.**
난 밝은 미래가 날 기다리고 있다는 걸 확신해.

- be동사(am) + 형용사(confident) + that절(that + 주어(a bright future) + 동사(awaits) ~): ~ 것을 확신하다

confident 확신하는
await 기다리다

03 I was lucky **that I met the right mentors and teachers at the right moment.** *James Levine*
난 적절한 순간에 적절한 멘토들과 선생님들을 만나서 운이 좋았어.

- be동사(was) + 형용사(lucky) + that절(that + 주어(I) + 동사(met) ~): ~해서 운이 좋다

lucky 운이 좋은
mentor 멘토
moment 순간

Think **04** It seems **that tears and laughter, love and hate, make up the sum of life.** *Zora Hurston*
눈물과 웃음, 사랑과 미움이 삶의 총합을 이루는 것 같아.

- It + seems + that절(that + 주어(tears ~) + 동사(make up) ~): ~ 것 같다

Know More 〈숨은 의미〉 삶은 희로애락(喜怒哀樂: 기쁨과 노여움과 슬픔과 즐거움) 모두를 포함한다는 것.

tear 눈물
laughter 웃음
make up 이루다[구성하다]
sum (총)합

A **05** It appears **that the world is undergoing tremendous changes.**
세계는 엄청난 변화를 겪고 있는 것 같아.

- It + appears + that절(that + 주어(the world) + 동사(is undergoing) ~): ~ 것 같다

undergo 겪다[받다]
tremendous 엄청난

☺ **06** I'm sorry **that people are so jealous of me;** but I can't help **being popular.**
난 사람들이 날 너무 질투해서 유감이지만, 나도 인기 있는 걸 어쩔 수 없어.

- be동사(am) + 형용사(sorry) + that절(that + 주어(people) + 동사(are) ~): ~해서 유감이다
- can't help + v-ing(being ~): v하지 않을 수 없다[어쩔 수 없다]

Know More 〈유머 코드〉 남들이 자신을 좋아하는 걸 자신도 말릴 수 없으니 부디 질투하지 말아 달라는 것.

jealous 질투[시기]하는
popular 인기 있는

07 Don't be afraid **that your life will end;** be afraid **that it will never begin.** *Henry Thoreau*
네 삶이 끝날 걸 두려워하지 말고, 그것이 결코 시작되지 않을 걸 두려워해.

- be동사(be) + 형용사(afraid) + that절(that + 주어(your life / it) + 동사(will end / will never begin): ~ 것을 두려워하다

Know More 〈배경 지식〉 숲속 생활의 기록인 《월든》(Walden)과 《시민 불복종》 등을 남겼고, 물욕과 인습에 항거해 자연과 삶의 진실에 대한 탐구에 바친 희귀한 삶을 살아 후대에 큰 영향을 미친 헨리 데이비드 소로의 말로, 삶을 아직 제대로 살아 보지도 않고 죽음을 두려워하지 말고, 누구·무엇에도 얽매이지 않는 주체적이고 자유로운 삶을 제대로 살기 시작하라는 것.

B **08** I am sure **that few successful men are so-called "natural geniuses."** *Charles Schwab*

난 성공한 사람들 중 많지 않은 이들이 소위 '타고난 천재들'이라고 확신해.

- be동사(am) + 형용사(sure) + that절(that + 주어(few successful men) + 동사(are) ~): ~ 것을 확신하다

few 많지 않은
successful 성공한
so-called 소위
natural 타고난

Think **09** I am aware **that no man is a villain in his own eyes.** *James Baldwin*

난 아무도 자기 자신의 눈에는 악당이 아니라는 걸 알고 있어.

- be동사(am) + 형용사(aware) + that절(that + 주어(no man) + 동사(is) ~): ~ 것을 알고 있다

Know More <숨은 의미> 아무리 심한 악행을 저지르는 악당도 자기 합리화를 통해 스스로에게는 자신이 악당이 아닌 걸로 여겨진다는 것.

villain 악당

10 I am very glad **that we have the best health care system in the world.**

난 우리가 세계 최고의 보건 의료 체계를 가지고 있어서 매우 기뻐.

- be동사(am) + 형용사((very) glad) + that절(that + 주어(we) + 동사(have) ~): ~해서 기쁘다

health care system 보건 의료 체계

11 I eat so much chicken; I'm surprised **that I haven't grown feathers yet.** *Steve Austin*

난 닭을 너무 많이 먹는데, 내가 아직 깃털들이 자라지 않았다는 게 놀라워.

- be동사(am) + 형용사(surprised) + that절(that + 주어(I) + 동사(haven't grown) ~): ~해서 놀라다

grow-grew-grown 자라다
feather 깃털

C **12** I get **the feeling that I'm being watched.**

난 누가 날 지켜보고 있다는 느낌이 들어.

- 명사(the feeling) + that절(that + 주어(I) + 동사(am being watched)): 명사(the feeling) = that절(동격절) (~다는 느낌)
- 진행 수동태 be being v-ed(am being watched): ~되고 있다

watch 지켜보다

13 You travel with **the hope that something unexpected will happen.** *Andrew Bird*

넌 예기치 않은 일이 일어날 거란 희망으로 여행을 해.

- 명사(the hope) + that절(that + 주어(something ~) + 동사(will happen)): 명사(the hope) = that절(동격절) (~라는 희망)
- -thing(something) + 형용사(unexpected): 형용사가 -thing을 뒤에서 수식.

travel 여행하다
unexpected 예기치 않은

14 **The proof that you know something** is **that you are able to teach it.** *Aristotle*

네가 무언가를 안다는 증거는 네가 그것을 가르칠 수 있다는 거야.

- 명사(the proof) + that절(that + 주어(you) + 동사(know) ~): 명사(the proof) = that절(동격절)(~다는 증거)
- 주어 + be동사(is) + that절(that + 주어(you) + 동사(are able to teach) ~): that절(~ 것)이 보어.
- be able to V(teach): ~할 수 있다

proof 증거

Up! **15** There is no doubt **that creativity is the most important human resource of all.** *Edward Bono*

창의성이 모든 것 중에 가장 중요한 인적 자원이라는 것은 의심의 여지가 없어.

- there + be동사(is) + no doubt + that절: doubt와 that절은 동격(~라는 것은 의심의 여지가 없다).
- the 형용사 최상급(the most important) ~ of all: 모든 것 중에 가장 ~한 Unit 57

doubt 의심
resource 자원

본책 108~109쪽을 함께 펴놓고 보세요!

unit 34

주어 / 보어 / 목적어 whether[if]절

whether절	동사	목적어
Whether you will succeed or not	depends on	your efforts.

Standard Sentences

01 Whether you will succeed or not depends on your efforts.
네가 성공할지 아닐지는 네 노력에 달려 있어.
- whether절(whether + 주어 + 동사 ~ or not) + 동사(depends on) ~: whether절(~인지 아닌지)이 주어.

depend on ~에 달려 있다
effort 노력

02 The point is whether or not I improved over yesterday. *Haruki Murakami*
중요한 점은 내가 어제보다 나아졌는지 아닌지야.
- 주어 + be동사(is) + whether절(whether or not + 주어 + 동사 ~): whether절(~인지 아닌지)이 보어.
- whether or not + 주어 + 동사 ~ = whether + 주어 + 동사 ~ or not

point 중요한 점[요점]
improve 나아지다[개선되다]

03 I don't know if he's telling the truth or not.
난 그가 진실을 말하고 있는지 아닌지 모르겠어.
- know + if절(if + 주어(he) + 동사(is) ~ or not): if절(~인지 아닌지)이 목적어(~인지 아닌지 알다).
(×) 〈if or not + 주어 + 동사 ~〉 불가.

A

04 It is your choice whether you choose to change. *Harv Eker*
네가 변하길 선택할지는 네 선택이야.
- It(형식주어) + 동사(is) ~ + whether절(whether + 주어(you) + 동사(choose) ~): whether절(~인지)이 진주어.
- choose + to-v(to change): v하기를 선택하다

choice 선택

05 My measure of success is whether I'm fulfilling my mission. *Robert Kiyosaki*
내 성공의 기준은 내가 내 임무를 다하고 있는지야.
- 주어 + be동사(is) + whether절(whether + 주어(I) + 동사(am fulfilling) ~): whether절(~인지)이 보어.

measure 기준[척도]
fulfill 다하다[이행하다]
mission 임무

Up!

06 Whether life is worth living depends on whether there is love in life. *R.D. Laing*
삶이 살 가치가 있는지는 삶에 사랑이 있는지에 달려 있어.
- whether절(whether + 주어(life) + 동사(is) ~) + 동사(depends on) + whether절(whether + there + be동사(is) + 주어(love) ~): whether절(~인지)이 주어 / 목적어.
- be worth + v-ing(living): v할 가치가 있다

Know More 〈숨은 의미〉 풍부한 경험을 바탕으로 한 정신과 의사의 말로, 사랑은 사랑하고 사랑받는 둘 다를 의미하는 것.

07 The great question is not whether you have failed, but whether you are content with failure. *Chinese Proverb*
중요한 문제는 네가 실패했는지가 아니라 네가 실패에 만족하는지 아닌지야.
- 주어 + be동사(is) + whether절(whether + 주어(you) + 동사(have failed / are) ~): whether절(~인지)이 보어.
- not A(whether you have failed) but B(whether you are ~): A가 아니라 B(A는 부정되고 B가 긍정됨).
- be content with ~: ~에 만족하다

Know More 〈숨은 의미〉 실패는 누구나 하기 마련이지만 진짜 중요한 건 그 실패에 만족하며 주저앉느냐 아니면 만족하지 않고 일어나서 다시 도전하느냐라는 것.

B **08** The question is **whether technology is going to be our servant or our master.**

문제는 과학 기술이 우리의 하인이 될 것인지 아니면 우리의 주인이 될 것인지야.

- 주어 + be동사(is) + whether절(**whether** + 주어(technology) + 동사(is going to be) ~ **or** ~): whether절(~인지 아니면 ~인지)이 보어. (×) if절은 보어 불가.

servant 하인
master 주인

09 Sometimes I wonder **if I am doing the right thing.**

때때로 난 **내가 옳은 일을 하고 있는지** 궁금해.

- wonder + if절(if + 주어(I) + 동사(am doing) ~): if절(~인지)이 목적어(~인지 궁금하다).

10 It is debatable **whether or not the death penalty should be abolished.**

사형이 폐지되어야 할지 말지는 논란의 여지가 있어.

- It(형식주어) + 동사(is) ~ + whether절(**whether or not** + 주어(the death penalty) + 동사(should be abolished)): whether절(~인지 아닌지)이 진주어. (×) if or not 불가.
- should be + v-ed분사(abolished): ~되어야 한다(조동사 수동태)

debatable 논란의 여지가 있는
death penalty 사형
abolish 폐지하다

Think **11** People ask **whether there is Hell. Yes,** there is Hell: Hate is Hell! *Mehmet Murat Ildan*

사람들은 **지옥이 있는지** 물어. **그래,** 지옥은 있는데, 증오가 지옥이야!

- ask + whether절(whether + there + be동사(is) + 주어(Hell)): whether절(~인지)이 목적어(~인지 묻다).

Know More <숨은 의미> 천국이나 지옥은 죽은 후가 아니라 사는 동안의 마음 상태인데, 증오 특히 맹목·맹신적이고 무지·편견에 찬 증오야말로 지옥이라는 것.

hell 지옥
hate 증오

C **12** Check **whether the news comes from a reliable source.**

그 뉴스가 믿을 만한 출처에서 나왔는지를 확인해 봐.

- check + whether절(whether + 주어(the news) + 동사(comes) ~): whether절(~인지)이 목적어(~인지 확인하다).

Know More <숨은 의미> 온갖 가짜 뉴스가 난무하는 요즘, 자신들의 이해관계를 대변·전파하는 기성 언론이나 다양한 신흥 매체들에서 쏟아지는 뉴스들의 출처와 진위 여부를 반드시 팩트 체크하라는 것.

reliable 믿을 만한
source 출처[원천]

13 They discuss **whether a child under 14 should be criminally prosecuted.**

그들은 **14세 미만 아동이 형사법상 기소되어야 할지 말지를** 논의해.

- discuss + whether절(whether + 주어(a child ~) + 동사(should be prosecuted)): whether절(~인지)이 목적어(~인지 논의하다).
- should be + v-ed분사(prosecuted): ~되어야 한다(조동사 수동태)

Know More <배경 지식> 형사 책임 연령은 죄를 범한 것에 대한 형사상의 책임을 지도록 형법에서 정한 나이인데, 이 연령에 이르지 않은 아동은 형사 책임을 지지 않으므로 처벌할 수 없음. 유엔은 만 12세 미만의 아동을 형사 처벌하지 말 것을 권고하고, 대한민국 헌법은 만 14세 미만으로 정하고 있음.

discuss 논의하다
criminally 형사법상
prosecute 기소하다

14 Do not worry about **whether or not the sun will rise;** prepare to enjoy it.

해가 뜰지 안 뜰지 걱정하지 말고, **그것(해)을** 즐길 준비나 해.

- worry about + whether절(**whether or not** + 주어(the sun) + 동사(will rise)): whether절(~인지 아닌지)이 목적어(~인지 아닌지 걱정하다). (×) if or not 불가.

worry about 걱정하다
prepare 준비하다

15 Everybody has **their own struggles** regardless of **whether you can see it or not.** *Molly Tarlov*

모든 사람은 네가 그걸 볼 수 있든 없든 상관없이 **자기 자신만의 힘든 일들이** 있어.

- 전치사(regardless of) + whether절(**whether** + 주어(you) + 동사(can see) ~ **or not**): whether절(~인지 아닌지)이 전치사 목적어. (×) regardless of + if절 불가.

Know More <숨은 의미> 살아간다는 건 그리 만만한 게 아니어서 유독 자신만 어려운 게 아니므로, 겉으로 보이든 안 보이든 누구나 다 힘든 문제들과 씨름하고 있다는 걸 이해하고, 주위 사람들과 서로 돕고 사랑하며 살라는 것.

struggle 힘든 일[투쟁]
regardless of ~에 상관없이

본책 110~111쪽을 함께 펴놓고 보세요!

Unit 35 주어 / 보어 / 목적어 what절

what절	동사	부사어
What is learned in the cradle	is carried	to the grave.

Standard Sentences

01 What is learned in the cradle is carried to the grave. *Proverb*
요람에서 배워진 것은 무덤까지 가게 돼.

- what절(what(주어) + 동사(is learned) ~) + 동사(is carried) ~: what절(~인 것)이 주어.
- 수동태 be v-ed분사(is learned / carried): ~되다[지다]

Know More 〈숨은 의미〉 "세 살 적 버릇이 여든까지 간다."

cradle 요람
grave 무덤

Think **02** Whatever is worth doing at all is worth doing well. *Philip Stanhope*
조금이라도 할 가치 있는 것은 무엇이든 잘 할 가치가 있어.

- whatever절(whatever(주어) + 동사(is) ~) + 동사(is) ~: whatever절(~인 무엇이든)이 주어.
- be worth + v-ing(doing ~): v할 가치가 있다

Know More 〈숨은 의미〉 일단 할 가치가 있다고 판단해 이왕 하기로 결정했으면, 무엇이든 세세한 부분까지 최고의 주의를 기울여 최대한 잘하도록 해야 한다는 것.

at all 조금이라도

03 What do you think is important in life?
넌 무엇이 삶에서 중요하다고 생각하니?

- What + (do you think) + is important ~?: what(무엇)을 묻는 의문문이므로 what이 앞으로 나감.
  ← do you think? + what is important 〈어순 주의〉 (×) do you think what is important ~?

A **04** Beauty is whatever gives joy. *Edna Millay*
아름다움은 즐거움을 주는 무엇이든지야.

- 주어 + be동사(is) + whatever절(whatever(주어) + 동사(gives) ~): whatever절(~인 무엇이든지)이 보어.

Know More 〈숨은 의미〉 아름다움은 즐거움을 주는데, 사람마다 다를 수 있지만 누구에게든 즐거움을 주는 것들은 다 아름답다는 것. 영국 낭만파 시인 존 키츠(John Keats)는 "A thing of beauty is a joy forever."(아름다운 것은 영원한 기쁨이야.: 아름다운 것은 사라지지 않고 남아 즐거움의 원천이 된다.)는 말을 남겼음.

joy 즐거움[기쁨]

05 What you do comes from what you think. *Marianne Williamson*
네가 하는 것은 네가 생각하는 것에서 나와.

- what절(what(목적어) + 주어(you) + 동사(do)) + 동사(comes): what절(~인 것)이 주어.
- 전치사(from) + what절(what(목적어) + 주어(you) + 동사(think)): what절(~인 것)이 전치사(from) 목적어.

Know More 〈숨은 의미〉 자신이 의식하든 못 하든 결국 생각대로 행동하게 된다는 말로, 자신의 행동에만 책임이 있는 게 아니라 그 행동을 하게 하는 생각을 올바르게 갖도록 책임져야 한다는 것.

06 The future depends on what you do today. *Mahatma Gandhi*
미래는 네가 오늘 무엇을 하는지에 달려 있어.

- depend on + what절(what(목적어) + 주어(you) + 동사(do) ~): what절(무엇 ~인지)이 목적어.

depend on ~에 달려 있다

Up! **07** Reputation is what other people know about you; honor is what you know about yourself. *Lois Bujold*
명성은 다른 사람들이 너에 대해 아는 것이고, 명예는 네가 너 자신에 대해 아는 것이야.

- 주어 + be동사(is) + what절(what(목적어) + 주어(other people / you) + 동사(know) ~): what절(~인 것)이 보어.

Know More 〈숨은 의미〉 reputation(명성)은 세상 사람들이 내리는 평가이고, honor(명예)는 스스로 느끼는 자부심이라는 것.

reputation 명성
honor 명예

B 08 The Earth is **what we all have in common.** *Wendell Berry*
지구는 우리 모두가 공동으로 가지는 거야.

- 주어 + be동사(is) + what절(what(목적어) + 주어(we all) + 동사(have) ~): what절(~인 것)이 보어(what절 속 what은 목적어 역할).

in common 공동으로[공통적으로]

09 Don't put off until tomorrow **what you can do today.** *Benjamin Franklin*
네가 오늘 할 수 있는 것을 내일로 미루지 마.

- put off + (until tomorrow) + what절(what(목적어) + 주어(you) + 동사(can do) ~): what절(~인 것)이 목적어 (부사어(until tomorrow)가 동사-목적어 사이에 왔음).

put off 미루다

10 Wear **whatever makes you feel comfortable.**
네가 편하게 느끼게 하는 무엇이든 입어.

- wear + whatever절(whatever(주어) + 동사(makes) ~): whatever절(~인 무엇이든)이 목적어.
- make + 목적어(you) + V(feel ~): ~가 v하게 하다

11 **Teacher:** You should know **it**; you learned **it** two years ago!
Student: I don't even remember **what happened last week!**
선생님: 넌 틀림없이 **그걸** 알 거야. 넌 **그걸** 2년 전에 배웠어!
학생: 전 **지난주에 무슨 일이 있었는지**조차 기억나지 않아요!

- remember + what절(what(주어) + 동사(happened) ~): what절(무엇 ~인지)이 목적어.

C 12 **What does not kill me** makes me **stronger.** *Friedrich Nietzsche*
Think 날 죽게 하지 않는 것은 날 **더 강하**게 해.

- what절(what(주어) + 동사(does not kill) ~) + 동사(makes) ~: what절(~인 것)이 주어.
- make + 목적어(me) + 목적보어(stronger): ~을 어떠하게 하다

Know More 〈숨은 의미〉 오랜 전통을 깨고 새로운 가치를 세우고자 한 '망치를 든 철학자' 니체의 말로, 죽을 만큼 힘든 일도 견뎌 내면 오히려 더 강하게 된다는 격려.

13 **What goes up** must come down. *Isaac Newton*
올라가는 것은 내려와야 해.

- what절(what(주어) + 동사(goes) ~) + 동사(must come): what절(~인 것)이 주어.

Know More 〈배경 지식〉 위로 올라가는 것은 중력 때문에 땅바닥으로 떨어진다는 말로, 비유로 쓰여 모든 올라간 좋은 것들(유행, 인기, 성공, 힘[권력], 가격 등)도 때가 되면 결국 떨어지기 마련이라는 것.

go up 올라가다

14 Things aren't always **what they seem to be.**
세상만사는 그것들이 보이는 것과 항상 같지는 않아.

- not always: 항상 ~한 것은 아니다(부분 부정) ➲ Unit 58
- 주어 + be동사(aren't) ~ + what절(what + 주어(they) + 동사(seem) ~): what절(~인 것)이 보어(what절 속 what은 be의 보어 역할).
- seem + to-v(to be): ~인 것 같다

15 It doesn't matter **what you write;** just sit at your desk **and** write. *Emma Thompson*
네가 무엇을 쓰는지는 중요하지 않으니, 그저 책상에 앉아**서** 써.

- It(형식주어) + 동사(doesn't matter) + what절(what(목적어) + 주어(you) + 동사(write)): what절(무엇 ~인지)이 진주어(what절 속 what은 목적어 역할).

본책 112~113쪽을 함께 펴놓고 보세요!

unit 36 주어/보어/목적어 wh-절

주어	동사	wh-절
What matters	is	who you are today.

Standard Sentences

01 It doesn't matter **who you used to be**; **what matters** is **who you are today.**
네가 누구였는지는 중요하지 않고, 중요한 것은 네가 오늘 누구인지야.

- It(형식주어) + 동사(doesn't matter) + who절(who(보어) + 주어(you) + 동사(used to be)): who절(누구 ~인지)이 진주어.
- used to V(used to be): 전에는 어떠했다(과거 오랫동안 계속된 상태)
- what절(what(주어) + 동사(matters)) + be동사(is) + who절(who(보어) + 주어(you) + 동사(are) ~): what절(~인 것)이 주어, who절(누구 ~인지)이 보어.

matter 중요하다

02 **Whoever is happy** will make others **happy** too. *Anne Frank*
행복한 누구든지 다른 사람들도 행복하게 할 거야.

- whoever절(whoever(주어) + 동사(is) ~) + 동사(will make) ~: whoever절(~인 누구든지)이 주어.
- make + 목적어(others) + 목적보어(happy): ~을 어떠하게 하다

Know More 〈배경 지식〉 나치의 지배하에 박해를 피해 은신처에 숨어 지내며 《안네의 일기》를 쓴 독일의 유대인 소녀 안네 프랑크의 일기 중 일부로, 자신이 우선 행복해야 남도 행복하게 해 줄 수 있다는 것.

03 **Why** do you think **democracy and human rights are important?**
넌 민주주의와 인권이 왜 중요하다고 생각하니?

- Why + (do you think) + democracy and human rights are ~?: why(왜)를 묻는 의문문이므로 why가 앞으로 나감.
  ← do you think? + why democracy and human rights are 〈어순 주의〉 (×) do you think why democracy ~?

democracy 민주주의

A 04 **How you do anything** is **how you do everything.**
네가 무엇이든 어떻게 하는지가 네가 모든 걸 어떻게 하는지야.

- how절(how + 주어(you) + 동사(do) ~) + be동사(is) + how절(how + 주어(you) + 동사(do) ~): how절(어떻게 ~인지)이 주어/보어.

Know More 〈숨은 의미〉 각각의 행동 방식이 전체 행동 양식을 이루고 드러낸다는 것.

anything 무엇이든

05 Happiness does not consist in **how many possessions you own.**
행복은 네가 얼마나 많은 소유물을 소유하는지에 있지 않아.

- consist in + how절(how many ~(목적어) + 주어(you) + 동사(own)): how절(얼마나 ~인지)이 목적어.

consist in ~에 있다
possession 소유(물)

Up! 06 Home is not **where you live** but **where your family understands you.** *Christian Morgenstern*
가정은 네가 사는 곳이 아니라, 네 가족이 널 이해하는 곳이야.

- 주어 + be동사(is) + where절(where + 주어(you/your family) + 동사(live/understands) ~): where절(~ 곳)이 보어.
- not A(where you live) but B(where your family understands you): A가 아니라 B(A는 부정되고 B가 긍정됨).

07 It's funny **how we can remember the lyrics to songs, but can't remember anything for a test.**
우리는 어떻게 노래 가사들은 기억할 수 있으면서, 시험을 위해선 아무것도 기억할 수 없는지 웃겨.

- It(형식주어) + be동사(is) ~ + how절(how + 주어(we) + 동사(can/can't remember) ~): how절(어떻게 ~인지)이 진주어.

lyric (노래의) 가사

B **08** You can never control **who you fall in love with.** *Kirsten Dunst*

넌 **네가 누구와 사랑에 빠질지** 결코 통제할 수 없어.

- control + who절(who + 주어(you) + 동사(fall) ~): who절(누구 ~인지)이 목적어.
- who you fall in love with ← you fall in love with who: who절 속 who는 전치사(with) 목적어.

control 통제[지배]하다

09 I can't say **which one is better**; it's a matter of personal taste.

난 **어느 게 더 좋은지** 말할 수 없는데, 그건 개인의 취향 문제야.

- say + which절(which one(주어) + 동사(is) ~): which절(어느 ~인지)이 목적어.

personal 개인의
taste 취향

10 **Teacher:** Do you know **why I called you here**?
Student: If you forgot, I'm not reminding you.

선생님: 넌 **내가 왜 널 여기로 불렀는지** 아니?
학생: 선생님께서 잊으셨다면, 전 **선생님께** 다시 생각나시게 하지 않을 거예요.

- know + why절(why + 주어(I) + 동사(called) ~): why절(왜 ~인지)이 목적어.
- if + 주어(you) + 동사(forgot): ~면(조건 부사절) Unit 50

remind 상기시키다

11 You can choose **whichever one you want.**

넌 **네가 원하는 어느 것이든** 선택할 수 있어.

- choose + whichever절(whichever one(목적어) + 주어(you) + 동사(want)): whichever절(~인 어느 것이든)이 목적어.

C **12** Liberty means **responsibility**; that is **why most men dread it.** *Bernard Shaw*

자유는 **책임을** 의미하는데, 그게 **대부분의 사람들이 자유를 두려워하는 이유야.**

- that is + why절(why + 주어(most men) + 동사(dread) ~): why절(~ 이유)이 보어.

Know More 〈숨은 의미〉 세상이 부조리하고 미래가 불확실한 인간 조건에서, 스스로 선택하고 그 결과에 대해 탓할 아무도 없이 오로지 자신이 모든 책임을 져야 하는 자유는 무거운 짐이자 두려움이기에, 이로부터 도망쳐 여러 권위들에 복종하고 의존하려 든다는 것.

liberty 자유
responsibility 책임
dread 두려워하다

Think **13** Wrinkles should merely indicate **where smiles have been.** *Mark Twain*

주름은 단지 **웃음이 어디 있었는지** 보여 주어야 해.

- indicate + where절(where + 주어(smiles) + 동사(have been)): where절(어디 ~인지)이 목적어.

Know More 〈숨은 의미〉 나이 들어 주름이 생기는 건 어쩔 수 없지만, 그게 안 좋은 감정으로 찡그린 흔적이기보다는 웃음의 흔적이어야 한다는 것.

wrinkle 주름
merely 단지
indicate 보여 주다[나타내다]

Up! **14** A lunar eclipse is **when the Moon passes directly behind the Earth into its shadow.**

월식은 **달이 지구 바로 뒤 지구의 그림자 속을 지나가는 때야.**

- 주어 + be동사(is) + when절(when + 주어(the Moon) + 동사(passes) ~): when절(~ 때)이 보어.

lunar eclipse 월식
pass 지나가다
directly 바로
shadow 그림자

15 **Teacher:** Are you talking back to me?
Student: Yes, that's **how a conversation works.**

선생님: 너 내게 말대답하고 있는 거니?
학생: **그래요**, 그게 **대화가 되어 가는 방식**이잖아요.

- that's + how절(how + 주어(a conversation) + 동사(works)): how절(~ 방법[방식])이 보어.

Know More **〈유머 코드〉** 우리말 '말대답하다'도 '손윗사람의 말에 반대한다는 뜻의 이유를 붙이어 말하다'는 뜻이 있는데, 영어 "talk back"도 "to reply rudely to somebody in authority"(선생님이나 부모님께 무례하게 대답하다)는 의미임.

talk back 말대답하다
work 잘되어 가다

Chapter 07
Review

본책 114쪽을 함께 펴놓고 보세요!

A

01 One of the first conditions of happiness is **that the link between man and nature should not be broken.** *Tolstoy*
행복의 첫 번째 조건들 중 하나는 인간과 자연 사이의 연결이 끊어져선 안 된다는 거야.

- 주어 + be동사(is) + that절(that + 주어(the link ~) + 동사(should not be broken)): that절(~ 것)이 보어.

Know More <배경 지식> 러시아의 대문호 톨스토이의 말로, 자연의 일부인 인간이 자연과 단절되어선 행복할 수 없다는 것.

condition 조건
link 연결

02 Isaac Asimov, a science fiction writer, said **that science fiction is possible, but fantasy is not.**
공상 과학 소설가인 아이작 아시모프는 공상 과학 소설은 일어날 수 있는 일이지만, 판타지 소설은 그렇지 않다고 말했어.

- say + that절(that + 주어(science fiction / fantasy) + 동사(is) ~): that절(~ 것)이 목적어(~라고 말하다).

Know More <배경 지식> 공상 과학 소설과 판타지 소설 둘 다 현실과 다른 시공간에서 벌어지는 일을 다루지만, 전자는 과학적 사실을 바탕 삼아 그리는 반면, 후자는 과학과 상관없이 마법 등 초자연적 현상을 상상해 그린다는 것.

science fiction 공상 과학 소설[영화]
possible (발생이) 가능한

03 A recent discovery seems to support **the idea that birds evolved from dinosaurs.** 최근 발견은 새가 공룡에서 진화했다는 생각을 뒷받침하는 거 같아.

- 명사(the idea) + that절(that + 주어(birds) + 동사(evolved) ~): 명사(the idea) = that절(동격절)(~다는 생각)

recent 최근의
discovery 발견
support 뒷받침[지지]하다
evolve 진화하다

04 Here is the test to find **whether your mission on Earth is finished:** if you're alive, it isn't. *Richard Bach*
여기 지상의 네 임무가 끝났는지 알아내는 테스트가 있는데, 만약 네가 살아 있다면, 그것(네 임무)은 끝난 게 아니야.

- find + whether절(whether + 주어(your mission ~) + 동사(is finished)): whether절(~인지)이 find의 목적어.

Know More <숨은 의미> 멋지게 살기 위해 평범한 삶을 거부하고 자신의 한계에 도전하는 갈매기를 그린 소설 《갈매기의 꿈》으로 유명한 리처드 바크의 말로, 삶의 임무는 죽는 순간까지 끝나지 않는다는 것.

alive 살아 있는

05 You reap **what you sow.** No, you sow a seed, but you reap **what grows from it.**
넌 뿌린 것을 거둬. 아니야, 넌 씨를 뿌리지만, 넌 씨에서 자라는 것을 거두는 거야.

- reap + what절(what(목적어) + 주어(you) + 동사(sow)/what(주어) + 동사(grows) ~): what절(~인 것)이 목적어.

Know More <유머 코드> 속담 "You reap what you sow."(현재의 행동이 미래의 결과가 된다.)를 이용한 유머.

reap 거두다[수확하다]
sow 뿌리다
seed 씨

06 **Whatever is begun in anger** ends in shame. *Benjamin Franklin*
화로 시작된 것은 무엇이든 부끄러움으로 끝나.

- whatever절(whatever(주어) + 동사(is begun) ~) + 동사(ends) ~: whatever절(~인 무엇이든)이 주어.

anger 화
shame 수치심[부끄러움]

07 **Whoever loves dancing too much** seems to have more brains in their feet than in their head. *Terence* 춤을 너무도 좋아하는 누구든 머리보다 발에 뇌가 더 많이 있을 거 같아.

- whoever절(whoever(주어) + 동사(loves) ~) + 동사(seems) ~: whoever절(~인 누구든)이 주어.

Know More <숨은 의미> 뇌가 사람의 모든 감각·사고·행동을 관장하는데, 춤꾼은 뇌가 머리보다 발에 더 있을 것 같다는 것.

B

08 Don't ask **whether it is going to be easy;** ask **whether it is worth it.** *Michael Josephson*
그것이 쉬울지를 묻지 말고, 그것이 그만한 가치가 있는지를 물어.

- ask + whether절(whether + 주어(it) + 동사(is going to be / is) ~): whether절(~인지)이 목적어(~인지 묻다).

09 You become responsible forever for **what you've tamed.** *The Little Prince*
넌 네가 길들인 것에 영원히 책임 져야 해.

- 전치사(for) + what절(what(목적어) + 주어(you) + 동사(have tamed)): what절(~인 것)이 전치사(for) 목적어.

Know More <배경 지식> 인연을 맺어 세상의 유일한 존재가 되어 시간을 들인 대상에 대해서는 평생 책임을 져야 한다는 것.

responsible 책임이 있는
tame 길들이다

10 I grew up with six brothers; that's **how I learned to dance waiting for the bathroom.** *Bob Hope* 난 여섯 형제들과 함께 자랐는데, 그게 내가 화장실을 기다리면서 춤추는 걸 배웠던 방법이야.

- that's + how절(how + 주어(I) + 동사(learned) ~): how절(~ 방법)이 보어.
- 주어 + 동사(learned) ~ + v-ing(waiting for ~): v하면서 ~(v-ing 구문) ➔ Unit 51

Know More <유머 코드> 화장실 차례를 기다리며 생리적 현상을 참으려고 몸을 비틀면서 자연 춤을 배웠다는 것.

관계절(명사수식어)

Unit Words

■ 본격적인 구문 학습에 앞서, 각 유닛별 주요 단어를 확인하세요.

Unit 37 주어 관계사 관계절

- ☐ power 동력을 공급하다
- ☐ transcend 초월하다
- ☐ space 공간
- ☐ advantage 유리한 점[이점]
- ☐ unhealthy 건강에 나쁜
- ☐ enable ~할 수 있게 하다
- ☐ hard luck 불행[불운]
- ☐ work 기능하다[작동하다]
- ☐ get 이해하다
- ☐ lump 덩어리
- ☐ coal 석탄
- ☐ pressure 압력
- ☐ mean 의미하다
- ☐ laughter 웃음

Unit 38 목적어 관계사 관계절

- ☐ win 쟁취하다[이기다]
- ☐ struggle 투쟁
- ☐ survive 생존하다[살아남다]
- ☐ fear 두려워하다
- ☐ superior 윗사람[선배]
- ☐ deaf 귀가 먹은
- ☐ blind 눈이 먼
- ☐ simple 평범한
- ☐ memorize 암기하다
- ☐ look up 찾아보다
- ☐ destructive 파괴적인
- ☐ violent 폭력적인
- ☐ enthusiastic 열중하는[열렬한]
- ☐ price 대가[값]
- ☐ deserve ~을 받을 만하다

Unit 39 기타 관계사 관계절

- ☐ poem 시
- ☐ movement 움직임
- ☐ concern 관심사[걱정]
- ☐ period 시기
- ☐ search for 찾다
- ☐ identity 정체성
- ☐ discipline 훈련[단련]
- ☐ advance 진보[발전]하다
- ☐ call for 요구하다[필요로 하다]
- ☐ inferior 못한 (사람)
- ☐ trample 짓밟다
- ☐ underfoot 발밑에
- ☐ mission 임무
- ☐ in harmony with ~와 조화롭게

Unit 40 추가정보 관계절

- ☐ non-violence 비폭력
- ☐ ethics 윤리
- ☐ appreciate 진가를 알아보다
- ☐ dynasty 왕조
- ☐ scholar 학자
- ☐ pour 붓다[따르다]
- ☐ biodiversity 생물 다양성
- ☐ pump 퍼내다
- ☐ diet 음식[식사]
- ☐ royal 왕의
- ☐ ecosystem 생태계
- ☐ prolific 다산[다작]하는
- ☐ warn 경고하다
- ☐ threaten 위협하다

본책 116~117쪽을 함께 펴놓고 보세요!

Unit 37

주어 관계사 관계절

(대)명사 + who + 동사		동사	목적어
A person	who never made a mistake	never tried	anything new.

Standard Sentences

01 A person who never made a mistake never tried anything new. *Albert Einstein*
한 번도 잘못을 해 본 적이 없는 사람은 한 번도 새로운 것을 시도해 본 적이 없어.
- 명사[주어](a person) + 관계절(who(주어) + 동사(never made) ~) + 동사(never tried) ~: who관계절(~하는)이 앞명사를 수식. 사람(a person) – 주어 관계사 → who[that]
- -thing(anything) + 형용사(new): 형용사가 -thing을 뒤에서 수식.

02 Goals provide the energy source which[that] powers our lives. *Denis Waitley*
목표는 우리 삶에 동력을 공급하는 에너지원을 제공해.
- 명사(the energy) + 관계절(which[that](주어) + 동사(powers) ~): which[that]관계절(~하는)이 앞명사를 수식. 사물(the energy) – 주어 관계사 → which[that]

provide 제공하다
power 동력을 공급하다

03 Love is the only thing that transcends time and space. *Movie "Interstellar"*
사랑은 시공을 초월하는 유일한 거야.
- 명사(the only thing) + 관계절(that(주어) + 동사(transcends) ~): that관계절(~하는)이 앞명사를 수식. 사물(the only thing) – 주어 관계사 → that

transcend 초월하다
space 공간

A

04 A friend is someone who knows all about you and still loves you. *Elbert Hubbard*
친구란 너에 대해 모든 걸 아는데 아직도 널 사랑하는 사람이야.
- 대명사(someone) + 관계절(who(주어) + 동사(knows/loves) ~): who관계절(~하는)이 앞명사를 수식. 사람(someone) – 주어 관계사 → who[that]

Know More <숨은 의미> 사람치고 밝은 면만 있고 어두운 면은 없거나 장점만 있고 단점은 없는 이가 어디 있겠는가? 진정한 친구란 그 사람의 밝은 면이나 장점뿐만 아니라 어두운 면이나 단점까지 알면서도 그 모두를 사랑하는 이라는 것.

05 The man who does not read has no advantage over the man who cannot read. *Mark Twain*
읽지 않는 사람은 읽지 못하는 사람보다 유리한 점이 없어.
- 명사(the man) + 관계절(who(주어) + 동사(does not read/cannot read): who관계절(~하는)이 앞명사를 수식. 사람(the man) – 주어 관계사 → who[that]

advantage 유리한 점[이점]

06 Junk food is unhealthy food which has a lot of calories but little nutritional value.
정크 푸드는 칼로리는 많지만 영양가는 거의 없는 건강에 나쁜 음식이야.
- 명사(unhealthy food) + 관계절(which(주어) + 동사(has) ~) : which관계절(~하는)이 앞명사를 수식. 사물(food) – 주어 관계사 → which[that]

unhealthy 건강에 나쁜

Up! **07** Art is the lie that enables us to realize the truth. *Pablo Picasso*
예술은 우리가 진실을 깨달을 수 있게 해 주는 거짓말이야.
- 명사(the lie) + 관계절(that(주어) + 동사(enables) ~): that관계절(~하는)이 앞명사를 수식. 사물(the lie) – 주어 관계사 → that[which]
- enable + 목적어(us) + to-v(to realize ~): ~가 v할 수 있게 하다

Know More <숨은 의미> 대표적 현대 미술가 피카소의 말로, 예술은 실세계나 그 속의 진실 그 자체가 아니라, 실세계를 재료로 삼아 상상력으로 선택·강조·압축·생략·추출 등 변형을 거쳐 그럴 듯한 새로운 세계를 창조해, 그를 통해 세계의 감추어진 진실을 이해하게 한다는 것.

lie 거짓말

B **08** **People who love themselves** don't hurt **other people.** *Dan Pearce*

자신을 사랑하는 사람들은 **다른 사람들을** 아프게 하지 않아.

- 명사(people) + 관계절(who(주어) + 동사(love) ~): 사람(people) – 주어 관계사 → who[that]

Know More <숨은 의미> 자신을 아끼고 사랑하는 이는 자연 다른 생명체도 소중히 여기는 반면, 자신을 증오하는 이는 남들도 함께 고통받기를 원한다는 것.

09 God helps **those who help themselves.** *Proverb*

신은 **스스로 돕는 사람들을** 도와.

- 대명사(those) + 관계절(who(주어) + 동사(help) ~): 사람(those) – 주어 관계사 → who[that]
- those(사람들[것들]): 격식체에서 관계사의 앞명사(사람/사물 복수)로 쓰일 수 있음.

10 **The only thing that overcomes hard luck** is hard work. *Harry Golden*

불운을 극복하는 유일한 것은 노력이야.

- 명사(the only thing) + 관계절(that(주어) + 동사(overcomes) ~): 사물(the only thing) – 주어 관계사 → that

Know More <숨은 의미> 불운은 우리 인간이 어쩔 수 없는 것이고, 우리가 할 수 있는 건 불운에 굴복하지 않고 이를 극복하려는 노력뿐이라는 것.

overcome 극복하다
hard luck 불행[불운]

11 Q: What do you call **a boomerang which doesn't work?**
A: A stick.

문: 넌 제 기능을 못하는 부메랑을 **뭐라고** 부르니? 답: **막대기**

- 명사(a boomerang) + 관계절(which(주어) + 동사(doesn't work)): 사물 – 주어 관계사 → which[that]

work 기능하다[작동하다]

C **12** **He who laughs last** probably didn't get **the joke.**

마지막에 웃는 사람은 아마 **농담을** 이해하지 못했을 거야.

- 대명사(he) + 관계절(who(주어) + 동사(laughs) ~): 사람(he) – 주어 관계사 → who[that]
- he: 일반인을 나타내는 것으로, 격언에 한정적으로 쓰임.

Know More **<유머 코드>** 속담 "He who laughs last laughs best[longest]."(마지막에 웃는 사람이 가장 잘[오래] 웃어.)의 패러디.

get 이해하다

13 **Everything that has a beginning** has an end. *Movie "The Matrix Revolutions"*

시작이 있는 모든 것은 **끝이** 있어.

- 대명사(everything) + 관계절(that(주어) + 동사(has) ~): 사물(everything) – 주어 관계사 → that[which]

14 A diamond is just **a lump of coal that did well under pressure.**

다이아몬드는 그저 압력에 잘 견뎌 낸 석탄 덩어리야.

- 명사(a lump of coal) + 관계절(that(주어) + 동사(did) ~): 사물(a lump of coal) – 주어 관계사 → that[which]

Know More <숨은 의미> 지금 이 순간 여러 가지 압박과 스트레스를 받아 괴롭더라도 잘 참고 견뎌 내면 훗날 금강석 같은 결실을 맺을 수 있다는 것.

diamond 다이아몬드
lump 덩어리
coal 석탄
pressure 압력

15 There are **two things that don't have to mean anything;** one is music, **and** the other is laughter. *Immanuel Kant*

아무것도 의미할 필요가 없는 두 가지가 있는데, 하나는 음악이고 다른 건 웃음이야.

- There + be동사(are) + 주어(two things ~): ~이 있다
- 명사(two things) + 관계절(that(주어) + 동사(don't ~) ~): 사물(things)–주어 관계사 → that[which]
- don't have to + V(mean): ~할 필요가 없다

Know More <숨은 의미> 서양 근대 철학의 확립자·최고봉 칸트의 말로, 음악과 웃음은 그 자체로 우리에게 절대적인 즐거움을 주지, 다른 무엇을 의미할 필요가 없다는 것.

mean 의미하다
laughter 웃음

본책 118~119쪽을 함께 펴놓고 보세요!

unit 38

목적어 관계사 관계절

(대)명사 + (which) + 주어 + 동사		동사	부사어
The rights	(which) we enjoy today	were won	through long struggles.

Standard Sentences

01 **The rights (which) we enjoy today** were won through long struggles.
우리가 오늘날 누리는 권리들은 오랜 투쟁을 통해 쟁취되었어.

- 명사[주어](the rights) + 관계절((which)(목적어) + 주어(we) + 동사(enjoy) ~) + 동사(were won) ~: which관계절(~하는)이 앞명사를 수식. 사물(the rights) – 목적어 관계사 → that[which](생략 가능)

win 쟁취하다[이기다]
struggle 투쟁

02 We rely on **nature** for **everything (that) we need to survive.**
우리는 생존하기 위해 필요한 모든 것을 **자연**에 의존해.

- 대명사(everything) + 관계절((that)(목적어) + 주어(we) + 동사(need) ~): that관계절(~하는)이 앞명사를 수식. 사물(everything) – 목적어 관계사 → that(생략 가능)
- to-v(to survive): 목적(v하기 위해)을 나타내는 부사어.

rely on ~에 의존하다
survive 생존하다[살아남다]

Think **03** No one loves **the man whom he fears.** *Aristotle*
아무도 **자기가 두려워하는 사람을** 사랑하지 않아.

- 명사(the man) + 관계절(whom(목적어) + 주어(he) + 동사(fears)): whom관계절(~하는)이 앞명사를 수식. 사람(the man) – 목적어 관계사 → who(m)[that](생략 가능)

Know More <숨은 의미> 아리스토텔레스의 말로, 어떤 대상에 대한 두려움의 감정이 있으면 그 공포의 대상을 사랑할 수 있는 여지가 없다는 것으로, 사랑과 공포는 양립할 수 없다는 것.(이와 달리 존경심은 사랑과 함께할 수 있음.)

fear 두려워하다

A **04** **Everyone I meet** is my superior in some way. *Ralph Emerson*
내가 만나는 모든 사람은 어떤 점에선 내 윗사람이야.

- 대명사[주어](everyone) + 관계절(주어(I) + 동사(meet)) + 동사(is) ~: 관계절(~하는)이 앞명사를 수식. 사람(everyone) – 목적어 관계사 → who(m)[that] → 생략

Know More <숨은 의미> 미국 사상가 랄프 에머슨의 말로, 어떤 사람에게도 배울 점이 있다는 것으로, 인간관계나 배움에 있어서의 겸손함과 개방성을 강조한 것.

superior 윗사람[선배]

Think **05** Kindness is **the language which the deaf can hear and the blind can see.** *Mark Twain*
친절은 귀먹은 사람들도 들을 수 있고 눈먼 사람들도 볼 수 있는 언어야.

- 명사(the language) + 관계절(which(목적어) + 주어(the deaf/blind) + 동사(can hear/see): which관계절(~하는)이 앞명사를 수식. 사물(the language) – 목적어 관계사 → that[which](생략 가능)
- the + 형용사(deaf/blind) = 형용사(deaf/blind) + people: ~한 사람들

deaf 귀가 먹은
blind 눈이 먼

06 We will never know **all the good a simple smile can do.** *Mother Teresa*
우리는 **평범한 미소가 할 수 있는 모든 좋은 것을** 결코 알지 못할 거야.

- 명사(all the good) + 관계절(주어(a simple smile) + 동사(can do)): 관계절(~하는)이 앞명사를 수식. 사물(all the good) – 목적어 관계사 → that → 생략

Know More <숨은 의미> 평범한 미소는 우리가 생각하는 것 이상으로 많은 좋은 효과가 있다는 것.

simple 평범한

07 **The answers you get** depend upon **the questions you ask.** *Thomas Kuhn*
네가 얻는 답은 **네가 하는 질문**에 달려 있어.

- 명사(the answers/questions) + 관계절(주어(you) + 동사(get/ask)): 관계절(~하는)이 앞명사를 수식. 사물(the answers/questions) – 목적어 관계사 → that[which] → 생략

Know More <숨은 의미> 의미 있고 가치 있는 답을 얻기 위해선, 먼저 문제의식을 갖고 그런 질문을 할 수 있어야 한다는 것.

depend upon ~에 달려 있다

B **08** Never memorize **something that you can look up.** *Albert Einstein*
네가 찾아볼 수 있는 걸 절대 암기하지 마.

- 대명사(something) + 관계절(that(목적어) + 주어(you) + 동사(can look up)): 사물(something) – 목적어 관계사 → that[which]

memorize 암기하다
look up 찾아보다

Up! **09** Technology has changed **the world we live in.**
과학 기술이 우리가 사는 세상을 바꿔 왔어.

- 명사(the world) + 관계절(주어(we) + 동사(live) + in): 사물(the world) – 전치사(in) 목적어 관계사 → that[which] → 생략

10 I worry about **the destructive effect that violent films may have on children.**
난 폭력적인 영화가 아이들에게 미칠지도 모르는 파괴적인 영향에 대해 걱정해.

- 명사(the destructive effect) + 관계절(that(목적어) + 주어(violent films) + 동사(may have) ~): 사물(the destructive effect) – 목적어 관계사 → that[which]

destructive 파괴적인
effect 영향
violent 폭력적인

Up! **11** **All we need to make us really happy** is **something to be enthusiastic about.** *Charles Kingsley*
우리가 자신을 정말 행복하게 하기 위해 필요한 전부는 열중할 대상이야.

- 대명사[주어](all) + 관계절(주어(we) + 동사(need) ~) + 동사(is) ~: 사물(all)–목적어 관계사 → that → 생략
- to-v(to make ~): 목적(v하기 위해)을 나타내는 부사어.
- make + 목적어(us) + 목적보어(really happy): ~을 어떠하게 하다
- 대명사(something) + to-v(to be ~): to-v(v할)가 뒤에서 앞 명사 수식.

Know More 〈숨은 의미〉 우리가 행복하려면 안락함이나 호화로움이 필요할 것 같지만 사실은 그렇지 않고, 열정적으로 집중할 수 있는 뭔가가 있어야 한다는 것.

enthusiastic 열중하는[열렬한]

C **12** I hope you live **a life you're proud of.**
난 네가 너 자신이 자랑스러워하는 삶을 살길 바라.

- hope + that절(that + 주어(you) + 동사(live) ~): that절(~ 것)이 목적어.
- 명사(a life) + 관계절(주어(you) + 동사(are) + proud of): 관계절(~하는)이 앞명사를 수식. 사물(a life) – 전치사(of) 목적어 관계사 → that[which] → 생략

13 Hard work is **the price we must pay for success.** *Vince Lombardi*
노력은 우리가 성공을 위해 치러야 하는 대가야.

- 명사(the price) + 관계절(주어(we) + 동사(must pay) ~): 관계절(~하는)이 앞명사를 수식. 사물(the price) – 목적어 관계사 → that[which] → 생략

price 대가[값]

14 Society has **the politicians and teenagers it deserves.**
사회는 그것이 가질 만한 수준의 정치가들과 십대들을 가져.

- 명사(the politicians and teenagers) + 관계절(주어(it) + 동사(deserves)): 관계절(~하는)이 앞명사를 수식. 사람(the politicians and teenagers) – 목적어 관계사 → who(m)[that] → 생략

Know More 〈유머 코드〉 "The people get the government they deserve."(국민들은 그들이 누릴 자격이 있는 정부를 가져.)라는 말의 패러디로, 사회 전체의 수준에 따라 정치가나 십대의 수준이 정해진다는 건데, 정치가나 십대 또한 사회의 질을 결정하는 주체임을 잊어서는 안 됨.

politician 정치가
deserve ~을 받을 만하다[누릴 자격이 있다]

15 The most important one is always **the one you are with.** *Jon J. Muth*
가장 중요한 사람은 언제나 너와 함께 있는 사람이야.

- 대명사(the one) + 관계절(주어(you) + 동사(are) + with): 관계절(~하는)이 앞명사를 수식. 사람(the one) – 전치사(with) 목적어 관계사 → who(m)[that] → 생략

본책 120~121쪽을 함께 펴놓고 보세요!

Unit 39

기타 관계사 관계절

주어	동사	(대)명사 + in which + 주어 + 동사	
Behavior	is	a mirror	in which everyone shows his image.

Standard Sentences

01 Behavior is a mirror in which everyone shows his image. *Goethe*

행동은 모든 이가 자신의 이미지를 보여 주는 거울이야.

- 명사(a mirror) + 관계절(in which + 주어(everyone) + 동사(shows) ~): in which관계절이 앞명사를 수식.
  ← everyone shows his image **in a mirror**
- in which = where

behavior 행동
mirror 거울

02 A baby is an angel whose wings decrease as his legs increase. *French Proverb*

아기는 다리가 늘어나면서 날개가 줄어드는 천사야.

- 명사(an angel) + 관계절(whose wings(주어) + 동사(decrease) ~): whose관계절이 앞명사를 수식.
- whose wings = an angel's wings
- as + 주어(his legs) + 동사(increase): ~하면서(시간 부사절) ➲ Unit 46

Know More **<유머 코드>** 마냥 천사 같은 아기가 자라면서 점점 키우기 힘든 사람이 되어 간다는 것.

decrease 줄다[감소하다]
increase 늘다[증가하다]

03 The dictionary is the only place where success comes before work.

사전은 success(성공)가 work(노력)보다 먼저 오는 유일한 곳이야.

- 명사(the only place) + 관계절(where + 주어(success) + 동사(comes) ~): where관계절이 앞명사를 수식. 장소(place) + 부사어 관계사 → (where[that])

dictionary 사전
only 유일한
work 노력[일]

A Up! 04 The dance is a poem of which each movement is a word. *Mata Hari*

춤은 각 움직임이 단어인 시야.

- 명사(a poem) + 관계절(of which + 주어(each movement) + 동사(is) ~): of which관계절이 앞명사를 수식.
  ← each movement is a word **of a poem**

Know More <숨은 의미> 단어 하나하나가 잘 짜여 아름다운 시가 되듯, 움직임 하나하나가 잘 짜여 멋진 춤이 이루어진다는 절묘한 비유.

poem 시
movement 움직임

05 We all need friends with whom we can speak of our deepest concerns. *Margaret Guenther*

우리 모두는 우리의 가장 깊은 관심사를 말할 수 있는 친구가 필요해.

- 명사(friends) + 관계절(with whom + 주어(we) + 동사(can speak) ~): with whom관계절이 앞명사를 수식.
  ← we can speak of our deepest concerns **with friends**

concern 관심사[걱정]

06 Adolescence is a period when a young person searches for their identity.

청소년기는 젊은이가 자신의 정체성을 찾는 시기야.

- 명사(a period) + 관계절(when + 주어(a young person) + 동사(searches) ~): when관계절이 앞명사를 수식. 시간(a period) + 부사어 관계사 → (when[that])

adolescence 사춘기
period 시기
search for 찾다
identity 정체성

Think 07 You get to the point where you have to wash the dishes; that's the fun in life. *Frederick Lenz*

넌 설거지를 해야 할 시점에 이르렀는데, 설거지는 삶의 재미야.

- the point + 관계절(where + 주어(you) + 동사(have to wash) ~): where관계절이 앞명사를 수식. 장소[시간](the point) + 부사어 관계사 → (where[when/that])

Know More <숨은 의미> 설거지는 엄마만의 전유물인가? 무대 뒤에서 남들을 위해 기꺼이 하는 허드렛일이야말로 스스로를 씻는 신성한 노동이자 삶의 낙이라는 것.

B **08** Never go to **a doctor whose office plants have died.** *Erma Bombeck*
그의 진료실 식물들이 죽어 버린 의사에게는 절대 가지 마.

- 명사(a doctor) + 관계절(whose + 명사(office plants) + 동사(have died)): whose관계절이 앞명사를 수식. 사람(a doctor) + 소유격 관계사 → whose (of which는 불가)
- **whose** office plants = **a doctor's** office plants: whose는 소유격 관계사

Know More 〈숨은 의미〉 생명 존중을 최우선 가치와 책무로 여기고 실천해야 하는 의사가 자기 진료실 식물의 생명조차 잘 돌보지 못해 죽게 했다면 의사 자격이 없다는 것.

09 Mistakes and errors are **the discipline through which we advance.** *William Channing*
실수와 잘못은 그것(훈련)을 통해 우리가 발전하는 훈련이야.

- 명사(the discipline) + 관계절(through which + 주어(we) + 동사(advance)): through which관계절이 앞명사를 수식. ← we advance **through the discipline**

discipline 훈련[단련]
advance 진보[발전]하다

Up! **10** **The day** will come **when we will remember these days with joy.**
우리가 요즘을 기쁘게 기억할 날이 올 거야.

- 명사[주어](the day) + 동사(will come) + 관계절(when + 주어(we) + 동사(will remember) ~): 앞명사와 떨어져 있는 관계절. 시간(the day) + 부사어 관계사 → (when[that])

joy 기쁨

11 There's no **reason why we shouldn't be friends.**
우리가 친구여서는 안 될 이유가 없어.

- 명사(reason) + 관계절(why + 주어(we) + 동사(shouldn't be) ~): why관계절이 앞명사를 수식. 이유(reason) + 부사어 관계사 → (why[that])

C **12** There are **times when life calls for a change.**
삶이 변화를 요구할 때가 있어.

- There + be동사(are) + 주어(times ~): ~이 있다
- 명사(times) + 관계절(when + 주어(life) + 동사(calls for) ~): when관계절이 앞명사를 수식. 시간(times) + 부사어 관계사 → (when[that])

call for 요구하다[필요로 하다]

13 I am the inferior of **any man whose rights I trample underfoot.** *Horace Greeley*
난 내가 그의 권리를 발밑에 짓밟는 어떤 사람보다도 못한 사람이야.

- 명사(any man) + 관계절(whose rights(목적어) + 주어(I) + 동사(trample) ~): whose관계절이 앞명사를 수식.
- whose rights = any man's rights: whose는 소유격 관계사. ← I trample **any man's rights** underfoot

Know More 〈숨은 의미〉 사람됨의 가장 확실한 척도는 타인의 권리에 대한 존중 여부로, 갑질은 스스로 가장 열등한 인간임을 드러내는 것.

inferior 못한 (사람)
trample 짓밟다
underfoot 발밑에

14 **The reason why so little is done** is **that so little is attempted.** *Samuel Smiles*
너무 적은 것이 이루어지는 이유는 너무 적은 것이 시도되기 때문이야.

- 명사(the reason) + 관계절(why + 주어(so little) + 동사(is done)): why관계절이 앞명사를 수식. 이유(reason) + 부사어 관계사 → (why[that])
- 주어 + be동사(is) + that절(that + 주어(so little) + 동사(is attempted): that절(~ 것)이 보어.

done 다 끝난[이루어진]

15 My mission is **to create a world where we can live in harmony with nature.** *Jane Goodall*
나의 임무는 우리가 자연과 조화롭게 살 수 있는 세상을 만드는 거야.

- 주어 + 동사(is) + to-v(to create ~): to-v(v하는 것)가 보어.
- 명사(a world) + 관계절(where + 주어(we) + 동사(can live) ~): where관계절이 앞명사를 수식. 장소(a world) + 부사어 관계사 → (where[that])

Know More 〈배경 지식〉 영국의 동물학자·환경운동가로, 침팬지의 행동 연구 분야의 세계 최고 권위자인 제인 구달의 말.

mission 임무
in harmony with ~와 조화롭게

본책 122~123쪽을 함께 펴놓고 보세요!

추가정보 관계절

주어	동사	목적어,	which	동사	보어
Non-violence	leads to	the highest ethics,	which	is	the goal of all evolution.

Standard Sentences

Think **01** Non-violence leads to **the highest ethics**, **which** is the goal of all evolution. *Thomas Edison*
비폭력은 가장 높은 윤리에 이르는데, 그것은 모든 진화의 목표야.

- non-violence ~, which(= and that) + 동사(is) ~: which관계절이 non-violence를 받아 보충 설명.

Know More <숨은 의미> 발명왕 에디슨의 말로, 다른 생명체를 해치는 폭력을 멈추지 않으면 인류는 아직 야만인에 불과하며, 생명 존중의 비폭력이야말로 인간의 윤리적 진화의 최고 목표라는 것.

non-violence 비폭력
lead to ~에 이르다
ethics 윤리
evolution 진화

02 Vincent van Gogh, **whose** paintings are popular today, was not appreciated during his life. 빈센트 반 고흐는, 그의 그림이 오늘날에는 인기 있는데, 생전에는 진가를 인정받지 못했어.

- 명사[주어](Vincent van Gogh), 관계절(whose + paintings + 동사(are) ~), 동사(was ~) ~: whose관계절이 앞명사를 보충 설명.
- whose paintings = Vincent van Gogh's paintings: whose는 소유격 관계사.

popular 인기 있는
appreciate 진가를 알아보다[인정하다]

03 I have had a lot of worries in my life, **most of which** never happened. *Mark Twain*
난 살면서 많은 걱정거리가 있어 왔지만, 그것들 중 대부분은 결코 일어나지 않았어.

- a lot of worries ~, most of which + 동사((never) happened): which관계절이 앞명사(a lot of worries)를 받아 보충 설명.
- , most of which = but most of them(a lot of worries)

Know More <숨은 의미> 속담 "Don't cry before you are hurt."(다치기도 전에 울지 마.)도 같은 의미.

worry 걱정(거리)

Think **04** Look deep into **nature**, **when** you will understand **everything** better. *Albert Einstein*
자연을 깊이 들여다보면, 그때 넌 모든 걸 더 잘 이해하게 될 거야.

- ~, when(= and then) + 주어(you) + 동사(will understand) ~: when관계절이 앞문장을 받아 보충 설명.

Know More <숨은 의미> 가장 많이 인용되는 천재 물리학자 아인슈타인의 말 중 하나로, 자신도 자연에 대한 관찰과 경험을 통해 물리학에서의 발견을 이루었듯이, 자연이야말로 상상력과 영감의 원천이자 우주와 생명 이해의 열쇠라는 것.

look deep into 깊이 들여다보다

A **05** King Sejong, **who** was the 4th king of the Joseon Dynasty, created **Hangeul** with the help of a team of scholars.
세종대왕은, 조선 왕조의 네 번째 왕이었는데, 학자들의 도움으로 한글을 창제했어.

- 명사[주어](King Sejong), 관계절(who + 동사(was) ~), 동사(created) ~: who관계절이 앞명사를 보충 설명.

dynasty 왕조
scholar 학자

06 Nobody is going to pour truth into your brain, **which** is something you have to find out for yourself. *Noam Chomsky*
아무도 진실을 너의 뇌 속으로 쏟아부어 주지 않을 거고, 그것은 너 스스로 알아내야 하는 거야.

- truth ~, which(= and that) + 동사(is) ~: which관계절이 앞명사 truth를 받아 보충 설명.
- 대명사(something) + 관계절(주어(you) + 동사(have to find out) ~): 사물 - 목적어 관계사 → that[which] → 생략

Know More <숨은 의미> 진실이나 진리는 누군가에 의해 주입될 수 있는 게 아니라, 스스로 주체적으로 찾아내야만 한다는 것.

pour 붓다[따르다]

Up! **07** I can't imagine **anything** more important than air, water, soil, energy and biodiversity, **which** are the things that keep us alive. *David Suzuki*
난 공기, 물, 흙, 에너지 그리고 생물 다양성보다 더 중요한 아무것도 상상할 수 없는데, 그것들은 우리를 살아 있게 해 주는 것들이야.

- air, water, soil, energy and biodiversity, which(= and they) + 동사(are) ~: which관계절이 앞명사(air, water, soil, energy and biodiversity)를 받아 보충 설명.
- 명사(the things) + 관계절(that(주어) + 동사(keep) ~): 사물(the things) - 주어 관계사 → that[which]

biodiversity 생물 다양성
alive 살아 있는

B **08** The human heart, **which** weighs about 300 grams, pumps **blood** throughout the body.
인간의 심장은, 무게가 약 **300**그램인데, 온몸에 **혈액**을 내보내.

- 명사[주어](the human heart), 관계절(which + 동사(weighs) ~), 동사(pumps) ~: which관계절이 앞명사를 보충 설명.

weigh 무게가 ~이다
pump 퍼내다

09 I try to add color to my diet, **which** means vegetables and fruits. *Misty Treanor*
난 내 음식에 색깔을 더하려고 하는데, 그것은 **채소와 과일**을 의미해.

- color ~, which + 동사(means) ~: which관계절이 앞명사 color를 받아 보충 설명.(which 대신 that은 불가.)

Know More <배경 지식> '컬러 푸드'(color food)는 빨강(red: 토마토/사과), 노랑(yellow: 호박/감귤), 초록(green: 잎채소/시금치), 보라(purple: 가지/포도), 흰색(white: 마늘/양파) 등 다양한 색깔을 띤 건강에 좋은 식품인데, 골고루 맛있게 먹을 것.

add A to B A를 B에 더하다
diet 음식[식사]
vegetable 채소

10 The palace, **where** the royal family once lived, is now open to the public.
그 궁전은, 이전에 왕족이 살았는데, 지금 일반인들에게 개방되어 있어.

- 명사[주어](the palace), 관계절(where + 주어(the royal family) + 동사(lived)), 동사(is) ~: where관계절이 앞명사를 보충 설명.

palace 궁전
royal 왕의
public 일반인들[대중]

Up! **11** Each species plays **a role** in the functioning of ecosystems, **on which** humans depend. *William Schlesinger*
각 종은 **생태계의 기능에 역할을** 하는데, 그것에 인간은 의존해.

- the functioning of ecosystems, on which + 주어(humans) + 동사(depend): on which관계절이 앞명사를 받아 보충 설명.
- , **on which** humans depend = **and** humans depend **on the functioning of ecosystems**

Know More <배경 지식> 먹이 사슬을 통해 상호 의존하는 다양한 종들이 각자의 역할을 하며 생태계가 제 기능을 하게 되는데, 인간 역시 식량, 자원, 기후 등 생존 환경을 생태계의 안정적인 기능에 의존한다는 것.

function 기능하다
ecosystem 생태계

C **12** The Mona Lisa was painted by Leonardo da Vinci, **who** was also a prolific engineer and inventor.
모나리자는 레오나르도 다빈치가 그렸는데, 그는 또한 많은 것을 만든 기술자이자 발명가였어.

- Leonardo da Vinci, who(= and he) + 동사(was) ~: who관계절이 앞명사를 받아 보충 설명.

prolific 다산[다작]하는

13 The McDonald's employee health page, **which** is now shut down, once warned against eating McDonald's burgers and fries.
맥도널드의 (웹 사이트) 종업원 건강 페이지가, 지금은 닫혀 있는데, 한때는 맥도널드의 햄버거와 감자튀김을 먹는 것에 대해 경고했어.

- 명사[주어](The McDonald's employee health page), 관계절(which + 동사(is) ~), 동사(warned) ~: which 관계절이 앞명사를 받아 보충 설명.

Know More <유머 코드> 자사가 생산·판매하는 햄버거와 감자튀김을 먹으면 건강에 해롭다는 경고를 종업원들에게 올렸다가 문제가 되자 내렸다는 웃지 못할 아이러니.

shut down 문을 닫다[정지하다]
warn 경고하다
burger 햄버거
fries 감자튀김

14 We are all living together on a single planet, **which** is threatened by our own actions. *Yuval Harari*
우리는 모두 단 하나의 행성에 함께 살고 있는데, 그것이 우리 자신의 행동들에 의해 위협받고 있어.

- a single planet, which(= and that) + 동사(is threatened) ~: which관계절이 앞명사를 받아 보충 설명.

threaten 위협하다

Up! **15** Love means a warm feeling about humans, **where** you want to be with them and take care of them. *Fisher Stevens*
사랑은 **인간들에 대한 따뜻한 감정**을 의미하는데, 거기서 넌 **그들과 함께하며 그들을 돌보고** 싶어.

- a warm feeling about humans, where(= and there) + 주어(you) + 동사(want) ~: where관계절이 앞명사를 받아 보충 설명.
- want + to-v(to be/(to) take care of ~): v하고 싶다

take care of 돌보다

본책 124쪽을 함께 펴놓고 보세요!

A

01 Those who fail to prepare prepare to fail.
준비하지 못하는 사람들은 실패할 준비를 하는 거야.

- 대명사(those) + 관계절(who(주어) + 동사(fail) ~): 관계절이 앞명사를 수식. 사람 – 주어 관계사 → who[that]

Know More 〈숨은 의미〉 fail/prepare 두 단어를 두 번씩 써서 만든 절묘한 문장으로, 준비의 중요성을 강조하는 것.

fail to-v v하지 못하다
prepare to-v v할 준비를 하다

Think **02** The whole world steps aside for **the man who knows where he is going.**
온 세상이 어디로 갈지 아는 사람에게는 길을 비켜 줘.

- 명사(the man) + 관계절(who(주어) + 동사(knows) ~): 사람(the man) – 주어 관계사 → who[that]

Know More 〈숨은 의미〉 확실한 소신과 목표를 갖고 정진하는 사람은 아무것도 막지 못한다는 것.

step aside (길을) 비키다

Up! **03** **The biggest mistake you can make** is continually fearing you will make one.
네가 할 수 있는 가장 큰 잘못은 네가 잘못할 것을 계속 두려워하는 거야.

- 명사(the biggest mistake) + 관계절(주어(you) + 동사(can ~)): 사물 – 목적어 관계사 → that[which] → 생략
- 주어 + be동사(is) + v-ing((continually) fearing ~): v-ing(v하는 것)이 보어.
- fear + that절((that) + 주어(you) + 동사(will make) ~): that절(~ 것)이 fear의 목적어.

continually 계속
fear 두려워하다

04 Don't do **anything (that) you might regret later.**
네가 나중에 후회할지도 모를 아무것도 하지 마.

- 대명사(anything) + 관계절((that)(목적어) + 주어(you) + 동사(might ~) ~): 사물 – 목적어 관계사 → that(생략 가능)

regret 후회하다
later 나중에

☺ **05** Math is **the only place where someone can buy 100 watermelons and nobody wonders why.**
수학은 어떤 사람이 100개의 수박을 살 수 있고 아무도 이유를 궁금해하지 않는 유일한 곳이야.

- 명사(the only place) + 관계절(where + 주어(someone / nobody) + 동사(can buy / wonders) ~): where 관계절이 앞명사를 수식. 장소(place) + 부사어 관계사 → (where[that])

watermelon 수박

06 **The reason why people go to a mountaintop** is to look at something larger than themselves. *Diane Paulus*
사람들이 산꼭대기에 가는 이유는 자신들보다 더 큰 뭔가를 보려는 거야.

- 명사(the reason) + 관계절(why + 주어(people) + 동사(go) ~): 이유(reason) + 부사어 관계사 → (why[that])

mountaintop 산꼭대기

Up! **07** Facebook, **which** was launched in 2004, became the largest social networking site in the world in early 2009.
페이스북은, 2004년에 시작되었는데, 2009년 초에 세계에서 가장 큰 소셜 네트워킹 사이트가 되었어.

- 명사[주어](Facebook), 관계절(which(주어) + 동사(was launched) ~), 동사(became) ~: which관계절이 앞명사를 보충 설명.

launch 시작하다

B

08 I want **someone whose heart is big enough to hold me.** *Rainbow Rowell*
난 마음이 나를 안아 줄 만큼 충분히 큰 누군가를 원해.

- 명사(someone) + 관계절(whose + heart(명사) + 동사(is) ~): whose관계절이 앞명사를 수식.
- whose heart = someone's heart: whose는 소유격 관계사.

hold 잡고[안고] 있다

09 **All labor that uplifts humanity** has dignity and importance. *Martin Luther King*
인류를 더 행복하게 하는 모든 노동은 존엄성과 중요성을 지녀.

- 명사(all labor) + 관계절(that(주어) + 동사(uplifts) ~): 사물(all labor) – 주어 관계사 → that

Know More 〈숨은 의미〉 인간성을 고양시키는 모든 노동은 신성한 것으로, 환경미화원도 미켈란젤로가 그림을 그리듯 베토벤이 작곡하듯 셰익스피어가 시를 쓰듯 공들여 최고로 잘해야 한다는 것.

labor 노동
uplift 더 행복하게 하다
humanity 인류[인간성]
dignity 존엄성[위엄]

10 Evidence of climate change exists in several forms, **which** include temperature increases, melting ice, sea level rise, and extreme weather.
기후 변화의 증거는 여러 형태로 존재하는데, 그것들은 기온 상승, 녹는 빙하, 해수면 상승, 그리고 극단적인 날씨를 포함해.

- several forms, which + 동사(include) ~: which관계절이 앞명사를 보충 설명.(which 대신 that은 불가.)

exist 존재하다
form 형태
include 포함하다
temperature 기온
extreme 극단적인

Stage Ⅲ

모든 문장과 특수 구문

Stage Ⅲ

Contents of Stage

문장성분 & 연결

Unit Words

■ 본격적인 구문 학습에 앞서, 각 유닛별 주요 단어를 확인하세요.

Unit 41 주어(구·절) 종합

- ☐ matter 중요하다
- ☐ talent 재능
- ☐ embarrassed 쑥스러운(창피한)
- ☐ for the better 더 좋게
- ☐ knowledge 앎(지식)
- ☐ rub 비비다(문지르다)
- ☐ polish 광(윤)을 내다
- ☐ physics 물리학
- ☐ criminal 범죄자
- ☐ honorable 명예로운
- ☐ take place 일어나다
- ☐ possess 소유하다

Unit 42 보어(구·절) 종합

- ☐ silence 침묵
- ☐ argument 논쟁(말다툼)
- ☐ carry out 수행(실시)하다
- ☐ means 수단
- ☐ purify 정화하다
- ☐ risk 위험
- ☐ addiction 중독
- ☐ disorder 질병(장애)
- ☐ severe 심각한
- ☐ damage 손상
- ☐ carry around 들고 다니다
- ☐ repeatedly 반복해서(되풀이해서)

Unit 43 목적어/목적보어(구·절) 종합

- ☐ enable 할 수 있게 하다
- ☐ economically 경제적으로
- ☐ politically 정치적으로
- ☐ responsible 책임이 있는
- ☐ evolution 진화
- ☐ molecular 분자의
- ☐ genetics 유전학
- ☐ absolutely 완전히(절대로)
- ☐ unique 유일한(독특한)
- ☐ ignorant 무식한
- ☐ compassionate 인정(동정심) 있는
- ☐ cruel 잔인한

Unit 44 대등접속사

- ☐ fatal 치명적인
- ☐ give up on ~에 대해 포기하다
- ☐ civilization 문명
- ☐ chaos 무질서(혼돈)
- ☐ feed 먹여 살리다(먹이다)
- ☐ fish 물고기, 낚시하다
- ☐ lifetime 평생
- ☐ beloved 사랑하는
- ☐ lovingly 애정을 갖고
- ☐ take care of 돌보다
- ☐ shadow 그림자
- ☐ destiny 운명

Unit 45 상관접속사

- ☐ serve 섬기다
- ☐ rest upon ~에 의지하다(달려 있다)
- ☐ inevitable 필연적인(불가피한)
- ☐ daring 대담한
- ☐ note 음
- ☐ conservation 보존
- ☐ flattery 아첨
- ☐ corrupt 타락(부패)시키다
- ☐ progress 진보(진전)
- ☐ swift 빠른(신속한)
- ☐ equation 방정식
- ☐ computation 계산

본책 130~131쪽을 함께 펴놓고 보세요!

Unit 41

주어(구·절) 종합

주어	동사	부사어
Loving other people	starts	with loving ourselves.

Standard Sentences

01 Loving other people starts with loving ourselves. *Ellen Page*
다른 사람들을 사랑하는 것은 우리 자신을 사랑하는 것과 함께 시작돼.
- v-ing(loving ~) + 동사(starts) ~: v-ing(~하는 것)가 주어. ➲ Unit 21
- 전치사(with) + v-ing(loving ~): 전치사 뒤에 동사가 올 경우 v-ing.

02 It does not matter how many talents we have; what matters is how we use them. *Paul H. Dunn*
우리가 얼마나 많은 재능을 가지고 있는지는 중요하지 않고, 중요한 것은 우리가 그것들을 어떻게 쓰는지야.
- It(형식주어) + 동사(does not matter) + how절(how many talents + 주어(we) + 동사(have)): how절(얼마나 ~인지)이 진주어로, 형식주어 it을 앞세우고 뒤에 왔음. ➲ Unit 36
- what절(what(주어) + 동사(matters)) + 동사(is) + how절(how + 주어(we) + 동사(use) ~): what절(~인 것)이 주어, how절(어떻게 ~인지)이 보어. ➲ Unit 35, 36

matter 중요하다
talent 재능

03 Anyone who isn't embarrassed of who they were last year probably isn't learning enough. *Alain de Botton*
지난해의 자신에 대해 쑥스럽지 않은 누구나 아마 충분히 배우고 있지 않은 거야.
- 대명사(anyone) + 관계절(who(주어) + 동사(isn't) ~) + 동사((probably) isn't learning): 〈대명사 + 관계절〉이 주어로, 관계절이 앞대명사 수식. 사람-주어 관계사 → who[that] ➲ Unit 37
- 전치사(of) + who절(who + 주어(they) + 동사(were) ~): who절(~ 사람)이 전치사(of) 목적어. ➲ Unit 36

Know More 〈숨은 의미〉 충분히 배우고 있다면 지금의 성장하고 있는 자신에게 지난해의 부족했던 자신이 쑥스럽게 느껴질 거라는 것.

embarrassed 쑥스러운[창피한]
probably 아마

A

04 Changing someone else's life positively changes yours for the better as well. *Cameron Boyce*
다른 누군가의 삶을 긍정적으로 변화시키는 것은 너의 삶도 더 좋게 변화시켜.
- v-ing(changing ~) + 동사(changes): v-ing(v하는 것)가 주어.

positively 긍정적으로
for the better 더 좋게
as well ~도

05 To know what you know and what you do not know is true knowledge. *Confucius(공자)*
네가 무엇을 알고 무엇을 모르는지 아는 것이 참된 앎이야.
- to-v(to know ~) + 동사(is): to-v(v하는 것)가 주어.
- know + what절(what(목적어) + 주어(you) + 동사((do not) know)): what절(무엇 ~인지)이 know의 목적어.

knowledge 앎[지식]

06 It is good to rub and polish our brain against that of others. *Montaigne*
우리의 뇌를 다른 사람들의 뇌와 맞대어 비비고 광을 내는 것은 좋은 거야.
- It(형식주어) + 동사(is) ~ + to-v(to rub/(to) polish ~): to-v(v하는 것)가 진주어로, 형식주어 it을 앞세우고 뒤에 왔음.
- that of others = others' brain

Know More 〈배경 지식〉 프랑스 철학자 몽테뉴의 말로, 혼자만의 세계에 갇혀 있지 말고 마음의 문을 활짝 열어 다른 사람들과 서로 대화하고 토론하며 생각을 나눌수록 정신이 빛나게 된다는 것.

rub 비비다[문지르다]
polish 광[윤]을 내다

Up! **07** It is in your hands to create a better world for all who live in it. *Nelson Mandela*
세상에 사는 모두를 위해 더 나은 세상을 만드는 것은 네 손에 달려 있어.
- It(형식주어) + 동사(is) ~ + to-v(to create ~): to-v(v하는 것)가 진주어.
- 대명사(all) + 관계절(who(주어) + 동사(live) ~): 관계절이 앞대명사 수식. 사람-주어 관계사 → who[that]

B 08 Teachers who make physics boring are criminals. *Walter Lewin*
물리학을 재미없게 만드는 선생님들은 범죄자야.

- 명사(teachers) + 관계절(who(주어) + 동사(make) ~) + 동사(are) ~: 〈명사 + 관계절〉이 주어로, 관계절이 앞명사 수식. 사람-주어 관계사 → who[that]
- make + 목적어(physics) + 목적보어(boring): ~을 어떠하게 만들다

Know More **〈유머 코드〉** 물질과 운동, 에너지 등의 연구를 통해 자연과 우주와 세계를 이해하는 가장 기초적인 과학인 물리학은 재미있을 수밖에 없는데, 이를 지루하게 가르치는 건 거의 범죄 행위라는 것.

physics 물리학
boring 재미없는[지루한]
criminal 범죄자

09 A life spent making mistakes is more honorable and useful than a life spent doing nothing. *Bernard Shaw*
실수를 하면서 보내는 삶이 아무것도 하지 않고 보내는 삶보다 더 명예롭고 유용해.

- 명사(a life) + v-ed(spent ~) + 동사(is): 〈명사 + v-ed분사〉가 주어로, v-ed분사(v되는)가 뒤에서 앞 명사 수식.
- 형용사 비교급(more honorable and useful) + than ~: ~보다 더 …한(우월비교) ➔ Unit 56

honorable 명예로운

10 It is strange that "sword" and "words" have the same letters.
'sword'(칼)과 'words'(말)이 같은 글자를 갖고 있는 건 이상해.

- It(형식주어) + 동사(is) ~ + that절(that + 주어("sword" and "words") + 동사(have) ~): that절(~ 것)이 진주어.

Know More **〈유머 코드〉** 칼과 말은 둘 다 꼭 필요한 것으로 잘 써야 하는데, 잘못 쓰면 둘 다 남을 해칠 수 있다는 것.

11 The most important thing to do in solving a problem is to begin. *Frank Tyger*
문제를 해결하는 데 해야 할 가장 중요한 것은 시작하는 거야.

- 명사(the most important thing) + to-v(to do ~): 〈명사 + to-v〉가 주어로, to-v(v해야 할)가 뒤에서 앞 명사 수식.
- 전치사(in) + v-ing(solving ~): 전치사 뒤에 동사가 올 경우 v-ing.
- 주어 + be동사(is) + to-v(to begin): to-v(v하는 것)가 보어.

C 12 What is done out of love always takes place beyond good and evil. *Nietzsche*
사랑으로부터 행해지는 것은 언제나 선악을 초월해 일어나.

- what절(what(주어) + 동사(is done) ~) + 동사((always) takes place): what절(~인 것)이 주어.

take place 일어나다
good and evil 선악

13 Whether you talk well depends upon **whom you have to talk to.** *Christian Bovee*
네가 말을 잘하는지 아닌지는 **네가 누구에게 말을 해야 하는지**에 달려 있어.

- whether절(whether + 주어(you) + 동사(talk) ~) + 동사(depends upon): whether절(~인지 (아닌지))이 주어.
- depend upon + whom절(whom + 주어(you) + 동사(have to talk) + to): whom절(누구 ~인지)이 목적어.
← you have to talk to **whom**: whom은 전치사 to 목적어.

Know More 〈숨은 의미〉 같은 사람이라도 대화의 상대에 따라 말을 잘하게 되기도 하고 잘하지 못하게 되기도 한다는 것.

14 Whoever wishes to keep a secret must hide **the fact that he possesses one.** *Goethe*
비밀을 지키기 바라는 누구든지 **자신이 비밀을 갖고 있다는 사실**을 숨겨야 해.

- whoever절(whoever(주어) + 동사(wishes) ~) + 동사(must hide): whoever절(~인 누구든지)이 주어.
- wish + to-v(to keep ~): v하기를 바라다
- 명사(the fact) + that절(that + 주어(he) + 동사(possesses) ~): 명사(the fact) = that절(동격절)

Know More 〈숨은 의미〉 《파우스트》로 유명한 독일의 대문호 괴테의 말로, 비밀을 갖고 있다고 알려지면 그것을 알아내려는 사람들로부터 비밀을 지켜 내기 어려워진다는 것.

fact 사실
possess 소유하다

15 There are lots of people who mistake their imagination for their memory. *Josh Billings*
자신의 상상을 기억으로 착각하는 사람들이 많아.

- 명사(lots of people) + 관계절(who(주어) + 동사(mistake) ~): 〈명사 + 관계절〉이 주어로, 관계절이 앞명사 수식. 사람-주어 관계사 → who[that]

mistake A for B
A를 B로 착각[오인]하다

본책 132~133쪽을 함께 펴놓고 보세요!

unit 42

보어(구·절) 종합

주어	동사	보어
The main thing	is	to keep the main thing the main thing.

Standard Sentences

01 The main thing is to keep the main thing the main thing. *Stephen Covey*
가장 중요한 것은 가장 중요한 것을 가장 중요한 것으로 유지하는 거야.

- 주어 + be동사(is) + to-v(to keep ~): to-v(~하는 것)가 보어.
- keep + 목적어(the main thing) + 목적보어(the main thing): ~을 …로 유지하다

Know More 〈숨은 의미〉 단순한 말장난 같지만 너무도 유명하고 중요한 말로, 자신의 상황을 정확히 평가해 무엇보다 중요한 것을 선정해서 다른 것들이 아닌 바로 그것에 주된 관심과 노력을 집중해야 한다는 것.

main 주된[가장 중요한]

02 The question is not whether we will die but how we will live. *Joan Borysenko*
문제는 우리가 죽을지 말지가 아니라 우리가 어떻게 살 것인지야.

- 주어 + be동사(is) + whether절/how절(whether / how + 주어(we) + 동사(will die / live)): whether절(~인지 (아닌지))/how절(어떻게 ~인지)이 보어.
- not A(whether we will die) but B(how we will live): A가 아니라 B(A는 부정되고 B가 긍정됨.)

Think **03** Silence is argument carried out by other means. *Che Guevara*
침묵은 다른 수단으로 행해지는 논쟁이야.

- 주어 + be동사(is) + 명사(argument) + v-ed분사(carried out ~): 〈명사 + v-ed분사〉가 보어로, v-ed분사(v되는)가 뒤에서 앞 명사 수식.

Know More 〈숨은 의미〉 전설적인 혁명가 체 게바라의 말로, 논쟁에서 말하지 않는 침묵도 소극적 저항이나 반대, 무관심, 잘난 체하기 등의 수단이 된다는 것.

silence 침묵
argument 논쟁[말다툼]
carry out 수행[실시]하다
means 수단

A **04** Love is putting someone else's needs before yours. *Movie "Frozen"*
사랑은 다른 사람의 필요를 네 것보다 더 우선시하는 거야.

- 주어(love) + be동사(is) + v-ing(putting ~): v-ing(v하는 것)가 보어.

put ~ before …
~을 …보다 더 우선시하다
need 필요[욕구]

05 Today is the tomorrow you worried about yesterday. *Dale Carnegie*
오늘은 네가 어제 걱정했던 내일이야.

- 명사(the tomorrow) + 관계절(주어(you) + 동사(worried about) ~): 〈명사 + 관계절〉이 보어로, 관계절이 앞명사 수식(관계사 생략).

Know More 〈숨은 의미〉 다람쥐 쳇바퀴 돌듯 날마다 끝없이 이어지는 걱정이 소중한 삶을 갉아먹게 하지 말고, 걱정을 멈추고 지금 당장 내일을 준비하고 새로운 도전을 시작하라는 것.

06 The miracle is not to walk on water, but to be alive and walk on this beautiful earth. *Thich Nhat Hanh*
기적은 물 위를 걷는 것이 아니라, 살아서 이 아름다운 땅 위를 걷는 거야.

- 주어 + be동사(is) + to-v(to walk / to be ~): to-v(v하는 것)가 보어.
- not A(to walk ~), but B(to be ~): A가 아니라 B(A와 B는 같은 꼴(to-v) 대등 연결.)

Know More 〈숨은 의미〉 어떠한 기이한 현상이나 능력보다도, 살아 있음이 가장 경이롭고 아름답고 가치 있는 기적이라는 것.

miracle 기적
alive 살아있는

Up! **07** Forests are the lungs of our land purifying the air and giving fresh strength to our people. *Franklin Roosevelt*
숲은 공기를 정화하고 우리 사람들에게 새로운 힘을 주는 우리 땅의 허파야.

- 명사(the lungs of our land) + v-ing(purifying / giving ~): 〈명사 + v-ing〉가 보어. v-ing가 앞 명사 수식.

forest 숲
lung 허파[폐]
purify 정화하다

B **08** The biggest risk is not taking any risk. *Mark Zuckerberg*

가장 큰 위험은 어떤 위험도 무릅쓰지 않는 거야.

- 주어 + be동사(is) + not v-ing(not taking ~): not v-ing(v하지 않는 것)가 보어.

Know More 〈숨은 의미〉 페이스북 설립자 마크 저커버그의 말로, 위험한 도전을 회피하는 무사안일한 태도야말로 가장 위험하다는 것.

risk 위험

09 The problem is that everybody treats teenagers like they're stupid. *Johnny Depp*

문제는 모두가 십대들을 어리석은 것처럼 취급한다는 거야.

- 주어 + be동사(is) + that절(that + 주어(everybody) + 동사(treats) ~): that절(~ 것)이 보어.
- like + 주어(they) + 동사(are) ~: 마치 ~인 것처럼(like = as if[as though]) ➲ Unit 48

treat 취급하다[대하다]
stupid 어리석은

10 Gaming addiction is a disorder that can cause severe damage to one's life.

게임 중독은 한 사람의 삶에 심각한 손상을 입힐 수 있는 질병이야.

- 명사(a disorder) + 관계절(that(주어) + 동사(can cause) ~): 〈명사 + 관계절〉이 보어로, 관계절이 앞명사 수식. 사물-주어 관계사 → that[which]

addiction 중독
disorder 질병[장애]
severe 심각한
damage 손상

11 That some achieve great success is proof that others can achieve it as well. *Abraham Lincoln*

어떤 사람들이 큰 성공을 이룬다는 것은 다른 사람들도 그것을 이룰 수 있다는 증거가 돼.

- that절(that + 주어(some) + 동사(achieve) ~) + 동사(is): that절(~ 것)이 주어.
- 명사(proof) + that절(that + 주어(others) + 동사(can achieve) ~): 〈명사 + that절〉이 보어로, proof와 that절은 동격(=).

achieve 이루다[성취하다]
as well ~도

C **12** Man is the only animal that must be encouraged to live. *Nietzsche*

Think 인간은 살아가도록 격려되어야만 하는 유일한 동물이야.

- 명사(the only animal) + 관계절(that(주어) + 동사(must be encouraged) ~): 〈명사 + 관계절〉이 보어로, 관계절이 앞명사 수식.

Know More 〈숨은 의미〉 본능에 따라 살아가는 다른 동물들과 달리, 인간은 연약한 감정을 지닌 존재로 삶을 견뎌 내기 위해 타인의 격려가 필요하다는 것.

encourage 격려하다

13 The chief function of the body is to carry the brain around. *Thomas Edison*

몸의 주된 기능은 뇌를 들고 다니는 거야.

- 주어 + be동사(is) + to-v(to carry ~): to-v(v하는 것)가 보어.

Know More 〈유머 코드〉 몸의 어느 부위도 다 중요하겠지만, 특히 뇌의 중요성을 강조한 것.

chief 주된
function 기능
carry around 들고 다니다

14 We are what we repeatedly do; excellence is not an act, but a habit. *Aristotle*

우리는 우리가 반복해서 하는 것으로 이루어지므로, 뛰어남은 행동이 아니라 습관이야.

- 주어 + be동사(are) + what절(what(목적어) + 주어(we) + 동사((repeatedly) do)): what절(~인 것)이 보어.
- not A(an act), but B(a habit): A가 아니라 B(A는 부정되고 B가 긍정됨.)

Know More 〈숨은 의미〉 뛰어남은 훈련과 습관에 의해 얻어지는 기술로, 원래 뛰어나기 때문에 뛰어난 행위를 하는 게 아니라 반복적인 행위, 즉 습관을 통해 뛰어나게 된다는 것.

repeatedly 반복해서[되풀이해서]
excellence 뛰어남[탁월함]

Up! **15** Happiness is when what you think, what you say, and what you do are in harmony. *Mahatma Gandhi*

행복이란 네가 생각하는 것과 말하는 것과 행하는 것이 조화를 이룰 때야.

- 주어 + be동사(is) + when절(when + 주어(what you think / say / do) + 동사(are) ~): when절(~ 때)이 보어.
- A(what you think), B(what you say), and C(what you do): A, B, C는 같은 꼴(what절) 대등 연결.

harmony 조화

본책 134~135쪽을 함께 펴놓고 보세요!

Unit 43

목적어/목적보어(구·절) 종합

주어	동사	목적어
You	get	what you work for.

Standard Sentences

01 You get what you work for, not what you wish for. *Howard Tullman*

넌 네가 바라는 것이 아니라, 네가 일하는[노력하는] 것을 얻어.

- get + what절(what + 주어(you) + 동사(work/wish) + for): what절(~인 것)이 목적어.
  ← you work/wish for **what**

02 No man has a good enough memory to be a successful liar. *Abraham Lincoln*

아무도 성공적인 거짓말쟁이가 될 만큼 충분히 좋은 기억력을 갖고 있지 않아.

- 형용사(good) + enough + 명사(memory) + to-v(to be ~): to-v(to be ~)가 enough를 수식(v할 만큼 충분히). enough는 뒤에서 앞 형용사 good을 수식(충분히 ~한). good (enough)가 명사 memory를 수식.

Know More 〈유머 코드〉 미국 역사상 가장 위대한 대통령으로 꼽히는 에이브러햄 링컨의 말로, 자신이 한 거짓말이 탄로 나지 않게 하려면 그 사실이 아닌 거짓을 확실히 기억해 두어야 하는데, 꾸며낸 걸 내면화하기란 어렵다는 것.

successful 성공적인
liar 거짓말쟁이

03 Some people want it to happen; others make it happen. *Michael Jordan*

어떤 사람들은 그것이 일어나길 바라지만, 다른 사람들은 그것이 일어나게 해.

- want + 목적어(it) + to-v(to happen): ~가 v하길 바라다[원하다]
- make + 목적어(it) + V(happen): ~가 v하게 하다

A **04** Try to be a rainbow in someone's cloud. *Maya Angelou*

누군가의 구름 속 무지개가 되려고 노력해.

- try + to-v(to be ~): to-v(v하는 것)가 목적어(v하려고 노력하다).

Know More 〈숨은 의미〉 주위 사람들의 아픔과 슬픔에 공감하고 힘과 용기를 주는 친절과 사랑을 실천하는 존재가 되라는 것.

05 Most of us have a memory of a food that takes us back to childhood. *Julie Thomson*

우리 대부분은 우리에게 어린 시절을 기억나게 하는 음식에 대한 추억이 있어.

- 명사(a memory of a food) + 관계절(that(주어) + 동사(takes) ~): 〈명사 + 관계절〉이 목적어로, 관계절이 앞명사 수식. 사물-주어 관계사 → that[which]

take ~ back to … ~에게 …을 상기시키다[기억나게 하다]
childhood 어린 시절

06 Sports teach you to know what it feels like to win and lose. *Billie Jean King*

스포츠는 네게 이기고 지는 게 어떤 느낌인지 알도록 가르쳐 줘.

- teach + 목적어(you) + to-v(to know ~): ~에게 v하도록 가르치다
- know + what절(what + it(형식주어) + 동사(feels) + like + to-v(진주어)): what절(무엇 ~인지)이 know의 목적어.
  ← it feels like **what** to win and lose: what절 속 what은 전치사(like) 목적어, to-v(~인 것)는 진주어.

Up! **07** Education enables citizens to live lives that are economically, politically, socially, and culturally responsible. *Wendell Berry*

교육은 시민들이 경제적으로 정치적으로 사회적으로 문화적으로 책임 있는 삶을 살 수 있게 해.

- enable + 목적어(citizens) + to-v(to live ~): ~가 v할 수 있게 하다
- 명사(lives) + 관계절(that(주어) + 동사(are) ~): 관계절이 앞명사 수식. 사물-주어 관계사 → that[which]

economically 경제적으로
politically 정치적으로
socially 사회적으로
culturally 문화적으로
responsible 책임이 있는

B **08** Stop hating yourself for what you aren't; start loving yourself for what you are.
네가 아닌 것 때문에 너 자신을 미워하는 것을 그만두고, 너인 것 때문에 너 자신을 사랑하기 시작해.

- stop/start + v-ing(hating/loving ~): v-ing(v하는 것)이 목적어(v하는 것을 그만두다/v하기 시작하다).
- 전치사(for) + what절(what + 주어(you) + 동사(aren't/are)): what절(~인 것)이 전치사(for) 목적어.

Up! **09** Our own genomes carry the story of evolution written in DNA, the language of molecular genetics. *Kenneth Miller*
우리 자신의 게놈은 디엔에이라는 분자 유전학의 언어로 쓰인 진화의 이야기를 전해.

- 명사(the story of evolution) + v-ed분사(written ~): 〈명사 + v-ed분사〉가 목적어로, v-ed분사가 뒤에서 앞 명사 수식(수동 관계).
- A(DNA), B(the language of molecular genetics): A와 B는 동격(A = B).

genome 게놈(세포나 생명체의 유전자 총체)
evolution 진화
molecular 분자의
genetics 유전학

10 The future belongs to those who believe in the beauty of their dreams. *Eleanor Roosevelt*
미래는 자신의 꿈의 아름다움을 믿는 사람들의 것이야.

- 대명사(those) + 관계절(who(주어) + 동사(believe) ~): 〈대명사 + 관계절〉이 목적어로, 관계절이 앞대명사 수식.
사람-주어 관계사 → who[that]

belong to ~의 것[소유]이다
beauty 아름다움

11 I see people throwing away useful things, and it makes me feel sad. *Mother Teresa*
난 사람들이 쓸모 있는 것들을 버리는 걸 보는데, 그것이 날 슬프게 해.

- see + 목적어(people) + v-ing(throwing ~): ~가 v하고 있는 것을 보다
- make + 목적어(me) + V(feel ~): ~을 v하게 하다

useful 쓸모 있는[유용한]

C **12** You should learn what is true in order to do what is right. *Thomas Huxley*
넌 옳은 일을 하기 위해선 무엇이 진실인지 알아야 해.

- learn + what절(what(주어) + 동사(is) ~): what절(무엇 ~인지)이 목적어.
- in order + to-v(to do ~): in order to-v는 목적(v하기 위해)을 나타내는 부사어.
- do + what절(what(주어) + 동사(is) ~): what절(~인 것)이 do의 목적어.

Know More **〈배경 지식〉** 하는 것(행동)이 아는 것(지식)보다 더 가치 있으나, 옳은 일을 하려면 우선 무엇이 옳은지 알아야 한다는 것으로, 맹목적인 행동을 경계하고 비판 의식과 진실에 기반한 행동을 강조하는 것.

13 We have to understand why we do what we do, not just do what we do. *Pinball Clemons*
우리는 우리가 하는 것을 그저 하지만 말고, 왜 우리가 하는 것을 하는지 이해해야 해.

- understand + why절(why + 주어(we) + 동사(do) ~): why절(왜 ~인지)이 목적어.
- do + what절(what(목적어) + 주어(we) + 동사(do)): what절(~인 것)이 do의 목적어.

14 Always remember that you are absolutely unique, just like everyone else. *Margaret Mead*
넌 다른 모든 사람과 똑같이 완전히 유일하다는[단 하나밖에 없는 존재라는] 걸 늘 기억해.

- remember + that절(that + 주어(you) + 동사(are) ~): that절(~ 것)이 목적어.

Know More **〈유머 코드〉** 미국의 대표적 문화 인류학자 마거릿 미드의 말로, 각자는 다른 모두와 완전히 다르다는 점에서 완전히 똑같다는 것.

absolutely 완전히[절대로]
unique 유일한[독특한]

15 We decide whether to make ourselves learned or ignorant, compassionate or cruel. *Maimonides*
우리는 자신을 박식하게 할지 무식하게 할지, 인정 있게 할지 잔인하게 할지를 결정해.

- decide + whether + to-v(to make ~) ~ or ~: whether + to-v ~ or ~(v할지 (아니면) v할지)가 목적어.
- make + 목적어(ourselves) + 목적보어(learned ~): ~을 어떠하게 하다

learned 박식한
ignorant 무식한
compassionate 인정[동정심] 있는
cruel 잔인한

본책 136~137쪽을 함께 펴놓고 보세요!

대등접속사

주어	동사	보어,	and	주어	동사	보어
Success	is never	final,	and	failure	is never	fatal.

Standard Sentences

01 Success is never final, **and** failure is never fatal. *Winston Churchill*
성공은 결코 최종적이지 않고, 실패는 결코 치명적이지 않아.

- A(주어(success) + 동사(is) ~), and B(주어(failure) + 동사(is) ~): A와 B가 and(~하고)로 대등 연결.

Know More 〈숨은 의미〉 success/failure와 final/fatal의 대구를 이용한 윈스턴 처칠의 말로, 영원한 성공도 재기 불능의 실패도 없다는 것.

final 최종적인
fatal 치명적인

02 You can choose your friends, **but** you can't choose your family. *Proverb*
넌 친구는 선택할 수 있지만, 넌 가족은 선택할 수 없어.

- A(you can choose ~), but B(you can't choose ~): A와 B가 but(대조: ~지만)으로 대등 연결.

03 Don't give up on your dreams, **or** your dreams will give up on you. *John Wooden*
네 꿈을 포기하지 마. 그렇지 않으면 네 꿈이 널 포기할 거야[네 꿈을 포기하면, 네 꿈도 널 포기할 거야].

- 명령문(Don't give up on ~), or 주어 + 동사(your dreams will ~) ...: ~하지 않으면, ...(= If you give up on ~, your dreams will ~)

give up on
~에 대해 포기하다

04 Let us always meet each other with smile, **for** the smile is the beginning of love. *Mother Teresa*
늘 웃으며 서로 만나자. 왜냐면 웃음은 사랑의 시작이기 때문이야.

- Let us[Let's] V((always) meet ~): v하자
- A(Let us always meet ~), for B(the smile is ~): A와 B가 for(이유: 왜냐면)로 대등 연결(B가 A의 판단 근거).

A **05** Civilization begins with order, grows with liberty **and** dies with chaos. *Will Durant*
문명은 질서와 함께 시작하고, 자유와 함께 성장하고, 무질서와 함께 사라져.

- A(begins ~), B(grows ~) and C(dies ~): A, B, C가 and(~하고)로 대등 연결.

civilization 문명
order 질서
liberty 자유
chaos 무질서[혼돈]

06 All grown-ups were once children, **but** only few of them remember it. *The Little Prince*
모든 어른들은 한때 아이였지만, 그들 중 오직 소수만 그걸 기억해.

- A(all grown-ups were ~), but B(only few of them remember ~): A와 B가 but(대조: ~지만)으로 대등 연결.
- them = all grown-ups

grown-up 어른
once 한때

Up! **07** Find someone who is having a hard time, **or** is ill, **or** lonely, **and** do something for him **or** her. *Thomas Monson*
힘든 시간을 보내고 있거나 아프거나 외로운 누군가를 찾아서, 그 또는 그녀를 위해 뭔가를 해.

- 대명사(someone) + 관계절(who(주어) + 동사(is ~) ~): 〈대명사 + 관계절〉이 목적어로, 관계절이 앞대명사 수식.
- is having ~, **or**(~이나: 동사 연결) is ill
- ill **or**(형용사 연결) lonely
- A(find ~), and B(do ~): A와 B는 and로 대등 연결.
- him **or**(대명사 연결) her

B 08 Sometimes all we need is a hand to hold, an ear to listen **and** a heart to understand.

때로 우리에게 필요한 전부는 잡아 주는 손과 들어 주는 귀와 이해해 주는 마음이야.

- 대명사(all) + 관계절(주어(we) + 동사(need)) + 동사(is): 〈대명사 + 관계절〉이 주어로, 관계절이 앞대명사 수식(관계사 생략).
- 명사(a hand / an ear / a heart) + to-v(to hold / to listen / to understand): to-v(v하는)가 뒤에서 앞 명사 수식.
- A(a hand ~), B(an ear ~) and C(a heart ~): A, B, C가 and(~와)로 대등 연결.

09 Life is never boring, **but** some people choose **to be bored**. *Wayne Dyer*

삶은 결코 지루하지 않**지만**, 어떤 사람들은 **지루해지는 걸** 선택해.

- A(life is ~), but B(some people choose ~): A와 B가 but(대조: ~지만)으로 대등 연결.
- choose + to-v(to be ~): to-v(v하는 것)가 목적어(v하는 것을 선택하다).

Know More 〈숨은 의미〉 삶이란 흥미진진하고 무궁무진하지만, 스스로 삶에 대한 호기심과 흥미를 포기하면 재미없어진다는 것.

10 Give a man **a fish**, **and** you feed **him** for a day; teach a man **to fish**, **and** you feed **him** for a lifetime. *Proverb*

한 사람에게 **물고기 한 마리를 주면** 넌 **그를** 하루 동안 먹여 살리는 것이지만, 한 사람에게 **낚시하는 것을** 가르치**면** 넌 **그를** 평생 동안 먹여 살리게 돼.

- 명령문(Give / teach ~), and 주어 + 동사(you feed ~): ~하면, ...(= If you give / teach ~, you feed ~)
- teach + 목적어(a man) + to-v(to fish): ~에게 v하는 것을 가르치다

feed 먹여 살리다[먹이다]
fish 물고기, 낚시하다
lifetime 평생

11 I love **myself**, **for** I am a beloved child of the universe, **and** the universe lovingly takes care of **me** now. *Louise Hay*

난 **나 자신을** 사랑하는데, **왜냐면** 난 우주가 사랑하는 아이이**고**, 우주는 지금 **날** 애정을 갖고 돌봐 주기 **때문이야**.

- A(I love ~), for B(I am ~): A와 B가 for(이유: 왜냐면)로 대등 연결(B가 A의 판단 근거).
- A(I am ~), and B(the universe lovingly takes care of ~): A와 B가 and(~하고)로 대등 연결.

beloved 사랑하는
universe 우주
lovingly 애정을 갖고
take care of 돌보다

C 12 Keep **your face** always toward the sunshine, **and** shadows will fall behind you. *Walt Whitman*

네 얼굴을 늘 햇빛을 향하게 하**면**, 그림자는 네 뒤로 떨어질 거야.

- 명령문(Keep ~), and 주어 + 동사: ~하면 ...(= If you keep ~, shadows will fall ~)

Know More 〈숨은 의미〉 미국의 시인 월트 휘트먼의 말로, 늘 밝고 즐거운 마음을 가지려고 노력하면 근심 걱정과 두려움 같은 어둠은 뒤로 물러날 거란 것.

shadow 그림자

13 Control **your own destiny**, **or** someone else will. *Jack Welch*

너 자신의 운명을 지배하지 **않으면**, 다른 누군가가 지배할 거야.

- 명령문(Control ~), or 주어 + 동사: ~하지 않으면, ...(= If you don't control ~, someone else will)
- someone else will (control your destiny): 반복 어구 생략.

Know More 〈숨은 의미〉 스스로 결정하는 주체적인 삶을 살지 않으면, 타인에 의해 지배당하는 노예의 삶을 살게 된다는 것.

destiny 운명

14 Everyone wants **to go to heaven**, **but** nobody wants **to die**.

모든 사람이 **천국에 가길** 원하**지만**, 아무도 **죽고** 싶어 하지 않아.

- A(everyone wants ~), but B(nobody wants ~): A와 B가 but(대조: ~지만)으로 대등 연결.

15 The most interesting information comes from children, **for** they tell all they know. *Mark Twain*

가장 흥미로운 정보는 아이들에게서 나오는데, **왜냐면** 그들은 **자신이 아는 모든 걸** 말하기 **때문이야**.

- A(the ~ information comes ~), for B(they tell ~): A와 B가 for(이유: 왜냐면)로 대등 연결(B가 A의 판단 근거).
- 대명사(all) + 관계절(주어(they) + 동사(know)): 〈명사 + 관계절〉이 목적어로, 관계절이 앞대명사를 수식(관계사 생략).

본책 138~139쪽을 함께 펴놓고 보세요!

상관접속사

주어	동사	not	부사어	but	부사어
Our greatest glory	is	not	in never falling,	but	in rising.

Standard Sentences

01 Our greatest glory is **not** in never falling, **but** in rising every time we fall. *Confucius(공자)*

가장 큰 영광은 결코 넘어지지 않는 데 있는 게 아니라, 넘어질 때마다 일어서는 데 있어.

- not A(in never falling), but B(in rising ~): A가 아니라 B(A는 부정되고 B가 긍정됨.)
- every time + 주어(we) + 동사(fall): ~할 때마다(시간 부사절) Unit 46

glory 영광
rise 일어나다

02 You cannot serve **both** God **and** money. *Jesus*

넌 **신과 돈을 둘 다** 섬길 수 없어.

- both A(God) and B(money): A와 B 둘 다

serve 섬기다

03 Knowledge rests **not only** upon **truth, but also** upon **error.** *Carl Jung*

지식은 **사실**뿐만 아니라, **오류**에도 의지해.

- not only A(upon truth), but also B(upon error): A뿐만 아니라 B도(A와 B는 같은 꼴 대등 연결.)

Know More <숨은 의미> 지식은 사실의 직접적 습득 못지않게, 오류를 통한 습득도 불가피하다는 것.

rest upon ~에 의지하다[달려 있다]
error 오류[잘못]

A **04** A good story feels **both** surprising **and** inevitable, fresh **and** familiar. *Adam Johnson*

좋은 이야기는 놀라우면서도 필연적이고, 신선하면서도 친숙해.

- both A(surprising/fresh) and B(inevitable/familiar): A와 B 둘 다

Know More **<유머 코드>** 서로 모순된 두 가지 요소들(surprising-inevitable, fresh-familiar)을 통해 좋은 이야기의 본질을 꿰뚫은 것.

inevitable 필연적인[불가피한]
familiar 친숙[익숙]한

05 Life is **either** a daring adventure **or** nothing. *Helen Keller*

삶은 대담한 모험이거나 아무것도 아닌 것 둘 중 하나야.

- either A(a daring adventure) or B(nothing): A와 B 둘 중 하나

Know More <숨은 의미> 미국의 작가·교육자인 시각·청각 중복 장애인 헬렌 켈러의 말로, 다소 극단적으로 들릴 수도 있겠지만, 이는 평범한 삶을 부정하는 게 아니라 치열한 삶을 고취시키는 것.

daring 대담한
adventure 모험

06 The music is **not** in the notes, **but** in the silence between. *Mozart*

음악은 음들 속에 있는 게 아니라, 그것들 사이 침묵 속에 있어.

- not A(in the notes) but B(in the silence between): A가 아니라 B(A는 부정되고 B가 긍정됨.)

Know More **<유머 코드>** 위대한 작곡가 '음악의 신동' 모차르트가 드물게 남긴 말로, 음악에 대한 오묘한 역설.

note 음

07 The law of conservation of energy means **that** energy can be **neither** created **nor** destroyed.

에너지 보존 법칙은 **에너지가 생성될 수도 파괴될 수도 없다는 것을** 의미해.

- mean + that절(that + 주어(energy) + 동사(can be ~): that절(~ 것)이 목적어(~것을 의미하다).
- neither A(created) nor B(destroyed): A도 B도 아닌

conservation 보존

B **08** Flattery corrupts **both** the receiver **and** the giver. *Edmund Burke*
아첨은 받는 자와 하는 자 둘 다 타락시켜.

- both A(the receiver) and B(the giver): A와 B 둘 다

flattery 아첨
corrupt 타락[부패]시키다

09 I never lose; I **either** win **or** learn from it. *Tupac Shakur*
난 결코 잃지[지지] 않고, 난 얻거나[이기거나] 그것으로부터 배워.

- either A(win) or B(learn ~): A와 B 둘 중 하나

Know More 〈숨은 의미〉 잃더라도[지더라도] 상실[패배]로부터 배울 수 있다는 것.

10 The way of progress is **neither** swift **nor** easy. *Marie Curie*
진보의 방식은 빠르지도 쉽지도 않아.

- neither A(swift) nor B(easy): A도 B도 아닌

progress 진보[진전]
swift 빠른[신속한]

11 Voting is **not only** our right, **but** it is our power. *Loung Ung*
투표는 우리의 권리일 뿐만 아니라, 그것은 우리의 힘이야.

- not only A((voting is) our right), but (also) B(it is our power): A뿐만 아니라 B도

vote 투표하다
right 권리

C **12** Technology itself is **neither** good **nor** bad; people are good or bad. *Naveen Jain*
과학 기술 자체는 좋지도 나쁘지도 않은데, 사람들이 좋거나 나빠.

- neither A(good) nor B(bad): A도 B도 아닌
- A(good) or B(bad): A와 B가 or(선택: ~이나)로 대등 연결.

13 Every day you **either** get better **or** worse; you never stay the same. *Schembechler*
매일 넌 더 좋아지거나 더 나빠지지, 결코 같은 상태로 있지 않아.

- either A(get better) or B((get) worse): A와 B 둘 중 하나

14 Thought is **not merely** expressed in words, **but** it comes into existence through them. *Lev Vygotsky*
생각은 단지 말로 표현될 뿐만 아니라, 말을 통해 존재하게 돼.

- not merely A((thought is) expressed ~), but (also) B(it comes ~): 단지 A뿐만 아니라 B도

Know More 〈숨은 의미〉 생각은 단지 말로 표현되는 게 아니라, 말과 상호 작용의 과정을 거쳐 구체화된다는 것.

thought 생각[사고]
merely 단지[그저]
express 표현하다
existence 존재

15 Mathematics is **not** about numbers, equations, computations or algorithms, **but** about understanding. *William Thurston*
수학은 숫자, 방정식, 계산 또는 알고리즘에 대한 것이 아니라, 이해에 대한 것이야.

- not A(about numbers, ~) but B(about understanding): A가 아니라 B(A는 부정되고 B가 긍정됨.)

equation 방정식
computation 계산
algorithm 알고리즘

본책 140쪽을 함께 펴놓고 보세요!

Chapter 09 Review

A

01 Doing what you like is freedom; liking what you do is happiness. *Frank Tyger*
네가 좋아하는 것을 하는 것은 자유이고, 네가 하는 것을 좋아하는 것은 행복이야.

- v-ing(doing/liking ~): v-ing(v하는 것)가 주어.
- do/like + what절(what(목적어) + 주어(you) + 동사(like/do)): what(~인 것)이 do/like의 목적어.

freedom 자유

02 What society does to its children is what its children will do to society. *Cicero*
사회가 그 아이들에게 행하는 것은 그 아이들이 (나중에) 사회에 대해 행하게 될 것이야.

- what절(what society does ~) + be동사 + what절(what its children will ~): what절(~인 것)이 주어/보어.

Know More 〈숨은 의미〉 사회의 영향을 받고 자란 아이들이 미래에 거꾸로 그 사회에 영향을 미치게 된다는 것.

03 The most important thing in communication is hearing what isn't said.
커뮤니케이션[의사소통]에서 가장 중요한 것은 말해지지 않는 것을 듣는 거야. *Peter Drucker*

- 주어 + be동사(is) + v-ing(hearing ~): v-ing(v하는 것)가 보어.
- hear + what절(what(주어) + 동사(isn't said)): what절(~인 것)이 hear의 목적어.

Know More 〈숨은 의미〉 의사소통할 때 상대방의 말을 듣는 것뿐만 아니라, 얼굴 표정이나 제스처(손짓·몸짓) 등 '말로 하지 않는'(non-verbal) 것들을 주의 깊게 보고 느낄 필요가 있다는 것.

Up! **04** Ecological change **and** growing travel and trade have allowed new infectious diseases **to emerge and spread** all over the world.
생태계 변화와 증가하는 여행과 무역이 새로운 전염병들이 **발생해 전 세계에 퍼지도록** 해 왔어.

- A(ecological change) and B(growing travel and trade): A와 B가 and(~와)로 대등 연결.
- allow + 목적어(new infectious diseases) + to-v(to emerge/spread ~): ~가 v하게 하다[허용하다]

ecological 생태계의
trade 무역
infectious 전염의
emerge 나오다[생겨나다]
spread 퍼지다

05 What appears to us solid is ultimately **both** a particle **and** a wavelength.
우리에게 고체로 보이는 것은 궁극적으로 입자와 파동 둘 다야. *Vanna Bonta*

- what절(what(주어) + 동사(appears) ~) + 동사(is): what절(~인 것)이 주어.
- both A(a particle) and B(a wavelength): A와 B 둘 다

Know More 〈배경 지식〉 파동-입자 이중성: 양자역학에서 모든 물질이 입자와 파동의 성질을 동시에 지닌다는 것.

solid 고체의[단단한]
ultimately 궁극적으로
particle 입자
wavelength 파동

06 Don't judge **each day** by the harvest you reap **but** by the seeds that you plant.
하루하루를 네가 거두는 수확물로 판단하지 말고, 네가 심는 씨앗들로 판단해. *Robert Stevenson*

- 명사(the harvest) + 관계절(주어(you) + 동사(reap)): 관계절이 앞명사 수식(관계사 생략).
- 명사(the seeds) + 관계절(that + 주어(you) + 동사(plant)): 관계절이 앞명사 수식.

harvest 수확(물)
reap 거두다[수확하다]
seed 씨(앗)
plant 심다

07 Education is **not** the learning of facts, **but** the training of the mind to think.
교육은 사실의 학습이 아니라, 사고하는 정신의 훈련이야. *Albert Einstein*

- not A(the learning ~), but B(the training ~): A가 아니라 B

B

08 What makes a book "good" is that we are reading it at the right moment for us.
책을 '유익한' 것이 되게 하는 것은 우리가 그것을 우리에게 딱 맞는 순간에 읽고 있는 거야. *Alain de Botton*

- what절(what(주어) + 동사(makes) ~) + 동사(is): what절(~인 것)이 주어.
- 주어 + be동사(is) + that절(that + 주어(we) + 동사(are reading) ~): that절(~인 것)이 보어.

Up! **09** We should accept the fact that learning is a lifelong process of keeping abreast of change. *Peter Drucker*
우리는 **학습이 변화와 계속 나란히 가는 평생의 과정이라는 사실을** 받아들여야 해.

- 명사(the fact) + that절(that learning is ~): 〈명사 + that절〉이 목적어로, the fact와 that절은 동격(=).

lifelong 평생의
abreast 나란히

☺ **10** Laugh, **and** the world laughs with you; snore, **and** you sleep alone.
웃으면 세상이 너와 함께 웃게 되고, **코를 골면** 넌 혼자 자게 돼. *Anthony Burgess*

- 명령문(Laugh/snore), and 주어 + 동사: ~하면 ...(= If you laugh/snore, the world laughs ~/ you sleep ~)

snore 코를 골다

부사절

Unit Words

■ 본격적인 구문 학습에 앞서, 각 유닛별 주요 단어를 확인하세요.

Unit 46 시간 부사절

- ☐ senior 어르신
- ☐ decline 감소하다
- ☐ leap up 뛰다
- ☐ behold 보다
- ☐ magnificent 감명 깊은
- ☐ hang up 전화를 끊다
- ☐ hatch 부화하다
- ☐ publish 출판하다
- ☐ rotate 회전하다

Unit 47 이유[원인] 부사절

- ☐ prohibit 금지하다
- ☐ value 소중히 여기다
- ☐ fulfillment 성취
- ☐ fake 인조의[가짜의]
- ☐ pretend ~인 척하다
- ☐ guarantee 보장하다
- ☐ lose your head 냉정을 잃다
- ☐ permanently 영원히[영구히]
- ☐ temporarily 일시적으로

Unit 48 목적 / 결과 / 양상 부사절

- ☐ control 통제하다
- ☐ in a hurry 바쁜[서둘러]
- ☐ long for 갈망하다[간절히 바라다]
- ☐ appetite 식욕
- ☐ inspiration 영감
- ☐ escape 탈출하다
- ☐ mess 엉망
- ☐ repair 고치다
- ☐ fall short 미치지 못하다

Unit 49 대조[반전] 부사절

- ☐ suffering 고통
- ☐ average 평균의
- ☐ life expectancy 기대 수명
- ☐ acquire 습득하다
- ☐ ready 기꺼이 ~하는[준비가 된]
- ☐ donate 기부[헌혈]하다
- ☐ wake up 깨나다
- ☐ absence 부재[없음]
- ☐ intermission 중단[중간 휴식 시간]

Unit 50 조건 부사절

- ☐ complain 항의[불평]하다
- ☐ contain 포함하다
- ☐ virtuous 도덕적인[고결한]
- ☐ pursue 추구하다
- ☐ weed 잡초
- ☐ care 상관하다
- ☐ look down on 낮춰 보다[얕보다]
- ☐ evolution 진화
- ☐ how come 어째서[왜]

Unit 51 v-ing 구문

- ☐ appreciate 인식하다
- ☐ perspective 관점
- ☐ move 감동시키다
- ☐ dawn 새벽
- ☐ equip 장비[준비]를 갖추다
- ☐ hydrate 수분을 공급하다
- ☐ glow 홍조
- ☐ acid 산
- ☐ block 막다
- ☐ nutrient 영양소
- ☐ absorption 흡수
- ☐ associate 관련시키다

본책 142~143쪽을 함께 펴놓고 보세요!

시간 부사절

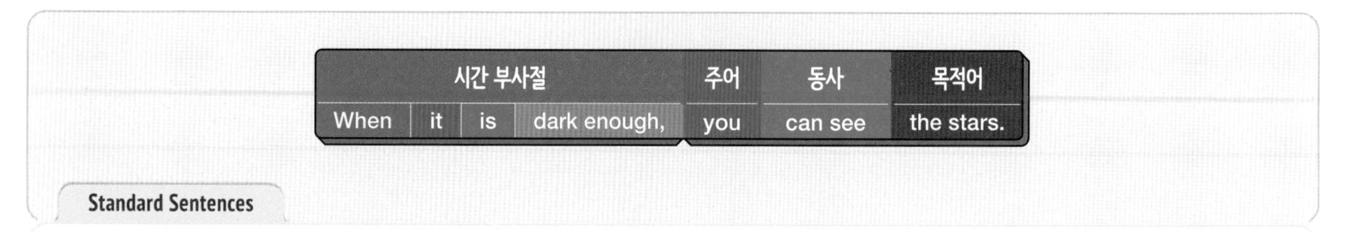

Standard Sentences

01 When it is dark enough, you can see the stars. *Ralph Emerson*
충분히 어두울 때, 넌 별들을 볼 수 있어.
- when + 주어(it) + 동사(is) ~: ~할 때(시간 부사절)

Know More 〈숨은 의미〉 가장 힘든 역경 속에서 오히려 더욱 빛나는 희망의 싹들을 찾을 수 있다는 것.

dark 어두운

02 You'll never know what you have until you clean your room.
넌 네가 방을 청소할 때까지 네가 무엇을 갖고 있는지 절대 모를 거야[청소하고 나서야 비로소 네가 무엇을 갖고 있는지 알 거야].
- not[never] ~ until + 주어(you) + 동사(clean) ~: …할 때까지 ~ 않다[…하고 나서야 비로소 ~하다](미래 시간 부사절에 현재시제가 쓰임.)
- know + what절(what(목적어) + 주어(you) + 동사(have)): what절(무엇 ~인지)이 목적어.

03 Since Social Security started, poverty among seniors has declined.
사회 보장 제도가 시작된 이후로, 어르신 빈곤이 감소해 왔어.
- since + 주어(Social Security) + 동사(started): ~한 이후로(시간 부사절)

Social Security 사회 보장 제도
senior 어르신
decline 감소하다

A 04 My heart leaps up when I behold a rainbow in the sky. *William Wordsworth*
내가 하늘의 무지개를 볼 때 내 가슴은 뛰네.
- when + 주어(I) + 동사(behold) ~: ~할 때(시간 부사절)

Know More 〈배경 지식〉 영국 시인 워즈워스의 시구로, 무지개로 상징되는 자연에 대한 감동[경이감]을 어린 시절부터 어른이 되고 죽는 날까지 내내 유지해야 한다며, 자연에 대한 경애심을 지니고 있기에 '어린이는 어른의 아버지'("The Child is father of the Man.")라고 노래함.

leap up 뛰다
behold 보다

05 Sorry I'm late, I got here as soon as I wanted to.
늦어서 미안한데, 난 여기 오고 싶자마자 바로 왔어.
- (I'm) sorry + that절((that) I'm late): ~해서 미안하다(that 생략.)
- as soon as + 주어(I) + 동사(wanted) ~: ~하자마자(시간 부사절)
- as soon as I wanted to (get here): 반복 어구 생략.

Know More 〈유머 코드〉 오고 싶은 마음이 늦게 들긴 했지만 들자마자 늦지 않고 바로 왔다는 변명.

06 The moment you give close attention to anything, it becomes a mysterious and magnificent world in itself. *Henry Miller*
네가 무엇에든 세심한 주의를 기울이는 순간, 그것은 그 자체가 신비하고 감명 깊은 세계가 돼.
- the moment + 주어(you) + 동사(give) ~: ~하는 순간

give close attention 세심한 주의를 기울이다
mysterious 신비한
magnificent 감명 깊은
in itself 그것 자체가

07 I hate it when people text "Call me." I'm going to start calling people and as soon as they answer, I'll say "Text me," then hang up.
난 사람들이 "내게 전화해."라고 문자할 때 정말 싫어. 난 사람들에게 전화하기 시작해서 그들이 받자마자 "내게 문자해."라고 말하고 바로 끊을 거야.
- when + 주어(people) + 동사(text) ~: ~할 때
- as soon as + 주어(they) + 동사(answer): ~하자마자(미래 시간 부사절에 현재시제가 쓰임.)

text 문자를 보내다
hang up 전화를 끊다

B **08** It's not over till it's over. *Proverb*

끝날 때까지 끝난 게 아니야.

- till + 주어(it) + 동사(is) ~: ~할 때까지

over 끝난

09 Time seems to go faster as you get older.

네가 더 나이 들면서, 시간이 더 빨리 가는 것 같아.

- seem + to-v: v인 것 같다
- as + 주어(you) + 동사(get) ~: ~하면서

10 Don't count your chickens before they are hatched. *Proverb*

너의 닭들이 부화하기 전에 닭들의 수를 세지 마.

- before + 주어(they) + 동사(are hatched): ~하기 전에

Know More 〈숨은 의미〉 '떡 줄 사람은 꿈도 안 꾸는데 김칫국부터 마시지 마라.'라는 말. 비슷한 속담에 '우물에 가 숭늉 찾는다.'라는 것도 있음.

hatch 부화하다

11 More than a million copies of this novel have been sold since it was first published.

이 소설은 처음 출판된 이후로 백만 권 이상이 팔려 왔어.

- have been + v-ed분사(sold): ~되어 왔다(완료 수동태)
- since + 주어(it) + 동사(was (first) published): ~한 이후로(시간 부사절)

publish 출판하다

C **12** I spilled the milk just as I was getting up.

Up!

난 막 일어나면서 우유를 쏟았어.

- just as + 주어(I) + 동사(was getting up): 막 ~하면서[~하는 바로 그때]

spill 쏟다

13 Some animals, such as dolphins, can sleep while they are moving.

돌고래 같은 일부 동물들은 움직이고 있는 동안 잘 수 있어.

- A(some animals), such as B(dolphins): A와 B는 동격(A⊃B).
- while + 주어(they) + 동사(are moving): ~하는 동안(시간 부사절)

dolphin 돌고래

14 You will not be admitted to the theater after the performance has started.

넌 공연이 시작된 후에는 극장에 입장이 허락되지 않을 거야.

- will not be + v-ed분사(admitted): ~되지 않을 것이다(미래 수동태)
- after + 주어(the performance) + 동사(has started): ~한 후에(미래 시간 부사절에 미래완료 대신 현재완료가 쓰임.)

admit 입장을 허락하다
performance 공연

15 Each time Earth rotates on its axis, it goes through one day, a cycle of light and dark.

지구가 축을 중심으로 회전할 때마다, 그것은 하루인 빛과 어둠의 한 주기를 거쳐.

- each time + 주어(Earth) + 동사(rotates) ~: ~할 때마다
- A(one day), B(a cycle of light and dark): A와 B는 동격(A = B).

rotate 회전하다
axis 축
go through 거치다
cycle 주기[사이클]

본책 144~145쪽을 함께 펴놓고 보세요!

unit 47

이유[원인] 부사절

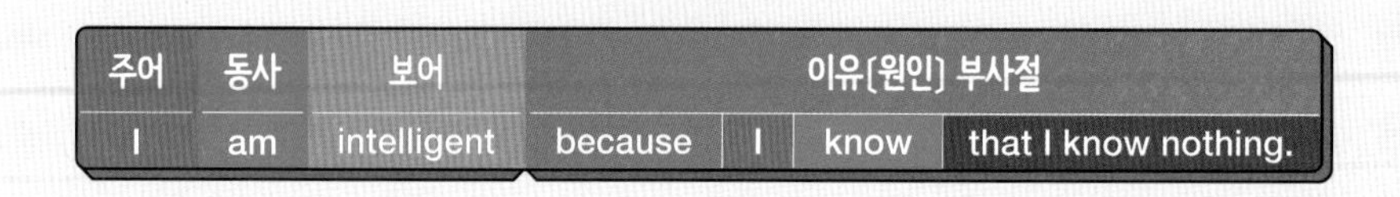

Standard Sentences

01 I am intelligent because I know that I know nothing. *Socrates*

난 내가 아무것도 알지 못한다는 걸 알기 때문에 똑똑해.

- because + 주어(I) + 동사(know) ~: ~ 때문에(이유[원인] 부사절)
- know + that절(that + 주어(I) + 동사(know) ~): that절(~ 것)이 know의 목적어(~ 것을 알다).

Know More 〈숨은 의미〉 소크라테스의 말로, 자신의 무지를 아는 게 참 지혜라는 것.

02 Since cellphone use while driving is considered dangerous, it is prohibited by law.

운전 중 휴대폰 사용은 위험하다고 여겨지기 때문에, 그것은 법으로 금지돼.

- since + 주어(cellphone use ~) + 동사(is considered) ~: ~ 때문에(이유[원인] 부사절)
- while (you are) driving: 〈주어 + be동사〉 생략.

prohibit 금지하다

03 As I have tasted frustration, I value fulfillment. *Leonard Nimoy*

난 좌절감을 맛보았기 때문에, 성취를 소중히 여겨.

- as + 주어(I) + 동사(have tasted) ~: ~ 때문에(이유[원인] 부사절)

frustration 좌절감
value 소중히 여기다
fulfillment 성취

A 04 Don't cry because it's over; smile because it happened.

그게 끝났다고 울지 말고, 그게 있었으니 웃어.

- because + 주어(it) + 동사(is / happened) ~: ~ 때문에[~해서]

Know More 〈숨은 의미〉 출처가 불분명하나 너무도 많이 인용되는 말로, 모든 건 끝이 있으니 아쉬워 말고 좋은 추억으로 삼으라는 것.

05 You are like nobody since I love you. *Pablo Neruda*

넌 내가 널 사랑하기 때문에 아무와도 같지 않아.

- since + 주어(I) + 동사(love) ~: ~ 때문에(이유[원인] 부사절)

Know More 〈숨은 의미〉 칠레의 민중 시인 파블로 네루다의 시구로, 넌 내가 사랑하기 때문에 특별한 존재라는 것.

06 My fake plants died because I did not pretend to water them. *Mitch Hedberg*

내 인조 식물들은 내가 그들에 물을 주는 척하지 않았기 때문에 죽었어.

- because + 주어(I) + 동사(did not pretend) ~: ~ 때문에
- pretend + to-v(to water ~): v인 척하다

Know More 〈유머 코드〉 부조리한 현실을 초현실적으로 풍자하는 스탠드업 코미디언의 농담으로, 인조 식물들에 물 주는 척하는 사람도 없겠고 그것들이 죽지도 않겠지만, 무엇에든 관심과 노력을 기울이지 않으면 사라져 버린다는 것.

fake 인조의[가짜의]
pretend ~인 척하다
water 물을 주다

Up! 07 Men love their country, not because it is great, but because it is their own. *Seneca*

사람들은 자기 나라가 위대하기 때문이 아니라, 그것이 자신의 나라이기 때문에 자기 나라를 사랑해.

- not because + 주어(it) + 동사(is) ~ but because + 주어(it) + 동사(is) ~: ~ 때문이 아니라 … 때문에

country 나라

B **08** Experience is a hard teacher because she gives **the test** first, **the lesson** afterwards. *Vern Law*

경험은 먼저 **시험을** 주고 나중에 **교훈을** 주기 때문에 냉정한 선생님이야.

- because + 주어(she) + 동사(gives) ~: ~ 때문에

experience 경험
hard 냉정한
afterwards 나중에

09 Courage is the first of human qualities because it is the quality which guarantees the others. *Winston Churchill*

용기는 다른 모든 자질들을 보장해 주는 것이기 때문에 인간 자질들 중 첫 번째야.

- because + 주어(it) + 동사(is) ~: ~ 때문에
- 명사(the quality) + 관계절(which(주어) + 동사(guarantees) ~): 관계절이 앞명사 수식. 사물-주어 관계사 → which[that]

Know More 〈숨은 의미〉 사람이 지닌 여러 좋은 자질들도 용기가 있어야 비로소 드러나 실천될 수 있다는 것.

courage 용기
quality 자질
guarantee 보장하다

10 Since everything is in our heads, we had better not lose **them**. *Coco Chanel*

모든 건 우리 머릿속에 있기 때문에 우리는 **그걸** 잃지 않는 게 좋아.

- since + 주어(everything) + 동사(is) ~: ~ 때문에
- had better not + V(lose ~): ~하지 않는 게 좋을 걸(강한 권고[경고])

Know More 〈숨은 의미〉 여기서 head(머리)는 기억력·사고력·판단력뿐만 아니라 냉철함까지 포함하는 것.

had better
~하는 것이 좋을 것이다
lose your head 냉정을 잃다

11 Now that we are all part of the global village, everyone becomes a neighbor.

이제 우리는 모두 지구촌의 일부이므로 모두가 이웃이 돼.

- now that + 주어(we) + 동사(are) ~: (이제) ~이므로[~이니]

C **12** How wonderful life is now that you're in the world!

이제 네가 세상에 있으니 삶은 얼마나 멋진가!

- How + 형용사(wonderful) + 주어(life) + be동사(is)!: 얼마나 어떠한가!(감탄문)
- now that + 주어(you) + 동사(are) ~: (이제) ~이므로[~이니]

13 This life is worth living since it is what we make it. *William James*

이 삶은 우리가 그걸 만드는 것이기 때문에 살 가치가 있어.

- be worth + v-ing(living): v할 가치가 있다
- since + 주어(it) + 동사(is) ~: ~ 때문에
- 주어 + be동사(is) + what절(what(목적보어) + 주어(we) + 동사(make) + it(목적어)): what절(~인 것)이 보어. what은 what절 속 목적보어.

14 I've been lucky in that my parents have always supported **me**.

난 부모님이 언제나 **날** 지지해 오셨으므로 운이 좋았어.

- in that + 주어(my parents) + 동사(have always supported) ~: ~이므로[~라는 점에서]

support 지지[지원]하다

Up! **15** Never do something permanently foolish just because you are temporarily upset. *John Spence*

단지 네가 일시적으로 속상하다고 **영원히 어리석을 짓을** 절대 하지 마.

- -thing(something) + 형용사((permanently) foolish): 형용사가 -thing을 뒤에서 수식.
- just because + 주어(you) + 동사(are) ~: 단지 ~다고 해서[~니까](이유[원인] 부사절)

permanently 영원히[영구히]
temporarily 일시적으로

본책 146~147쪽을 함께 펴놓고 보세요!

unit 48
목적/결과/양상 부사절

주어	동사	목적어	목적 부사절			
I	want	to live my life	so that	my nights	are not	full of regrets.

Standard Sentences

01 I want to live my life so that my nights are not full of regrets. *D.H. Lawrence*
난 밤이 후회로 가득하지 않도록 내 삶을 살기 원해.
- so that + 주어(my nights) + 동사(are) ~: ~하기 위해[~하도록](목적 부사절)

Know More 〈숨은 의미〉 밤이 되어 낮에 있었던 일에 대해 후회하지 않는 삶을 살고 싶다는 것.

regret 후회

02 The Internet is so big that no one can completely control it. *Laura Ramsey*
인터넷은 너무 커서 아무도 그것을 완전히 통제할 수 없어.
- so ~ that + 주어(no one) + 동사(can control) ~: 너무 ~해서 …하다(결과 부사절)

completely 완전히
control 통제하다

03 Treat others as you would like them to treat you. *Jesus*
네가 다른 사람들이 널 대하기를 원하는 대로 그들을 대해.
- as + 주어(you) + 동사(would like) ~: ~대로
- would like + 목적어(them) + to-v(to treat ~): ~가 v하기를 원하다

Know More 〈배경 지식〉 호혜의 윤리 원칙인 '황금률'(The Golden Rule)로, 남에게 대접받기 원하는 대로 남을 대접하라는 것.

treat 대하다

A **04** Learn to say "no" to the good so you can say "yes" to the best. *John Maxwell*
가장 좋은 것에 '예'라고 말할 수 있도록 좋은 것에 '아니요'라고 말하는 것을 배워.
- learn + to-v(to say ~): to-v(v하는 것)가 목적어(v하는 것을 배우다).
- so (that) + 주어(you) + 동사(can say) ~: ~하기 위해[~하도록]

Up! **05** We are in such a hurry to grow up that we long for our lost childhood. *Paulo Coelho*
우리는 너무 바쁘게 성장해서 잃어버린 어린 시절을 갈망해.
- such + 명사(a hurry) ~ + that + 주어(we) + 동사(long for) ~: 너무 ~해서 …하다

in a hurry 바쁜[서둘러]
grow up 성장하다
long for 갈망하다[간절히 바라다]

06 I paint objects as I think them, not as I see them. *Pablo Picasso*
난 대상을 내가 보는 대로가 아니라, 생각하는 대로 그려.
- as + 주어(I) + 동사(think/see) ~: ~대로

object 대상[물체]

07 Just as appetite comes by eating, so work brings inspiration. *Igor Stravinsky*
식욕이 먹어서 생겨나는 것처럼, 작업이 영감을 가져와.
- (just) as + 주어(appetite) + 동사(comes) ~, so + 주어(work) + 동사(brings) ~: (꼭) ~인 것처럼 …하다
- 전치사(by) + v-ing(eating): 전치사 뒤에 동사가 올 경우 v-ing.

Know More 〈숨은 의미〉 영감은 갑자기 하늘에서 떨어지는 게 아니라 작업하는 과정에서 떠오르게 된다는 것.(물론 먹지 않아도 식욕이 일어난다 할 수도 있지만, 여기서는 단순한 배고픔과 구별되는 더욱 구체적인 욕구를 가리킴.)

appetite 식욕
inspiration 영감

B **08** In gambling, the many must lose **in order that** the few may win. *Bernard Shaw*
도박에서는 소수가 따기 위해 다수가 잃어야 해.
- in order that + 주어(the few) + 동사(may win) ~: ~하기 위해[~하도록]

gambling 도박

09 The gravitational field of a black hole is **so** strong **that** nothing can escape from around it.
블랙홀의 중력장은 너무 강해서 아무것도 그 주위에서 탈출할 수 없어.
- so + 형용사(strong) + that + 주어(nothing) + 동사(can escape) ~: 너무 ~해서 …하다

gravitational 중력의
gravitational field 중력장
black hole 블랙홀
escape 탈출하다

10 **Mom:** Your room is **such** a mess **that** I can't even walk through it.
Me: This is my design.
엄마: 네 방이 너무 엉망이어서 난 그 사이로 걸을 수조차 없구나.
나: 이건 제 디자인이에요.
- such + 명사(a mess) + that + 주어(I) + 동사(can't even walk) ~: 너무 ~해서 …하다

mess 엉망

11 I couldn't repair **your brakes**, **so** I made **your horn louder**. *Steven Wright*
난 네 브레이크를 고칠 수 없어서, 경적 소리를 더 크게 했어.
- so + 주어(I) + 동사(made) ~: 그래서[~해서]
- make + 목적어(your horn) + 목적보어(louder): ~을 어떠하게 하다

Know More <유머 코드> 불합리한 논리를 이용해, 근본적인 치료법이 아닌 대증 요법에 의존하는 세태를 꼬집는 농담.

repair 고치다
brake 브레이크
horn 경적
loud-louder-loudest (소리가) 큰

C **12** Aim higher **in case** you fall short. *Suzanne Collins*
미치지 못할 경우에 대비해 더 높이 겨냥해.
- in case + 주어(you) + 동사(fall) ~: ~할 경우에 대비해

aim 겨누다[목표하다]
fall short 미치지 못하다

13 Act **as if** what you do makes **a difference**; it does. *William James*
마치 네가 하는 것이 중요한 영향을 미치는 듯이 행동하면, 그건 그리돼.
- as if + 주어(what you do) + 동사(makes) ~: 마치 ~인 것처럼[~인 듯이]
- what(목적어) + you(주어) + do(동사): what절(~인 것)이 as if절 속 주어.
- does = makes a difference

Know More <배경 지식> 미국 심리학의 아버지라 불리는 윌리엄 제임스의 말로, 긍정적인 마음가짐을 가지고 행동하면 실제로 긍정적인 결과를 가져온다는 것.

make a difference (중요한) 영향을 미치다

Up! **14** Watch **your speech** a little **lest** you should ruin **your fortunes**. *William Shakespeare*
네가 운을 망치지 않도록 네 말을 좀 조심해.
- lest + 주어(you) + 동사(should ruin) ~: ~하지 않도록[~할까 봐]

watch 조심하다
ruin 망치다
fortune (행)운

15 Be different **so that** people can see **you** clearly among the crowds. *Mehmet Ildan*
사람들이 널 군중 속에서 분명히 볼 수 있도록 남달라져.
- so that + 주어(people) + 동사(can see) ~: ~하기 위해[~하도록]

crowd 군중[사람들]

본책 148~149쪽을 함께 펴놓고 보세요!

Unit 49

대조(반전) 부사절

대조(반전) 부사절				주어	동사	보어
Although	the world	is	full of suffering,	it	is also	full of the overcoming of it.

Standard Sentences

01 Although the world is full of suffering, it is also full of the overcoming of it.
세상이 고통으로 가득하지만, 세상은 또한 그걸 극복하는 것으로 가득해. *Helen Keller*

- although + 주어(the world) + 동사(is) ~: ~지만(대조(반전) 부사절)

Know More <배경 지식> 시각·청각 중복 장애를 극복하고 가장 널리 존경받는 인물 중 한 사람으로 동전에까지 새겨진 헬렌 켈러의 말.

suffering 고통
overcome 극복하다

02 While the birth rate continues **to decrease**, the average life expectancy is increasing.
출생률이 계속 **감소하는** 데 반해, 평균 기대 수명은 증가하고 있어.

- while + 주어(the birth rate) + 동사(continues) ~: ~ 데 반해(~지만)(대조(반전) 부사절)

birth rate 출생률
decrease 감소하다
average 평균의
life expectancy 기대 수명

03 Whereas knowledge can be acquired from books, skills must be learned through practice.
지식이 책에서 습득될 수 있는 데 반해, 기술은 연습을 통해서 학습되어야 해.

- whereas + 주어(knowledge) + 동사(can be acquired) ~: ~ 데 반해(~지만)(대조(반전) 부사절)
- 조동사(can/must) + be + v-ed분사(acquired/learned): ~될 수 있다/~되어야 한다

acquire 습득하다
skill 기술
practice 연습

04 Wherever you go, go with all your heart. *Confucius(공자)*
네가 어디를 가든지, 네 온 마음과 함께 가.

- wherever + 주어(you) + 동사(go): 어디 ~든지(~더라도)

A **05** Even though the future seems far away, it is actually beginning right now.
비록 미래가 멀리 있는 것 같지만, 그건 사실 바로 지금 시작되고 있어. *Mattie Stepanek*

- even though + 주어(the future) + 동사(seems) ~: 비록 ~지만

actually 실제로(사실은)
right now 바로 지금

06 You can always give **something** to someone even if it is a simple act of kindness. *Anne Frank*
넌 그것이 비록 친절을 베푸는 단순한 행동일지라도 항상 누군가에게 **뭔가를** 줄 수 있어.

- even if + 주어(it) + 동사(is) ~: 비록 ~지라도(~더라도)

act 행동

07 No matter who you are, no matter where you come from, you are beautiful.
네가 누구이든지, 네가 어디 출신이든지, 넌 아름다워. *Michelle Obama*

- no matter who + 주어(you) + 동사(are): 누구 ~든지(~더라도)
- no matter where + 주어(you) + 동사(come) ~: 어디 ~든지(~더라도)

come from ~ 출신이다

B **08** Though you're growing up, you should never stop **having fun**. *Nina Dobrev*

네가 성장하고 있지만, 넌 **재미있게 지내는 걸** 절대 그만두어선 안 돼.

- though + 주어(you) + 동사(are growing up): ~지만
- stop + v-ing(having ~): v-ing(v하는 것)가 목적어(v하는 것을 그만두다).

Know More 〈숨은 의미〉 커 간다고 재미를 잃어 가선 안 되며, 오히려 재미를 통해 성장에 좋은 에너지를 얻을 수 있다는 것.

09 I am always ready to learn **although** I do not always like **being taught**. *Winston Churchill*

난 **가르침을 받는 걸** 항상 좋아하지는 않지만, 항상 기꺼이 배우려고 해.

- although + 주어(I) + 동사(do not (always) like) ~: ~지만
- like + being v-ed분사(being taught): being v-ed분사(v되는 것)가 목적어(v되는 것을 좋아하다).

Know More 〈숨은 의미〉 배움은 가르침을 받는 것도 일부 포함하지만 주로 스스로 습득하는 능동적인 활동이며, 인간은 본능적으로 배움을 즐기지만 가르침을 받는다는 건 이와는 다른 문제라는 것.

ready 기꺼이 ~하는[준비가 된]

10 I forget **what I had for dinner yesterday** whereas I remember **lyrics to 17 different songs** in 2 days.

난 **어제 저녁으로 뭘 먹었는지는** 잊어버리지만 **17개 다른 노래 가사는** 2일 만에 기억해.

- forget + what절(what(목적어) + 주어(I) + 동사(had) ~): what절(무엇 ~인지)이 목적어.
- whereas + 주어(I) + 동사(remember) ~: ~지만[~ 데 반해]

11 **Whatever** you're doing, always give **100 percent** unless you're donating blood.

네가 무엇을 하고 있든지, 네가 헌혈을 하고 있지 않는 한 늘 **100퍼센트를** 줘.

- whatever + 주어(you) + 동사(are doing): 무엇 ~든지[~더라도]
- unless + 주어(you) + 동사(are donating) ~: ~하지 않는 한 ➲ unit 50

donate 기부[헌혈]하다

C **12** The day will happen **whether or not** you get up. *John Ciardi*

하루는 네가 일어나든 일어나지 않든 일어날 거야.

- whether or not + 주어(you) + 동사(get up): ~이든 아니든

13 Some people dream of **success** while others wake up and work.

어떤 사람들은 **성공을** 꿈꾸는 데 반해 다른 사람들은 깨어나서 일[공부]해.

- while + 주어(others) + 동사(wake up / work): ~ 데 반해[~지만]

wake up 깨나다

14 You have to do **your own growing** no matter how tall your grandfather was. *Abraham Lincoln*

넌 네 할아버지께서 아무리 크셨더라도 **너 자신의 성장을** 해야 해.

- no matter how + 형용사(tall) + 주어(your grandfather) + 동사(was): 아무리 ~든지[~더라도]

Up! **15** Friendship, like love, is destroyed by long absence **though** it may be increased by short intermissions. *Samuel Johnson*

우정은 사랑처럼 짧은 중단으로 커질지도 모르지만 오랜 부재로는 파괴돼.

- though + 주어(it) + 동사(may be increased) ~: ~지만
- may be + v-ed분사(increased): ~될지도 모른다(조동사 수동태)

absence 부재[없음]
intermission 중단[중간 휴식 시간]

본책 150~151쪽을 함께 펴놓고 보세요!

조건 부사절

조건 부사절			주어	동사	목적어
If	you	don't vote,	you	lose	the right to complain.

Standard Sentences

01 If you don't vote, you lose the right to complain. *George Carlin*

네가 투표하지 않으면, 넌 항의할 권리를 잃는 거야.

- if + 주어(you) + 동사(don't vote): ~면(조건 부사절)
- 명사(the right) + to-v(to complain): to-v(v할)가 뒤에서 앞 명사 수식.

Know More 〈숨은 의미〉 민주주의에서 투표는 찬성(지지)과 반대(항의)를 표시하는 가장 기본적이고 강력한 수단인데, 이를 포기하는 건 모든 권리를 포기하는 거라는 것.

vote 투표하다
complain 항의[불평]하다

02 A house is not a home unless it contains food and fire for the mind as well as the body. *Benjamin Franklin*

집은 신체뿐만 아니라 정신을 위한 음식과 불(난방)을 포함하지 않는 한 가정이 아니야.

- unless + 주어(it) + 동사(contains) ~: ~하지 않는 한(조건 부사절)
- A(the mind) as well as B(the body): B뿐만 아니라 A도

contain 포함하다

03 Once you stop learning, you start dying. *Albert Einstein*

일단 네가 배우는 것을 멈추면, 넌 죽기 시작해.

- once + 주어(you) + 동사(stop) ~: 일단 ~하면(조건 부사절)
- stop / start + v-ing(learning / dying): v하는 것을 멈추다 / v하기 시작하다

A

04 If you like water, you already like 60% of me.

네가 물을 좋아하면, 넌 이미 나의 60%를 좋아하는 거야.

- if + 주어(you) + 동사(like) ~: ~면(조건 부사절)

Know More 〈유머 코드〉 신체 수분 비율로, 나이/성별에 따라 차이가 있음(청소년 남성 약 65%, 여성 55%).

05 Knowledge becomes evil if the aim is not virtuous. *Plato*

목적이 도덕적이지 않으면 지식은 해가 돼.

- if + 주어(the aim) + 동사(is) ~: ~면(조건 부사절)

Know More 〈숨은 의미〉 소크라테스의 제자이자 아리스토텔레스의 스승인 서양 철학의 대표 플라톤의 말로, 지식은 양날의 칼과 같아 올바르게 쓰이면 약이 되지만 잘못 쓰이면 독이 된다는 것.

evil 사악한[유해한]
aim 목적[목표]
virtuous 도덕적인[고결한]

06 All our dreams can come true if we have the courage to pursue them. *Walt Disney*

모든 우리의 꿈들은 우리가 그것들을 추구할 용기가 있으면 실현될 수 있어.

- if + 주어(we) + 동사(have) ~: ~면(조건 부사절)
- 명사(the courage) + to-v(to pursue ~): to-v(v할)가 뒤에서 앞 명사 수식.

Know More 〈배경 지식〉 수많은 꿈들을 실현시킨 월트 디즈니의 말.

courage 용기
pursue 추구하다

07 It does not matter how slowly you go as long as you do not stop. *Confucius(공자)*

네가 멈추지 않기만 하면 네가 얼마나 천천히 가는지는 중요하지 않아.

- It(형식주어) + 동사(does not matter) + how절(how slowly + 주어(you) + 동사(go)): how절(얼마나 ~인지)이 진주어.
- as long as + 주어(you) + 동사(do not stop): ~하기만 하면[~하는 한]

B **08** Three may keep **a secret** if two of them are dead. *Benjamin Franklin*
셋은 그들 중 둘이 죽으면 **비밀을** 지킬지도 몰라.

- if + 주어(two of them) + 동사(are) ~: ~면(조건 부사절)

Know More **〈유머 코드〉** 세 사람이 알고 있으면 그건 비밀이 아니라는 말이 있듯이, 비밀은 오직 한 사람이 알고 있을 때만 지켜질 수 있다는 것(두 사람이 알고 있어도 지켜지기 어렵다는 것).

09 Unless your name is "Google", stop **acting** like you know.
네 이름이 '구글'이 아닌 한, **네가 아는 것처럼 행동하**지 마.

- unless + 주어(your name) + 동사(is) ~: ~이 아닌 한(조건 부사절)
- stop + v-ing(acting ~): v-ing(v하는 것)가 목적어(v하는 것을 그만하다).
- like + 주어(you) + 동사(know): 마치 ~인 것처럼(like = as if[as though]) ➲ Unit 48

Know More **〈유머 코드〉** 구글 검색을 해 보는 것만큼 잘 알 수는 없다는 유머.

10 Weeds are flowers, too, once you get to know them. *A.A. Milne*
잡초들도 일단 네가 그들을 알게 되면 꽃들이 돼.

- once + 주어(you) + 동사(get) ~: 일단 ~하면(조건 부사절)
- get + to-v(to know ~): v하게 되다

11 If you know **the enemy** and **yourself**, you will not be at risk in a hundred battles. *Sun Tzu(손자)*
네가 **적을** 알고 **너 자신을** 알면, 백 번 싸워도 위태하지 않을 거야.

- if + 주어(you) + 동사(know) ~: ~면(미래 조건 부사절에 현재시제가 쓰임.)

Know More **〈배경 지식〉** 중국 춘추 시대 전략가 손무[손자]가 지은 《손자병법》에 나오는 말(지피지기 백전불태 知彼知己 百戰不殆).

C **12** My parents don't care **what job I do** as long as I'm happy.
내 부모님은 내가 행복하기만 하면 **내가 무슨 일을 하는지** 상관하지 않아.

- care + what절(what job(목적어) + 주어(I) + 동사(do)): what절(무슨 ~인지)이 목적어.
- as long as + 주어(I) + 동사(am) ~: ~하기만 하면[~하는 한]

13 Never look down on **anybody** unless you're helping **him** up. *Jesse Jackson*
네가 **누군가를** 돕고 있지 않는 한, **그를** 절대 낮춰 보지 마.

- unless + 주어(you) + 동사(are helping) ~: ~하지 않는 한(조건 부사절)

Know More **〈숨은 의미〉** 자신이 돕고 있는 이는 낮춰 보아도 된다는 말이 아니라, 어려운 처지에 있는 이를 돕지도 않으면서 얕보는 속물근성을 경계하는 것.

14 Once you find **something you love to do**, be the best at doing it. *Debbi Fields*
일단 네가 **정말 하고 싶은 것을** 찾으면, 그것을 하는 데 최고가 돼.

- once + 주어(you) + 동사(find) ~: 일단 ~하면(조건 부사절)
- 대명사(something) + 관계절(주어(you) + 동사(love) ~): 관계절이 앞대명사 수식(관계사 생략). ← you love to do something
- 전치사(at) + v-ing(doing ~): 전치사 뒤에 동사가 올 경우 v-ing.

15 If evolution really works, how come mothers only have **two hands**? *Milton Berle*
진화가 실제로 되어 간다면 어째서 어머니들은 **손이 두 개**만 있을까?

- if + 주어(evolution) + 동사((really) works): ~면(조건 부사절)
- how come + 주어(mothers) + 동사((only) have) ~ ?: 왜[어째서] ~까?

Know More **〈유머 코드〉** 어머니들은 하는 일이 많아 '몸이 열 개라도 모자란다'는 것.

secret 비밀

weed 잡초

enemy 적
at risk 위험이 있는
battle 전투[싸움]

care 상관하다

look down on 낮춰 보다[얕보다]

evolution 진화
how come 어째서[왜]

본책 152~153쪽을 함께 펴놓고 보세요!

Unit 51 v-ing 구문

v-ing ~	주어	동사	목적어	부사어
Looking at the world through art,	we	appreciate	it	from fresh perspectives.

Standard Sentences

01 Looking at the world through art, we appreciate **it** from fresh perspectives.
예술을 통해 세상을 볼 때, 우리는 새로운 관점으로 **세상을** 인식해.

- v-ing(looking ~) + 주어 + 동사 ~: = when we look at the world through art ~

appreciate 인식하다
perspective 관점

02 Moved by the last scene, the audience stayed in their seats for a while.
마지막 장면에 감동해서, 관객들은 잠시 동안 자리에 그대로 있었어.

- (being) v-ed분사(moved ~) + 주어 + 동사 ~: 주절의 주어와 수동 관계(being 생략).
  = because they were moved by the last scene ~

move 감동시키다
audience 관객[청중]
for a while 잠시 동안

03 Not knowing when the dawn will come, I open **every door**. *Emily Dickinson*
언제 새벽이 올지 몰라, 난 **모든 문을** 열어 놓아.

- not v-ing(not knowing ~) + 주어 + 동사 ~: v-ing의 부정. 이유를 나타냄(= because I don't know ~).
- know + when절(when + 주어(the dawn) + 동사(will come)): when절(언제 ~인지)이 know의 목적어.

Know More <숨은 의미> 미국의 천재 여성 시인 에밀리 디킨슨의 시구로, 언제 영감(inspiration)이 떠오를지 몰라 모든 감각과 감정과 생각 등 세상과의 소통 수단을 열어 놓고 있다는 것인데, 새벽을 새로운 기회(opportunity)로 볼 수도 있겠음.

dawn 새벽

04 I saw you **sitting** in the rain **with tears running** down your face.
난 네가 **얼굴에 눈물을 흘리며** 빗속에 앉아 있는 걸 보았어.

- see + 목적어(you) + v-ing(sitting ~): ~가 v하고 있는 것을 보다
- 주어 + 동사 ~ + with + 명사(tears) + v-ing(running ~): 명사와 능동 관계.

A

05 Feeling so tired, I fell asleep as soon as my head hit **the pillow**.
너무 피곤해서, 난 머리가 **베개에** 닿자마자 잠이 들었어.

- v-ing(feeling ~) + 주어 + 동사 ~: 이유를 나타냄(= because I felt so tired ~).
- as soon as + 주어(my head) + 동사(hit) ~: ~하자마자(시간 부사절)

pillow 베개

06 The world is always open, **waiting** to be discovered. *Dejan Stojanovic*
세상은 언제나 열려 있어, 발견되길 기다리고 있어.

- 주어 + 동사 ~ + v-ing(waiting ~): 주절과 동시 상황[동작].
- wait + to be v-ed분사(to be discovered): to be v-ed분사(v되는 것)가 wait의 목적어(~되기를 기다리다).

discover 발견하다

07 With the summer **approaching**, the weather keeps **getting hotter**.
여름이 다가오면서, 날씨가 계속 **더 더워지고** 있어.

- with + 명사(the summer) + v-ing(approaching) + 주어 + 동사 ~: 명사와 능동 관계.
- keep + v-ing(getting ~): 계속 v하다

approach 다가오다

B **08** **Having made** the mistake once, I won't let it **happen again.**
난 한 번 그 실수를 했기 때문에, 그것이 **다시 일어나게** 놔두지 않을 거야.

- having v-ed분사(having made ~) + 주어 + 동사: 주절보다 앞선 시간을 분명히 할 때 완료형을 씀.
  = because I (have) made the mistake once ~
- let + 목적어(it) + V(happen): ~가 v하게 놔두다

Up! **09** **Equipped** with his five senses, man explores the universe around him and calls the adventure **Science.** *Edwin Hubble*
오감으로 갖추어져서, 인간은 **자신의 주위 우주를** 탐험하고 그 모험을 **과학이라** 불러.

- (being) v-ed분사(equipped ~) + 주어 + 동사 ~: 주절의 주어와 수동 관계(being 생략).

Know More <배경 지식> 허블의 법칙으로 팽창 우주론을 뒷받침해 빅뱅 이론의 기초를 닦은 천문학자 에드윈 허블의 말로, 오감을 통해 우주를 탐험하는 것이 바로 인간을 진보시키는 과학이라는 것.

equip 장비[준비]를 갖추다
five senses 오감

10 **Other things being** equal, simpler explanations are better than more complex ones. *William Ockham*
다른 것들이 동일하다면, 더 간단한 설명이 더 복잡한 것보다 더 나아.

- 의미상 주어(other things) + v-ing(being ~) + 주어 + 동사 ~: 주절의 주어와 다를 경우 v-ing 앞에 의미상 주어.
- 비교급(better) + than ~: ~보다 …한(우월비교) ➔ unit 56

equal 동일한[같은]
explanation 설명
complex 복잡한

Up! **11** Our parents love **us** with no strings **attached.**
우리 부모님은 아무 조건 없이 **우리를** 사랑해.

- with + 명사(no strings) + v-ed분사(attached): 명사와 수동 관계.

string 줄[조건]
attach 붙이다
with no strings attached 아무 조건 없이

C **12** **Feeling** exhausted and sorry for yourself, at least change **your socks.** *Norman Maclean*
진이 다 빠지고 자신이 불쌍히 여겨지면, 하다못해 **양말이라도** 갈아 신어.

- v-ing(feeling ~) + (주어) + 동사 ~: = when(if) you are feeling exhausted ~

exhausted 진이 다 빠진[탈진한]
feel sorry for 불쌍히 여기다
at least 하다못해[적어도]

13 Drinking water hydrates **skin cells, giving** your skin a healthy glow.
물을 마시는 것은 **피부 세포에** 수분을 공급해, 피부가 건강한 홍조를 띠게 해 줘.

- v-ing(drinking ~) + 동사(hydrates) ~: v-ing(v하는 것)이 주어.
- 주어 + 동사 ~ + v-ing(giving ~): 주절과 동시[연속] 동작[상황].

hydrate 수분을 공급하다
glow 홍조

14 The acid in sodas interacts with stomach acid, **blocking** nutrient absorption.
탄산음료에 든 산은 위산과 상호 작용해서, 영양소의 흡수를 막아.

- 주어 + 동사 ~ + v-ing(blocking ~): 주절과 동시[연속] 동작[상황].

acid 산
stomach 위
block 막다
nutrient 영양소
absorption 흡수

15 Color is associated with a person's emotions, **influencing** their mental or physical state.
색깔은 사람의 감정과 관련되어, 정신이나 신체의 상태에 영향을 미쳐.

- 주어 + 동사 ~ + v-ing(influencing ~): 주절과 동시 상황[동작].

associate 관련시키다
influence 영향을 미치다
mental 정신의
physical 신체의
state 상태

본책 154쪽을 함께 펴놓고 보세요!

Chapter 10

Review

A

01 As soon as you trust yourself, you will know how to live. *Goethe*
네가 너 자신을 믿자마자, 넌 어떻게 살아야 할지 알게 될 거야.

- as soon as+주어(you)+동사(trust) ~: ~하자마자(시간 부사절)
- know+how+to-v(to live): how+to-v(어떻게 ~해야 할지)가 목적어.

02 If you cannot do great things, do small things in a great way. *Napoleon Hill*
네가 큰 일들을 할 수 없으면, 멋진 방법으로 작은 일들을 해.

- if+주어(you)+동사(cannot do) ~: ~면(조건 부사절)

03 I can't hear you, so I'll just laugh and hope it wasn't a question.
난 네 말을 알아들을 수 없어서, 그저 웃으며 그게 물음이 아니었길 바랄 거야.

- so+주어(I)+동사(will (just) laugh/hope) ~: 그래서[~해서](결과 부사절)
- hope+that절((that)+주어(it)+동사(wasn't) ~): that절(~ 것)이 목적어(that 생략).

Know More 〈유머 코드〉 상대방의 말을 알아듣지 못할 때 그냥 웃음으로 넘기는데, 그게 답해야 하는 물음이었다면 낭패라는 것.

04 No matter how fast a lie runs, the truth will someday overtake it. *T.B. Joshua*
거짓말이 아무리 빨리 달린다 하더라도, 진실이 언젠가 그걸 따라잡을 거야.

- no matter how+부사(fast)+주어(a lie)+동사(runs): 아무리 ~더라도[~든지]

lie 거짓말
someday 언젠가
overtake 따라잡다[앞지르다]

05 Always listen to your heart, because even though it's on your left side, it's always right. *Nicholas Sparks*
늘 네 마음(심장)의 소리에 귀 기울여. 왜냐면 심장은 비록 왼쪽(left)에 있지만 그건 늘 옳기(right) 때문이야.

- even though+주어(it)+동사(is) ~: 비록 ~지만

Know More 〈유머 코드〉 right의 이중 의미(오른쪽/옳은)를 이용한 것.

06 If you live to be a hundred, I want to live to be a hundred minus one day so that I never have to live without you. *Story "Winnie-the-Pooh"*
네가 100살까지 산다면, 난 너 없이 절대 살 필요가 없도록 100살 하루 전까지 살고 싶어.

- if+주어(you)+동사(live) ~: ~면(조건 부사절)
- so that+주어(I)+동사(never have to live) ~: ~하기 위해[~하도록](목적 부사절)

Up! **07** Air pollution adds harmful substances to the atmosphere, resulting in damage to the environment, human health and quality of life.
대기 오염은 해로운 물질들을 대기에 더하여, 환경과 인간의 건강과 삶의 질에 피해를 야기해.

- 주어+동사 ~+v-ing(resulting ~): 주절과 연속 동작(상황).

add A to B A를 B에 더하다
harmful 해로운
substance 물질
atmosphere 대기
result in 야기하다

B

08 Facts do not cease to exist because they are ignored. *Aldous Huxley*
사실들은 무시된다고 해서 존재하지 않게 되지 않아.

- cease+to-v(to exist): to-v(v하는 것)가 목적어(v하기를 중단하다).
- because+주어(they)+동사(are ignored): ~ 때문에[~해서](이유[원인] 부사절)

Know More 〈숨은 의미〉 소설 《멋진 신세계》를 쓴 올더스 헉슬리의 말로, 진실은 사람들이 무시한다고 사라지지 않는다는 것.

cease 중단되다[그치다]
ignore 무시하다

09 Life can be boring unless you put some effort into it. *John C. Maxwell*
네가 삶에 노력을 들이지 않으면 삶은 지루할 수 있어.

- unless+주어(you)+동사(put) ~: ~하지 않는 한(조건 부사절)

effort 노력[수고]

10 I love my six-pack so much that I protect it with a layer of fat.
난 내 복부 근육을 너무 많이 사랑해서 그것을 지방층으로 보호하고 있어.

- so ~ that+주어(I)+동사(protect) ~: 너무 ~해서 …하다

Know More 〈유머 코드〉 지방층으로 가려 안 보이지만 그 밑에 식스 팩이 숨어 있다는 것.

six-pack 복부 근육[식스 팩]
layer 층
fat 지방

가정표현

Unit Words

■ 본격적인 구문 학습에 앞서, 각 유닛별 주요 단어를 확인하세요.

Unit 52 가정표현 1

- ☐ exist 존재하다
- ☐ electricity 전기
- ☐ electronics 전자 장치
- ☐ blank 공백[빈칸]
- ☐ save 피하다[구하다]
- ☐ mean 의도하다
- ☐ support 지지[지원]
- ☐ honest 정직한
- ☐ tragic 비극적인
- ☐ funny 웃기는[재미있는]
- ☐ suppose 만약 ~다면
- ☐ agree 동의하다
- ☐ brave 용감한
- ☐ patient 인내심 있는

Unit 53 가정표현 2

- ☐ civilization 문명
- ☐ path 길
- ☐ paradise 천국
- ☐ unendurable 견딜 수 없는
- ☐ adapt 적응하다
- ☐ anxiety 걱정[불안]
- ☐ illness 병
- ☐ rudder (배의) 키
- ☐ observe 지키다
- ☐ rescue 구조
- ☐ carry out 수행하다
- ☐ reasonably 합리적으로
- ☐ passenger 승객
- ☐ tolerate 참다
- ☐ nonsense 말도 안 되는 짓[말]

Unit 54 가정표현 3

- ☐ damage 훼손하다
- ☐ planet 세상[행성]
- ☐ someplace 어딘가
- ☐ sit back 가만히[편히] 있다
- ☐ be used to ~에 익숙하다
- ☐ common sense 상식
- ☐ flaw 약점[결점]
- ☐ possess 소유하다
- ☐ tail 꼬리
- ☐ wag 흔들다
- ☐ responsible 책임 있는
- ☐ earn[win/gain] the respect 존경을 받다

본책 156~157쪽을 함께 펴놓고 보세요!

unit 52

가정표현 1

If + 주어 + v-ed,				주어	would V	목적어
If	we	were	good at everything,	we	would have	no need for each other.

Standard Sentences

01 If we **were** good at everything, we **would have** no need for each other. *Simon Sinek*
만약 우리가 모든 걸 잘한다면, 우리는 서로에게 필요가 없을 거야.
- If + 주어 + were ~, 주어 + would V(have) ...: 만약 ~다면, …할 거야[텐데](현재·미래 상황 가정·상상.)

02 Modern life **could not exist if it were not for** electricity and electronics.
만약 전기와 전자 장치가 없다면 현대 생활은 존재할 수 없을 거야.
- 주어 + could V(not exist) + if it were not for ~: 만약 ~이 없다면 …할 수 있을 거야(현재·미래 상황 가정·상상.)

modern 현대의
exist 존재하다
electricity 전기
electronics 전자 장치

03 Without music, life **would be** a blank to me. *Jane Austen*
만약 음악이 없다면, 삶은 내게 공백일 거야.
- without ~(= if there were no ~), 주어 + would V(be) ...: 만약 ~이 없다면, …할 거야(현재·미래 상황 가정·상상.)

Know More 〈배경 지식〉 영국 소설가 제인 오스틴의 말인데, 철학자 니체도 "Without music, life would be a mistake."(음악이 없다면, 삶은 잘못일 거야.)라는 말을 남겼음.

blank 공백[빈칸]

A **04** Much trouble **would be** saved **if** we **opened** our hearts more. *Chief Joseph*
만약 우리가 마음을 더 연다면 많은 문제가 없어질 텐데.
- 주어 + would V(be saved) + if + 주어 + v-ed(opened) ~: 만약 ~다면, …할 텐데[거야](현재·미래 상황 가정·상상.)

save 피하다[구하다]

05 If we **were** meant to talk more than listen, we **would have** two mouths and one ear. *Mark Twain*
만약 우리가 듣기보다 더 많이 말하도록 되어 있다면, 우리는 두 입과 한 귀를 갖고 있을 거야.
- If + 주어 + were meant ~, 주어 + would V(have) ...: 만약 ~다면, …할 거야[텐데](현재·미래 상황 가정·상상.)
- be meant + to-v(to talk ~): v하도록 되어 있다

mean 의도하다

06 I **would not be** who I am today **without** my parents' love and support.
만약 부모님의 사랑과 지지가 없다면 난 오늘날의 내가 아닐 거야.
- 주어 + would V(not be) … without ~(= if there were no ~): 만약 ~이 없다면 …할 거야(현재 상황 가정.)
- who I am today: 오늘의 나(who절이 보어.)

support 지지[지원]

Up! **07** Only a true friend **would be** that truly honest. *Movie "Shrek"*
오직 진정한 친구만이 그렇게 진실로 정직할 거야.
- 주어(only a true friend) + would V(be) ~: ~할 거야[텐데](현재·미래 상황 가정·상상.) 주어가 if절 대신함.

Know More 〈배경 지식〉 애니메이션 《슈렉》에서 당나귀가 슈렉에게 하는 말로, 진짜 친구는 듣기 좋은 말만 아니라 쓴소리라도 필요하다면 솔직하게 한다는 것.

honest 정직한

B 08 If Shakespeare **were** alive today, he **would be** doing classic guitar solos on YouTube. *Peter Capaldi*
만약 셰익스피어가 오늘날 살아 있다면, 그는 유튜브에서 **클래식 기타 독주를** 하고 있을 거야.
- If + 주어 + **were** ~, 주어 + **would** V(be doing) ...: 만약 ~다면, …할 거야[텐데] (현재 상황 가정·상상.)

09 Everyone **would be** healthier **if** they **didn't eat** junk food. *Robert Atkins*
만약 모든 사람이 **정크 푸드를** 먹지 않는다면, 그들은 더 건강해질 텐데.
- 주어 + **would** V(be) ~ + **if** + 주어 + **v-ed**(didn't eat) ...: 만약 …다면, ~할 텐데[거야] (현재·미래 상황 가정·상상.)

10 Life **would be** tragic **if** it **weren't** funny. *Stephen Hawking*
만약 삶이 웃기지 않다면[재미없다면], 삶은 비극적일 거야.
- 주어 + **would** V(be) ~ + **if** + 주어 + **were** (not) ...: 만약 …다면, ~할 텐데[거야] (현재·미래 상황 가정·상상.)

Know More 〈숨은 의미〉 루게릭병으로 휠체어에 의지해 살면서도 위트와 유머를 잃지 않았던 물리학자 스티븐 호킹의 말로, 고통스럽고 부조리한 삶이지만 역설적으로 그 속에도 우리를 웃게 하는 요소가 있기에 살 만하다는 것.

tragic 비극적인
funny 웃기는[재미있는]
(비교) fun 즐거운[재미있는]

Up! 11 **Suppose** you **had** a million dollars, how **would** you **spend** it?
만약 네가 백만 달러를 가지고 있다고 한다면, 넌 그걸 어떻게 쓸 거니?
- **suppose** + 주어 + **v-ed**(had) ~, how + **would** + 주어 + **V**(spend) ...?: 만약 ~다면 어떻게 …할 거니? (현재·미래 상황 가정·상상.)

suppose 만약 ~다면

C 12 You **might feel** better **if** you **talked** to someone.
만약 네가 누군가와 이야기를 한다면 넌 기분이 나아질지도 모를 텐데.
- 주어 + **might** V(feel) ~ + **if** + 주어 + **v-ed**(talked) ...: 만약 …다면, ~할지도 모를 텐데 (현재·미래 상황 가정·상상.)

13 I'm sorry, **if** you **were** right, I **would agree** with you. *Movie "Awakenings"*
미안해. 만약 네가 옳다면, 난 네게 동의할 텐데.
- **if** + 주어 + **were** ~, 주어 + **would** V(agree) ...: 만약 ~다면, …할 텐데[거야] (현재·미래 상황 가정·상상.)

Know More **〈유머 코드〉** 영화 《사랑의 기적》에 나오는 대사로, 결국 네가 옳지 않다고 생각해 네게 동의할 수 없다는 것.

agree 동의하다

14 We **could never learn** to be brave and patient **if** there **were** only joy in the world. *Helen Keller*
만약 세상에 오직 기쁨만 있다면 우리는 용기 있고 인내하는 걸 결코 배울 수 없을 거야.
- 주어 + **could** V(never learn) ~ + **if** + there + **were** + 주어 ...: 만약 …이 있다면, ~할 수 있을 거야 (현재 상황 가정.)

brave 용감한
patient 인내심 있는

15 Teacher: If you **had** 13 apples, 12 grapes, 3 pineapples and 3 strawberries, what **would** you **have**?
Billy: A delicious fruit salad.
선생님: 만약 네가 13개의 사과와 12개의 포도와 3개의 파인애플과 3개의 딸기를 가지고 있다면, 넌 무엇을[모두 몇 개를] 가지고 있겠니?
빌리: 맛있는 과일 샐러드요.
- If + 주어 + **v-ed**(had) ~, what + **would** + 주어 + **V**(have) ...?: 만약 ~다면, 무엇을 …할까? (현재 상황 가정.)

Know More **〈유머 코드〉** 과일 샐러드 애호가 빌리가 "what would you have(= eat)?"를 "넌 무엇을 먹겠니?"로 알아듣고 답한 것.

본책 158~159쪽을 함께 펴놓고 보세요!

Unit 53

가정표현 2

If + 주어 + had v-ed분사,				주어	would + have v-ed분사	보어
If	I	had been	you,	I	would have felt	the same way.

Standard Sentences

01 If I **had been** you, I **would have felt** the same way.
만약 내가 너였더라면, 나도 같은 식으로 느꼈을 거야.
- If + 주어 + had v-ed분사(had been) ~, 주어 + would have v-ed분사(felt) ...: 만약 ~했더라면, …했을 거야[텐데] (과거 상황 가정·상상.)

02 Had you **studied** harder, you **could have passed** the exam.
만약 네가 더 열심히 공부했더라면, 넌 시험에 합격할 수 있었을 텐데.
- Had + 주어 + v-ed분사(studied) ~(= If + 주어 + had v-ed분사(studied) ~): if 생략, had가 앞으로 나감.
- Had + 주어 + v-ed분사(studied) ~, 주어 + could have v-ed분사(passed) ...: 만약 ~했더라면, …할 수 있었을 텐데(과거 상황 가정·상상.)

03 **But for** books the development of civilization **would have been** impossible. *Schopenhauer*
책이 없었더라면 문명의 발전은 불가능했을 거야.
- but for ~ + 주어 + would have v-ed분사(been) ...: 만약 ~이 없었더라면, …했을 거야(과거 상황 가정·상상.)

civilization 문명

04 If you **had listened** to my advice, you **would not be** in trouble now.
만약 네가 내 조언을 들었더라면, 넌 지금 어려움에 처해 있지 않을 텐데.
- If + 주어 + had v-ed분사(listened) ~, 주어 + would V(not be) ...: 만약 ~했더라면(과거 가정), …할 텐데(현재 가정)

A

05 **Would** I **have changed**, if I **had chosen** a different path, if I **had stopped** and **looked** back? *Song "Path" by BTS*
난 달라졌을까, 다른 길을 택했다면, 멈춰서 뒤돌아봤다면?
- Would + 주어 + have v-ed분사(changed) ~, if + 주어 + had v-ed분사(chosen / stopped / looked) ...?: 만약 …했더라면, ~했을까?(과거 상황 가정·상상.)

path 길

06 Paradise was unendurable, **otherwise** the first man **would have adapted** to it. *Emil Cioran*
천국은 견딜 수 없었어. 만약 그렇지 않았다면 최초의 인간이 거기에 적응했을 거야.
- otherwise + 주어 + would have v-ed분사(adapted) ~: 만약 그렇지 않았다면, ~했을 거야(과거 상황 가정.)

Know More 〈유머 코드〉 에덴동산에서 쫓겨난 아담의 예를 들어, 무위도식하는 낙원의 허상을 풍자하는 것.

paradise 천국
unendurable 견딜 수 없는
adapt 적응하다

07 **Without** anxiety and illness I **would have been** like a ship without a rudder. *Edvard Munch*
걱정과 병이 없었더라면 난 키 없는 배와 같았을 거야.
- without ~ + 주어 + would have v-ed분사(been) ...: 만약 ~이 없었더라면, …했을 거야(과거 상황 가정·상상.)

Know More 〈숨은 의미〉 화가 뭉크의 말로, 불안과 병이 오히려 삶의 방향을 잡아 주는 기능을 해 삶과 죽음 문제에 천착하게 했다는 것.

anxiety 걱정[불안]
illness 병
rudder (배의) 키

B **08** If it had not been for your help, I **would not have succeeded.**

만약 네 도움이 없었더라면, 난 성공하지 못했을 거야.

- **If it had not been for** ~, 주어 + **would** (not) **have v-ed분사**(succeeded) ...: 만약 ~이 없었더라면, …했을 거야(과거 상황 가정.)

09 If I **had observed** all the rules, I **could never have got** anywhere.

만약 내가 **모든 규칙**을 지켰더라면, 난 어디에도 결코 이를 수 없었을 거야.

- **If** + 주어 + **had v-ed분사**(observed) ~, 주어 + **could** (never) **have v-ed분사**(got) ...: 만약 ~했더라면, …할 수 있었을 거야(과거 상황 가정·상상.)

Know More **〈유머 코드〉** 다소 위험한 유머인데, 모든 규칙을 지키는 건 사실상 불가능하지만, 가능한 한 지키자는 걸로 받아들이길.

observe 지키다
get 이르다[도착하다]

10 If the rescue **had been carried out** reasonably, more passengers **might have survived.**

만약 구조가 합리적으로 행해졌더라면, 더 많은 승객들이 생존했을지도 몰라.

- **If** + 주어 + **had v-ed분사**(been carried out) ~, 주어 + **might have v-ed분사**(survived): 만약 ~했더라면, …했을지도 몰라.(과거 상황 가정·상상.)

rescue 구조
carry out 수행하다
reasonably 합리적으로
passenger 승객

Up! **11** If I **had not been** wearing a helmet, I **would not be** here now.

만약 내가 **헬멧을** 쓰고 있지 않았더라면, 난 지금 여기에 있지 못할 거야.

- **If** + 주어 + **had** (not) **v-ed분사**(been wearing) ~, 주어 + **would** (not) **V**(be) ...: 만약 ~했더라면(과거 가정), …할 거야(현재 가정)

Know More 〈숨은 의미〉 헬멧을 쓰고 있었기 때문에 지금 살아 있다는 것.

C **12** If God **had wanted me** otherwise, He **would have created me** otherwise.

만약 신이 **나를** 다르게 원했더라면, 신은 **나를** 다르게 창조했을 거야. *Goethe*

- **If** + 주어 + **had v-ed분사**(wanted) ~, 주어 + **would have v-ed분사**(created) ...: 만약 ~했더라면, …했을 거야 (과거 상황 가정.)

Know More 〈숨은 의미〉 나다로의 나야말로 이 세상 다른 누구와도 다른 나름대로 쓸모 있는 존재라는 것.

otherwise 다르게
create 창조하다

13 If I **had had enough patience** that day, I **would have tolerated all your nonsense.**

내가 그날 **충분한 인내심이** 있었더라면, **너의 모든 말도 안 되는 짓을** 참았을 텐데.

- **If** + 주어 + **had v-ed분사**(had) ~, 주어 + **would have v-ed분사**(tolerated) ...: 만약 ~했더라면, …했을 텐데 (과거 상황 가정.)

Know More 〈숨은 의미〉 겉으로는 못 참은 걸 후회하는 말 같지만, 사실은 그날 일이 얼마나 말도 안 되는 짓이었나를 꼬집는 것.

patience 인내심
tolerate 참다
nonsense 말도 안 되는 짓[말]

Up! **14** If I **had read more books**, I **would have more knowledge** now.

만약 내가 **더 많은 책을** 읽었더라면, 난 지금 **더 많은 지식을** 갖고 있을 텐데.

- **If** + 주어 + **had v-ed분사**(read) ~, 주어 + **would V**(have) ...: 만약 ~했더라면(과거 가정), …할 텐데(현재 가정)

15 If I **had been** born in the 1800s, I **would be** dead now.

만약 내가 1800년대에 태어났더라면, 난 지금 죽어 있을 거야.

- **If** + 주어 + **had v-ed분사**(been) ~, 주어 + **would V**(be) ...: 만약 ~했더라면(과거 가정), …할 거야(현재 가정)

Know More **〈유머 코드〉** 일종의 '허무 개그'로, 뭔가 있을 것 같은 조건절의 기대를 주절이 저버리는 것.

본책 160~161쪽을 함께 펴놓고 보세요!

Unit 54

가정표현 3

주어	wish	주어 + v-ed[could / would + V]		
I	wish	you	could know	how much I love you.

Standard Sentences

01 I wish you **could** know how much I love you. *Song "My Sweet Lady" by John Denver*
내가 널 얼마나 많이 사랑하는지 네가 알 수 있으면 좋을 텐데.
- 주어 + wish + 주어 + could V(know) ~: ~할 수 있으면 좋을 텐데(주절과 같은 때 이룰 수 없는 소망.)
- know + how절(how much + 주어(I) + 동사(love) ~): how절(얼마나 ~인지)이 know의 목적어.

02 We damage this planet **as if** we **had** someplace else to go. *Ann Druyan*
우리는 마치 우리가 갈 다른 어딘가가 있는 것처럼 이 세상을 훼손해.
- 주어 + 동사 … + as if + 주어 + v-ed(had) ~: 마치 ~인 것처럼(주절과 같은 때 가정.)
- 명사(someplace else) + to-v(to go): to-v(v할)가 뒤에서 앞 명사 수식.

damage 훼손하다
planet 세상[행성]
someplace 어딘가

03 It's time we **did** something instead of just sitting back.
우리가 그저 가만히 있는 대신에 뭔가를 해야 할 때야.
- It's time + 주어 + v-ed(did) ~: ~해야 할 때다(현재·미래에 대한 불만·촉구.)

sit back 가만히[편히] 있다

A **04** Have you ever **wished** you **were** someone else?
넌 네가 다른 누군가이기를 바란 적이 있니?
- Have + 주어 + (ever) wished + 주어 + were ~: ~이기를 바란 적이 있니?(주절과 같은 때 이룰 수 없는 소망.)

05 To achieve great things, we must live **as though** we **were** never going to die. *Luc de Clapiers*
큰일을 이루기 위해, 우리는 마치 우리가 절대 죽지 않을 것처럼 살아야 해.
- to-v(to achieve ~): v하기 위해(목적)
- 주어 + 동사 + as though + 주어 + v-ed(were never going to die): 마치 ~인 것처럼(주절과 같은 때 가정.)

Know More 〈숨은 의미〉 큰일을 이루려면 그만큼 장기적인 비전과 계획을 가지고 실천해 나가야 한다는 것.

die 죽다

Up! **06** Dance **as if** no one **were** watching, sing **as if** no one **were** listening, and live every day **as if** it **were** your last. *Irish Proverb*
마치 아무도 보고 있지 않는 것처럼 춤추고, 아무도 듣고 있지 않는 것처럼 노래하고, 그날이 마지막인 것처럼 매일을 살아.
- 동사 + as if + 주어 + v-ed(were (watching / listening)) ~: 마치 ~인 것처럼(주절과 같은 때 가정.)

Know More 〈숨은 의미〉 괜히 남들을 의식하지 말고 하루하루를 즐겁고 치열하게 살라는 것.

07 Win **as if** you **were** used to it, lose **as if** you **enjoyed** it for a change. *Ralph Emerson*
마치 네가 그것(승리)에 익숙한 것처럼 이기고, 마치 네가 변화를 위해 그것(패배)을 즐기는 것처럼 져.
- 동사 + as if + 주어 + v-ed(were / enjoyed) ~: 마치 ~인 것처럼(주절과 같은 때 가정.)

Know More 〈숨은 의미〉 이겨도 호들갑 떨지 말고, 져도 변화의 계기로 삼고 즐기라는 것.

be used to ~에 익숙하다

B **08** I wish common sense were more common.

상식이 더 흔하면 좋을 텐데.

- 주어 + **wish** + 주어 + **were** ~: ~다면 좋을 텐데(주절과 같은 때 이룰 수 없는 소망.)

Know More **<유머 코드>** 상식은 '사람들이 보통 알고 있는 것'일 뿐만 아니라, '알아야 하는 것' 즉 합리적인 이해력, 판단력, 분별력 등을 포함하는데, 이러한 상식이 더 널리 통용되기를 바란다는 것.

common sense 상식
common 흔한[보통의]

09 I wish I had known then what I know now.

내가 지금 알고 있는 것을 그때 알았더라면 좋을 텐데.

- 주어 + **wish** + 주어 + **had v-ed**(known) ~: ~했다면 좋을 텐데(주절보다 앞선 때 이룰 수 없었던 소망.)

10 She smiled at me as if she had seen me before.

그녀는 마치 그녀가 전에 날 봤던 것처럼 나를 보고 미소 지었어.

- 주어 + 동사 … + **as if** + 주어 + **had v-ed분사**(seen) ~: 마치 ~였던 것처럼(주절보다 앞선 때 가정.)

11 It's about time we stopped buying things we don't need with money we don't have. *Adrian Rogers*

우리가 가지고 있지 않은 돈으로 필요하지 않은 것들을 사는 걸 그만둬야 할 때야.

- **It's about time** + 주어 + **v-ed**(stopped) ~: ~해야 할 때다(현재·미래에 대한 불만·촉구.)
- 명사(things) + 관계절(주어(we) + 동사(don't need) ~): 관계절이 앞명사 수식(관계사 생략).
- 명사(money) + 관계절(주어(we) + 동사(don't have)): 관계절이 앞명사 수식(관계사 생략).

C **12** I wished all my flaws would be hidden. *Song "Fake Love" by BTS*

내 모든 약점들은 다 숨겨지길 바랐어.

- 주어 + **wished** + 주어 + **would V**(be hidden): ~하기를 바랐어(이룰 수 없는 소망.)

flaw 약점[결점]

13 In times of joy, all of us wished we possessed a tail we could wag. *W.H. Auden*

기쁠 때 우리 모두는 흔들 수 있는 꼬리를 가지고 있길 바랐어.

- 주어 + **wished** + 주어 + **v-ed**(possessed) ~: ~하기를 바랐어(주절과 같은 때 이룰 수 없는 소망.)
- 명사(a tail) + 관계절(주어(we) + 동사(could wag)): 관계절이 앞명사 수식(관계사 생략).

Know More **<유머 코드>** 기쁨을 사람으로서 달리 표현할 길이 없어 개처럼 온몸으로 꼬리를 흔들고 싶었다는 것.

possess 소유하다
tail 꼬리
wag 흔들다

14 Treat yourself as if you were someone that you are responsible for helping. *Jordan Peterson*

마치 너 자신이 네가 도울 책임이 있는 누군가인 것처럼 너 자신을 대해.

- 동사 … + **as if** + 주어 + **were** ~: 마치 ~인 것처럼(주절과 같은 때 가정.)
- 대명사(someone) + 관계절(that(목적어) + 주어(you) + 동사(are) ~): 관계절이 앞대명사 수식.

Know More <숨은 의미> 자신의 몸과 마음이야말로 다른 누구도 아닌 자신이 돌볼 책임이 있는 가장 소중한 대상이라는 것.

responsible 책임 있는

15 **Scrimgeour:** It's time you learned some respect!
Harry: It's time you earned it. *Novel "Harry Potter and the Deathly Hallows"*

스크림저: 네가 존경을 배워야 할 때야!
해리: 네가 그것을 받아야 할 때야.

- **It's time** + 주어 + **v-ed**(learned / earned) ~: ~해야 할 때다(현재·미래에 대한 불만·촉구.)

Know More **<유머 코드>** 《해리 포터와 죽음의 성물》(Harry Potter and the Deathly Hallows)에 나오는 대화로, 존경을 배워 존경해 달라고 하자, 스스로 존경을 받게 처신하라는 것.

earn[win/gain] the respect 존경을 받다

본책 162쪽을 함께 펴놓고 보세요!

A

01 The word "happy" would lose its meaning if it were not balanced by sadness. *Carl Jung*
'행복한'이란 단어는 만약 슬픔으로 균형이 잡히지 않는다면 그 의미를 상실할 거야.

- 주어 + would V(lose) ~ + if + 주어 + v-ed(were not balanced) ...: 만약 …다면, ~할 거야(현재·미래 상황 가정.)

Know More <숨은 의미> 마냥 행복할 수만은 없고, 행복은 불행과 함께할 수밖에 없으며 또 그래야만 느낄 수 있다는 것.

balance 균형을 잡다
sadness 슬픔

02 What would life be if we had no courage to attempt anything? *Vincent van Gogh*
만약 우리가 뭔가를 시도할 용기가 없다면 삶은 무엇이겠는가?

- What + would + 주어 + V(be) + if + 주어 + v-ed(had) ...?: 만약 …다면, ~ 무엇일까?(현재·미래 상황 가정.)

Know More <숨은 의미> 고독과 냉대 속에서도 용기를 잃지 않고 끊임없이 새로운 걸 시도하며 불꽃 같은 삶을 산 화가 고흐의 말.

attempt 시도하다

03 Without memory, there would be no civilization, no society, no culture, and no future. *Elie Wiesel* 만약 기억이 없다면, 문명도 사회도 문화도 미래도 없을 거야.

- without ~, there + would be + 주어 ...: 만약 ~이 없다면, …이 있을 거야(현재·미래 상황 가정·상상.)

Up! **04** Had I listened to everyone who told me I couldn't, I wouldn't have accomplished anything.
만약 내가 이룰 수 없다고 내게 말한 모두의 말에 귀 기울였더라면, 난 아무것도 이루지 못했을 거야.

- Had + 주어 + v-ed분사 ~, 주어 + would (not) have v-ed분사 ...: 만약 ~했더라면, …했을 거야(과거 상황 가정.)
- 대명사(everyone) + 관계절(who(주어) + 동사(told) ~): 관계절이 앞대명사 수식.

accomplish 이루다[성취하다]

05 I wish I were supernaturally strong so I could put right everything that is wrong. *Greta Garbo* 내가 잘못된 모든 것을 바로잡을 수 있도록 초자연적으로 힘이 세면 좋을 텐데.

- 주어 + wish + 주어 + were ~: ~다면 좋을 텐데(주절과 같은 때 이룰 수 없는 소망.)
- so (that) + 주어(I) + 동사(could put) ~: ~하기 위해[~하도록](목적 부사절)

supernaturally 초자연적으로
put right 바로잡다

06 I wish I could go back in life, not to change things but just to feel things twice. *Drake* 난 상황을 바꾸기 위해서가 아니라 단지 두 번 느낄 수 있기 위해 삶에 거꾸로 돌아갈 수 있기를 바라.

- 주어 + wish + 주어 + could V(go) ~: ~할 수 있기를 바라(이룰 수 없는 소망.)
- not A(to change ~) but B((just) to feel ~): A가 아니라 B(A와 B는 같은 꼴(to-v: ~하기 위해) 대등 연결.)

Know More <숨은 의미> 살았던 삶을 바꾸고 싶은 게 아니라, 무심히 산 삶을 제대로 음미하며 살아 봤으면 좋겠다는 것.

go back 돌아가다

07 If you want a quality, act as if you already had it. *William James*
네가 어떤 자질을 원하면, 마치 네가 이미 그것을 가지고 있는 것처럼 행동해.

- 동사 + as if + 주어 + v-ed(had) ~: 마치 ~인 것처럼(주절과 같은 때 가정.)

Know More <숨은 의미> 의지나 행동이 성격과 정서에 결정적인 영향을 끼칠 수 있다는 것.

quality (자)질

B

08 If it were not for injustice, men would not know justice. *Heraclitus*
만약 불의가 없다면, 사람들은 정의를 알지 못할 거야.

- If it were not for ~, 주어 + would (not) V(know) ...: 만약 ~이 없다면, …할 거야(현재·미래 상황 가정.)

Know More <숨은 의미> 생성·변화를 중시한 고대 그리스 철학자 헤라클레이토스의 말로, 그는 생성의 원리로 대립과 투쟁을 제시했는데, 정의도 대립되는 불의와의 투쟁을 통해 인식된다는 것.

injustice 불의
justice 정의

09 If I had known studying was so fun, I would have been addicted to it long ago.
만약 내가 공부가 그렇게 재미있다는 걸 알았더라면, 난 오래전에 공부에 중독되었을 거야.

- If + 주어 + had v-ed분사 ~, 주어 + would have v-ed분사 ...: 만약 ~했더라면, …했을 거야(과거 상황 가정.)
- know + that절((that) + 주어(studying) + 동사(was) ~): that절이 목적어(that 생략).

addicted to ~에 중독된

10 It's time we focused not just on GDP, but on GNH.
우리가 국내 총생산뿐만 아니라 국민 총행복 지수에도 집중해야 할 때야.

- It's time + 주어 + v-ed(focused) ~: ~해야 할 때다(현재·미래에 대한 불만·촉구.)

focus on ~에 집중하다
GDP(= gross domestic product) 국내 총생산
GNH(= gross national happiness) 국민 총행복 지수

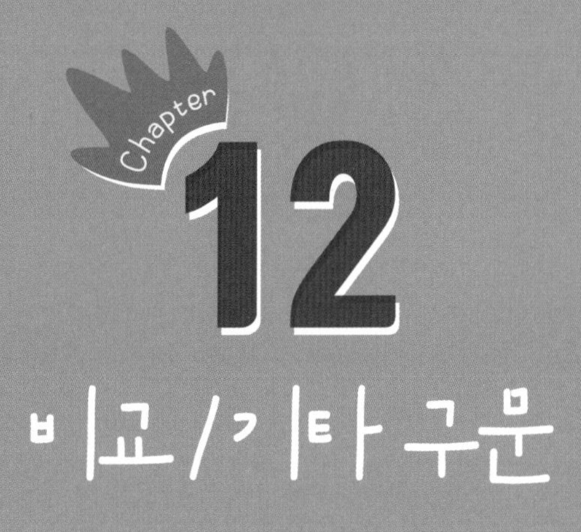

비교/기타 구문

Unit Words

■ 본격적인 구문 학습에 앞서, 각 유닛별 주요 단어를 확인하세요.

Unit 55 동등비교

- □ blink 눈을 깜박이다
- □ bucket 물통(양동이)
- □ contagious 전염되는
- □ indispensable 필수적인
- □ light 불을 붙이다
- □ yawn 하품
- □ breathe 숨 쉬다
- □ practice 실천(연습)하다
- □ count 세다/중요하다

Unit 56 우월비교

- □ travel 이동하다
- □ self-confidence 자신(감)
- □ ballot 투표(용지)
- □ bounce 튀다
- □ astronomy 천문학
- □ bullet 총알
- □ judge 판단하다
- □ company 함께 있는 사람들
- □ perceive 지각(인지)하다

Unit 57 최상급 표현

- □ strive 힘쓰다(분투하다)
- □ rare 희귀한(드문)
- □ empower 권한(능력)을 주다
- □ productive 생산적인
- □ lasting 오래가는(지속적인)
- □ passion 감정(열정)
- □ adversity 역경
- □ face 닥치다(직면하다)
- □ cosmos 우주

Unit 58 부정 구문

- □ glitter 반짝반짝 빛나다
- □ acknowledge 인정하다
- □ taste 취향
- □ originate 비롯되다(유래하다)
- □ conceited 자만하는
- □ spread 펼치다
- □ academic 학업(학문)의
- □ coincidence 우연
- □ peel 껍질을 벗기다

Unit 59 도치 구문

- □ in the middle of ~의 한가운데에
- □ ignorance 무지
- □ earn 얻다
- □ respect 존중(존경)하다
- □ hatred 증오(혐오)
- □ toddler 걸음마를 배우는 아이
- □ esteem 존경
- □ circumstance 상황
- □ madman 미친 사람

Unit 60 강조 구문

- □ determine 결정하다
- □ midday 한낮
- □ emptiness 비어 있음
- □ hard work 힘든 일(노고)
- □ kindness 친절
- □ presence 실재(존재)
- □ appreciate 진가를 알다
- □ touch 감동시키다
- □ mankind 인류
- □ midnight 한밤중
- □ rightly 제대로(올바르게)

본책 164~165쪽을 함께 펴놓고 보세요!

동등비교

주어	동사	as + 형용사[부사] + as ~
To go beyond	is	as wrong as to fall short.

Standard Sentences

01 To go beyond is **as wrong as** to fall short. *Confucius(공자)*
지나침은 미치지 못함만큼 나빠.(과유불급)
- to-v(to go beyond) + 동사(is) ~: to-v(v하는 것)가 주어.
- as + 형용사(wrong) + as + to-v: v하는 것만큼 ~한(동등비교)

fall short 부족하다

02 I'll think of you tonight **as many** times **as** I blink. *Song "Vanilla Twilight" by Owl City*
난 오늘 밤 눈을 깜박이는 만큼 여러 번 너를 생각할 거야.
- as many … as + 주어 + 동사: ~하는 만큼 많은 …

blink 눈을 깜박이다

03 Everything should be made **as simple as possible**, **but** not simpler. *Albert Einstein*
모든 건 가능한 한 간단히 만들어져야 하**지만**, 더 간단하는 아니야.
- as + 형용사(simple) + as possible: 가능한 한 ~한

Know More 〈숨은 의미〉 쓸데없이 복잡한 것보다 당연히 간단한 게 낫지만, 필수 요소가 빠져서는 안 된다는 것.

A 04 The joy of learning is **as indispensable** in study **as** breathing is in running. *Simone Weil*
Up!
배움의 즐거움은 숨쉬기가 달리기에서 필수적인 만큼 공부에서 필수불가결해.
- as + 형용사(indispensable) … + as + 주어 + 동사 ~: ~인 만큼 …한

indispensable 필수적인[필수불가결한]
breathe 숨 쉬다

05 A is **2 times as old as** B; 12 years ago, A was **6 times as old as** B; how old is B now?
A는 B의 두 배 나이이고, 12년 전에 A는 B의 6배 나이였는데, B는 지금 몇 살일까? *답: 15세
- ~ times + as + 형용사(old) + as ~: ~의 ~배 …한

Know More 〈배경 지식〉 A = 2B, A−12 = 6(B−12), 2B−12 = 6B−72, 4B = 60, B = 15.

06 Education is **not so much** the filling of a bucket **as** the lighting of a fire. *William Yeats*
교육은 물통을 채우는 거라기보다는 불을 붙이는 거야.
- not so much A(the filling of a bucket) as B(the lighting of a fire): A라기보다는 B

Know More 〈숨은 의미〉 아일랜드 시인 예이츠의 말로, 교육은 지식을 채우는 것이 아니라 타고난 재능을 자극해 끌어내는 거라는 것.

bucket 물통[양동이]
light 불을 붙이다

07 Leadership is practiced **not so much** in words **as** in attitude and in actions. *Harold Geneen*
지도력은 말로라기보다는 자세와 행동으로 실천돼.
- not so much A(in words) as B(in attitude and in actions): A라기보다는 B

leadership 지도력
practice 실천[연습]하다

B **08** Everything is **as important as** everything else. *John Lennon*
모든 것은 다른 모든 것만큼 중요해.

- as + 형용사(important) + as ~: ~만큼 …한

Know More 〈숨은 의미〉 록 밴드 '비틀즈'(The Beatles)의 창립 멤버 존 레논의 말로, 어느 하나 중요하지 않은 게 없이 다 똑같이 중요하다는 것.

09 Things are **not** always **so simple as** black and white. *Doris Lessing*
만사가 흑백처럼 언제나 단순한 것은 아니야.

- not + always ~: 언제나[항상] ~인 것은 아니다(부분 부정) ➜ Unit 58
- not so + 형용사(simple) + as ~: ~만큼 …하지 않는

10 Love **as much as** you **can** from wherever you are. *Thaddeus Golas*
네가 있는 어디서든 네가 할 수 있는 한 많이 사랑해.

- as + much + as you can: 할 수 있는 한 많이
- from + wherever(= any place where) + you are: 네가 있는 어디에서든지

11 Children smile **as many as** 400 times a day; **and** adults only 20.
아이들은 하루에 무려 400번이나 웃고, 어른들은 단지 20번만 웃어.

- as many[much] as ~: 무려 ~나 되는
- adults (smile) only 20 (times a day): 반복 어구 생략.

C **12** A smile is just **as contagious as** a yawn.
미소는 꼭 하품처럼 전염돼.

- (just) as + 형용사(contagious) + as ~: (꼭) ~처럼 …한

contagious 전염되는
yawn 하품

13 Are you learning **as fast as** the world is changing?
넌 세상이 변하고 있는 것만큼 빨리 배우고 있니?

- as + 부사(fast) + as ~: ~만큼 …하게

14 Counting time is **not as important as** making time count. *Jimmy Walker*
시간을 재는 것은 시간을 중요하게 하는 것만큼 중요하지 않아.

- v-ing(counting ~) + 동사(is): v-ing(v하는 것)이 주어.
- not as + 형용사(important) + as ~: ~만큼 …하지 않는
- make + 목적어(time) + 목적보어[V](count): ~을 v하게 하다

Know More 〈숨은 의미〉 count의 이중 의미(세다/중요하다)를 이용한 유머로, 시간의 양보다 질이 더 중요하다는 것.

count 세다/중요하다

15 The best ideas come as jokes; make your thinking **as funny as possible.** *David Ogilvy*
최고의 아이디어는 농담처럼 나오니, 네 생각을 **가능한 한 웃기게[재미있게]** 만들어.

- as + 형용사(funny) + as possible: 가능한 한 ~한

Know More 〈숨은 의미〉 고정 관념을 벗어난 창의적인 생각과 사람을 웃기는 기발한 농담은 상통하는 것으로, 폭넓고 자유로운 발상으로 전개하는 웃기는(재미있는) 아이디어가 최고가 된다는 것.

본책 166~167쪽을 함께 펴놓고 보세요!

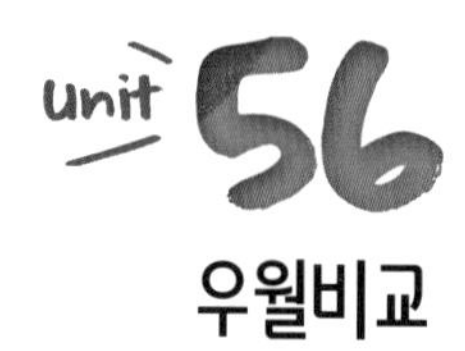

Unit 56 우월비교

주어	동사	형용사[부사] 비교급 + than ~
Imagination	is	more important than knowledge.

Standard Sentences

01 Imagination is **more important than** knowledge. *Albert Einstein*

상상력은 지식보다 더 중요해.

- 형용사 비교급(more important) + than ~: ~보다 더 …한

Know More <배경 지식> 호기심과 상상력의 과학자 아인슈타인의 주옥같은 말 중에서도 가장 널리 인용되는 것으로, 지식은 우리가 지금 알고 이해하는 것으로 한정되지만, 상상력은 온 세상과 미래에 알고 이해하게 될 모든 걸 아우른다는 것.

imagination 상상력

02 Sound travels **four times faster** in water **than** in air.

소리는 공기 중에서보다 물속에서 4배 더 빨리 이동해.

- ~ times(four times) + 부사 비교급(faster) + than ~: ~보다 ~배 …하게

travel 이동하다

03 **The harder** you fall, **the higher** you bounce.

네가 더 세게 떨어질수록, 넌 더 높이 튀어 올라.

- the 비교급(the harder) ~, the 비교급(the higher) …: 더 ~할수록 더 …하다

bounce 튀다

A 04 It is **much more difficult** to judge oneself **than** to judge others. *The Little Prince*

자기 자신을 판단하는 것이 다른 사람들을 판단하는 것보다 훨씬 더 어려워.

- It(형식주어) + 동사(is) ~ + to-v(to judge ~): to-v(v하는 것)가 진주어.
- much + 형용사 비교급(more difficult) + than ~: ~보다 훨씬 더 …한(much는 비교급 강조.)

judge 판단하다

05 I love you **more than** yesterday, **less than** tomorrow. *Edmond Rostand*

난 널 어제보다는 더, 내일보다는 덜 사랑해.

- more/less + than ~: ~보다 더/덜

Know More <유머 코드> 시간이 지날수록 더 사랑한다는 것.

06 **The more** you learn, **the more** self-confidence you will have. *Brian Tracy*

네가 더 많이 배울수록, 넌 더 많은 자신감을 갖게 될 거야.

- the 비교급(more) ~, the 비교급(more) …: 더 ~할수록 더 …하다

self-confidence 자신(감)

Up! 07 Computer science is **no more** about computers **than** astronomy is about telescopes.

컴퓨터 과학이 컴퓨터에 대한 것이 아닌 것은 천문학이 망원경에 대한 것이 아닌 것과 같아.

- A no more ~ than B …: A가 ~ 아닌 것은 B가 … 아닌 것과 같다

Know More <숨은 의미> 컴퓨터나 망원경은 컴퓨터 과학이나 천문학의 도구일 뿐 그 본질이 아니라는 것.

astronomy 천문학
telescope 망원경

B **08** The whole is **greater than** the sum of its parts. *Aristotle*
전체는 부분들의 합보다 더 커.

- 형용사 비교급(greater) + than ~: ~보다 더 …한

Know More **<배경 지식>** 아리스토텔레스의 너무도 유명한 말로, 부분들이 합해 체계(system)를 이루면 각 부분에는 없던 새로운 특성을 지니게 되는 질적 변화가 이루어진다는 것.

whole 전체
sum 합(계)

09 Beauty is **less important than** quality. *Eugene Ormandy*
아름다움은 자질보다 덜 중요해.

- less + 형용사(important) + than ~: ~보다 덜 …한

Know More <숨은 의미> 외적인 아름다움보다 내적인 (자)질이 더 중요하다는 것.

less 덜
quality (자)질

10 It is **far better** to be alone **than** to be in bad company. *George Washington*
혼자 있는 것이 나쁜 사람들과 함께 있는 것보다 훨씬 더 나아.

- It(형식주어) + 동사(is) ~ + to-v(to be ~): to-v(v하는 것)가 진주어.
- far + 형용사 비교급(better) + than + to-v(to be ~): to-v(v하는 것)보다 훨씬 더 …한(far는 비교급 강조.)

company 함께 있는 사람들

11 Mars is **more than 100 times farther from Earth than** the moon.
화성은 지구에서 달보다 100배 이상 더 멀리 있어.

- ~ times(100 times) + 형용사 비교급(farther) + than ~: ~보다 ~배 …한

Mars 화성
more than ~ ~ 이상
farther
(far 비교급) 더 먼[멀리]

C **12** Actions speak **louder than** words. *Proverb*
행동은 말보다 더 크게 말해.

- 부사 비교급(louder) + than ~: ~보다 더 …하게

13 The ballot is **stronger than** the bullet. *Abraham Lincoln*
투표는 총알보다 더 강해.

- 형용사 비교급(stronger) + than ~: ~보다 더 …한

Know More **<유머 코드>** 에이브러햄 링컨이 민주주의에서의 투표권 행사의 중요성을 강조한 말로, ballot(투표)/bullet(총알)의 비슷한 발음을 이용한 절묘한 경구.

ballot 투표(용지)
bullet 총알

14 According to a WHO report, females live **longer than** males on average by six to eight years.
세계 보건 기구 보고서에 따르면, 여성은 남성보다 평균 6년에서 8년 더 오래 살아.

- 부사 비교급(longer) + than ~: ~보다 더 …하게

WHO(= World Health Organization) 세계 보건 기구
according to ~에 따르면
report 보고(서)
on average 평균

15 The ability to perceive or think differently is **more important than** the knowledge gained. *David Bohm*
다르게 지각하거나 생각하는 능력은 얻어진 지식보다 더 중요해.

- 명사(the ability) + to-v(to perceive / think ~): to-v(v하는)가 뒤에서 앞 명사 수식.
- 형용사 비교급(more important) + than ~: ~보다 더 …한
- 명사(the knowledge) + v-ed분사(gained): v-ed분사(v된)가 뒤에서 앞 명사 수식.

Know More <숨은 의미> 축적된 지식보다 창의적 사고력이 더 중요하다는 것.

perceive 지각[인지]하다
gain 얻다

본책 168~169쪽을 함께 펴놓고 보세요!

Unit 57 최상급 표현

주어	동사	the + 형용사[부사] 최상급
Striving for social justice	is	the most valuable thing to do in life.

Standard Sentences

01 Striving for social justice is **the most valuable** thing to do in life. *Albert Einstein*
사회 정의를 위해 힘쓰는 건 살면서 할 수 있는 가장 가치 있는 일이야.
- v-ing(striving ~) + 동사(is): v-ing(v하는 것)가 주어.
- 형용사 최상급(the most valuable): 가장 ~한
- 명사(the most valuable thing) + to-v(to do ~): to-v(v할 수 있는)가 뒤에서 앞 명사 수식.

strive 힘쓰다[분투하다]
valuable 가치 있는[소중한]

02 Satisfaction of one's curiosity is **one of the greatest sources** of happiness in life. *Linus Pauling*
호기심의 충족은 삶의 행복의 가장 큰 원천 중 하나야.
- one of + the 최상급(the greatest) + 복수명사(sources): 가장 ~한 것들 중 하나

satisfaction 충족[만족]
curiosity 호기심
source 원천

03 **Nothing** makes a person **more productive than** the last minute.
아무것도 사람을 **마지막 순간보다 더 생산적이게** 하지 않아.
- nothing … + 비교급(more productive) + than ~: 아무것도 ~보다 더 …하지 않은(가장 …한)

Know More 〈유머 코드〉 막판 스퍼트에서 생산성이 높아진다는 것.

productive 생산적인
last minute 마지막 순간

A 04 The flower that blooms in adversity is **the rarest and most beautiful** of all.
역경에서 피는 꽃이 모든 것 중에서 가장 희귀하고 아름다워. *Movie "Mulan"*
- 명사(the flower) + 관계절(that(주어) + 동사(blooms) ~): 관계절이 앞명사 수식.
- the 최상급(the rarest and most beautiful) + of 복수명사(of all): ~(중)에서 가장 …한

bloom 꽃이 피다
adversity 역경
rare 희귀한[드문]

Up! **05** No entertainment is **so cheap as** reading, **nor any** pleasure **so lasting.**
어떤 오락도 독서만큼 돈이 적게 들지 않고, 어떤 즐거움도 (독서만큼) 오래가지 않아. *Mary Montagu*
- no … + so + 형용사(cheap) + as ~: 아무것도 ~만큼 …하지 않은(가장 …한)
- nor + any pleasure (is) so lasting (as reading): 어떤 것도 ~만큼 …하지 않은(가장 …한)

entertainment 오락
lasting 오래가는[지속적인]
nor ~도 … 않다

06 Any fact facing us is **not as important as** our attitude toward it. *Norman Peale*
우리에게 닥치는 어떤 사실도 그것에 대한 우리 태도만큼 중요하지 않아.
- 명사(any fact) + v-ing(facing us): v-ing(v하는)가 뒤에서 앞 명사 수식.
- any … + not as + 형용사(important) + as ~: 어떤 것도 ~만큼 …하지 않은(가장 …한)

Know More 〈숨은 의미〉 우리가 마주하게 되는 어떠한 사실보다 우리가 그것을 어떻게 받아들이느냐가 더 중요하다는 것.

face 닥치다[직면하다]
attitude 태도

07 There is **no better** way to learn to love nature **than** to understand art. *Oscar Wilde*
예술을 이해하는 것보다 자연을 사랑하는 걸 배울 수 있는 더 좋은 방법은 없어.
- no + 비교급(better) … + than ~: 아무것도 ~보다 더 …하지 않은(가장 …한)
  = To understand art is the best way to learn to love nature.
- 명사(better way) + to-v(to learn ~): to-v(~할 수 있는)가 뒤에서 앞 명사 수식.

Know More 〈숨은 의미〉 자연을 표현한 예술 작품들을 통해 자연을 깊이 있게 사랑하는 걸 가장 잘 배울 수 있다는 것.

B **08** Smartphones have become **the most empowering tool we've ever created.**
스마트폰은 우리가 이제껏 만든 것 중 가장 큰 능력을 주는 도구가 되었어.

- the 최상급(the most empowering) … + (that) 주어 + have ever v-ed분사: 이제껏 ~한 것 중에 가장 …한

empower 권한[능력]을 주다
ever (최상급 강조) 이제껏

09 Humor is **by far the most significant** activity of the human brain. *Edward Bono*
유머는 인간 뇌의 단연 가장 중요한 활동이야.

- by far + the 최상급(the most significant): 단연 가장 ~한(by far는 최상급 강조.)

by far 단연[훨씬]
significant 중요한[의미 있는]

10 The search engine Google is **one of the greatest inventions** in human history.
구글 검색 엔진은 인간 역사에서 가장 위대한 발명 중 하나야.

- one of + the 최상급(the greatest) + 복수명사(inventions): 가장 ~한 것들 중 하나

search engine 검색 엔진

Up! **11** There is **no** passion **so contagious as** that of fear. *Montaigne*
두려움의 감정만큼 전염성이 강한 감정은 없어.

- no … + so + 형용사(contagious) + as ~: 아무것도 ~만큼 …하지 않은(가장 …한)

passion 감정[열정]
contagious 전염성의
fear 공포[두려움]

C **12** No clock is **more regular than** the belly. *Francois Rabelais*
어떤 시계도 배보다 더 규칙적이지 않아.

- no … + 비교급(more regular) + than ~: 아무것도 ~보다 더 …하지 않은(가장 …한)

Know More <유머 코드> 배꼽시계가 가장 정확하다는 것.

belly 배
regular 규칙적인

13 More heat is lost through the head **than any other** part of the body.
더 많은 열이 어떤 다른 신체 부위보다 머리를 통해 손실돼.

- 비교급(more) ~ than + any other + 단수명사(part ~): 어떤 것보다도 더 ~한(가장 ~한)

heat 열(기)

Up! **14** Blue whales are **the largest** animals ever known to have lived on Earth.
흰긴수염고래는 지구상에 살아 왔다고 이제껏 알려진 가장 큰 동물이야.

- the 최상급(the largest) ~ + ever + v-ed분사(known ~): 이제껏 v된 것 중에 가장 ~한
- be known + to-v(to have lived ~): v하다고(살아 왔다고) 알려지다

blue whale 흰긴수염고래

15 The human brain is **by far the most complex** physical object known to us in the entire cosmos. *Owen Gingerich*
인간 뇌는 전 우주에서 우리에게 알려진 단연 가장 복잡한 물체야.

- by far + the 최상급(the most complex): 단연 가장 ~한(by far는 최상급 강조.)
- 명사(physical object) + v-ed분사(known ~): v-ed분사(v된)가 뒤에서 앞 명사 수식.

complex 복잡한
physical 물질의
object 물체
entire 전체의
cosmos 우주

본책 170~171쪽을 함께 펴놓고 보세요!

unit 58
부정 구문

주어	동사	목적어	조건 부사절		
Nobody	will believe in	you	unless	you	believe in yourself.

Standard Sentences

01 **Nobody** will believe in you **unless** you believe in **yourself**. *Liberace*
네가 너 자신을 믿지 않는 한 아무도 널 믿지 않을 거야.
- nobody(= no one): 아무도 ~ 않다
- unless + 주어(you) + 동사(believe in) ~: ~하지 않는 한(조건 부사절) ➲ unit 50

02 A friend is long sought, **hardly** found, **and** with difficulty kept. *Jerome*
친구는 오래 찾아지고, 거의 발견되지 않고, 어렵게 유지돼.
- be v-ed분사(is sought / found / kept): 수동태(v되다)
- hardly ~: 거의 ~ 않다

seek-sought 찾다
find-found 찾다[발견하다]
with difficulty 어렵게(= difficultly)

03 **All** that glitters is **not** gold. *William Shakespeare*
반짝이는 모든 게 다 금은 아니야.
- 대명사(all) + 관계절(that(주어) + 동사(glitters)): 관계절이 앞대명사 수식.
- all + not ~: 모두 ~한 것은 아니다(부분 부정)

Know More 〈배경 지식〉 셰익스피어의 희극 '베니스의 상인'에 나오는 말로, 화려한 겉모습에 현혹되지 말라는 것.

glitter 반짝반짝 빛나다

A

04 Success in life does **not necessarily** originate with academic success. *Robert Sternberg*
삶의 성공이 반드시 학업 성공에서 비롯되는 건 아니야.
- not + necessarily ~: 반드시[꼭] ~한 것은 아니다(부분 부정)

necessarily 반드시[꼭]
originate 비롯되다[유래하다]
academic 학업[학문]의

Up! **05** Action may **not always** bring **happiness**; **but** there is **no** happiness **without** action. *Benjamin Disraeli*
행동이 늘 행복을 가져오지는 않을지도 모르지만, 행동 없이는 행복도 없어.
- not + always ~: 항상[늘] ~한 것은 아니다(부분 부정)
- there be동사 + no … + without ~: ~ 없이 …은 없다

action 행동
bring 가져오다

06 Power must **never** be trusted **without** a check. *John Adams*
권력은 절대 확인 없이 신뢰되어선 안 돼.
- never … + without ~: ~ 없이 절대 … 않다

Know More 〈숨은 의미〉 권력은 부패하기 쉬우므로 끊임없이 의심되고 확인되어야 한다는 것.

trust 신뢰하다[믿다]
check 확인[점검]

07 It **won't be long before** the whole world acknowledges **the results of** my work. *Gregor Mendel*
전 세계가 내 작업의 결과를 인정하기 전까지 오래지 않을 거야[머지않아 전 세계가 내 작업의 결과를 인정할 거야].
- It won't be long before ~: 머지않아 ~할 것이다

Know More 〈배경 지식〉 '멘델의 유전 법칙'을 발견한 유전학의 창시자 그레고어 멘델의 말로, 불우한 환경에서도 연구를 계속한 그는 결국 사후에 널리 인정받았음.

acknowledge 인정하다

B **08** Conceited people never hear **anything but** praise. *The Little Prince*
자만하는 사람들은 칭찬 외에 아무것도 결코 듣지 않아.
- never … + anything but ~: ~ 외에 아무것도 결코 … 않다

conceited 자만하는
but ~ 외에
praise 칭찬

09 **None** of this is a coincidence. *Song "DNA" by BTS*
이 모든 건 우연이 아니야.
- none: 아무(것)도[하나도] ~ 않다

coincidence 우연

10 **Not everything** happens for a reason.
모든 게 다 이유가 있어서 일어나는 건 아니야.
- not + everything ~: 모든 것이 ~한 것은 아니다(부분 부정)

11 Everything has beauty, but **not everyone** sees it. *Confucius(공자)*
모든 것이 아름다움을 갖고 있지만, 모든 사람이 다 그걸 보는 건 아니야.
- not + everyone ~: 모든 사람이 ~한 것은 아니다(부분 부정)

C **12** Barking dogs **seldom** bite. *Proverb*
짖는 개는 좀처럼 물지 않아.
- seldom ~: 좀처럼 ~ 않다

Know More 〈숨은 의미〉 위협을 일삼는 자가 실제로 실행하는 일은 드물다는 것.

bark 짖다
bite 물다

13 It's okay if you don't like me; **not everyone** has good taste.
네가 날 좋아하지 않아도 괜찮아. 모두가 다 고상한 취향을 갖고 있는 건 아니니까.
- not + everyone ~: 모든 사람이 ~한 것은 아니다(부분 부정)

Know More 〈유머 코드〉 네가 날 좋아하지 않는다면, 내가 나빠서가 아니라 네가 고상한 취향을 갖고 있지 않기 때문이라는 것.

taste 취향

14 **Until** you spread your wings, you'll have **no** idea how far you can fly. *Napoleon Bonaparte*
네가 날개를 펼칠 때까지는, 넌 네가 얼마나 멀리 날 수 있는지 모를 거야[네가 날개를 펼쳐서야 비로소 넌 네가 얼마나 멀리 날 수 있는지 알 거야].
- no[not] … until ~: ~까지는 … 않다[~해서야 비로소 …하다]
- 동사(have no idea) + how절(how far + 주어(you) + 동사(can fly)): how절(얼마나 ~인지)이 목적어.

Know More 〈숨은 의미〉 나폴레옹의 말로, 의지와 용기를 갖고 기회를 잡아 실천해야 자신의 숨겨진 잠재력을 확인할 수 있다는 것.

spread 펼치다
wing 날개

15 **Few** people can look at a painting longer than it takes to peel an orange and eat it. *Kenneth Clark*
많지 않은 사람들이 오렌지 껍질을 벗겨 먹는 데 걸리는 시간보다 더 오래 그림을 볼 수 있어.
- few ~: (수가) 많지 않은[적은] ~
- 비교급(longer) + than + it takes to-v(to peel ~): v하는 데 걸리는 시간보다 더 오래

Know More 〈유머 코드〉 그림을 오래 진지하게 감상하는 이가 드물다는 것.

peel 껍질을 벗기다

본책 172~173쪽을 함께 펴놓고 보세요!

unit 59
도치 구문

부정어	조동사	주어	동사	목적어
Never	have	I	heard	such nonsense.

Standard Sentences

01 Never have I heard such nonsense.
난 그런 말도 안 되는 소리를 들어 본 적이 없어.
- 부정어(Never)+조동사(have)+주어(I)+동사(heard) ~: 부정어가 강조를 위해 문두에 오고, 조동사(have)가 주어 앞으로 도치되었음.

nonsense 말도 안 되는 [터무니없는] 생각[말]

02 In the middle of difficulty lies opportunity. *Albert Einstein*
어려움 한가운데에 기회가 있어.
- 장소 부사어(In the middle of difficulty)+동사(lies)+주어(opportunity): 장소 부사어가 문두에 오고, 〈동사+주어〉로 도치됨.

Know More 〈숨은 의미〉 '위기가 기회'라는 것(위기(危機 crisis)=위험(危 danger)+기회(機 opportunity)).

in the middle of ~의 한가운데에
difficulty 어려움
lie 있다
opportunity 기회

03 By far the best proof is experience. *Francis Bacon*
경험은 단연 최고의 증거야.
- 보어(By far the best proof)+be동사(is)+주어(experience): 보어가 문두로 나가고, 〈be동사+주어〉로 도치됨.
- by far+the 최상급(the best): 단연 가장 ~한(by far는 최상급 강조.)

Know More 〈배경 지식〉 영국 경험론의 시조 프랜시스 베이컨의 말.

by far 단연
proof 증거

04 The world is changing, and so is fashion. *Giorgio Armani*
세상이 변하고 있고, 패션도 그래.
- 주어+be동사(is)+v-ing(changing), and so+be동사(is)+주어(fashion): ~도 그렇다
- so is fashion = fashion is changing, too.

A

05 Rarely do you succeed unless you have fun in what you are doing. *Dale Carnegie*
네가 하고 있는 것이 재미있지 않는 한 넌 좀처럼 성공하지 못해.
- 부정어(Rarely)+조동사(do)+주어(you)+동사(succeed): 부정어가 강조를 위해 문두에 오고, do가 주어 앞에 왔음.
- unless+주어(you)+동사(have fun) ~: ~하지 않는 한
- in+what절(what(목적어)+주어(you)+동사(are doing)): what절이 전치사(in) 목적어.

Know More 〈숨은 의미〉 자신이 하는 일을 즐겨야 성공할 수 있다는 것.

rarely 좀처럼 ~ 않는
unless ~하지 않는 한
have fun 재미있게 보내다

Up! **06** Not until we respect ourselves, can we gain the esteem of others. *Albert Einstein*
우리가 우리 자신을 존중할 때까지 우리는 다른 사람들의 존경을 받을 수 없어[우리가 우리 자신을 존중해야 비로소 우리는 다른 사람들의 존경을 받을 수 있어].
- Not until ~, 조동사(can)+주어(we)+동사(gain) ...: 부정어가 강조를 위해 문두에 오고, 조동사(can)가 주어 앞으로 도치되었음(~까지는 … 않다[~해서야 비로소 …하다]).

respect 존중[존경]하다
esteem 존경

07 With ignorance comes fear; from fear comes hatred. *Kathleen Patel*
무지와 함께 공포가 생기고, 공포에서 증오가 생겨.
- 부사어(with ignorance/from fear)+동사(comes)+주어(fear/hatred): 부사어가 문두에 오고, 〈동사+주어〉로 도치됨.

Know More 〈배경 지식〉 다른 인종[민족]·성별·성 정체성·종교 등에 속한 사람과 사회적 약자에 증오심을 갖고 저지르는 '증오[혐오]범죄'(hate crime)도 결국 무지로 인한 공포심에서 비롯되는 것.

ignorance 무지
hatred 증오[혐오]

B **08** Not only must we be good, but we must also be good for something. *Henry Thoreau*

Up! 우리는 (스스로) 훌륭[선량]해야 할 뿐만 아니라, 어떤 것을 위해 유익[유능]하기도 해야 해.

- Not only + 조동사(must) + 주어(we) + 동사(be) ~, but + 주어 + 동사 ...: not only가 강조를 위해 문두에 오고, 조동사(must)가 주어 앞으로 도치되었음(~뿐만 아니라 …도).

09 Under no circumstances should you lose hope. *Dalai Lama*

어떤 상황에서도 넌 **희망을** 잃어선 안 돼.

- 부정 부사어(Under no circumstances) + 조동사(should) + 주어(you) + 동사(lose) ~: 부정 부사어가 문두에 오고, 조동사(should)가 주어 앞으로 도치되었음.

circumstance 상황
under no circumstances 어떤 상황에서도

10 More important than a clean house is a close family. *Ann Voskamp*

친밀한 가족이 깨끗한 집보다 더 중요해.

- 보어(More important ~) + be동사(is) + 주어(a close family): 보어가 문두로 나가고, 〈be동사 + 주어〉로 도치됨.
- 형용사 비교급(more important) + than ~: ~보다 더 …한

11 Earning trust is not easy, **nor does** it happen quickly. *Max De Pree*

신뢰를 얻는 것은 쉽지 않**고**, 빨리 되**지도 않**아.

- v-ing(earning trust) + 동사(is) ~: v-ing(v하는 것)이 주어.
- 주어 + 동사(is not) ~, nor + 조동사(does) + 주어(it) + 동사(happen) ~: ~도 그렇다[그렇지 않다]
- nor does it happen quickly = and it doesn't happen quickly, either

earn 얻다

C **12** Seldom had I seen so many people on the streets.

난 거리에서 **그렇게 많은 사람들을** 보았던 적이 거의 없었어.

- 부정어(Seldom) + 조동사(had) + 주어(I) + 동사(seen) ~: 부정어가 강조를 위해 문두에 오고, 조동사(had)가 주어 앞에 왔음.

seldom 좀처럼[거의] ~ 않는

Up! **13** Little did I realize at the time how the chance meeting would change my life completely.

난 그때는 **그 우연한 만남이 어떻게 내 삶을 완전히 바꾸게 될지** 거의 깨닫지 못했어.

- 부정어(Little) + 조동사(did) + 주어(I) + 동사(realize) ~: 부정어가 강조를 위해 문두에 오고, did가 주어 앞에 왔음.
- realize ~ + how절(how + 주어(the chance meeting) + 동사(would change) ~): how절(어떻게 ~인지)이 목적어.

little 거의 ~ 않다
realize 깨닫다
chance meeting 우연한 만남

14 Toddlers ask many questions, and so do school children until about grade three. *Jan Hunt*

걸음마를 배우는 아이들은 **많은 질문을** 하고, 학교 다니는 아이들도 3학년쯤까지 그래.

- 주어(toddlers) + 동사(ask) ~, and so + 대동사(do) + 주어(school children) ~: ~도 그렇다
- so do school children ~ = school children ask many questions ~, too

Know More 〈숨은 의미〉 호기심으로 질문을 많이 하던 아이들이 자의식이 발달해 자신의 무지를 숨기려는 자기 보호 본능으로 질문을 안 하게 된다는 것.

toddler 걸음마를 배우는 아이
grade 학년

15 A child has no trouble believing the unbelievable, **nor** does the genius or the madman. *Steven Pressfield*

아이는 믿기 힘든 것을 믿는 데 **어려움이 없는데**, 천재나 미친 사람**도 그래**.

- have trouble + v-ing(believing ~): v하는 데 어려움을 겪다
- the + 형용사(unbelievable)=추상명사
- 주어 + 동사(has) ~, nor + 대동사(does) + 주어(the genius or the madman): ~도 그렇다[그렇지 않다]
- nor does the genius or the madman = and the genius or the madman doesn't have ~, either

Know More 〈숨은 의미〉 선입견[고정 관념]에서 벗어나기 힘든 보통 어른과는 달리, 어린이나 천재나 광인은 비현실적이라 믿기 어려운 것도 믿을 수 있다는 것.

unbelievable 믿기 힘든
madman 미친 사람

본책 174~175쪽을 함께 펴놓고 보세요!

unit 60

강조 구문

It is	주어	that	동사	목적어
It is	choice, not chance,	that	determines	your destiny.

Standard Sentences

01 **It's** choice, not chance, **that** determines your destiny. *Jean Nidetch*

네 운명을 결정하는 것은 우연이 아니라 **바로** 선택이야.

- It + be동사(is) + 주어(choice, not chance) + that + 동사 ...: …하는 것은 바로 ~이다(강조 초점이 주어.)

chance 우연[운]
determine 결정하다
destiny 운명

02 Sometimes "no" really **does** mean "no".

때때로 '아니요'는 정말로 '아니요'를 의미해.

- do(es)(강조 조동사) + V(mean): 문장("no" means "no") 강조.(동사 mean만을 강조하는 게 아니라, '아니요'가 실제 '아니요'를 의미하지 않을 수도 있음에 반해 정말 의미한다는 사실을 강조함.)

Know More 〈유머 코드〉 '아니요'는 거절의 의미지만, 괜히 거절하는 체하는 것일 수도 있겠으나 진짜 거부의 표현일 수도 있으므로 주의하라는 것.

03 What a noble gift to man the forests are! *Susan Cooper*

숲은 인간에게 얼마나 고귀한 선물인가!

- What + 명사(a noble gift ~) + 주어(the forests) + be동사(are)!: 얼마나 ~한 …인가!(감탄문)

noble 고귀한
gift 선물
forest 숲

A 04 **It's** hard work **which** makes things happen; **it's** hard work **which** creates change. *Shonda Rhimes*

Up!

일들이 일어나게 하는 것은 **바로** 힘든 일이고, 변화를 만드는 것은 **바로** 노고야.

- It + be동사(is) + 주어(hard work) + which(= that) + 동사 ...: …하는 것은 바로 ~이다(사물 주어 강조.)
- make + 목적어(things) + V(happen): v하게 하다

hard work 힘든 일[노고]

05 **It's** not until you lose everything **that** you can truly appreciate everything. *Movie "Beauty and the Beast"*

넌 모든 것의 진가를 네가 모든 걸 잃을 때까지는 진짜 알 수 없어[넌 모든 것의 진가를 네가 모든 걸 잃고 나서야 비로소 진짜 알 수 있어].

- It + be동사(is) + not + 부사절(until you lose everything) + that + 주어 + 동사 ...: not + 부사절 강조(~까지는 … 않다[~하고 나서야 비로소 …하다]).

until ~까지
appreciate 진가를 알다

06 What **is it that** you love in others? — My hopes. *Nietzsche*

네가 다른 사람들에게서 사랑하는 것은 **도대체** 무엇이니? 나의 희망.

- What + is + it + that + 주어(you) + 동사(love) ...?: ~ 것은 도대체 무엇이니?(의문사 what 강조.)

Know More 〈숨은 의미〉 사랑하는 대상에 자신의 희망을 투사해서 그것을 사랑하게 된다는 것.

07 I didn't do it! Oh, wait, that? Yes, I **did** do that.

난 그것을 하지 않았어! 음, 기다려, 고것 말이야? 그래, 내가 고것을 했다 했어.

- did(강조 조동사) + V(do): 문장(I did that) 강조.(동사 do만을 강조하는 게 아니라, 앞서 it을 안 했다고 했지만 that은 정말 했다는 사실을 강조함.)

Know More 〈유머 코드〉 처음엔 부인하다가 대명사를 it에서 that으로 슬며시 바꾸면서 결국 시인하게 되는 과정.

B **08** **It is** at midnight, not midday, **that** stars shine the brightest. *Matshona Dhliwayo*

별들이 가장 밝게 빛나는 **때는** 한낮이 아니라 **바로** 한밤중**이야.**

- It + be동사(is) + 부사어(at midnight, not midday) + that + 주어 + 동사 ...: …하는 것은 바로 ~이다(부사어 강조.)

midnight 한밤중
midday 한낮

09 **It was** my parents **who** always encouraged me **to do my best.**

내가 **최선을 다하도록** 늘 격려해 준 **사람들은 바로** 부모님**이셨어.**

- It + be동사(was) + 주어(my parents) + who(= that) + 동사 ...: …하는 사람은 바로 ~이다(강조 초점이 사람 주어.)

encourage 격려하다

Think **10** **It's** the time you spent on your rose **that** makes your rose **so important.** *The Little Prince*

네 장미를 **그렇게 중요하게** 하는 **것은 바로** 네가 장미에 들인 시간**이야.**

- It + be동사(is) + 주어(the time ~) + that + 동사 ...: …하는 것은 바로 ~이다(주어 강조.)
- 명사(the time) + 관계절(주어(you) + 동사(spent) ~): 관계절이 앞명사 수식.

Know More 〈숨은 의미〉 생텍쥐페리의 소설 《어린 왕자》에서 여우가 어린 왕자에게 해 주는 말로, 인연을 맺어 시간을 들인 대상이 중요한 의미를 갖게 된다는 것.

11 How beautiful a day can be, when kindness touches **it!** *George Elliston*

친절이 하루를 감동시킬 때 **그날은 얼마나 아름다울 수 있는가!**

- How + 형용사(beautiful) + 주어(a day) + 동사(can be)!: 얼마나 어떠한가!(감탄문)
- when + 주어(kindness) + 동사(touches) ~: ~할 때(시간 부사절)

kindness 친절
touch 감동시키다

C **12** **It is** love and laughter **that** you need most in your life.

네가 삶에서 가장 필요한 **것은 바로 사랑과 웃음이야.**

- It + be동사(is) + 목적어(love and laughter) + that + 주어 + 동사(need) ~: …하는 것은 바로 ~이다(목적어 강조.)

13 **It is** only with the heart **that** one can see rightly. *The Little Prince*

사람이 제대로 볼 수 있는 **것은** 오직 마음으로만**이야.**

- It + be동사(is) + 부사어(only with the heart) + that + 주어 + 동사 ...: …하는 것은 바로 ~이다(부사어 강조.)

rightly 제대로[올바르게]

14 **It is** because of its emptiness **that the cup is useful.** *Carole Wilkinson*

컵이 쓸모 있는 것은 바로 그것이 비어 있기 때문**이야.**

- It + be동사(is) + 부사어(because of its emptiness) + that + 주어 + 동사 ...: …하는 것은 바로 ~이다(부사어 강조.)

emptiness 비어 있음

15 **It is** children **who** are God's presence, promise and hope for mankind. *Marian Edelman*

인류를 위한 신의 **실재와 약속과 희망은 바로** 아이들**이야.**

- It + be동사(is) + 주어(children) + who(= that) + 동사 ...: …하는 사람은 바로 ~이다(강조 초점이 사람 주어.)

presence 실재[존재]
promise 약속
mankind 인류

본책 176쪽을 함께 펴놓고 보세요!

Chapter 12
Review

A

01 A chain is only **as strong as** its weakest link. *Proverb*
사슬은 가장 약한 고리만큼만 강할 뿐이야.

Know More 〈숨은 의미〉 전체 중 다른 부분들이 아무리 강해도 취약한 부분이 있으면 그로 말미암아 전체가 무너진다는 것.

chain 사슬
link 고리[연결]

02 Do **more than** belong: participate. Do **more than** care: help. Do **more than** believe: practice. Do **more than** be fair: be kind.
속하는 것 이상을 해: 참여하기. 관심 가지는 것 이상을 해: 돕기. 믿는 것 이상을 해: 실천하기. 공정한 것 이상을 해: 친절하기.

03 **The harder** something is, **the more** rewarding the results will be. *C.C. Hunter*
뭔가가 더 힘들수록, 결과는 더 보람 있을 거야.

- the 비교급(the harder) ~, the 비교급(the more rewarding) …: 더 ~할수록 더 …하다

rewarding 보람 있는

04 **No** duty is **more urgent than** that of returning thanks. *James Allen*
어떤 의무도 고마움을 되돌려 주는 의무보다 더 시급하지 않아.

- no … + 비교급(more urgent) + than ~: 아무것도 ~보다 더 …하지 않은(가장 …한)

duty 의무
urgent 시급한[긴급한]

05 **The most** personal is **the most** creative. *Martin Scorsese*
가장 개인적인 것이 가장 창의적인 것이야.

Know More 〈배경 지식〉 오스카상 시상식에서 봉준호 감독이 헌사한 스코세이지 감독의 소신으로, 개인의 구체적인 경험에 충실할 때 독창적이면서도 보편적인 세계가 창조될 수 있다는 것.

personal 개인의[개인적인]

Up! **06** **Until** you value yourself, you won't value your time; **until** you value your time, you will **not** do anything with it. *M. Scott Peck*
네가 너 자신을 소중히 여길 때까지는 넌 네 시간을 소중히 여기지 않을 거고, 네가 네 시간을 가치 있게 여길 때까지는 넌 그 시간으로 아무것도 못할 거야[네가 너 자신을 소중히 여겨야 비로소 넌 네 시간을 소중히 여길 거고, 네가 네 시간을 가치 있게 여겨야 비로소 넌 그 시간으로 뭔가를 할 거야].

- not … until + 주어(you) + 동사(value) ~: ~까지는 … 않다[~해야 비로소 …하다]

until ~까지
value 소중히[가치 있게] 여기다

07 **It is** not living **that** matters, but living rightly. *Socrates*
중요한 것은 사는 것이 아니라 바로 제대로 사는 거야.

- It + be동사(is) + 주어(living) + that + 동사 ...: …하는 것은 바로 ~이다(주어 강조.)
- not A(living), but B(living rightly): A가 아니라 B(A는 부정되고 B가 긍정됨.)

matter 중요하다
rightly 제대로[올바르게]

B

08 Q: Who can jump **higher than** the highest mountain?
A: We all can do it, because mountains can't jump.
문: 누가 가장 높은 산보다 더 높이 뛸 수 있을까? 답: 우리 모두가 그럴 수 있어. 왜냐면 산들은 뛸 수가 없어.

- 부사 비교급(higher) + than ~: ~보다 더 …하게

09 **It is** from Einstein's theory **that** we do get the idea that nothing goes faster than light.
우리가 아무것도 빛보다 더 빠르지 않다는 생각을 정말 이해하게 된 것은 바로 아인슈타인의 이론(상대성 이론)에서야.

- It + be동사(is) + 부사어(from Einstein's theory) + that + 주어 + 동사 ...: …하는 것은 바로 ~이다(부사어 강조.)
- 명사(the idea) + that절(that + 주어(nothing) + 동사(goes) ~): 명사 = that절(동격절)
- nothing … + 비교급(faster) + than ~: 아무것도 ~보다 더 …하지 않게(가장 …하게)

theory 이론

10 **Not only are** we in the universe, **but** the universe is in us. *Neil Tyson*
우리는 우주 안에 있을 뿐만 아니라, 우주도 우리 안에 있어.

- Not only + be동사(are) + 주어(we) ~, but + 주어 + 동사 ...: not only가 강조를 위해 문두에 오고, 〈주어 + be동사〉가 〈be동사 + 주어〉로 도치됨(~뿐만 아니라 …도).

Know More 〈배경 지식〉 천체 물리학자 닐 타이슨의 말로, 우주 안에 있는 우리의 몸을 구성하는 원자·분자가 별의 붕괴를 통해 만들어졌으므로 우리 안에 우주(별)가 있는 셈이라는 것.

universe 우주

마·법·같·은·블·록·구·문 컬러와 블록으로 완성하는 마법의 영어 문장

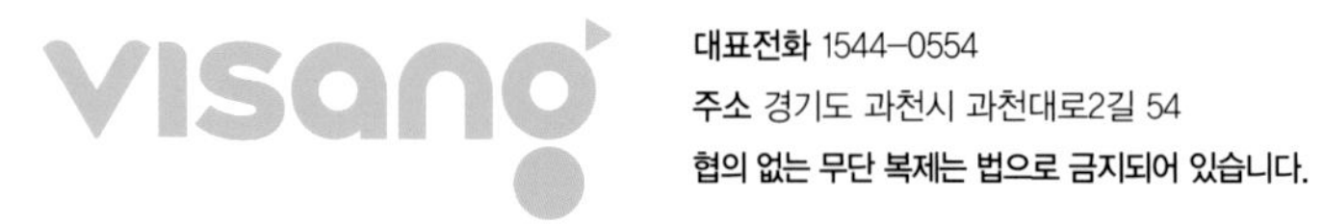

대표전화 1544-0554
주소 경기도 과천시 과천대로2길 54